ЭРИХ МАРИЯ РЕМАРК

ТЕНИ В РАЮ

ИЗДАТЕЛЬСТВО АСТ

МОСКВА

УДК 821.112.2-31
ББК 84(4Гем)-44
Р37

Серия «Эксклюзивная классика»

Erich Maria Remarque

SCHATTEN IM PARADIES

Перевод с немецкого *Л.Б. Черной, В.П. Котелкина*

Серийное оформление *Е. Ферез*

Печатается с разрешения Mohrbooks AG
Literary Agency и Synopsis Literary Agency.

Ремарк, Эрих Мария.

Р37   Тени в раю : [роман] / Эрих Мария Ремарк ;
[пер. с нем. Л. Б. Черной, В. П. Котелкина]. — Москва : Издательство АСТ, 2021. — 544 с. — (Эксклюзивная классика).

ISBN 978-5-17-095171-0

Они вошли в американский рай, как тени. Люди,
обожженные огнем Второй мировой. Беглецы со всех
концов Европы, утратившие прошлое. Невротичная
красавица манекенщица и циничный, крепко пьющий
писатель. Дурочка-актриса и гениальный хирург. От-
чаявшийся герой Сопротивления и щемяще-оптимис-
тичный бизнесмен. Что может быть общего у столь разных людей? Хрупкость нелепого эмигрантского бытия.
И святая надежда когда-нибудь вернуться домой...

УДК 821.112.2-31
ББК 84(4Гем)-44

ISBN 978-5-17-095171-0

Пролог

В конце войны судьба забросила меня в Нью-Йорк. Пятьдесят седьмая улица и ее окрестности стали для меня, изгнанника, с трудом объяснявшегося на языке этой страны, почти что второй родиной.

Позади расстилался долгий, полный опасностей путь — via dolorosa* всех тех, кто бежал от гитлеровцев. Крестный путь этот шел из Голландии через Бельгию и Северную Францию в Париж, а потом разветвлялся: одна дорога вела через Лион на побережье Средиземного моря, другая — через Бордо и Пиренеи в Испанию и Португалию, в лиссабонский порт.

Я прошел этот путь подобно многим другим, спасавшимся от гестапо. И в тех странах, через которые он пролегал, мы не чувствовали себя в безопасности, ибо только очень немногие из нас имели подлинное удостоверение личности, подлинную визу. Стоило попасть в руки жандармов, и нас сажали за решетку, приговаривали к тюремному заключению, к высылке. Впрочем, в некоторых странах еще сохранилось подобие человечности — нас по крайней мере не выдворяли в Германию на верную гибель в концлагерях.

Только немногим беженцам удалось раздобыть настоящие паспорта, поэтому бегство наше было не-

---

* Скорбный путь (исп.). — *Здесь и далее примеч. пер.*

скончаемым. К тому же без документов мы нигде не могли работать легально. Большинство из нас были голодные, жалкие и одинокие. Вот почему мы и назвали путь наших странствий via dolorosa.

Вокзалами нам служили почтамты в маленьких городишках и побеленные ограды на шоссе. В почтовых отделениях нас могло ждать письмо, посланное до востребования родными и близкими, а заборы заменяли доски объявлений. Мелом и углем на них были выведены фамилии тех, кто потерялся, и тех, кто разыскивал друг друга, адреса, предостережения, указания. Призывы, брошенные в пустоту, да к тому же в годы тотального безразличия, вслед за которыми настала эпоха полной бесчеловечности — война, когда и гестапо, и полиция, а нередко и жандармы делали общее дело: охотились за нами, изгоями.

I

Несколько месяцев назад я прибыл на грузовом пароходе из Лиссабона в Америку, по-английски говорил с грехом пополам; казалось, меня, полунемого и полуглухого, высадили на другую планету. Да это и была другая планета. Ведь в Европе шла война.

К тому же документы у меня были не в порядке, хотя буквально чудом я стал обладателем настоящей американской визы, дававшей мне право на въезд. Но паспорт мой был на чужую фамилию. Иммиграционные власти отнеслись ко мне с недоверием и засадили на Эллис-Айленд. И лишь шесть недель спустя мне выдали временное удостоверение на три месяца. За этот срок я должен был обеспечить себе разрешение на въезд в какую-нибудь другую страну.

Знакомая картина. В Европе я жил долгие годы точно так же, и передышки длились иногда не месяцы, а дни. Эмигрировав из Германии в тридцать третьем, я официально стал политическим мертвецом. А теперь мне целых три месяца не надо было бежать. Непостижимое счастье!

Уж давно я перестал удивляться тому, что ношу чужое имя и живу по паспорту умершего. Напротив, это казалось в порядке вещей. Паспорт я получил в наследство во Франкфурте. Фамилия человека, подаривщего мне его в день своей смерти, была Росс. Таким образом, и я теперь звался Роберт Росс. Свою настоящую фамилию я почти забыл. Люди многое забывают, когда речь идет о жизни и смерти.

На Эллис-Айленде я встретил турка, который лет десять назад уже приезжал в Америку. Не знаю, по какой причине ему сейчас не разрешили въезд в Штаты. Спрашивать не имело смысла. На моей памяти не раз случалось, что людей высылали только из-за того, что они не подходили ни под одну рубрику инструкции.

Турок дал мне адрес одного русского в Нью-Йорке, с которым он был знаком в давние времена. К сожалению, он не знал, жив ли этот человек. Но когда меня выпустили, я сразу отправился к нему. Поступок мой был вполне объясним. Я жил так уже годы. Людям, вынужденным постоянно быть в бегах, не оставалось ничего другого, как рассчитывать на случай. Чем невероятней был случай, тем естественнее он казался. И в наши дни обыденность иногда походит на сказку. Не очень-то веселую сказку, но как ни удивительно, конец у нее часто оказывается куда более счастливым, чем можно было ожидать.

Русский работал в маленькой обшарпанной гостинице недалеко от Бродвея. Он назвался Меликовым, говорил по-немецки и сразу же принял во мне участие. Он-то знал, что мне всего нужнее: пристанище и работа. Пристанище нашлось без труда: у русского оказалась лишняя койка, и он поставил ее к себе в комнату. Но работать с туристской визой было запрещено. Тут требовались другие бумаги — разрешение на въезд с номером иммиграционной квоты. Значит, работать я мог только нелегально. Так же было и в Европе, и я не очень сокрушался. Кроме того, у меня еще оставалось немного денег.

— А на что вы будете жить? Об этом вы подумали? — спросил Меликов.

— Во Франции я под конец работал торговым агентом, продавал сомнительные картины и подделки под старину.

— Вы что-нибудь в этом смыслите?

— Не слишком, но кое-что усвоил.

— Где?

— Я два года провел в Брюссельском музее.

— Работали там? — с удивлением спросил Меликов.

— Нет. Скрывался, — ответил я.

— От немцев?

— От немцев, которые оккупировали Бельгию.

— Два года? — снова удивился Меликов. — И вас так и не нашли?

— Нет. Нашли того человека, который меня прятал.

Меликов взглянул на меня.

— Вы успели удрать?

— Да.

— А что случилось с тем человеком?

— То, что обычно случалось. Его отправили в концлагерь.

— Он был немец?

— Бельгиец. Директор музея.

Меликов кивнул.

— Каким образом вам удалось так долго скрываться? — спросил он, помолчав немного. — Разве в музее не было посетителей?

— Конечно, были. Днем я сидел взаперти в подвале, где находился запасник. Вечером являлся директор, приносил еду и на ночь выпускал меня из моего убежища. Из здания музея я не выходил, но мог выбираться из подвала. Свет, разумеется, нельзя было зажигать.

— А служащие музея что-нибудь знали?

— Нет. В запаснике не было окон. А когда кто-нибудь спускался в подвал, я сидел не шевелясь. Больше всего боялся чихнуть не вовремя.

— Вас из-за этого и обнаружили?

— Да нет. Кто-то обратил внимание, что директор либо чересчур часто засиживается в музее, либо возвращается туда по вечерам.

— Понятно, — сказал Меликов. — А читать вы могли?

— Только в летние ночи или при лунном свете.

— Но ночью вам разрешалось гулять по музею и рассматривать картины?

— Да, пока они были видны.

Меликов улыбнулся и неожиданно спросил:

— Хотите есть?

— Да, — сказал я. — И даже очень.

— Так я и думал. Стоит человеку очутиться на свободе — и у него появляется волчий аппетит. Поедим в аптеке.

— В аптеке?

— Да, в drugstore. Это одна из особенностей Штатов. В аптеке покупают аспирин и закусывают.

— Чем вы занимались целый день в музее, чтобы не сойти с ума? — спросил Меликов.

Я окинул взглядом аптеку: у длинной стойки люди торопливо жевали, глядя на рекламные плакаты и бутыли с лекарствами.

— А что мы тут будем есть? — спросил я.

— Котлеты. Это блюдо да еще венские сосиски — основная пища американцев. Бифштексы не по карману простому люду.

— Чем я занимался в музее? Ждал вечера. И, конечно, по возможности избегал думать об опасности, которая мне угрожала. Иначе я бы очень скоро свихнулся. Впрочем, у меня был опыт — уже несколько лет, как я скрывался. Один год даже в самой Германии. Вот я и не позволял себе думать, что допустил хоть какую-нибудь оплошность. Раскаяние разъедает душу сильнее, чем соляная кислота. Это занятие для спокойных эпох. Ну, а потом я без конца занимался французским, сам себе давал уроки французского. Позже я стал ночами бродить по залам музея, рассматривать картины, запоминать их. Скоро я уже знал все полотна. И сидя днем в кромешной тьме, мысленно восстанавливал их в памяти. Я представлял их себе, следуя определенной системе, по порядку, иной раз на одну какую-нибудь картину тратил много дней. Порою на меня нападало отчаяние, но потом я начинал все сызнова. Если бы я просто любовался картинами, то, наверное, пропал бы. Но я придумал себе своего рода упражнение для памяти и благодаря этому все время совершенствовался. Теперь я уже не бился головой об стенку, я как бы поднимался вверх, ступенька за ступенькой. Понимаете?

— Да, вы не давали себе покоя, — сказал Меликов. — И у вас была цель. Это спасает.

— Одно лето я не расставался с Сезанном и с несколькими картинами Дега. Разумеется, это были воображаемые картины, и только в воображении я мог их оценить. Но все же я оценивал их. То был своего рода вызов судьбе. Я заучивал наизусть цвета и композицию, хотя никогда не видел ни одного цвета днем. Это был лунный Сезанн и ночной Дега. И я запоминал и сопоставлял эти картины в их сумеречном воплощении. Позже я нашел в библиотеке книги по искусству. И, присев под подоконником, усердно изучал их. Призрачный мир, но все же это был мир.

— Разве музей не охранялся?

— Только в дневные часы. Вечером его просто запирали. На мое счастье.

— И на несчастье человека, который носил вам еду.

— На несчастье человека, который прятал меня, — сказал я спокойно, взглянув на Меликова. Я понимал, что за его словами ничего не кроется, он не хотел меня обидеть. Просто констатировал факт.

— Не надейтесь стать нелегальным мойщиком тарелок, — сказал Меликов. — Это романтические бредни! Да и с тех пор, как существуют профсоюзы, такая возможность отпала. Сколько времени вы можете продержаться и не умереть с голоду?

— Совсем недолго... Сколько стоит этот завтрак?

— Полтора доллара. С начала войны здесь все дорожает.

— Войны? — сказал я. — Какая здесь война?

— Война идет! — возразил Меликов. — И опятьтаки на ваше счастье. Требуются люди. Безработицы пока нет. Вам легче будет устроиться.

— Через два месяца мне снова придется удирать.

Меликов рассмеялся, зажмурив маленькие глазки.

— Америка — огромная страна. И война идет. На ваше счастье. Где вы родились?

— Согласно паспорту — в Гамбурге, на самом деле — в Ганновере.

— Ни в том, ни в другом случае это вам не грозит высылкой. Но вы можете угодить в лагерь для интернированных.

— В одном таком лагере я уже побывал. Во Франции, — сказал я, пожав плечами.

— Бежали?

— Скорее, просто ушел. После поражения, когда началась всеобщая неразбериха.

Меликов кивнул.

— Я тоже жил во Франции, когда началась всеобщая неразбериха в восемнадцатом году... Но только после победы — как оказалось, впрочем, весьма призрачной. Не выпить ли нам сейчас водки?

— Я привык с опаской относиться к алкоголю, — ответил я. — Несколько раз я из-за него переоценивал свои силы. И дважды это привело к весьма плачевным результатам... к тюремной камере, кишевшей насекомыми.

— В Испании?

— В Северной Америке.

— И все же давайте рискнем в третий раз. Тюремные камеры здесь чистые. Водка у меня в гостинице, тут вам не подадут ни капли... А вы романтик? — спросил он немного погодя.

— Для меня это — непозволительная роскошь. Полиция хватает романтиков чаще, чем всех прочих.

— Насчет полиции можете несколько месяцев не беспокоиться.

— Да, верно. Трудно сразу привыкнуть к этому.

Мы пошли к Меликову в гостиницу, но скоро мне стало там невмоготу. Я не хотел пить, не хотел сидеть среди потертого плюша, а комната у Меликова была совсем маленькая. Меня тянуло еще раз выйти на улицу, слишком долго я просидел взаперти. Даже Эллис-Айленд был тюрьмой — пусть сравнительно благоустроенной, но все же тюрьмой. Замечание Меликова о том, что в ближайшие два месяца можно не бояться полиции, не выходило у меня из головы. Два месяца — поразительно долгий срок!

— Сколько я еще могу гулять? — спросил я.

— Сколько хотите.

— Когда вы ложитесь спать?

Меликов небрежно махнул рукой.

— Не раньше утра. У меня сейчас самая работа. Желаете найти себе женщину? В Нью-Йорке это не так просто, как в Париже. И довольно рискованно.

— Нет. Я просто хочу побродить по городу.

— Женщину легче найти здесь, в гостинице.

— Мне она не нужна.

— Женщина нужна всегда.

— Только не сегодня.

— Стало быть, вы все же романтик, — сказал Меликов. — Запомните номер улицы и название гостиницы. Гостиница «Ройбен». В Нью-Йорке легко найти дорогу: почти все улицы пронумерованы, только немногие имеют название.

Совсем как я. И я стал номером, который носит случайное имя, мелькнуло у меня в голове. Какая успокоительная безымянность; имена приносили мне слишком много неприятностей.

Я бесцельно шел по этому безымянному городу. Грязные испарения его поднимались к небу. Ночью это был мрачный огненный столп, днем — белесый, как облако. Похоже, что именно так Господь Бог указывал в пустыне дорогу первому племени изгнанников, первым эмигрантам. Я шел сквозь бурю слов, шума, смеха, криков, которые глухо бились о мои барабанные перепонки, я слышал гул, не улавливая его смысл.

Эрих Мария Ремарк

После погруженной во мрак Европы люди казались мне Прометеями — вот потный детина в сполохах электрического света протягивает из дверей магазина руку, увешанную полотенцами и носками, умоляя прохожих купить его товар; вот повар жарит пиццу на огромной сковородке, а вокруг него так и летают искры, будто он не человек, а некое древнее божество. Я не понимал чужую речь, потому от меня ускользал и почти символический смысл пантомимы. Мне казалось, будто все происходит на сцене и передо мной не повара, не зазывалы, не продавцы, а марионетки, которые разыгрывают неведомую пьесу; я один в ней не участвую и угадываю лишь общий ее смысл. Я был в толпе и в то же время чувствовал себя чужим, неприкаянным, отрезанным от людей; нас разделяла не стеклянная стена, не расстояние, не враждебность и не отчужденность, а что-то незримое. Это «что-то» касалось меня одного и коренилось во мне самом. Смутно я понимал: мгновение это неповторимо, оно никогда не вернется — уже завтра острота чувств притупится. И не потому, что окружающее станет мне ближе, — как раз наоборот. Возможно, уже завтра я начну борьбу за существование — буду ползать на брюхе, идти на компромиссы, фальшивить, нагромождая горы той полулжи, из которой и состоят наши будни. Но сегодня ночью город еще являл мне свое неразгаданное лицо.

И вдруг я понял: добравшись до чужих берегов, я отнюдь не избежал опасности, — напротив: именно сейчас она угрожала мне с особой силой. Угрожала не извне, а изнутри. Очень долго я думал только о том, чтобы сохранить себе жизнь. В этом и заключалось мое спасение. То был примитивный инстинкт самосохранения, инстинкт, который возникает на тонущем корабле, когда начинается паника и у человека одна цель — остаться в живых.

Но уже скоро, с завтрашнего дня, а может, даже с этой диковинной ночи, действительность раскроется передо мной по-новому, и у меня опять появится будущее, а стало быть, и прошлое. Прошлое, которое убивает, если не сумеешь его забыть или зачеркнуть. Я понял внезапно, что та корка льда, которая успела образоваться, еще долгое время будет слишком тонкой, ходить по ней опасно. Лед провалится. И этого надо избегнуть. Смогу ли я начать жизнь во второй раз? Начать сначала — познать то, что простирается передо мной, так же, как я познаю этот чужой язык? Смогу ли я начать снова? И не будет ли это предательством, двойным предательством по отношению к мертвым, к людям, которые были мне дороги?

Я быстро повернулся и пошел назад, смущенный и глубоко взволнованный. Теперь я уже не глазел по сторонам. А когда увидел перед собой гостиницу, у меня вдруг радостно забилось сердце. Другие гостиницы лезли вширь и вверх, стараясь быть позаметней, а эта была тихой и незаметной.

Я вошел в вестибюль, уродливо отделанный «под мрамор», и увидел Меликова, дремавшего в качалке позади стойки. Он открыл глаза, и мне на секунду показалось, что у него нет век, как у старого попугая. Потом его глаза поголубели и посветлели.

— Вы играете в шахматы? — спросил он, вставая.

— Как все эмигранты.

— Хорошо. Пойду принесу водку.

Он пошел наверх. Я огляделся. Почему-то мне почудилось, что я дома. Человеку, который давно не имел дома, часто приходят в голову подобные мысли.

II

В английском я делал большие успехи, и недели через две мой словарный запас был уже как у пятнадцатилетнего подростка. По утрам я несколько часов проводил среди красного плюша гостиницы «Ройбен» — зубрил грамматику, а во второй половине дня изыскивал возможности для устной практики. Действовал я без малейшего стыда и стеснения. Заметив, что за десять дней, проведенных с Меликовым, у меня появился русский акцент, я тут же перекинулся на постояльцев и служащих гостиницы. И поочередно усваивал самые разнообразные акценты: немецкий, еврейский, французский. Под конец, сведя дружбу с уборщицами и горничными и уверовав, что они-то и есть стопроцентные американки, я начал говорить с явным бруклинским акцентом.

— Надо тебе завести роман с молоденькой американкой, — сказал Меликов: за это время мы перешли с ним на «ты».

— Из Бруклина? — спросил я.

— Лучше из Бостона. Там всего правильнее говорят.

— Тогда уж надо найти учительницу из Бостона. Это было бы самое рациональное.

— К несчастью, наша гостиница — караван-сарай. Различные акценты носятся в воздухе, как тифозные бациллы, а ты, увы, легко перенимаешь все отклонения от нормы и совершенно глух к нормальной речи. Надеюсь, тебе поможет любовь.

— Владимир, — сказал я, — мир и так уже слишком быстро меняется для меня. С каждым днем мое английское «я» становится на год старше, и, к великому сожалению, мир этого «я» теряет свои чары. Чем лучше я понимаю язык, тем скорее исчезает таинственность.

Пройдет еще несколько недель, и оба мои «я» уравновесятся. Американское «я» станет столь же скучно трезвым, как и европейское. Дай срок! И оставь в покое мое произношение. Я не хочу, чтобы мое второе детство пролетело так быстро.

— Не бойся, не пролетит. Пока что твой умственный кругозор равен кругозору зеленщика-меланхолика по имени Аннибале Бальбо, который торгует здесь на углу. Ты уже и так пересыпаешь свою речь итальянскими словечками, они плавают в твоем английском, как волокна мяса в рисовом супе по-итальянски.

— А вообще-то существуют настоящие, коренные американцы?

— Конечно. Но через нью-йоркский порт на город обрушивается лавина эмигрантов — ирландцы, итальянцы, немцы, евреи, армяне и еще десятки разных национальностей. Как там говорят у вас: «Здесь ты человек, здесь ты можешь существовать»[*]. Здесь ты эмигрант, здесь ты можешь существовать. Эта страна основана эмигрантами. Отбрось свои европейские комплексы неполноценности. Здесь ты снова человек, а не истерзанный комок плоти, прилепленный к собственному паспорту.

Я поднял глаза от шахматной доски.

— Ты прав, Владимир, — сказал я медленно. — Посмотрим, сколько это продлится.

— Не веришь, что это будет длиться долго?

— Как я могу верить?

— Во что же ты веришь?

— В то, что с каждым днем мне становится хуже, — ответил я.

---

[*] Строка из Гете.

Эрих Мария Ремарк

Незнакомый человек, прихрамывая, шел по вестибюлю. Мы сидели в полутьме, и я лишь смутно видел вошедшего. Однако его странная хромота в ритме трех четвертей такта напомнила мне кого-то.

— Лахман, — сказал я вполголоса.

Незнакомец остановился и взглянул в мою сторону.

— Лахман! — повторил я.

— Моя фамилия Мертон, — ответил он.

Я щелкнул выключателем. Из весьма жалкой люстры, представлявшей собою наихудший образец модерна начала двадцатого века, заструился безрадостно-тусклый свет — желтый и синеватый.

— Боже мой! Роберт! — воскликнул вошедший с удивлением. — Ты жив? А я думал, ты уже давно погиб.

— То же самое я думал о тебе. Но узнал тебя по походке.

— По моей хромоте в три четверти такта?

— По твоему вальсирующему шагу, Курт. Ты знаком с Меликовым?

— Конечно, знаком.

— Живешь здесь?

— Нет. Но иногда захаживаю.

— Теперь твоя фамилия Мертон?

— Да. А твоя?

— Росс. Имя осталось то же.

— Вот как люди встречаются, — сказал Лахман, слегка усмехнувшись.

Мы немного помолчали. Всегдашняя тягостная пауза при встрече эмигрантов. Никогда ведь не знаешь, о ком и о чем можно спрашивать. Не знаешь, кого уже нет в живых.

— Ты слышал что-нибудь о Кане? — спросил я наконец.

И это был обычный прием. Сначала осторожно узнать о людях, которые не так уж близки твоему собеседнику.

— Он в Нью-Йорке, — ответил Лахман.

— Он тоже? Как ему удалось перебраться сюда?

— А как все перебирались сюда. Благодаря тысяче случайностей. Никого ведь из нас не было в составленном американцами списке знаменитостей.

Меликов выключил верхний свет и вытащил бутылку из-под стойки.

— Американская водка, — сказал он. — Нечто вроде калифорнийского бордо или бургундского из Сан-Франциско. Или рейнского из Чили. Салют! Одно из преимуществ эмиграции в том, что приходится часто прощаться и посему можно часто выпивать в честь новой встречи. Создается иллюзия долголетия.

Ни Лахман, ни я не ответили ему. Меликов был человеком иного поколения: то, что нам еще причиняло боль, для него уже стало воспоминанием.

— Салют, Владимир! — Я первый прервал молчание. — И почему мы не родились йогами?

— Я бы удовольствовался меньшим — не родиться евреем в Германии, — сказал Лахман-Мертон.

— Воспринимайте себя как первых граждан мира, — невозмутимо заметил Меликов. — И ведите себя соответственно как первооткрыватели. Настанет время, и вам будут ставить памятники.

— Когда? — спросил Лахман.

— Где? — спросил я.

— На Луне, — сказал Меликов и пошел к конторке, чтобы выдать ключ постояльцу.

— Остряк, — сказал Лахман, поглядев ему вслед. — Ты работаешь на него?

Эрих Мария Ремарк

— То есть?

— Девочки. При случае морфий и тому подобное. Кажется, он и букмекер к тому же.

— Ты из-за этого сюда пришел?

— Нет. Я по уши влюбился в одну женщину. Ей, представь себе, пятьдесят, она родом из Пуэрто-Рико, католичка и без ноги. Ей ампутировали ногу. У нее шуры-муры с одним мексиканцем. Явным сутенером. За пять долларов он согласился бы сам постелить нам постель. Но этого она не хочет. Ни в коем случае. Верит, что Господь Бог взирает на нас, сидя на облаке. И по ночам тоже. Я сказал ей: Господь Бог близорук. Уже давно. Не помогает. Но деньги она берет. И обещает. А потом смеется. И опять обещает. Что ты на это скажешь? Неужели я для этого приехал в Штаты? Черт знает что!

У Лахмана из-за хромоты появился комплекс неполноценности, но, судя по его рассказам, раньше он пользовался феноменальным успехом у дам. Об этом прослышал один эсэсовец и затащил Лахмана в пивнушку штурмовиков в районе Берлин-Вильмерсдорф — хотел его оскопить. Но эсэсовцу помешала полиция — это было еще в тридцать четвертом. Лахман отделался несколькими шрамами и четырьмя переломами ноги, которые плохо срослись. С тех пор он стал хромать и пристрастился к женщинам с легкими физическими изъянами. Остальное ему безразлично, лишь бы дама обладала солидным и крепким задом. Даже во Франции в невыносимо тяжелых условиях Лахман продолжал свою карьеру бабника. Он уверял, что в Руане крутил любовь с трехгрудой женщиной, у которой к тому же груди были на спине.

— А задница у нее твердая как камень, — протянул он мечтательно, — горячий мрамор.

— Ты ничуть не изменился, Курт, — сказал я.

— Человек вообще не меняется. Несмотря на то, что дает себе тысячу клятв. Когда тебя кладут на обе лопатки, ты полон раскаяния, но стоит вздохнуть свободнее, и все клятвы забыты, — Лахман на секунду задумался. — Что это: героизм или идиотизм?

На его сером, изрезанном морщинами лбу выступили крупные капли пота.

— Героизм, — сказал я, — в нашем положении надо украшать себя самыми хвалебными эпитетами. Не стоит заглядывать чересчур глубоко в душу, иначе скоро наткнешься на отстойник, куда стекаются нечистоты.

— Да и ты тоже ничуть не изменился. — Лахман-Мертон вытер пот со лба мятым носовым платком. — По-прежнему склонен к философствованию. Правда?

— Не могу отвыкнуть. Это меня успокаивает.

Лахман неожиданно усмехнулся:

— Дает тебе чувство превосходства! Вот в чем дело. Дешевка!

— Превосходство не может быть дешевкой.

Лахман умолк.

— Зачем возражать? — сказал он. И немного погодя со вздохом вытащил из кармана пиджака какой-то предмет, завернутый в папиросную бумагу. — Четки, собственноручно освященные папой. Настоящее серебро и слоновая кость. Как ты думаешь, на нее это подействует?

— Каким папой?

— Пием. Каким же еще?

— Бенедикт Пятнадцатый был бы лучше.

— Что? — Лахман взглянул на меня, явно сбитый с толку. — Ведь Бенедикт умер. Что ты мелешь?

Эрих Мария Ремарк

— У него чувство превосходства было развито сильнее. Как у всех мертвецов, впрочем. И это уже не дешевка.

— Ах, вот как. Ты ведь тоже остряк! Совсем забыл. Последний раз, когда я тебя видел...

— Замолчи! — сказал я.

— Что?

— Замолчи, Курт. Не надо.

— Ладно. — Лахман поколебался секунду. Потом желание излить душу победило. Он развернул светло-голубую папиросную бумагу. — Маленький кусочек оливкового дерева из Гефсиманского сада. Подлинность заверена официально. Неужели и это не подействует? — Лахман не отрываясь смотрел на меня умоляющим взглядом.

— Конечно, подействует. А бутылки иорданской воды у тебя не найдется?

— Нет.

— Тогда налей.

— Что?

— Налей воды в бутылку. В вестибюле есть кран. Подмешай немного пыли, чтобы выглядело естественно. Никто ведь ничего не заподозрит, у тебя уже есть нотариально заверенные четки и оливковая ветвь. Не хватает только иорданской водицы.

— Не наливать же ее в водочную бутылку!

— Отчего нет! Соскребем наклейку! У бутылки достаточно восточный вид. Твоя пуэрториканка наверняка не пьет водку. В лучшем случае ром.

— Она пьет виски. Странно, правда?

— Нет.

Лахман задумался.

— Бутылку надо запечатать — так будет правдоподобнее. У тебя есть сургуч?

— Еще чего захотел? Визу и паспорт? Откуда у меня сургуч?

— У человека бывают самые неожиданные вещи. Я, например, много лет таскал с собой кроличью лапку, и когда...

— Может, у Меликова найдется?

— Верно! Он постоянно запечатывает посылки. Как я сам не додумался!

Лахман, хромая, отчалил.

Я откинулся на спинку кресла. Было почти темно. Тени и призраки умчались на вечернюю улицу сквозь светлый дверной проем. В зеркале напротив тускло-серое пятно тщетно пыталось приобрести серебристый блеск. Плюшевые кресла стали лиловыми, и на мгновение мне показалось, что на них запеклась кровь. Очень много крови. Где я видел столько крови?.. Кровь на трупах в маленькой серой комнате, за окнами которой полыхал невиданный закат. И от этого все предметы потеряли свою яркость и стали как бы грязными — серо-черными и темно-бурыми, почти лиловыми. Все приобрело эти цвета, даже человек у окна. Внезапно он повернул голову, и на него упали лучи заходящего солнца: одна половина лица стала огненной, другая — оказалась в тени. И тут раздался голос, неожиданно высокий, писклявый. «Продолжаем! Следующий», — произнес он с легким саксонским акцентом.

Я повернулся и опять щелкнул выключателем. Прошло много лет, прежде чем я научился спать без света. И стоило мне заснуть, как я тут же в испуге вскакивал, меня будили омерзительные сны. Даже теперь я с большой неохотой выключал по ночам свет и не любил спать один.

Я поднялся и вышел из холла. Лахман стоял с Меликовым у маленькой конторки возле входа.

— Все в порядке, — торжествующе сказал Лахман. — Взгляни! У Владимира нашлась старая русская монетка, мы припечатаем ею пробку. Древнеславянская вязь. Кто усомнится, что воду в эту бутылку не налили греческие монахи из монастыря на реке Иордан?

Сургуч капал на пробку. При свече, которая стояла рядом, он казался светло-красным.

Что со мной творится, думал я. Ведь все уже позади! Я спасен! Там на улице бурлит жизнь! Спасен! Разве я спасен? Разве я действительно убежал от них? И от теней тоже?

— Пойду прогуляюсь немного, — сказал я. — В голове у меня каша из английских слов! Надо проветриться. Servus!*

Когда я вернулся, Меликов уже приступил к своим обязанностям. В этой гостинице он совмещал множество различных должностей — работал дневным портье, иногда ночным и одновременно выполнял всякие мелкие поручения. В эту неделю он был ночным портье.

— Где Лахман? — спросил я.

— Наверху, у своего предмета.

— Ты веришь, что сегодня ему улыбнется счастье?

— Нет. Она поведет его и мексиканца ужинать. Платить будет Лахман. Всегда он был такой?

— Да. Только более везучий. Утверждает, что стал интересоваться калеками и увечными лишь после того,

---

* Привет! *(лат.)*

как начал хромать. Раньше у него был нормальный вкус. Быть может, он так деликатен, что стыдится красивых женщин. Кто знает...

В дверь проскользнула чья-то тень. То была тонкая, высокая женщина с маленькой головкой. На ее бледном лице выделялись серые глаза, волосы у нее были русые и казались крашеными. Меликов встал.

— Наташа Петрова[*], — сказал он. — Давно вы вернулись?

— Две недели назад.

Я тоже встал. Женщина была почти одного роста со мной. В темном облегающем костюме она выглядела очень худой. Говорила она как-то чересчур торопливо, и голос у нее был, пожалуй, слишком громкий и словно прокуренный.

— Рюмку водки? — спросил Меликов. — Или виски?

— Водки. Один глоток. Мне пора идти фотографироваться.

— В такой поздний час?

— Да, на весь вечер. Фотограф свободен только по вечерам. Платья и шляпы. Маленькие шляпки. Совсем крохотные.

Только сейчас я заметил, что Наташа Петрова была в шляпке без полей, до крайности воздушной и надетой слегка набок.

Меликов ушел за водкой.

— Вы не американец? — спросила девушка.

— Нет, немец.

— Ненавижу немцев.

— Я тоже, — согласился я.

Она взглянула на меня с изумлением.

---

[*] В оригинале: «Наташа Петровна».

— Я не говорю о присутствующих.

— И я тоже.

— Я — француженка. Вы должны меня понять. Война...

— Понимаю, — сказал я равнодушно. Уже не в первый раз меня делали ответственным за преступления фашистского режима в Германии. И постепенно это перестало трогать. Я сидел в лагере для интернированных во Франции, но не возненавидел французов. Объяснять это, впрочем, было бесполезно. Тот, кто умеет только ненавидеть или только любить, — завидно примитивен.

Меликов принес бутылку и три очень маленькие рюмки, которые налил доверху.

— Я не хочу, — сказал я.

— Обиделись? — спросила девушка.

— Нет. Просто мне сейчас не хочется пить.

Меликов ухмыльнулся.

— Ваше здоровье[*], — сказал он и поднял рюмку.

— Напиток богов! — Девушка залпом осушила свою рюмку.

Я почувствовал себя дураком: зря отказался от водки, но теперь уже было поздно.

Меликов поднял бутылку.

— Еще по одной, Наталья Петровна?

— Merci[**], Владимир Иванович, хватит! Пора уходить. Au revoir[***]. — Она крепко пожала мне руку. — Au revoir, monsieur.

— Au revoir, madame.

---

[*] В оригинале: «Здрасьте».
[**] Спасибо *(фр.)*.
[***] До свидания *(фр.)*.

Меликов пошел ее проводить. Вернувшись, он спросил:

— Она тебя разозлила?

— Нет.

— Не обращай внимания. Она всех злит. Сама того не желая.

— Разве она не русская?

— Родилась во Франции. Почему ты спрашиваешь?

— Я довольно долго жил среди русских эмигрантов. И заметил, что их женщины из чисто спортивного интереса задирают мужчин куда чаще, чем рекомендуется.

Меликов осклабился.

— Не вижу здесь ничего худого. Иногда полезно вывести мужчину из равновесия. Все лучше, чем по утрам с гордым видом начищать пуговицы на его мундире и надраивать ему сапоги, которыми он будет потом топтать ручонки еврейских детей.

— Сдаюсь! Сегодня немецкие эмигранты здесь не в чести. Налей-ка мне лучше водки, от которой я только что отказался.

— Хорошо.

Меликов прислушался.

— Вот и они!

По лестнице спускались двое. Я услышал необыкновенно звучный женский голос. Это были пуэрториканка и Лахман. Она шла немного впереди, не обращая внимания на то, следует ли он за ней. И не хромала. По ее походке не было заметно, что у нее протез.

— Сейчас поедут за мексиканцем, — прошептал Меликов.

— Бедняга Лахман, — сказал я.

— Бедняга? — удивился Меликов. — Нет, он просто хочет того, чего у него нет.

— Единственное, что нельзя потерять. Правда? — Я засмеялся.

— Бедняга тот, кто больше ничего не хочет.

— Разве? — сказал я. — А я полагал, что тогда становишься мудрецом.

— У меня другое мнение. Что с тобой сегодня случилось? Нужна женщина?

— Обычно эмигранты норовят быть вместе. А тебе, по-моему, ни до кого нет дела.

— Не хочу вспоминать.

— Поэтому?

— И не хочу увязнуть в эмигрантских делах, окунуться в атмосферу незримой тюрьмы. Слишком хорошо все это изучил.

— Желаешь, значит, стать американцем?

— Никем я не желаю стать. Просто хочу кем-то быть, наконец. Если мне это позволят.

— Громкие слова!

— Надо самому набираться мужества. Никто этого за тебя не сделает.

Мы сыграли еще партию в шахматы. Мне объявили мат. Потом постояльцы начали понемногу возвращаться в гостиницу, и Меликову приходилось то выдавать ключ, то разносить по номерам бутылки и сигареты.

Я продолжал сидеть. И правда, что со мной случилось? Я решил сказать Меликову, что хочу снять отдельный номер. Почему — я и сам не знал. Мы друг другу не мешали, и Меликову было безразлично, живем мы вместе или нет. Но для меня вдруг стало очень важно попробовать спать в одиночестве. На Эллис-Айленде мы все спали вповалку в большом зале; во французском лагере для интернированных было то же самое. Конечно, я знал, что стоит мне очутиться одному в комнате, и я начну вспоминать времена, которые предпочел бы забыть. Ничего не поделаешь! Не мог же я вечно избегать воспоминаний.

III

С братьями Лоу я познакомился в ту самую минуту, когда косые лучи солнца окрасили антикварные лавки на правой стороне улицы в сказочный золотисто-желтый цвет, а витрины на противоположной стороне затянуло предвечерней паутиной. В это время дня стекла начинали жить самостоятельной жизнью — отраженной жизнью, вбирая в себя чужой свет; примерно такую же обманчивую жизнь обретают намалеванные часы над магазинами оптики, когда время, которое показывают рисованные стрелки, совпадает с действительным. Я открыл дверь лавки; из помещения, похожего на аквариум, вышел один из братьев Лоу — рыжий. Он поморгал немного, чихнул, посмотрел на мягкий закат, еще раз чихнул и заметил меня. А я той порой наблюдал за тем, как антикварная лавка постепенно превращалась в пещеру Аладдина.

— Прекрасный вечер, правда? — сказал он, глядя в пространство.

Я кивнул.

— Какая у вас прекрасная бронза.

— Подделка, — сказал Лоу.

— Разве она не ваша?

— Почему вы так думаете?

— Потому что вы сказали — это подделка.

— Я сказал, что бронза — подделка, потому что она подделка.

— Великие слова, — сказал я, — особенно в устах торговца.

Лоу снова чихнул и опять поморгал.

— Я и купил ее как подделку. Мы здесь любим истину.

Сочетание слов «подделка» и «истина» было просто восхитительно в это мгновение, когда засверкали зеркала.

— А вы уверены, что, несмотря на это, бронза может быть настоящей? — спросил я.

Лоу вышел из дверей и осмотрел бронзу, лежавшую на качалке.

— Можете купить ее за тридцать долларов — и еще в придачу подставку из тикового дерева. Резную.

Весь мой капитал был равен восьмидесяти долларам.

— Я хотел бы взять ее на несколько дней, — сказал я.

— Хоть на всю жизнь. Только заплатите сперва.

— А на пробу? Дня на два?

Лоу повернулся.

— Я ведь вас не знаю. В последний раз я дал две статуэтки мейсенского фарфора одной даме, внушавшей полное доверие. На время.

— Ну и что? Дама исчезла навсегда?

— Тут же пришла опять. С разбитыми статуэтками. Какой-то человек в переполненном автобусе выбил статуэтки у нее из рук ящиком с инструментом.

— Не повезло!

— Дама так плакала, словно потеряла ребенка. Двух детей сразу. Близнецов. Фигурки были парные. Что делать? Денег у нее не было. Платить оказалось нечем. Она хотела подержать статуэтки у себя несколько дней, полюбоваться. И позлить приятельниц, которых собиралась позвать на бридж. Все очень по-человечески. Правда? Но что было делать нам? Плакали наши денежки. Сами видите, что...

— Бронзу разбить не так легко. Особенно если это подделка.

Лоу посмотрел на меня внимательно.

— Вы в этом сомневаетесь?

Я не ответил.

— Давайте тридцать долларов, — сказал он, — подержите у себя эту штуку неделю, потом можете вернуть обратно. А если вы ее оставите и продадите, прибыль пополам. Ну, как?

— Грабеж среди белого дня. Но я все равно согласен.

Я был не очень уверен в своей правоте, поэтому принял предложение. Бронзовую фигуру я поставил у себя в номере. Лоу-старший сказал мне еще, что бронзу списали из Нью-Йоркского музея как подделку. В этот вечер я остался дома. Стемнело, но я не зажигал света. Лег на постель и стал смотреть на фигуру, которая стояла перед окном. За то время, что я пробыл в Брюссельском музее, я усвоил одну истину: вещи начинают говорить, только когда на них долго смотришь. А те вещи, которые говорят сразу, далеко не самые лучшие. Блуждая ночью по залам музея, я иногда забирал с собой какую-нибудь безделушку в темный запасник, чтобы там ее ощупать. Часто это были бронзовые скульптуры, и так как Брюссельский музей славился своей коллекцией древней китайской бронзы, я с разрешения моего спасителя иногда уносил в запасник какую-нибудь из фигур. Я мог себе это позволить, поскольку сам директор зачастую брал домой для работы тот или иной экспонат. И если в музее недосчитывались какой-нибудь скульптуры, он говорил, что она у него.

Так у меня выработалось особого рода умение оценивать на ощупь патину. К тому же я провел много ночей у музейных витрин и узнал кое-что о фактуре старых окисей, хотя никогда не видел их при дневном свете. Но как у слепого вырабатывается безошибочное осязание, так и у меня за это время появилось нечто похожее. Конечно, я не во всех случаях доверял себе, но иногда я был совершенно уверен в своей правоте.

Эта бронза показалась мне в лавке на ощупь настоящей; правда, ее очертания и рельефы были чересчур определенны, что, возможно, как раз и не понравилось музейным экспертам, но все же она не производила впечатления позднейшей подделки. Линии были четкие. А когда я закрыл глаза и начал обстоятельно, очень медленно водить пальцами по фигуре, ощущение, что бронза настоящая, еще усилилось.

В Брюсселе я не раз встречался с подобными скульптурами. И о них тоже сперва говорили, что это копия эпохи Тан или Мин. Дело в том, что китайцы уже во времена Хань, то есть примерно с начала нашего летосчисления, копировали и закапывали в землю свои скульптуры эпохи Шан и Чжоу. Поэтому по патине трудно было определить подлинность работы, если в орнаменте или в отливке не обнаруживали каких-либо характерных мелких изъянов.

Я опять поставил бронзу на подоконник. Со двора доносились металлические голоса судомоек, постукиванье мусорных урн и мягкий гортанный бас негра, который эти урны выносил. Вдруг дверь распахнулась. В освещенном четырехугольнике я различил силуэт горничной, увидел, как она отпрянула назад, крикнув:

— Мертвец!

— Какая чушь, — сказал я. — Не мешайте спать. Закройте дверь. Я уже приготовил себе постель.

— И вовсе вы не спите! Что это такое? — Она разглядывала бронзу.

— Зеленый ночной горшок, — отрезал я. — Разве не видите?

— И чего только люди не придумают! Но зарубите себе на носу: утром я его не стану выносить! Ни за что. Выносите сами. В доме хватает уборных.

— Хорошо.

Я снова лег и заснул, хотя не собирался спать. Когда я проснулся, была глубокая ночь. И я сразу не мог сообразить, где нахожусь. Потом увидел бронзу, и мне на минуту показалось, что я снова в музее. Я сел и начал глубоко дышать. Нет, я уже не там, неслышно говорил я себе, я убежал, я свободен, свободен, свободен. Слово «свободен» я повторял ритмично: про себя, а потом стал повторять вслух — тихо и настойчиво; я произносил его до тех пор, пока не успокоился. Так я часто утешал себя в годы преследований, когда просыпался в холодном поту. Потом я поглядел на бронзу: цветные отсветы на ней вбирали в себя ночную тьму. И вдруг я почувствовал, что бронза живая. И не из-за своей формы, а из-за патины. Патина не была мертвой. Никто не наносил ее нарочно, никто не вызывал искусственно, травя шероховатую поверхность кислотами, патина нарастала сама по себе, очень медленно, долгие века; поднималась из воды, омывавшей бронзу, и из земных недр, минералы которых срастались с ней; первоосновой патины были, очевидно, фосфорные соединения, на что указывала незамутненная голубая полоска у основания скульптуры, а фосфорные соединения возникли сотни лет назад из-за соседства с мертвым телом. Патина слегка поблескивала, как поблескивала в музее неполированная бронза эпохи Чжоу. Пористая поверхность не поглощала свет, подобно поверхности бронзовых фигур, на которые патину нанесли искусственно. Свет придавал ей некоторую шелковистость, делал ее похожей на грубый шелк-сырец.

Я поднялся и сел к окну. Там я сидел очень долго, почти не дыша, в полной тишине, весь отдавшись созерцанию, которое мало-помалу заглушало во мне все мысли и страхи.

Я продержал у себя скульптуру еще два дня, а потом отправился на Третью авеню. На сей раз в лавке был и второй брат Лоу, очень похожий на первого, только более элегантный и более сентиментальный, насколько это вообще возможно для торговца стариной.

— Вы принесли скульптуру обратно? — спросил первый и тут же вытащил бумажник, чтобы вернуть мне тридцать долларов.

— Скульптура настоящая, — сказал я.

Он поглядел на меня добродушно и с интересом.

— Из музея ее выбросили.

— Уверен, что она настоящая. Я пришел возвратить ее вам. Продавайте.

— А как же ваши деньги?

— Вы отдадите их мне вместе с половиной прибыли. Как было условлено.

Лоу-младший сунул руку в правый карман пиджака, вытащил десятидолларовую бумажку, чмокнул ее и переложил в левый карман.

— Позвольте вас пригласить... Чего бы вы хотели? — спросил он.

— Вы мне поверили? — Для меня это была приятная неожиданность. Я привык к тому, что мне уже давно никто не верил: ни полицейские, ни женщины, ни инспектора по делам иммигрантов.

— Не в этом суть, — весело пояснил Лоу-младший. — Просто мы с братом поспорили: если вы вернете скульптуру потому, что она подделка, он выигрывает пять долларов, а если вы ее вернете, невзирая на то, что она настоящая, — я выигрываю десять.

— Видимо, у вас в семье вам принадлежит роль оптимиста.

— Я присяжный оптимист, а мой брат — присяжный пессимист. Так мы и тянем лямку в эти трудные времена. Оба эти качества в одном лице нынче несовместимы. Как вы относитесь к черному кофе?

— Вы — венец?

— Венец — по происхождению, американец — по подданству. А вы?

— Я — венец по убеждению и человек без подданства.

— Отлично. Зайдем напротив к Эмме и выпьем чашечку черного кофе. В отношении кофе у американцев — спартанское воспитание. Они пьют его только на похоронах или заваривают с утра на весь день. Американец может часами держать кофейник на плите, чтобы он не остыл, и ему даже в голову не придет заварить свежий кофе. Эмма себе такое не позволит. Она — чешка.

Мы перешли через шумную улицу. Поливальная машина изрыгала во все стороны струи воды. Лиловый пикап, развозящий детские пеленки, чуть не переехал нас. В последнюю секунду Лоу сделал грациозный прыжок и тем спас себе жизнь. Тут я увидел, что он ходит в лакированных ботинках.

— Вы с братом не однолетки? — спросил я.

— Близнецы. Но для удобства покупателей один из нас зовется «старший брат», другой — «младший».

Эрих Мария Ремарк

Брат на три часа старше меня. И он родился под знаком Близнецов. А я под знаком Рака.

Неделю спустя из служебной поездки вернулся владелец фирмы «Лу и К°», эксперт по китайскому искусству. Он никак не мог взять в толк, почему музей счел скульптуру подделкой.

— Это не шедевр, — разъяснил он. — Но, без сомнения, бронза эпохи Чжоу, позднего Чжоу, вернее, переходного периода от Чжоу к Хань.

— А какова ее цена? — спросил Лоу-старший.

— На аукционе она потянет долларов четыреста — пятьсот. Может, больше. Но ненамного. Китайская бронза идет нынче по дешевке.

— Почему?

— Да потому, что нынче все идет по дешевке. Война. И не так уж много людей коллекционирует китайскую бронзу. Могу купить ее у вас за триста долларов.

Лоу покачал головой.

— По-моему, я должен сперва предложить ее музею.

— С какой стати? — удивился я. — И потом — половина денег ведь моя. А вы хотите отдать скульптуру за те же жалкие пятнадцать долларов, какие, наверное, заплатили за нее.

— У вас есть расписка?

Я с удивлением уставился на него. Он поднял руку.

— Секунду! Не кричите. Пусть это будет для вас хорошим уроком. Впредь требуйте на все расписки. В свое время я на этом здорово погорел.

Я продолжал смотреть на него в упор.

— Пойду в музей и скажу, что уже почти продал эту скульптуру. Так ведь и есть на самом деле. Но я все равно предложу ее музею, потому что Нью-Йорк — это большая деревня. Во всяком случае, для антикваров. Через несколько недель все всё узнают. А музей нам еще понадобится. Вот в чем дело. Вашу долю я у них потребую.

— Сколько это будет?

— Сто долларов.

— А сколько получите вы?

— Половину того, что заплатят сверх. Согласны?

— Для вас вся эта история — милая шутка, — сказал я. — А я рискнул ради нее почти половиной состояния.

Лоу-старший засмеялся. Во рту у него было много золота.

— Кроме того, вы до всего дознались. Теперь и я догадался, как произошла ошибка. Они взяли в музей нового молодого эксперта. И молодой человек решил показать, что его предшественник ни черта не смыслил и приобретал мусор. Могу сделать вам одно предложение: у нас в подвале масса старых вещей, в которых мы не очень-то разбираемся. Человек не может знать все на свете. Не хотите ли ознакомиться с нашими сокровищами? Десять долларов в день. Ну, а если повезет — поощрительные премии.

— Компенсация за китайскую бронзу?

— Только отчасти. Но, конечно, работа временная. Мы с братом справляемся со своими делами. По рукам?

— По рукам, — сказал я и взглянул через стекло витрины на улицу, где мчался поток машин.

Иногда даже страх приносит пользу, подумал я спокойно. Главное — расслабиться. Когда держишь себя в кулаке, обязательно случится несчастье. Жизнь — как мяч, думал я. Она всегда сохраняет равновесие.

Пятьдесят миллионов мертвецов, — сказал Лоу-старший. — Сто. Человечество пошло вперед только в одном отношении: оно научилось массовым убийствам. — В ярости он откусил кончик сигары. — Понимаете?

— Нигде человеческая жизнь не дешева так, как в Германии, — сказал я. — Эсэсовцы высчитали, что один еврей, даже работоспособный и молодой, стоит всего тысячу шестьсот двадцать марок. За шесть марок в день его выдают напрокат немецким промышленникам, использующим рабский труд. Питание в лагере обходится в шестьдесят пфеннигов в день. Еще десять пфеннигов кладут на амортизацию носильных вещей. Средняя продолжительность жизни — девять месяцев. Итого, считая прибыль, тысяча четыреста марок. Добавим к этому рациональное использование трупа: золотые коронки, одежду, ценности, деньги, привезенные с собой, и, наконец, волосы. За вычетом стоимости сожжения в сумме двух марок чистая прибыль составляет около тысячи шестисот двадцати марок. Из этого следует вычесть еще женщин и детей, не имеющих реальной ценности. Их умерщвление в газовых камерах и сожжение обходятся на круг в шесть марок. Сюда же надо приплюсовать стариков, больных и так далее. Таким образом, в среднем, если округлить сумму, доход все равно составляет не менее тысячи двухсот марок.

Лоу побледнел как полотно.

— Это правда?

— Так было подсчитано. Официальными немецкими ведомствами. Но до известной степени эта цифра может колебаться. Сложность вовсе не в умерщвлении людей. Как ни странно, самое сложное — уничтожение трупов. Для того чтобы труп сгорел, требуется определенное время. Закапывать в землю тоже не так-то просто, если речь идет о десятках тысяч мертвецов и если могильщики славятся своей добросовестностью. Не хватает крематориев. Да и по ночам они не могут работать с полной нагрузкой. Из-за вражеских самолетов. Бедным нацистам тяжко приходится. Они ведь хотели только мира, ничего больше.

— Что?

— Вот именно. Если бы весь свет согласился плясать под дудку Гитлера, войны не было бы.

— Остряк! — проворчал Лоу. — Остряк паршивый. Здесь не до острот! — Он понурил свою рыжую голову. — Как это может быть? Вы что-нибудь понимаете?

— Приказ сам по себе почти всегда бескровен. С этого все начинается. Тот, кто сидит за письменным столом, не должен хвататься за топор. — Я с сожалением взглянул на собеседника. — А людей, выполняющих приказы, всегда можно найти, особенно в нацистской Германии.

— Даже кровавые приказы?

— Кровавые тем более. Ведь приказ освобождает от ответственности. Можно, стало быть, дать волю инстинктам.

Лоу провел рукой по волосам.

— И вы через все это прошли?

— Увы, — сказал я. — Хотелось бы мне, чтобы это было не так.

— А вот сейчас мирный день, и мы с вами стоим в антикварной лавке на Третьей авеню, — сказал он. — Как же это, по-вашему, называется?

— Только не война.

— Я не об этом говорю. На земле творится бог знает что, а люди спокойно живут и делают вид, будто все в порядке.

— Люди не живут спокойно. Идет война. Для меня она, правда, странная, нереальная. Реальная война — это та, что происходит у тебя на родине. Все остальное нереально.

— Но людей убивают.

— У человеческого воображения плохо со счетом. Собственно, оно считает только до одного. То есть до того, кто находится рядом с тобой.

Колокольчик на двери лавки задребезжал. Женщина в красном хотела купить персидский кубок. Ее интересовало, можно ли использовать кубок в качестве пепельницы. Я незаметно спустился в подвал, который тянулся и под проезжей частью улицы. Разговоры эти я просто ненавидел. Мне они казались и наивными, и бессмысленными. Такие разговоры вели люди, которые не видели войны и думали, что, немного поволновавшись, они уже кое-что сделали. Это были разговоры людей, не знавших опасности...

В подвале было прохладно, как в комфортабельном бомбоубежище. В бомбоубежище коллекционера. Сверху приглушенно, словно гул самолетов, доносился шорох легковых машин и грохот грузовиков. А на стенах висели картины... Казалось, прошлое беззвучно упрекало нас.

В гостиницу я вернулся поздно вечером. Лоу-старший в порыве великодушия дал мне пятьдесят долларов задатка. Вскоре он, впрочем, пожалел об этом, и я это заметил. Но из-за серьезности беседы, которую мы до того вели, не решился взять деньги обратно. Неожиданная выгода для меня.

Меликова в гостинице не оказалось. Зато появился Лахман. Он, как всегда, был в волнении и весь потный.

— Все в порядке? — спросил я его.

— С чем?

— Со святой водой из Лурда?

— С лурдской водой? Ты хочешь сказать — с иорданской? Что значит: все в порядке? Это не так просто. Но мои шансы растут. Хотя эта женщина буквально сводит меня с ума. Вот уже вечность, как я нахожусь между Сциллой и Харибдой. Утомительная штука.

— Сцилла и Харибда?

— Тебе же известно это выражение. Из греческой мифологии. Ловушка для моряков между двумя утесами. Мне надо лавировать, лавировать. Иначе я пропал. — Он взглянул на меня глазами загнанного зверя. — Если эта женщина не станет скоро моей, я превращусь в импотента. Ты ведь знаешь, какой у меня тяжелый комплекс. Меня опять преследуют кошмары. Я просыпаюсь весь в поту, просыпаюсь от собственного крика. Ты ведь слышал: эти бандиты хотели меня кастрировать. Ножницами, не ножом. И гоготали как безумные. Если я не пересплю с этой женщиной в ближайшие дни, мне будет сниться, что они своего добились. Ужасные сны! Все как наяву! Даже вскочив с постели, я слышу их гогот.

— Спи с проституткой.

— Не могу. При всем желании. И с нормальной женщиной тоже не могу. Тут они своего добились.

Лахман прислушался.

— Вот она идет. Мы поужинаем в «Блу риббон». Она любит говяжье жаркое. Пойдем с нами! Может, ты на нее повлияешь. Ты ведь у нас знаменитый говорун.

С лестницы донесся звучный голос.

— Нет времени, — сказал я. — А ты не подумал, что и у женщины может быть комплекс неполноценности из-за ампутированной ноги? Как у тебя из-за шрамов.

— Ты считаешь? — Лахман уже встал. — Ты так считаешь?

Конечно, я сболтнул первое, что пришло на ум. Хотел его утешить. Но увидев, как он разволновался, проклял свой длинный язык. Ведь от Меликова я знал, что дама жила с мексиканцем. Но объясняться было поздно. Да и Лахман меня не слушал. Он захромал к двери.

Я поднялся к себе в номер, но не стал зажигать свет. Несколько окон напротив были освещены. В одном я увидел мужчину, который надевал женское белье. Этого типа я встречал в гостинице уже не раз. Полиция о нем знала, он был зарегистрирован как неизлечимый. Секунду я смотрел на мужчину в окне. Потом у меня стало муторно на душе. Что ни говори, неприятное зрелище! Я решил спуститься вниз и дожидаться там Меликова.

IV

Лахман дал мне адрес Гарри Кана. О легендарных подвигах Кана я слышал еще во Франции. В качестве испанского консула он появился в Провансе, когда немецкая оккупация этого края формально окончилась и власть перешла к созданному Гитлером правительству в Виши, которое с каждым днем все снисходительнее взирало на бесчинства немцев.

И вот в один прекрасный день Кан возник в Провансе под именем Рауля Тенье с испанским дипломатическим паспортом в кармане. Никто не знал, откуда у него этот паспорт. По одной версии, документы у него были французские, с испанским штампом, удостоверяющим, что Кан — вице-консул в Бордо. Другие, наоборот, утверждали, будто видели паспорт

Кана и будто этот паспорт испанский. Сам Кан загадочно молчал, зато он действовал. У него была машина с дипломатическим флажком на радиаторе, элегантные костюмы и вдобавок хладнокровие, доходившее до наглости. Он держал себя настолько блестяще, что даже сами эмигранты уверовали, будто все у него в порядке. Хотя в действительности все было, видимо, не в порядке.

Кан свободно ездил по стране. Самое пикантное заключалось в том, что он путешествовал как представитель другого фашистского диктатора, а тот не имел об этом ни малейшего понятия. Скоро Кан стал сказочным героем, творившим добрые дела. Дипломатический флажок на машине отчасти защищал Кана. А когда его задерживали эсэсовские патрули или немецкие солдаты, он тут же кидался в атаку, и немцы быстро шли на попятную, боясь получить взбучку от начальства. Кан хорошо усвоил, что нацистам импонирует грубость, и за словом в карман не лез.

При любой фашистской диктатуре страх и неуверенность царят даже в рядах самих фашистов, особенно если они люди подневольные, так как понятие права становится чисто субъективным и, следовательно, может быть обращено против любого бесправного индивидуума, коль скоро его поступки перестают соответствовать меняющимся установкам. Кан играл на трусости фашистов, ибо знал, что трусость в соединении с жестокостью как раз и являются логическим следствием любой тирании.

Он был связан с движением Сопротивления. По всей видимости, именно подпольщики снабдили его деньгами и машиной, а главное, бензином. Бензина Кану всегда хватало, хотя в то время он был чрезвычайно дефицитен. Кан развозил листовки и первые подпольные газеты — двухполосные листки небольшого формата. Мне был известен такой случай: однажды немецкий патруль остановил Кана, чтобы обыскать его машину, которая как на грех была набита нелегальной литературой. Но Кан поднял такой скандал, что немцы спешно ретировались: можно было подумать, что они схватили за хвост гадюку. Однако на этом Кан не успокоился: он погнался за солдатами и пожаловался на них в ближайшей комендатуре, предварительно избавившись, правда, от опасной литературы. Кан добился того, что немецкий офицер извинился перед ним за бестолковость своих подчиненных. Утихомирившись, Кан покинул комендатуру, попрощался, как положено фалангисту, и в ответ услышал бодрое «Хайль Гитлер!». А немного погодя он обнаружил, что в машине у него все еще лежат две пачки листовок.

Иногда у Кана появлялись незаполненные испанские паспорта. Благодаря им он спас жизнь многим эмигрантам: они смогли перейти границу и скрыться в Пиренеях. Это были люди, которых разыскивало гестапо. Кану удавалось долгое время прятать своих подопечных во французских монастырях, а потом, при первой возможности, эвакуировать. Я сам знаю два случая, когда Кан сумел предотвратить насильственное возвращение эмигрантов в Германию. В первом случае он внушил немецкому фельдфебелю, что Испания особо заинтересована в данном лице: этот человек-де свободно владеет языками, и поэтому его хотят использовать в качестве испанского резидента в Англии. Во втором случае Кан действовал с помощью коньяка и рома, а потом стал угрожать охране, что донесет на нее, обвинив во взяточничестве.

Когда Кан исчез с горизонта, в среде эмигрантов распространились самые мрачные слухи, все каркали наперебой. Ведь каждый эмигрант понимал, что эта война в одиночку может кончиться для Кана только гибелью. День ото дня он становился все бесстрашней и бесстрашней. Казалось, он бросал вызов судьбе. А потом вдруг наступила тишина. Я считал, что нацисты уже давно забили Кана насмерть в концлагере или подвесили его на крюке — подобно тому, как мясники подвешивают освежеванные туши, — пока не услышал от Лахмана, что Кану тоже удалось бежать.

Я нашел его в магазине, где по радио транслировали речь президента Рузвельта. Сквозь раскрытые двери на улицу доносился оглушительный шум. Перед витриной столпились люди и слушали речь.

Я попытался заговорить с Каном. Это было невозможно — пришлось бы перекричать радио. Мы могли объясняться только знаками. Он с сожалением пожал плечами, указал пальцем на репродуктор и на народ за стеклами витрины и улыбнулся. Я понял: для Кана было важно, чтобы люди слушали Рузвельта, да и сам он не желал пропускать из-за меня эту речь. Я сел у витрины, вытащил сигарету и начал слушать.

Кан был хрупкий темноволосый человек с большими черными горящими глазами. Он был молод, не старше тридцати. Глядя на него, никто не сказал бы, что это смельчак, долгие годы игравший с огнем. Скорее, он походил на поэта: настолько задумчивым и в то же время открытым было это лицо. Рембо и Вийон, впрочем, тоже были поэтами. А то, что совершал Кан, могло прийти в голову только поэту.

Громкоговоритель внезапно умолк.

— Извините, — сказал Кан, — я хотел дослушать речь до конца. Вы видели людей на улице? Часть из них с радостью прикончила бы президента — у него много врагов. Они утверждают, что Рузвельт вовлек Америку в войну и что он несет ответственность за американские потери.

— В Европе?

— Не только в Европе, но и на Тихом океане, там, впрочем, японцы сняли с него ответственность. — Кан взглянул на меня внимательней. — По-моему, мы уже где-то встречались? Может, во Франции?

Я рассказал ему о моих бедах.

— Когда вам надо убираться? — спросил он.

— Через две недели.

— Куда?

— Понятия не имею.

— В Мексику, — сказал он. — Или в Канаду. В Мексику проще. Тамошнее правительство более дружелюбно, оно принимало даже испанских réfugiés*. Надо запросить посольство. Какие у вас документы?

Я ответил. Он улыбнулся, и улыбка преобразила его лицо.

— Все то же самое, — пробормотал он. — Хотите сохранить этот паспорт?

— Иначе нельзя. Он — мой единственный документ. Если я признаюсь, что паспорт чужой, меня посадят в тюрьму.

— Может, и не посадят. Но пользы это вам не принесет. Что вы делаете сегодня вечером? Заняты?

— Нет, конечно.

— Зайдите за мной часов в девять. Нам понадобится помощь. И здесь есть такой дом, где мы ее получим.

---

* Беженцев (*фр.*).

Круглое краснощекое лицо с круглыми глазами и всклокоченной копной волос добродушно сияло, как полная луна.

— Роберт! — воскликнула Бетти Штейн. — Боже мой, откуда вы взялись? И с каких пор вы здесь? Почему я ничего о вас не слышала? Неужели не могли сообщить о себе! Ну конечно, у вас дела поважнее. Где уж тут вспомнить обо мне? Типично для...

— Вы знакомы? — спросил Кан.

Невозможно было представить себе человека, участвовавшего в этом переселении народов, который не знал бы Бетти Штейн. Она была покровительницей эмигрантов — так же, как раньше в Берлине была покровительницей актеров, художников и писателей, еще не выбившихся в люди. Любвеобильное сердце этой женщины было открыто для всех, кто в ней нуждался. Ее дружелюбие проявлялось столь бурно, что порой граничило с добродушной тиранией: либо она принимала тебя целиком, либо вы становились врагами.

— Конечно, знакомы, — ответил я Кану. — Правда, мы не виделись несколько лет. И вот уже с порога, не успел я войти, как она меня упрекает. Это у нее в крови. Славянская кровь.

— Да, я родилась в Бреславле, — заявила Бетти Штейн, — и все еще горжусь этим.

— Бывают же такие доисторические предрассудки, — сказал Кан невозмутимо. — Хорошо, что вы знакомы. Нашему общему другу Россу нужны помощь и совет.

— Россу?

— Вот именно, Бетти, Россу, — сказал я.

— Он умер?

Эрих Мария Ремарк

— Да, Бетти. И я его наследник.

— Понимаю.

Я объяснил ей ситуацию. Она тут же с жаром ухватилась за это дело и принялась обсуждать различные варианты с Каном, который как герой Сопротивления пользовался здесь большим уважением. А я тем временем огляделся. Комната была очень большая, и все здесь соответствовало характеру Бетти. На стенах висели прикрепленные кнопками фотографии — портреты с восторженными посвящениями. Я начал рассматривать подписи: многие из этих людей уже погибли. Шестеро так и не покинули Германию, один вернулся.

— Почему фотография Форстера у вас в траурной рамке? — спросил я. — Он ведь жив.

— Потому что Форстер опять в Германии. — Бетти повернулась ко мне. — Знаете, почему он уехал обратно?

— Потому что он не еврей и стосковался по родине, — сказал Кан. — И не знал английского.

— Вовсе не потому. А потому, что в Америке не умеют делать его любимый салат, — торжествующе сообщила Бетти. — И на него напала тоска.

В комнате раздался приглушенный смех. Эмигрантские анекдоты были мне хорошо знакомы — смесь иронии и отчаяния.

Существовала также целая серия анекдотов о Геринге, Геббельсе и Гитлере.

— Почему же вы тогда не сняли его портрет? — спросил я.

— Потому что, несмотря на все, я люблю Форстера и потому что он большой актер.

Кан засмеялся.

— Бетти, как всегда, объективна, — сказал он. — И в тот день, когда все это кончится, она первая скажет о наших бывших друзьях, которые за это время успели написать в Германии антисемитские книжонки и получить чин оберштурмфюрера, что они, мол, делали это, дабы предотвратить самое худшее! — Он потрепал ее по мясистому загривку. — Разве я не прав, Бетти?

— Если другие — свиньи, то это не значит, что и мы должны вести себя по-свински, — возразила Бетти несколько раздраженно.

— Именно на такие рассуждения они и рассчитывают, — сказал Кан невозмутимо. — А в конце войны будут твердо рассчитывать на то, что американцы, дав последний залп, пошлют в Германию составы с салом, маслом и мясом для бедных немцев, которые всего-навсего хотели их уничтожить.

— А если немцы выиграют эту войну? Как, по-вашему, они поведут себя? Тоже будут раздавать сало? — спросил кто-то и закашлялся.

Я не ответил. Разговоры эти мне изрядно надоели. Лучше уж рассматривать фотографии.

— Поминальник Бетти, — произнесла хрупкая, очень бледная женщина, которая сидела на скамейке под фотографиями. — Это портрет Хаштенеера.

Я вспомнил Хаштенеера. Французы засадили его в лагерь для интернированных вместе с другими эмигрантами, которых сумели схватить. Он был писатель и знал, что, если попадет в руки немцев, его песенка спета. Знал он также, что лагеря для интернированных прочесывают гестаповцы. Когда немцы были в нескольких часах ходу от лагеря, Хаштенеер покончил с собой.

Эрих Мария Ремарк

— Типично французское равнодушие, — сказал Кан с горечью. — Они не желают тебе зла, но ты почему-то по их милости подыхаешь.

Я вспомнил, что Кан заставил коменданта одного из французских лагерей отпустить нескольких немецких беженцев. Он так насел на него, что комендант, очень долго прикрывавший свою нерешительность болтовней об офицерской чести, наконец уступил. Ночью он освободил эмигрантов, которые иначе пропали бы. Это было тем более трудно, что в лагере оказалось несколько нацистов. Сперва Кан убедил коменданта отпустить нацистов, уверяя, что в противном случае гестаповцы после осмотра лагеря арестуют его. А потом он использовал освобождение нацистов как средство давления на коменданта. Грозил, что пожалуется на него правительству Виши. Этот свой маневр Кан назвал «моральное поэтапное вымогательство». Маневр подействовал.

— Как вам удалось выбраться из Франции? — спросил я Кана.

— Тем путем, какой казался тогда вполне нормальным. Самым фантастическим. Гестапо кое о чем начало догадываться. Мое нахальство, равно как и сомнительный титул вице-консула, перестали помогать. В один прекрасный день меня арестовали.

К счастью, как раз в это время в комендатуре появились два нациста, которые по моему распоряжению были отпущены. Они собирались в Германию. Нацисты, конечно, поклялись всеми святыми, что я друг немцев. Я им еще помог... Напустил на себя грозный вид, замолчал, а потом как бы невзначай обронил несколько имен, и они не сделали того, чего я боялся:

не передали меня вышестоящей инстанции. Их обуял страх. А вдруг из-за этого недоразумения начальство на них наорет? Под конец они были мне даже благодарны за то, что я пообещал забыть об этом происшествии, и отпустили меня с миром. Я бежал далеко, до самого Лиссабона. Человек должен знать, когда рисковать уже больше нельзя. Тут появляется особое чувство, похожее на чувство, какое бывает при первом легком приступе angina pectoris[*]. У тебя уже и прежде были неприятные ощущения, но это чувство иное, к чему надо прислушаться. Ведь следующий приступ может стать смертельным.

Теперь мы сидели в темноте.

— Это ваш магазин?

— Нет. Я здесь служащий. Из меня вышел хороший продавец.

— Охотно верю.

На улице была ночь, ночь большого города — горели огни, шли люди. Казалось, незримая витрина защищает нас не только от шума, — мы были словно в пещере.

— В такой тьме даже сигара не доставляет удовольствия, — сказал Кан. — Вот было бы великолепно, если бы во тьме человек не чувствовал боли. Правда?

— Наоборот, боль становится сильнее, потому что человек боится. Кого только?

— Себя самого. Но все это выдумки. Бояться надо не себя, а других людей.

— Это тоже выдумки.

— Нет, — сказал Кан спокойно. — Так считалось до восемнадцатого года. С тридцать третьего известно, что это не так. Культура — тонкий пласт, ее может смыть обыкновенный дождик. Этому научил нас

---

[*] Грудная жаба *(лат.)*.

Эрих Мария Ремарк

немецкий народ — народ поэтов и мыслителей. Он считался высокоцивилизованным. И сумел перещеголять Аттилу и Чингисхана, с упоением совершив мгновенный поворот к варварству.

— Можно, я зажгу свет? — спросил я.

— Конечно.

Безжалостный электрический свет залил помещение; мигая, мы поглядели друг на друга.

— Просто странно, куда только человека не заносит судьба, — сказал Кан, вынимая из кармана расческу и приводя в порядок волосы. — Но главное, что она все же заносит его куда-то, где можно начать сначала. Только не ждать. Некоторые, — он повел рукой, — некоторые просто ждут. Чего? Того, что время повернет вспять им в угоду? Бедняги! А вы что делаете? Уже нашли себе какое-нибудь занятие?

— Разбираю кладовые в антикварной лавке.

— Где? На Второй авеню?

— На Третьей.

— Один черт. Никаких перспектив. Постарайтесь начать собственное дело. Продавайте что угодно, хоть булыжник. Или шпильки для волос. Я сам кое-чем приторговываю в свободное время. Самостоятельно.

— Хотите стать американцем?

— Я хотел стать австрийцем, потом чехом. Но немцы, увы, захватили обе эти страны. Тогда я решил стать французом — результат тот же. Хотелось бы мне знать, не оккупируют ли немцы и Америку?

— А мне хотелось бы знать другое: через какую границу меня выдворят дней через десять?

Кан покачал головой.

— Это совсем не обязательно. Бетти достанет вам рекомендации трех известных эмигрантов. Фейхтвангер тоже не отказал бы вам, но его рекомендации здесь не очень котируются. Он слишком левый. Правда, Америка в союзе с Россией, но не настолько, чтобы «поощрять» коммунизм. Генрих и Томас Манны ценятся высоко, но еще лучше, если за вас поручатся коренные американцы. Один издатель хочет опубликовать мои воспоминания; конечно, я никогда не напишу их. Но говорить ему это пока преждевременно — узнает года через два. Мой издатель вообще интересуется эмигрантами. Наверное, чует, что на них можно сделать бизнес. Выгода в сочетании с идеализмом — дело беспроигрышное. Завтра я ему позвоню. Скажу, что вы один из тех немцев, которых я вызволил из лагерей в Гуре.

— Я был в Гуре, — сказал я.

— В самом деле? Бежали?

Я кивнул:

— Подкупил охрану.

Кан оживился.

— Вот здорово! Мы найдем нескольких свидетелей. Бетти знает уйму народа. А вы не помните кого-нибудь, кто оттуда выбрался бы в Америку?

— Господин Кан, — сказал я, — Америка была для нас землей обетованной. В Гуре мы не могли и мечтать о ней. Кроме того, простите, я не захватил с собой никаких документов.

— Ничего. Раздобудем что-нибудь. Для вас сейчас самое главное — продлить пребывание здесь. Хотя бы на несколько недель. Или месяцев. Для этого потребуется адвокат — ведь времени осталось в обрез. В Нью-Йорке достаточно эмигрантов, которые имели в прошлом адвокатскую практику. Бетти это устроила бы в два счета. Но времени так мало, что лучше найти американского адвоката. Бетти и в этом нам поможет. А деньги у вас есть?

— Дней на десять хватит.

— То есть это деньги на жизнь. А сумму, которую потребует адвокат, придется собрать. Думаю, она не будет такой уж большой. — Кан улыбнулся. — Пока что эмигранты еще держатся вместе. Беда сплачивает людей лучше, чем удача.

Я взглянул на Кана. Его бледное, изможденное лицо до странности потемнело.

— У вас передо мной есть некоторое преимущество, — сказал я. — Вы еврей. И согласно подлой доктрине тех людишек, не принадлежите к их нации. Я не удостоился такой чести. Я к ним принадлежу.

Кан повернулся ко мне лицом.

— Принадлежите к их нации? — В его голосе слышалась ирония. — Вы в этом уверены?

— А вы нет?

Кан молча разглядывал меня. И мне стало не по себе.

— Я болтаю чушь! — сказал я наконец, чтобы прервать молчание. — Надеюсь, все это не имеет к нам отношения.

Кан все еще не сводил с меня глаз.

— Мой народ, — начал он, но тут же прервал сам себя: — Я тоже, кажется, горожу чушь. Пошли! Давайте разопьем бутылочку!

Пить я не хотел, но и отказаться не мог. Кан вел себя вполне спокойно и уравновешенно. Однако так же спокойно держался в Париже Иозеф Бер, когда я не согласился пить с ним ночь напролет из-за безмерной усталости. А наутро я обнаружил, что он повесился в своем нищенском номере.

Люди, не имевшие корней, были чрезвычайно нестойки — в их жизни случай играл решающую роль. Если бы в тот вечер в Бразилии, когда Стефан Цвейг и его жена покончили жизнь самоубийством, они могли бы излить кому-нибудь душу, хоты бы по телефону, несчастья, возможно, не произошло бы. Но Цвейг оказался на чужбине среди чужих людей. И совершил вдобавок роковую ошибку — написал воспоминания; а ему надо было бежать от них, как от чумы. Воспоминания захлестнули его. Потому-то и я так страшился воспоминаний. Да, я знал, что должен действовать, хотел действовать. И сознание это давило на меня, как тяжелый камень. Но прежде надо, чтобы кончилась война и чтобы я мог снова поселиться в Европе.

Я вернулся в гостиницу, и она показалась мне еще более унылой, чем прежде. Усевшись в старомодном холле, я решил ждать Меликова. Вокруг как будто никого не было, но внезапно я услышал всхлипыванья. В углу, возле кадки с пальмой, сидела женщина. Я с трудом разглядел Наташу Петрову.

Наверное, она тоже ждала Меликова. Ее плач действовал мне на нервы. К тому же у меня и так была тяжелая голова после выпивки. Помедлив секунду, я подошел к ней.

— Могу ли я вам чем-нибудь помочь?

Она не ответила.

— Что-нибудь случилось? — спросил я.

Наташа покачала головой:

— Что, собственно, должно случиться?

— Но вы ведь плачете.

— Что, собственно, должно случиться?

Я долго смотрел на нее.

— Есть же причина. Иначе вы не плакали бы.

— Вы уверены? — спросила она вдруг сердито.

Я бы с удовольствием ушел, но в голове у меня был полный сумбур.

— Обычно причина все же существует, — сказал я после краткой паузы.

— Неужели? Разве нельзя плакать без причины? Неужели все имеет свои причины?

Я бы не удивился, если бы Наташа заявила, что только тупые немцы имеют на все причину. Пожалуй, даже ждал этих слов.

— С вами так не случается? — спросила она вместо этого.

— Я могу себе это представить.

— С вами так не случается? — повторила она.

Можно было объяснить ей, что у меня, к сожалению, всегда оказывалось достаточно причин для слез. Представление о том, что можно плакать без всякой причины — просто от мировой скорби или от сердечной тоски, — могло возникнуть лишь в другом, более счастливом столетии.

— Мне было не до слез.

— Ну конечно! Где уж вам плакать!

Начинается, подумал я. Противник идет в атаку.

— Извините, — пробормотал я и собрался уходить. Не хватало мне только отражать наскоки плачущей женщины!

— Знаю, — сказала она с горечью, — идет война. И в такое время смешно плакать из-за пустяков. Но я реву — и все тут. Несмотря на то, что где-то далеко от нас разыгрываются десятки сражений.

Я остановился.

— Мне это понятно. Война здесь ни при чем. Пусть где-то убивают сотни тысяч людей... Если ты порежешь себе палец, боль от этого не утихнет.

Боже, какой вздор я несу, подумал я. Надо оставить эту истеричку в покое. Пусть себе рыдает на здоровье. Почему я не ухожу? Но я продолжал стоять, будто она была последним человеком на этой земле. И вдруг я все понял: я боялся остаться один.

— Бесполезно, — повторяла она. — Решительно все бесполезно. Все, что мы делаем! Мы должны умереть. Никому не избежать смерти.

О Господи! Вот до чего договорилась!

— Да, но тут существует много разных нюансов. Один из них состоит в том, как долго человеку удается избегать смерти.

Наташа не отвечала.

— Не хотите ли выпить чего-нибудь? — спросил я.

— Не выношу эту кока-колу. Дурацкий напиток!

— А как насчет водки?

Она подняла голову.

— Насчет водки? Водки здесь не достанешь, раз нет Меликова. Куда он делся? Почему его до сих пор нет?

— Не знаю. Но у меня в номере стоит початая бутылка водки. Можем распить ее.

— Разумное предложение, — сказала Наташа Петрова. И прибавила: — Почему вы не внесли его раньше?

Водки было на донышке. Я взял бутылку и с неохотой пошел обратно. Может, Меликов скоро явится? Тогда я буду играть с ним в шахматы до тех пор, пока не приду в равновесие. От Наташи Петровой я не ждал ничего путного.

Я подошел к столу в холле и почти не узнал ее. Слез не было, она напудрилась и встретила меня улыбкой.

Эрих Мария Ремарк

— Почему, собственно, вы пьете водку? Ведь у вас на родине ее не пьют.

— Правильно, — сказал я. — В Германии пьют пиво и шнапс, но я забыл свое отечество и не пью ни пива, ни шнапса. Насчет водки я, правда, тоже не большой мастак.

— Что же вы пьете?

— Пью все, что придется. Во Франции пил вино, если было на что.

— Франция... — сказала Наташа Петрова. — Боже, что с ней сделали немцы!

— Я здесь ни при чем. В это время я сидел во французском лагере для интернированных.

— Разумеется! Как враг.

— До этого я сидел в немецком концлагере. Тоже как враг.

— Не понимаю.

— Я тоже, — ответил я со злостью. И подумал: сегодня какой-то злосчастный день. Я попал в заколдованный круг и никак не вырвусь из него. — Хотите еще рюмку? — спросил я. Решительно, нам не о чем было разговаривать.

— Спасибо. Пожалуй, больше не надо. Я уже до этого довольно много выпила.

Я молчал. И чувствовал себя ужасно. Вокруг люди — один я какой-то неприкаянный.

— Вы здесь живете? — спросила Наташа Петрова.

— Да. Временно.

— Здесь все живут временно. Но многие застревают на всю жизнь.

— Может быть. Вы тоже здесь жили?

— Да. Но потом переехала. И иногда думаю, лучше бы я никогда не уезжала отсюда. И лучше бы я никогда не приезжала в Нью-Йорк.

Я так устал, что у меня больше не было сил задавать ей вопросы. Кроме того, я знал слишком много судеб, выдающихся и банальных. Любопытство притупилось. И меня совершенно не интересовал человек, который сокрушался из-за того, что приехал в Нью-Йорк. Этот человек принадлежал к иному миру, миру теней.

— Мне пора, — сказала Наташа Петрова, вставая.

На секунду меня охватило нечто вроде паники.

— Разве вы не подождете Меликова? Он должен прийти с минуты на минуту.

— Сомневаюсь. Пришел Феликс, который его заменяет.

Теперь и я увидел маленького лысого человечка. Он стоял у дверей и курил.

— Спасибо за водку, — сказала Наташа. Она взглянула на меня своими серыми прозрачными глазами. Странно, иногда нужна самая малость, чтобы человеку помогло. Достаточно поговорить с первым встречным — и все в порядке.

Наташа кивнула мне и двинулась прочь. Она была еще выше ростом, чем я предполагал. Каблуки ее стучали о деревянный пол громко и энергично, словно затаптывали что-то. Звук ее торопливых шагов странно не соответствовал гибкой и тонкой фигуре, слегка покачивавшейся на ходу.

Я закупорил бутылку и подошел к стоявшему у дверей Феликсу — напарнику Меликова.

— Как живете, Феликс? — спросил я.

— Помаленьку, — ответил он не очень дружелюбно и взглянул на улицу. — Как мне еще жить?

Я вдруг почувствовал, что ужасно завидую ему. Стоит себе и спокойно покуривает. Огонек его сигареты стал для меня символом уюта и благополучия.

Эрих Мария Ремарк

— Спокойной ночи, Феликс, — сказал я.

— Спокойной ночи. Может, вам что-нибудь нужно? Воды? Сигарет?

— Не надо. Спасибо, Феликс.

Я открыл свой номер, и на меня, подобно огромному валу, накатило прошлое. Казалось, оно поджидало моего прихода за дверью. Я бросился на кровать и вперил взгляд в серый четырехугольник окна. Теперь я был совершенно беспомощен. Я видел множество лиц и не видел иных знакомых лиц. Я беззвучно взывал о мести, понимая, что все тщетно; хотел кого-то задушить, но не знал кого. Мне оставалось только ждать. А потом я заметил, что ладони мои намокли от слез.

V

Адвокат заставил меня просидеть в приемной битый час. Я решил, что это нарочно: видно, так он обрабатывал клиентов, чтобы сделать их более податливыми. Но моя податливость была ему ни к чему. Я коротал время, наблюдая за двумя посетителями, сидевшими, как и я, в приемной. Один из них жевал резинку, другой пытался пригласить секретаршу адвоката на чашку кофе в обеденный перерыв. Секретарша только посмеивалась. И правильно делала! У этого типа была вставная челюсть, а на коротком толстом мизинце с обгрызенным ногтем сверкало бриллиантовое кольцо. Напротив стола секретарши между двумя цветными гравюрами, изображавшими уличные сценки в Нью-Йорке, висела окантованная табличка с одним словом — «Think!»*. Этот лапидарный призыв мыслить я замечал уже не раз. В коридоре гостиницы «Ройбен»

---

* Думай! *(англ.)*

он красовался в весьма неподходящем месте — перед туалетом.

Самое яркое проявление пруссачества, какое мне до сих пор довелось увидеть в Америке!

Адвокат был широкоплечий мужчина с широким, плоским лицом. Он носил очки в золотой оправе. Голос у него был неожиданно высоким. Он это знал и старался говорить на более низких нотах и чуть ли не шепотом.

— Вы эмигрант? — прошептал он, не отрывая взгляда от рекомендательного письма, написанного, видимо, Бетти.

— Да.

— Еврей, конечно.

Я молчал. Он поднял глаза.

— Нет, — сказал я удивленно. — А что?

— С немцами, которые хотят жить в Америке, я дела не имею.

— Почему, собственно?

— Неужели я должен вам это объяснять?

— Можете не объяснять. Объясните лучше, почему вы заставили меня прождать целый час?

— Госпожа Штейн неправильно меня информировала.

— Я хочу задать вам встречный вопрос: а вы кто?

— Я — американец, — сказал адвокат громче, чем раньше, и потому более высоким голосом. — И не собираюсь хлопотать за нациста.

Я расхохотался.

— Для вас каждый немец обязательно нацист?

Его голос снова стал громче и выше:

— Во всяком случае, в каждом немце сидит потенциальный нацист.

Я снова расхохотался.

— Что? — спросил адвокат фальцетом.

Я показал на табличку со словом «Think!». Такая табличка висела и в кабинете адвоката, только буквы были золотые.

— Скажем лучше так: в каждом немце и в каждом велосипедисте, — добавил я. — Вспомним старый анекдот, который рассказывали в девятнадцатом году в Германии. Когда кто-нибудь утверждал, будто евреи повинны в том, что Германия проиграла войну, собеседник говорил: «И велосипедисты тоже». А если его спрашивали: «Почему велосипедисты?» — он отвечал вопросом на вопрос: «А почему евреи?» Но это было в девятнадцатом. Тогда в Германии еще разрешалось думать, хотя это уже грозило неприятностями.

Я ждал, что адвокат выгонит меня, но на его лице расплылась широкая улыбка, и оно стало еще шире.

— Недурственно, — сказал он довольно низким голосом. — Я не слышал этого анекдота.

— Анекдот с бородой, — сказал я. — Сейчас в Германии больше не шутят, сейчас там только стреляют.

Адвокат снова стал серьезным.

— У меня слабость к анекдотам, — сказал он. — Тем не менее я стою на своем.

— И я тоже.

— Чем вы докажете свою правоту?

Я встал. Дурацкое жонглирование словами мне надоело. Нет ничего утомительнее, чем присутствовать при том, как человек демонстрирует свой ум. В особенности если ума нет.

Но тут адвокат с широким лицом сказал:

— Найдется у вас тысяча долларов?

— Нет, — ответил я резко. — У меня не найдется и сотни.

Он дал мне дойти почти до самой двери и только тогда спросил:

— Чем же вы собираетесь платить?

— Мне хотят помочь друзья, но я готов снова попасть в лагерь для интернированных, лишь бы не просить у них такой суммы.

— Вы уже сидели в лагере?

— Да, — сказал я сердито. — И в Германии тоже, но там они называются иначе.

Я уже ждал разъяснений этого горе-умника насчет того, что в немецких концлагерях сидят-де и уголовники, и профессиональные преступники. Что было, кстати, верно. Вот когда я перестал бы сдерживаться. Но на сей раз я не угадал. За спиной адвоката что-то тихонько скрипнуло, а потом раздалось грустное «ку-ку, ку-ку». Кукушка прокуковала двенадцать раз. Это были часы из Шварцвальда. Таких я не слышал с детства.

— Какая прелесть! — воскликнул я иронически.

— Подарок жены, — сказал адвокат слегка смущенно. — Свадебный подарок.

Я с трудом удержался, чтобы не спросить, не сидит ли в этих часах потенциальный нацист. Мне показалось, что в кукушке я вдруг обрел неожиданного союзника. Адвокат почти ласково сказал:

— Я сделаю для вас все, что смогу. Позвоните мне послезавтра утром.

— А как же с гонораром?

— Насчет этого я переговорю с госпожой Штейн.

— Я предпочел бы знать заранее.

— Пятьсот долларов, — сказал он. — В рассрочку, если хотите.

— Думаете, вам удастся мне помочь?

— Продлить визу мы во всяком случае сумеем. Потом придется опять ходатайствовать.

— Спасибо, — сказал я. — Позвоню вам послезавтра... Ну и фокусник! — не удержался я, спускаясь в тесном лифте этого узкогрудого дома. Моя попутчица бросила на меня испепеляющий взгляд: она была в шляпке в виде ласточкиного гнезда, и когда кабина остановилась, со щек у нее посыпалась пудра. Я стоял, не глядя на даму, изобразив на лице полнейшее равнодушие. Мне уже говорили, что женщины в Америке чуть что зовут полицейского. «Think!» — было написано в лифте на дощечке красного дерева; дощечка висела над гневно покачивавшимися желтыми кудряшками дамы и над неподвижным гнездом с выводком ласточек.

В кабинах лифта я всегда начинаю нервничать. В них нет запасного выхода, и убежать из кабины трудно.

В молодости я любил одиночество. Но годы преследований и скитаний приучили меня бояться его. И не только потому, что оно ведет к размышлениям и тем самым нагоняет тоску. Одиночество опасно! Человек, который постоянно скрывается, предпочитает быть на людях. Толпа делает его безымянным. Он перестает привлекать к себе внимание.

Я вышел на улицу. И мне показалось, что тысячи безымянных друзей приняли меня в свой круг. Улица была распахнута настежь, и на каждом шагу я различал входы и выходы, закоулки и проулки. А главное, на улице была толпа, в которой можно было затеряться.

— Сами того не желая, мы волей-неволей переняли мышление и логику преступников, — сказал я, обедая с Каном в дешевом кафе. — Вы, может быть, меньше, чем другие. Ведь вы наступали, отвечали ударом на удар. А мы только и делали, что подставляли спину. Как вы считаете, это пройдет?

— Страх перед полицией — навряд ли. Он вполне закономерен. Все порядочные люди боятся полиции. Страх этот коренится в недостатках нашего общественного строя. А другие страхи... Это зависит от нас самих. И скорее всего, страхи пройдут именно здесь. Америка создана эмигрантами. И каждый год тысячи людей получают здесь гражданство. — Кан засмеялся. — Ну и нравы в Америке! Достаточно ответить утвердительно на два вопроса, чтобы прослыть хорошим парнем... «Любите ли вы Америку?» — «Да, это самая замечательная страна на свете». — «Хотите ли вы стать американцем?» — «Да, конечно, хочу!» И вот вас уже хлопают по плечу и объявляют своим в доску.

Я вспомнил адвоката, от которого только что вернулся.

— Не скажите. И в Америке бывают свои кукушки!

— Что? — удивился Кан.

Я рассказал ему о заключительном эпизоде моей встречи с адвокатом.

— Этот тип обращался со мной как с прокаженным, — сказал я.

Кан не на шутку развеселился.

— Ай да кукушка! — смеялся он. — Но ведь адвокат потребовал с вас всего пятьсот долларов. Таким способом он принес свои извинения! А как вам нравится пицца?

— Очень нравится. Не хуже, чем в Италии.

— Лучше, чем в Италии, Нью-Йорк — итальянский город. Кроме того, он испанский город, еврейский, венгерский, китайский, африканский и исто немецкий.

— Немецкий?

— Вот именно! Попробуйте сходить на Восемьдесят шестую улицу; там полным-полно пивных погребков «Гейдельберг», закусочных «Гинденбург», нацистов, немецко-американских клубов, гимнастических обществ и певческих ферейнов, исполняющих кантату «Ура герою в лавровом венце». И в каждом кафе есть столики для постоянных посетителей с черно-бело-красными флажками. Не подумайте худого! Не с черно-красно-золотыми, а именно с черно-бело-красными*.

— Без свастики?

— Свастику на всеобщее обозрение не выставляют. В остальном американские немцы часто хуже тамошних. Живя вдали от Германии, они видят обожаемую родину-мать сквозь сентиментальный розовый флер, хотя в свое время покинули ее, потому что она обернулась для них злой мачехой, — сказал Кан насмешливо. — Советую вам послушать, как на этой улице разглагольствуют о патриотизме, пиве, рейнских мелодиях и чувствительности фюрера.

Я взглянул на него.

— Что случилось? — спросил Кан.

— Ничего, — с трудом произнес я. — И все это здесь существует?

— Американцам на все наплевать. Они не принимают такие штуки всерьез. Несмотря на войну.

---

* Черно-бело-красный флаг — флаг кайзеровской Германии, а черно-красно-золотой — флаг Веймарской республики.

— Несмотря на войну, — повторил я.

Слово «война» здесь просто не звучало. Эта страна была отделена от своих войн океаном и половиной земного шара. Ее границы нигде не соприкасались с границами вражеских государств. Эту страну не бомбили. И не обстреливали.

— Войны заключаются в том, что армии переходят через границы и вступают на территории соседних стран, на территории врага. Где эти границы? В Японии и в Германии? Война кажется здесь ненастоящей. Ты видишь солдат, но не видишь раненых. Наверное, они остаются там. Или, может, их вообще у американцев не бывает?

— Бывают. И убитые тоже.

— Все равно это ненастоящая война.

— Настоящая! Самая настоящая!

Я посмотрел на улицу. Кан проследил за моим взглядом.

— Ну, что скажете: город все тот же? Он не изменился после того, как вы сильно продвинулись в английском?

— Как сказать! В первые дни он был для меня картиной или пантомимой. Теперь обрел реальность: в нем обозначились выпуклости и впадины. Город заговорил, и кое-что я уже улавливаю. Но не так много. Это еще усугубляет ощущение нереальности. Раньше каждый таксист казался мне сфинксом, а продавец газет — мировой загадкой. По сию пору я вижу в каждом официанте маленького Эйнштейна. Правда, этого Эйнштейна я понимаю. Если, конечно, он не рассуждает в данный момент о физике и математике. Но волшебство сохраняется только до тех пор, пока тебе ничего не надо. Когда тебе что-нибудь требуется, сразу возникают трудности. Очнувшись от своих философских грез, я скатываюсь до уровня школьника, отставшего от своих сверстников.

Кан заказал двойную порцию мороженого.

— Pistachio and lime!* — крикнул он вдогонку официантке. Мороженое Кан заказывал уже во второй раз. — В Америке есть семьдесят два сорта мороженого, — сообщил он с мечтательным выражением лица. — Конечно, не в этой закусочной, в больших кафе Джонсона и в аптеках. Приблизительно сорок сортов я уже перепробовал. Эта страна — рай для любителей мороженого! Между прочим, это разумное государство посылает своим солдатам, которые сражаются против японцев возле каких-то коралловых рифов, корабли, набитые мороженым и бифштексами.

Кан поглядел на официантку так, словно она несла в руках чашу Святого Грааля.

— Фисташкового мороженого у нас нет, — сказала официантка. — Я принесла вам мятное и лимонное. О'кей?

— О'кей.

Официантка улыбнулась.

— Какие здесь аппетитные женщины, — сказал Кан, — аппетитные, как все семьдесят два сорта мороженого, вместе взятые. Треть своих доходов они тратят на косметику. Кстати, иначе их не возьмут на работу. Пошлые законы человеческого естества не принимают здесь в расчет. Все обязаны быть молодыми. А если молодость ушла, ее возвращают искусственным путем. Внесите это наблюдение в вашу главу о нереальном мире.

Голос Кана успокаивал. Беседа журчала как ручеек.

_____
* Фисташковое и лимонное *(англ.)*.

— Вы, конечно, знаете «Après-midi d'un Faune»*, — сказал Кан. — Переиначив Дебюсси, можно сказать, что здесь вкушают «послеполуденный отдых» любители мороженого. Для нас такой отдых — целительный бальзам. Он излечивает больную душу. Правильно?

— В антикварной лавке мне приходится переживать нечто другое: «послеполуденный отдых» китайского мандарина незадолго до того, как его обезглавят.

— Проводите лучше свои послеполуденные часы с какой-нибудь американочкой. Вы поймете ровно половину того, что она будет лепетать, и, не напрягая особенно воображения, вернетесь в золотые дни своей бестолковой юности. Все, что человек не понимает, окутано для него тайной. Ваш житейский опыт не рассеет этих чар, вас спасет недостаточное знание языка. Глядишь, и вам удастся претворить в жизнь одну из человеческих фантазий, так сказать, малого формата — еще раз пережить былое, уже обладая мудростью зрелого человека и вновь возвращенной восторженностью юности. — Кан засмеялся. — Не упускайте случая! Каждый день вы что-нибудь да теряете. Чем больше знакомых слов, тем меньше очарования. Еще сейчас любая здешняя женщина для вас заморское диво, экзотическое и загадочное. Но с каждым новым словом, которое вы заучиваете, диво приобретает все более зримые черты домохозяйки, ведьмы или красавицы с конфетной коробки. Храните, как лучший дар судьбы, свой нынешний возраст, оставайтесь подольше десятилетним школьником. К сожалению, вы быстро состаритесь — уже через год вам стукнет тридцать четыре. — Взглянув на часы, Кан подозвал

---

* «Послеполуденный отдых фавна» *(фр.)* — произведение французского композитора Дебюсси.

Эрих Мария Ремарк

официантку в фартуке с голубыми полосками. — Последнюю порцию! Ванильного.

— У нас есть еще миндальное.

— Тогда и миндального. И один шарик малинового! — Кан посмотрел на меня. — Я тоже осуществляю мечту своей юности. Только еще более примитивную. Заказываю столько мороженого, сколько душе угодно. Здесь я впервые в жизни имею эту возможность. Для меня она — символ свободы и беззаботности. А это, как известно, понятия, в которые мы там, за океаном, уже перестали верить. В какой форме мы здесь обрели и то и другое, это уже не важно.

Прищурившись, я смотрел на пыльную улицу, на сплошной поток автомобилей. Рокот моторов и шуршание шин сливались в один монотонный гул, который усыплял меня.

— А пока? Что бы вы хотели делать? — спросил Кан, помолчав немного.

— Ни о чем не думать, — сказал я. — И как можно дольше.

Лоу-старший спустился ко мне в подвал, который шел под улицей. Он держал в руках бронзовую скульптуру.

— Как вы считаете — что это?

— А чем это должно быть?

— Бронзой эпохи Чжоу. Или даже Тан. Патина выглядит неплохо. Правда?

— Вы купили эту скульптуру?

Лоу ухмыльнулся.

— Без вас не стал бы. Мне ее принес один человек. Он ждет наверху в лавке. Просит за нее сто долларов. Отдаст, стало быть, за восемьдесят. По-моему, дешево.

— Слишком дешево, — сказал я, рассматривая скульптуру. — Этот человек — перекупщик?

— Не похоже. Молодой парень, уверяет, что получил скульптуру в наследство, а теперь нуждается в деньгах. Она — настоящая?

— Да, это китайская бронза. Но не эпохи Чжоу или Тан. Скорее, периода Тан или еще более позднего — Сун или Мин. Копия эпохи Мин, подражание более древней скульптуре. Причем подражали не так уж тщательно. Маски Дао-дзы выполнены неточно, да и спирали сюда не подходят — они получили распространение лишь после династии Хань. И в то же время декор — копия декора эпохи Тан, сжатый, простой и сильный. Однако если бы изображение росомахи и основной орнамент относились к тому же периоду, они были бы значительно яснее и четче. Кроме того, в орнаменте попадаются сравнительно мелкие завитушки, которых на настоящей древней бронзе не встретишь.

— А как же патина? Она ведь очень красивая!

— Господин Лоу, — сказал я. — Можете не сомневаться, это довольно древняя патина. Но на ней не видно малахитовых прожилок. Вспомните, что китайцы уже в эпоху Хань копировали и закапывали в землю скульптуры эпохи Чжоу. Патина у них всегда была отменная, хотя сама вещь не обязательно создавалась в эпоху Чжоу.

— Какая цена этой бронзе?

— Долларов двадцать — тридцать. Но в таких вещах вы понимаете лучше, чем я.

— Хотите подняться со мной? — спросил Лоу; в голубых глазах его появился кровожадный блеск.

— Мне обязательно идти?

— Разве вам это не доставит удовольствия?

— Что именно? Вывести на чистую воду мелкого мошенника? Зачем? К тому же я не думаю, что он мошенник. Кто в наше время разбирается в древней китайской бронзе?

Лоу бросил на меня быстрый взгляд.

— Ну, ну! Прошу без намеков, господин Росс.

Размахивая руками, толстяк затопал по лестнице в лавку, — он был маленького роста, кривоногий и очень энергичный. Лестница подрагивала под его шагами, со ступенек летела пыль. Какое-то время я видел только развевающиеся брючины и ботинки: туловище моего хозяина уже было в лавке. В это мгновение мне показалось, что передо мной не Лоу-старший, а круп театральной лошадки.

Через несколько минут ноги появились снова. А потом я узрел и бронзовую скульптуру.

— Купил! — сообщил мне Лоу. — Купил за двадцать долларов. Мин в конце концов тоже не так плохо.

— Безусловно, — согласился я.

Я знал, что Лоу купил эту бронзу только из желания показать, что и он кое-что смыслит в своем деле. Пусть не в китайском искусстве, зато в купле-продаже. Теперь толстяк внимательно наблюдал за мной.

— Долго вы еще собираетесь здесь работать? — спросил он.

— Всего?

— Да.

— Это зависит от вас. Хотите, чтобы я сматывал удочки?

— Нет, нет. Но держать вас вечно мы тоже не можем. Вы ведь скоро кончите? Чем вы занимались раньше?

— Журналистикой.

— Разве нельзя к этому вернуться?

— С моим знанием английского?

— Вы уже совсем неплохо болтаете по-английски.

— Помилуй Бог, господин Лоу! Я не могу написать простого письма без ошибок.

Лоу задумчиво почесал лысину бронзовой фигуркой.

Если бы бронза была эпохи Чжоу, он, наверное, обращался бы с нею более почтительно.

— А в живописи вы тоже смыслите?

— Самую малость. Так же, как в бронзе.

Он усмехнулся.

— Лучше, чем ничего. Придется мне пораскинуть мозгами. Может быть, кто-нибудь из моих коллег нуждается в помощнике. Правда, в делах сейчас застой. Вы это сами видите по нашей лавке. Но с картинами ситуация несколько иная. В особенности с импрессионистами. А уж старые полотна сейчас совершенно обесценены. Словом, посмотрим.

Лоу снова грузно затопал по лестнице.

До свидания, подвал, сказал я мысленно. Некоторое время ты был для меня второй родиной, темным прибежищем. Прощайте, позолоченные лампы конца девятнадцатого века, прощайте, пестрые вышивки 1890 года и мебель эпохи короля-буржуа Луи Филиппа, прощайте, персидские вазы и легконогие китайские танцовщицы из гробниц династии Тан, прощайте, терракотовые кони и все другие безмолвные свидетели давно отшумевших цивилизаций. Я полюбил вас всем сердцем и провел в вашем обществе мое второе американское отрочество — от десяти лет до пятнадцати! Ahoi u evoe! Представляя против воли одно из самых поганых столетий, я и приветствую вас! И при этом чувствую себя запоздавшим и безоружным гладиатором, который попал на арену, где кишмя кишат гиены и шакалы и почти нет львов. Я приветствую вас как человек, который намерен радоваться жизни до тех пор, пока его не сожрут.

Я раскланялся на все четыре стороны. И благословил антикварную рухлядь справа и слева от меня, а потом взглянул на часы. Мой рабочий день кончился. Над крышами домов алел закат, и редкие световые рекламы уже начали излучать мертвенное сияние. А из закусочных и ресторанов по-домашнему запахло жиром и луком.

— Что здесь такое стряслось? — спросил я Меликова, придя в гостиницу.

— Рауль решил покончить с собой.

— С каких это пор?

— С середины сегодняшнего дня. Он потерял Кики, который вот уже четыре года был его другом.

— В этой гостинице без конца плачут, — сказал я, прислушиваясь к сдерживаемым рыданиям в плюшевом холле, которые доносились из угла, где стояли кадки с растениями. — И почему-то обязательно под пальмами.

— В каждой гостинице много плачут, — пояснил Меликов.

— В отеле «Ритц» тоже?

— В отеле «Ритц» плачут, когда на бирже падает курс акций. А у нас, когда человек внезапно осознает, что он безнадежно одинок, хотя до сих пор не хотел этому верить.

— Кики попал под машину?

— Хуже. Обручился. Для Рауля — это трагедия. Женщина! Исконный враг! Предательство! Оскорбление самых святых чувств! Лучше б он умер.

— Бедняги гомосексуалисты! Им приходится сражаться сразу на двух фронтах. Против мужчин и против женщин.

Меликов ухмыльнулся.

— До твоего прихода Рауль обронил немало ценных замечаний насчет слабого пола. Самое неизощренное из них звучало так: отвратительные тюлени с ободранной кожей. Хорошо, что ты пришел. Надо водворить его в номер. Здесь внизу ему не место. Помоги мне. Этот парень весит сто кило.

Мы подошли к уголку с пальмами.

— Он вернется, Рауль, — прошептал Меликов.

Мы тщетно пытались оторвать Рауля от стула. Он оперся о мраморный столик и продолжал хныкать. Меликов снова начал взывать к нему. После долгих усилий нам удалось, наконец, приподнять его! Но тут он наступил мне на ногу. Стокилограммовая туша!

— Осторожней! Чертова баба! — заорал я.

— Что?

— То самое! Нечего распускать нюни! Старая баба!

— Я — старая баба? — возмутился Рауль. От неожиданности он несколько пришел в себя.

— Господин Росс хотел сказать совсем не то, — успокаивал его Меликов.

— И вовсе нет. Я хотел сказать именно то.

Рауль провел ладонью по глазам.

Мы смотрели на него, ожидая, что он сейчас истерически завизжит. Но он заговорил очень тихо.

— Я — баба? — Видно было, что он смертельно оскорблен.

— Этого он не говорил, — соврал Меликов. — Он сказал — как баба.

Мы без особого труда довели его до лестницы.

Эрих Мария Ремарк

— Несколько часов сна, — заклинал Меликов. — Одна или две таблетки секонала. Освежающий сон. А после — чашка крепкого кофе. И вы увидите все в ином свете.

Рауль не отвечал.

— Почему вы нянчитесь с этим жирным кретином? — спросил я.

— Он наш лучший постоялец. Снимает двухкомнатный номер с ванной.

VI

Я бесцельно бродил по улицам, боясь возвращаться в гостиницу. Ночью я видел страшный сон и пробудился от собственного крика. Мне и прежде часто снилось, что за мной гонится полиция. Или же меня мучили кошмары, которые мучили всех эмигрантов: я вдруг оказывался по ту сторону немецкой границы и попадал в лапы эсэсовцев. Это были сны, вызванные отчаянием: шутка ли, из-за собственной глупости оказаться в Германии. Ты просыпался с криком, но потом, осознав, что по-прежнему находишься в Нью-Йорке, выглядывал в окно, видел ночное небо в красных отсветах и снова осторожно вытягивался на постели: да, ты спасен! Однако сон, который я видел сегодня ночью, был иной — расплывчатый, навязчивый, темный, липкий, как смола, и нескончаемый... Незнакомая женщина, растерянная и бледная, беззвучно взывала о помощи, но я не мог ей помочь. И она медленно погружалась в вязкую трясину, в кашу из дегтя, грязи и запекшейся крови, — погружалась, обратив ко мне окаменевшее лицо. Я видел немую мольбу в ее испуганных белых глазах, видел черный провал рта, к которому подползала темная липкая жижа. А потом вдруг появились «коммандос». Я увидел вспышки выстрелов, услышал пронзительный голос с саксонским акцентом, увидел мундиры, почуял ужасный запах смерти, тления и огня, увидел печь с распахнутыми дверцами, где полыхало яркое пламя, увидел растерзанного человека, который еще двигался, вернее, шевелил рукой, всего лишь одним пальцем; увидел, как палец этот очень медленно согнулся и как другой человек растоптал его. И тут же раздался чей-то вопль, вопли обрушились на меня со всех сторон, отдаваясь гулким эхом...

Я остановился у витрины, но не замечал ничего вокруг. Только спустя некоторое время я понял, что стою на Пятой авеню перед ювелирным магазином «Ван Клееф и Арпельс». В непонятном страхе я убежал из лавки братьев Лоу, ибо подвал антикваров напомнил мне сегодня в первый раз тюремную камеру. Я инстинктивно искал общества людей, хотел очутиться на широких улицах. Так я попал на Пятую авеню.

Теперь я не отрывал взгляда от диадемы, некогда принадлежавшей французской императрице Евгении. При электрическом свете бриллиантовые цветы диадемы, покоившиеся на черном бархате, ослепительно сверкали. По одну сторону от нее лежал браслет из рубинов, изумрудов и сапфиров, по другую — кольца и солитеры.

— Что бы ты выбрала из этой витрины? — спросила девица в красном костюме свою спутницу.

— Сейчас самое модное — жемчуг. В свете носят только жемчуг.

— Искусственный или настоящий?

— И тот и другой. Черное платье с жемчугом. Только это считается шиком в высшем обществе.

— По-твоему, Евгения не принадлежала к высшему обществу?

— Когда это было!

— Все равно, от этого браслета я не отказалась бы, — сказала девица в красном.

— Чересчур пестро, — отрезала ее спутница.

Я двинулся дальше. Время от времени я останавливался у табачных лавок, у обувных магазинов и магазинов фарфора или у гигантских витрин модных портных, перед которыми толпа зевак пожирала глазами каскады шелка, переливавшегося всеми цветами радуги. Я смешивался с толпой зевак и сам пожирал глазами витрины, жадно прислушиваясь и ловя обрывки фраз, как рыба, выброшенная из воды, ловит ртом воздух. Я проходил сквозь эту вечернюю сумятицу жизни, желая слиться с людским потоком, но поток не принимал меня. Куда бы я ни шел, меня сопровождала белесая тень, подобно тому, как Ореста сопровождало далекое завывание фурий.

Сперва я хотел разыскать Кана, но потом раздумал. Я не желал видеть никого, кто напоминал бы мне прошлое. Даже Меликова.

Избавиться от сегодняшнего ночного кошмара было трудно. Обычно при дневном свете сны выцветали и рассеивались, через несколько часов от них оставалось лишь слабое, похожее на облачко воспоминание, с каждой минутой оно бледнело, а потом и вовсе исчезало. Но этот сон, хоть убей, не пропадал. Я отгонял его, он не уходил. Оставалось ощущение угрозы, мрачной, готовой вот-вот сбыться.

В Европе я редко видел сны. Я был поглощен одним желанием — выжить. Здесь же я почувствовал себя спасенным. Между мной и прошлой жизнью пролег океан, необъятная стихия. И во мне пробудилась надежда, что затемненный пароход, который словно призрак пробрался между подводными лодками, навсегда ускользнул от теней прошлого. Теперь я знал, что тени шли за мной по пятам, они заползали туда, где я не мог с ними справиться, заползали в мои сны, в мое подсознание, громоздившее каждую ночь причудливые миры, которые каждое утро рушились. Но сегодня эти призрачные миры не хотели исчезать, они окутывали меня, подобно липкому мокрому дыму — от этого дыма мурашки бегали у меня по спине, — подобно отвратительному, сладковатому дыму. Дыму крематориев.

Я оглянулся: за мной никто не наблюдал. Вечер был такой безмятежный. Казалось, покой клубится между каменными громадами зданий, на фасадах которых поблескивают тысячи глаз — тысячи освещенных окон. Золотистые ряды витрин, высотой в два-три этажа, ломились от ваз, картин и мехов, от старинной полированной мебели шоколадного цвета, освещенной лампами под шелковыми абажурами. Вся эта улица буквально лоснилась от чудовищного мещанского самодовольства. Она напоминала книжку для малышей с пестрыми картинками, которую перелистывал добродушный бог расточительства, приговаривая при этом: «Хватайте! Хватайте! Достанет на всех!»

Мир и покой! На этой улице в этот вечерний час вновь пробуждались иллюзии, увядшая любовь расцветала опять, и всходы надежд зеленели под благодатным ливнем лжи во спасение. То был час, когда поднимала голову мания величия, расцветали желания и умолкал голос самоуничижения, час, когда генералы и политики не только понимали, но на краткий миг чувствовали, что и они тоже люди и не будут жить вечно.

Эрих Мария Ремарк

Как я жаждал породниться с этой страной, которая раскрашивала своих мертвецов, обожествляла молодость и посылала солдат умирать за тридевять земель в незнакомые страны, послушно умирать за дело, неведомое им самим.

Почему я не мог стать таким же, как американцы? Почему принадлежал к племени людей, лишенных родины, спотыкавшихся на каждом английском слове? Людей, которые с громко бьющимся сердцем подымались по бесчисленным лестницам или взлетали вверх в бесчисленных лифтах, чтобы потом брести из комнаты в комнату, — племени людей, которых в этой стране терпели не любя и которые полюбили эту страну только за то, что она их терпела?

Я стоял перед табачной лавкой фирмы «Данхилл». Трубки из коричневого дерева с «пламенем» матово блестели своими гладкими боками — они казались символами респектабельности и надежности, они обещали изысканные радости, спокойные вечера, заполненные приятной беседой, и ночи в спальне, где от мужских волос пахнет медом, ромом и дорогим табаком и где из ванной доносится тихая возня не слишком тощей хозяйки, приготовляющейся к ночи в широкой постели. Как все это не похоже на сигареты там, в Европе, сигареты, которые докуривают почти до конца, а потом торопливо гасят; как это не похоже на дешевые сигареты «Голуаз», пахнущие не уютом и довольством, а только страхом.

Я становлюсь омерзительно сентиментальным, подумал я. Просто смешно! Неужели я стал одним из бесчисленных Агасферов и тоскую по теплой печке и вышитым домашним туфлям? По затхлому мещанскому благополучию и привычной скуке обывательского житья?

Я решительно повернулся и пошел прочь от магазинов Пятой авеню. Теперь я шел на запад и, миновав сквер, отданный во власть подонкам и дешевым театришкам бурлеска, вышел на улицы, где люди молча сидели у дверей своих домов на высоких крылечках, а детишки копошились между узкими коробками домов из бурого камня, похожие на грязных белых мотыльков. Взрослые показались мне усталыми, но не слишком озабоченными, если можно было доверять защитному покрову темноты.

Мне нужна женщина, думал я, приближаясь к гостинице «Ройбен». Женщина! Глупая, хохочущая самка с крашеными желтыми волосами и покачивающимися бедрами. Женщина, которая ничего не понимает и не задает никаких вопросов, кроме одного, достаточно ли у тебя при себе денег. И еще я хочу бутылку калифорнийского бургундского и, пожалуй, немного дешевого рома, чтобы смешать его с бургундским. Эту ночь я должен провести у женщины, ибо мне нельзя возвращаться в гостиницу. Нельзя возвращаться в гостиницу. В эту ночь никак нельзя.

Но где найти такую женщину? Такую девку? Шлюху? Нью-Йорк — не Париж. Я уже по опыту знал, что нью-йоркская полиция придерживается пуританских правил, когда дело касается бедняков. Шлюхи не разгуливают здесь по улицам, и у них нет опознавательных знаков — зонтиков и сумок необъятных размеров. Есть, конечно, номера телефонов, но для этого нужно время и знание этих номеров.

— Добрый вечер, Феликс, — сказал я. — Разве Меликов еще не пришел?

— Сегодня суббота, — ответил Феликс. — Мое дежурство.

Правильно. Сегодня суббота. Я совсем об этом забыл. Мне предстояло длинное, унылое воскресенье, и внезапно на меня напал страх.

В номере у меня еще оставалось немного водки и, кажется, несколько таблеток снотворного. Невольно я подумал о толстом Рауле. А ведь только вчера я насмехался над ним. Теперь и я чувствовал себя бесконечно одиноким.

— Мисс Петрова тоже спрашивала Меликова, — сказал Феликс.

— Она уже ушла?

— Нет, по-моему. Хотела подождать еще несколько минут.

Наташа Петрова шла мне навстречу по тускло освещенному плюшевому холлу.

Надеюсь, она не будет сегодня плакать, подумал я и снова удивился тому, какая она высокая.

— Вы опять торопитесь к фотографу? — спросил я. Она кивнула.

— Хотела выпить рюмку водки, но Владимира Ивановича сегодня нет. Совсем забыла, что у него свободный вечер.

— У меня тоже есть водка, — сказал я поспешно, — могу принести.

— Не трудитесь. У фотографа сколько угодно выпивки. Просто я хотела немного посидеть здесь.

— Все равно сейчас принесу. Это займет не больше минуты.

Я взбежал по лестнице и открыл дверь. Бутылка поблескивала на подоконнике. Не глядя по сторонам, я взял ее и прихватил два стакана. В дверях я обернулся. Ничего — ни теней, ни призраков. Недовольный собою, я покачал головой и пошел вниз.

Наташа Петрова показалась мне на этот раз не такой, какой я ее представлял. Менее истеричной и более похожей на американку. Но вот раздался ее хрипловатый голос, и я услышал, что она говорит с легким акцентом. Не с русским, а скорее с французским, — насколько я мог об этом судить. На голове у нее был сиреневый шелковый платок, небрежно повязанный в виде тюрбана.

— Чтобы не испортить прическу, — пояснила Наташа. — Сегодня мы снимаемся в вечерних туалетах.

— Вам нравится здесь сидеть? — спросил я.

— Я вообще люблю сидеть в гостиницах. В гостиницах не бывает скучно. Люди приходят и уходят. Здороваются и прощаются. Это и есть лучшие минуты в жизни.

— Вы так считаете?

— Наименее скучные, во всяком случае. А все, что между ними... — Она нетерпеливо махнула рукой. — Правда, большие гостиницы безлики. Там человек слишком тщательно скрывает свои эмоции. Тебе кажется, что в воздухе пахнет приключениями, но приобщиться к ним невозможно.

— А здесь можно?

— Скорее. Здесь люди распускаются. Я, между прочим, тоже. Кроме того, мне нравится Владимир Иванович. Он похож на русского.

— Разве он не русский?

— Нет, он чех. Правда, деревня, из которой он родом, раньше принадлежала России, но после девятнадцатого года она стала чешской. Потом ее оккупировали нацисты. Похоже, что скоро она опять станет русской или чехословацкой... Навряд ли ее заберут американцы. — Засмеявшись, Наташа встала. — Мне пора. — Секунду она колебалась, потом предложила: — Почему бы вам не пойти со мной? Вы с кем-нибудь условились на вечер?

— Ни с кем не уславливался, но боюсь, что фотограф меня выгонит.

— Никки? Странная мысль. У него всегда масса народа. Одним человеком больше или меньше — какая разница! Все это немножко богема!

Я догадался, почему она пригласила меня к фотографу: чтобы сгладить неловкость, возникшую в первые минуты знакомства. Собственно, мне не очень хотелось идти с нею. Что мне там делать? Но сегодня вечером я был рад любому приглашению, лишь бы не сидеть в гостинице. В отличие от Наташи Петровой я не ждал приключения. А в эту ночь и подавно.

— Поедем на такси? — спросил я в дверях.

Наташа расхохоталась.

— Постояльцы гостиницы «Ройбен» не берут такси. Это я хорошо усвоила. Кроме того, нам совсем недалеко. А вечер просто чудесный. Ночи в Нью-Йорке! Нет, я не создана для сельской идиллии. А вы?

— Право, не знаю.

— Вы никогда об этом не думали?

— Никогда, — признался я. — Да и когда мне было об этом думать? Непозволительная роскошь! Приходилось радоваться, что ты вообще жив.

— Стало быть, у вас еще многое впереди, — сказала Наташа Петрова. Она шла против потока пешеходов, похожая на узкую, легкую яхту, и ее профиль под сиреневым тюрбаном напоминал профиль фигуры на носу старинного корабля, фигуры, которая спокойно возвышается над водой, обрызганная пеной и устремленная в неведомое. Наташа шла быстро, резким шагом, как будто ей узка юбка. Она не семенила и дышала всей грудью. Я подумал, что в первый раз за все свое пребывание в Америке иду вдвоем с женщиной. И чувствую это!

Ее встретили как любимое дитя, которое где-то долго пропадало. В огромном голом помещении, освещенном софитами и уставленном белыми ширмами, разгуливало человек десять. Фотограф и еще двое каких-то типов обняли и расцеловали Наташу; еле тлевшая болтовня быстро разгорелась. Меня тут же представили. Одновременно кто-то разносил водку, виски и сигареты. А потом я вдруг оказался сидящим в кресле несколько в стороне от остальной публики: обо мне забыли.

Но я не горевал. Я увидел то, чего еще никогда не видел. Здесь распаковывали огромные картонки с платьями, несли их за занавес, а потом опять выносили. Все с жаром спорили о том, что следует снимать в первую очередь. Кроме Наташи Петровой, в ателье были еще две манекенщицы: блондинка и брюнетка в серебряных туфельках на высоких каблуках. Они были очень красивы.

— Сперва пальто! — заявила энергичная дама.

— Нет, сперва вечерние туалеты, — запротестовал фотограф, худощавый светловолосый человек с золотой цепочкой на запястье. — Иначе они сомнутся.

— Их вовсе не обязательно надевать под пальто. А пальто надо вернуть как можно скорее. В первую очередь — меховые манто, фирма ждет их.

— Ладно! Начнем с мехов.

И все заспорили снова, как надо фотографировать меха. Я прислушивался к спору, но ничего не мог разобрать. Веселое оживление и тот пыл, с каким каждый приводил свои доводы, делали все это похожим на сцену из какого-то спектакля. Чем не «Сон в летнюю ночь»! Или какая-нибудь музыкальная комедия в стиле рококо, — например, «Кавалер роз». Или фарс Нестроя! Правда, сами участники представления воспринимали свои действия всерьез и горячились не на шутку. Но от этого все происходящее еще больше напоминало пантомиму и казалось совершенно нереальным. Ей-богу, каждую секунду в комнату под звуки рога мог вбежать Оберон!

Но вот свет софитов направили на белую ширму, к которой подтащили гигантскую вазу с искусственными цветами — дельфиниумами. Одна из манекенщиц в серебряных туфельках на высоких каблуках вышла в бежевой меховой накидке. Директриса модного ателье бросилась одергивать и разглаживать накидку; два софита, которые находились чуть ниже других, тоже вспыхнули, и манекенщица замерла на месте, словно ее взяли на мушку.

— Хорошо! — воскликнул Никки. — Еще раз, darling*.

Я откинулся на спинку кресла. Да, хорошо, что я пришел сюда. Лучшего нельзя было и придумать.

— А теперь Наташа, — произнес чей-то голос. — Наташа в шубке из каракульчи.

Наташа появилась совершенно неожиданно. Тоненькая женская фигурка, закутанная в черный блестящий мех, уверенно стояла на фоне белой ширмы. На голове у нее было нечто вроде берета из того же самого легкого и блестящего меха.

— Отлично! — возопил Никки. — Стой как стоишь! — Он отогнал директрису, которая хотела что-

---

* Дорогая (англ.).

то поправить. — Потом мы сделаем еще несколько снимков. А на этот раз не надо придуманных поз.

Боковые софиты устремились на маленькое узкое лицо, глаза Наташи были сейчас прозрачно-голубые; при сильном свете, лившемся со всех сторон, они сверкали, подобно звездам.

— Снимаю! — крикнул Никки.

Наташа Петрова не замирала на месте, как обе ее товарки. Она просто стояла, не шевелясь, будто это было для нее вполне естественное состояние.

— Хорошо! — похвалил Никки. — А теперь распахни пальто.

Наташа развела полы шубки, словно крылья бабочки. Минуту назад пальто казалось очень узким, на самом деле оно было с огромным запахом. Я увидел белую подкладку в большую серую клетку.

— Держи полы, — крикнул Никки, — разведи их, пошире. Ты похожа на бабочку «павлиний глаз». Молодец!

— Как вам здесь нравится? — спросил меня кто-то.

Это был бледный черноволосый мужчина со странно блестящими, темными, как вишни, глазами.

— Ужасно нравится, — ответил я чистосердечно.

— Конечно, сейчас мы не располагаем моделями от Балансиаги и от прославленных французских портных. Таковы последствия войны, — прибавил незнакомец, тихонько вздохнув. — Но Майнбохер и Валентин тоже смотрятся неплохо. Как по-вашему?

— Совершенно верно, — подтвердил я, не имея понятия, о чем идет речь.

— Будем надеяться, что все это скоро кончится и мы опять начнем получать первоклассные ткани. Лионский шелк...

Эрих Мария Ремарк

Незнакомца позвали, он встал. Причина, по которой он проклинал эту войну, вовсе не показалась мне смешной. Наоборот, здесь она выглядела на редкость разумной.

Потом фотограф начал снимать вечерние туалеты. И внезапно около меня очутилась Наташа Петрова. На ней было длинное белое обтягивающее платье с большим декольте.

— Вы не очень скучаете? — спросила Наташа.

— Что вы? Совсем нет, — сказал я, несколько смешавшись, и с удивлением воззрился на нее. — По-моему, меня преследуют галлюцинации. Правда, на сей раз приятные. Эту диадему я видел не далее как сегодня днем в витрине у «Ван Клеефа и Арпельса». Как странно.

Наташа засмеялась.

— У вас зоркий глаз.

— Это действительно та же диадема?

— Да. Журнал, для которого мы делаем снимки, взял ее напрокат. Неужели вы могли подумать, что я купила диадему?

— Бог его знает! Сегодня ночью все мне кажется возможным. Никогда в жизни не видел столько платьев и шуб.

— Что вам больше всего понравилось?

— Трудно сказать. Наверное, та широкая и длинная накидка из черного бархата, которую показывали вы. Она могла бы быть от Балансиаги.

Наташа быстро повернулась и смерила меня взглядом.

— Она и есть от Балансиаги. А вы — шпион?

— Шпион? В шпионаже меня еще никто не обвинял. Интересно, на какую страну я работаю?

— На другую фирму. На наших конкурентов. Вы той же специальности, что и все здесь? Признайтесь. Иначе вы никак не могли бы отгадать, что накидка от Балансиаги.

— Наташа Петрова, — торжественно начал я, — клянусь, что еще десять минут назад имя Балансиаги было мне совершенно неизвестно. Услышав его, я подумал бы, что это марка автомобилей. Вон тот бледный господин назвал мне это имя впервые. Он сказал, правда, что модели от Балансиаги не попадают сейчас за океан. Я просто пошутил.

— И попали в самую точку. Накидка и впрямь от Балансиаги. Переправлена в Америку на бомбардировщике. На «летающей крепости». Так сказать, контрабандным путем.

— Прекрасное применение для бомбардировщиков. Будем надеяться, что все последуют вашему примеру и на земле наступит золотой век.

— Так. Вы, стало быть, не шпион. Мне даже жаль. Все равно с вами надо держать ухо востро. Вы слишком быстро все схватываете. А питья у вас достаточно?

— Спасибо. Вполне достаточно.

Наташу позвали.

— После съемок мы поедем развлекаться. Посидим часок в «Эль Марокко». Так принято, — сказала она, отходя от меня. — Поедете?

Я не стал отвечать. Разумеется, я не мог поехать с ними. Для таких развлечений я был слишком беден. Придется объяснить ей это потом. Не очень приятная перспектива. Но время еще есть. Пока что я плыл по течению. Не хотелось думать ни о завтрашнем дне, ни даже о ближайшем часе. Смуглая манекенщица, которую только что снимали в длинном суконном пальто

Эрих Мария Ремарк

бутылочного цвета, сбросила его, чтобы надеть другое. Платья на ней не оказалось, только белье. Никого это, впрочем, не смутило. Видимо, для присутствующих это было не в новинку, да к тому же среди здешних мужчин были и гомосексуалисты. Смуглая манекенщица показалась мне очень красивой, она обладала небрежной и несколько ленивой самоуверенностью женщины, знающей, что всегда выйдет победительницей, и не слишком этому радующейся. Я видел и Наташу Петрову, наблюдал, как она меняет туалеты. Она была светлая, длиннотелая и стройная, и кожа ее напоминала почему-то лунный свет и жемчуг. Я не сказал бы, что она «мой тип», — «моим типом» была скорее темноволосая манекенщица, которую звали Соня... Мысли эти были не очень четкие, они расплывались. И в душе я порадовался, что у меня не возникало никаких определенных желаний и ассоциаций. Но больше всего я радовался, что не сижу в гостинице. Правда, меня несколько изумляло, что едва знакомые женщины представали передо мной в таких позах, словно мы давно знали друг друга. Это напоминало миниатюру на эмали: множество разноцветных слоев наложено на основной слой, который, хотя его как будто и не видно, сообщает теплый тон всему изображению.

Только после того, как туалеты были уложены в картонки, я объяснил Наташе Петровой, что не могу идти со всей компанией в «Эль Марокко». Я уже знал, что это самое дорогое ночное кабаре в Нью-Йорке.

— Почему вы отказываетесь? — спросила Наташа.

— У меня нет денег.

— Вот дурень. Нас ведь тоже пригласили. Неужели вы думаете, что я заставила бы вас платить?

Она засмеялась, как всегда хрипловато. И хотя смех

ее напомнил мне, сам не знаю почему, смех сутенера, у меня вдруг появилось приятное чувство, что я находжусь в кругу сообщников.

— А драгоценности? Ведь их надо вернуть.

— Завтра. Это взял на себя журнал. А сейчас мы будем пить шампанское.

Я больше не протестовал. День кончался для меня совершенно неожиданно: я увидел жизнь в самых ее разных обличьях — сперва мне было смешно, потом я испытал чувство чистой благодарности. Меня уже не удивляло, что мы сидим в одном из отдельных кабинетов «Эль Марокко» и что какой-то венец исполняет немецкие песни, хотя Америка и Германия находятся в состоянии войны. Я понимал только, что в Германии это было бы невозможно. А между тем в ресторане сидело много американских офицеров. Мне казалось, что я долго брел по пустыне и вдруг увидел оазис. Время от времени я — правда, потихоньку — пересчитывал в кармане пятьдесят долларов — все мое состояние, готовый по первому требованию бросить его на ветер. Но никто от меня ничего не требовал. Так выглядит мирная жизнь, размышлял я. Мирная жизнь, которой я не знаю; так выглядит беззаботность, которой я никогда не испытывал. Но в мыслях моих не было зависти. Хорошо, что такое еще существует. Я сидел в компании незнакомых людей, и эти люди были мне ближе и приятней, нежели те, которых я прекрасно знал. Я сидел рядом с красивой женщиной, и ее взятая напрокат диадема сверкала в свете свечей. Я был жалким приживалой, я пил чужое шампанское, — и у меня было такое чувство, что эта совсем иная жизнь тоже дана мне взаймы всего на один вечер. Завтра ее придется вернуть.

Эрих Мария Ремарк

VII

— Вас нетрудно будет устроить в какой-нибудь художественный салон, — сказал Лоу-старший. — Война вам в этом смысле на руку. У нас сейчас нехватка подсобной рабочей силы.

— Можно подумать, что я делец, наживающийся на войне, — сказал я сердито. — Мне без конца твердят, будто война дала мне массу преимуществ.

— А разве не дала? — Лоу с ожесточением почесал свой лысый череп мечом Михаила Архангела; скульптура была подделкой под старину. — Не будь войны, вы не оказались бы в Америке.

— Правильно. Но если бы не война, немцы не оказались бы во Франции.

— Разве вам здесь не лучше, чем во Франции?

— Господин Лоу, это бесцельный разговор. И в той и в другой стране я чувствую себя паразитом.

Лоу просиял.

— Паразитом! Очень метко. Я сам хотел это вам разъяснить. В вашем положении вы не можете претендовать на постоянную работу ни в одном художественном салоне. Вы должны найти себе приблизительно такое же занятие, как у нас. Так сказать, нелегальное. Я тут говорил с одним человеком, у которого вы, наверное, сможете пристроиться. Он тоже паразит. Но богатый паразит. Торгует предметами искусства. Картинами. Тем не менее он паразит.

— Он торгует подделками?

— Боже избави! — Лоу отложил поддельного Михаила Архангела и сел в почти целиком отреставрированное флорентийское кресло времен Савонаролы — только верхняя часть кресла была подлинной. — Торговля предметами искусства — вообще ремесло для людей с нечистой совестью, — начал он тоном поучения. — Мы зарабатываем деньги, которые, собственно, должен был бы заработать художник. Ведь мы получаем за те же произведения во много раз больше, чем в свое время их создатель. Когда речь идет об антикварных вещах или о предметах прикладного искусства, все это еще не так страшно. Страшно бывает с «чистым искусством». Вспомните Ван Гога. За всю свою жизнь он не продал ни одной картины и жил впроголодь, а сейчас торговцы наживают на нем миллионы. И так было испокон веку: художник голодает, а торговец обзаводится дворцами.

— По-вашему, дельцов мучает совесть?

Лоу подмигнул:

— Ровно настолько, чтобы барыши не казались им чересчур пресными. Торговцы картинами — народ своеобразный. Им хочется не только разбогатеть на произведениях искусства, но зачастую и подняться до уровня этого искусства. Ведь сам художник, продающий картины, почти всегда нищий, ему даже не на что поужинать. Таким образом, торговец чувствует свое превосходство, превосходство человека, который может заплатить за чужой ужин. Понятно?

— Даже очень. Хотя я не художник. Но в этом деле разбираюсь.

— Вот видите. Художника всегда используют. И вот, чтобы сохранить видимость любви к искусству, которое дает торговцам возможность жить в полном довольстве, и к художнику, которого они эксплуатируют, торговцы открывают художественные салоны. Иными словами, время от времени устраивают выставки. В основном они это делают, чтобы нажить деньги на художнике, связанном с ними по рукам и ногам кабальными договорами. Но также и для того, чтобы художник получил известность. Довольно-таки жалкое алиби. Однако на этом основании торгаши хотят считаться меценатами.

— Это, стало быть, и есть паразиты от искусства? — спросил я, развеселившись.

— Нет, — сказал Лоу-старший, закуривая сигару. — Они хоть что-то делают для искусства. Паразитами я называю дельцов, которые торгуют картинами, не имея ни лавок, ни салонов. Они используют интерес, который другие вызывают своими выставками. И при этом без всяких затрат. Ведь они торгуют у себя на квартире. У них нет издержек производства. Разве что они платят секретарше. Даже за помещение с них не взимают налогов; арендная плата приравнивается у них к производственным расходам, потому что в квартире висят картины. И глядишь, вся семья паразита живет себе в этой квартире и радуется. Бесплатно. Мы гнем спину в лавке, тратим кровные денежки и драгоценное здоровье на служащих, а паразит валяется в кровати часов до девяти, а потом диктует письма секретарше и, как паук, поджидает покупателей.

— А вы разве не поджидаете покупателей?

— Не в такой роскоши. А как простой служащий, хотя служу у себя самого. И потом, я не паразит.

— Почему бы и вам не стать паразитом, господин Лоу?

Лоу взглянул на меня, нахмурившись. И я понял, что совершил ошибку.

— Вы не хотите из этических соображений. Не правда ли? — спросил я.

— Хуже. Из финансовых. Стать паразитом можно, только имея в кармане большие деньги. И хороший товар. Иначе опростоволосишься. Первоклассный товар.

— Значит, паразит продает дешевле? Ведь издержек у него меньше.

Лоу сунул сигару в ступку эпохи Возрождения, но тут же вытащил ее обратно, разгладил и закурил снова.

— Да нет же, дороже! — завопил он. — В этом весь фокус. Богатые кретины дают себя одурачить и притом думают, что совершили выгодный бизнес. Люди, которые нажили миллионы своим горбом, попадают впросак, увы, самым глупым образом. Ловкачи играют на их снобизме и на их престиже, и тогда они лезут в ловушку, как мухи на липкую бумагу. — От сигары Лоу летели искры, словно от бенгальского огня. — Все дело в упаковке, — причитал он. — Посоветуйте вновь испеченному миллионеру купить Ренуара, и он поднимет вас на смех. Для него что Ренуар, что велосипед — один черт. Но скажите ему, что Ренуар придаст ему больший вес в обществе, и он тут же купит две его картины. Вы меня поняли?

Я слушал Лоу с восхищением. Время от времени он давал мне бесплатные уроки практической жизни. Обычно это происходило после обеденного перерыва, когда наступало некоторое затишье, или по вечерам, перед тем как я заканчивал свою работу в подвале. Сейчас было послеобеденное время.

— Знаете, почему я читаю вам курс лекций по высококвалифицированной торговле картинами?

— Чтобы подготовить меня к ведению боевых операций на фронте купли-продажи. Ибо с другими фронтами я уже знаком.

— Вы кое-как познакомились с первой в истории тотальной войной и думаете, что она для всех — внове.

Но мы, деловые люди, ведем тотальную войну с сотворения мира. Фронт проходит у нас повсюду. — Лоу-старший гордо выпрямился. — Точно так же, как и в семейной жизни.

— Вы женаты? — спросил я, чтобы перевести разговор на другую тему.

Мне не нравилось, когда слово «война» употребляли для нелепых сравнений. Для меня война была ни с чем не сравнима, даже если сравнения и не были нелепыми.

— Не женат! — ответил Лоу-старший, внезапно помрачнев. — Но мой брат задумал жениться. Хорошенькая история! Трагедия! Хочет жениться на американке! Полная катастрофа.

— На американке?

— Да, на эдакой девице со взбитыми космами, вытравленными перекисью. С глазами, как у селедки. И с оскаленной пастью, в которой торчат сорок восемь зубов, нацеленных на наши добытые потом и кровью денежки. На наши доллары — хочу я сказать. Словом, крашеная гиена с кривыми ногами. Обе ноги — правые!

Я задумался, пытаясь мысленно воссоздать этот образ. Но Лоу продолжал:

— Бедная моя мамочка! Хорошо, что она до этого не дожила. Если бы восемь лет назад ее не сожгли, она перевернулась бы сейчас в гробу.

Я так и не разобрался в его сумбурной болтовне, но одно слово вдруг заставило меня насторожиться, как звук сирены:

— Сожгли?

— Да. В крематории. Она родилась еще в Польше. А умерла здесь. Знаете...

— Знаю, — сказал я поспешно. — Но при чем тут ваш брат? Почему бы ему не жениться?

— Не на американке же, — возмутился Лоу. — В Нью-Йорке достаточно порядочных еврейских девушек. Разве он не может найти себе жену среди них? Так нет же, должен настоять на своем.

Постепенно Лоу успокоился.

— Извините, — сказал он. — Иногда у человека просто лопается терпение. Но мы говорили о другом. О паразитах. Вчера я беседовал с одним паразитом насчет вас. Ему, возможно, понадобится помощник, который разбирается в живописи, но не так уж хорошо, чтобы он мог подсмотреть его секреты, а потом продать их конкурентам. Ему нужен человек вроде вас, предпочитающий держаться в тени, а не мозолить всем глаза. Пойдите к нему и представьтесь. Сегодня в шесть вечера. Я уже говорил с ним о вас. Идет?

— Большое спасибо, — сказал я, приятно пораженный. — Большое, большое спасибо!

— Зарабатывать вы будете не так уж много. Но дело не в оплате, а в шансах, говаривал когда-то мой отец. Здесь, — Лоу обвел рукой свою лавку, — здесь у вас нет никаких шансов.

— Все равно. Я благодарен за время, проведенное у вас. И за то, что вы помогли мне. Почему, собственно?

— Никогда не следует спрашивать: «Почему?» — Лоу оглядел меня с ног до головы. — Почему? Конечно, мы здесь не такие уж филантропы. Знаете почему? Наверное, потому, что вы такой незащищенный.

— Что? — удивился я.

— Так оно и есть, — сам удивляясь, сказал Лоу. — А ведь, глядя на вас, этого никогда не скажешь. Но вы именно незащищенный. Эта мысль пришла в голову моему брату, когда мы как-то заговорили о вас. Он считает, что вы будете пользоваться успехом у женщин.

— Вот как! — Я был скорее возмущен.

— Только не принимайте моих слов близко к сердцу. Я ведь уже говорил вам, что во всем этом мой брат разбирается не лучше носорога. Сходите к паразиту. Его фамилия Силверс. Сегодня вечером.

На дверях у Силверса не было таблички. Он жил в обычном жилом доме. Я ожидал встретить нечто вроде двуногой акулы. Но ко мне вышел очень мягкий, тщедушный и скорее застенчивый человек, он был прекрасно одет и вел себя крайне сдержанно. Налив мне виски с содовой, он стал осторожно меня выспрашивать. А немного погодя принес из соседней комнаты два рисунка и поставил их на мольберт.

— Какой рисунок вам больше нравится?

Я показал на правый.

— Почему? — спросил Силверс.

— Разве обязательно должна быть причина?

— Да. Меня интересует причина. Вы знаете, чьи это рисунки?

— Оба рисунка Дега. По-моему, это каждому ясно.

— Не каждому, — возразил Силверс со странно смущенной улыбкой. — Некоторым моим клиентам не ясно.

— Почему же они тогда покупают?

— Чтобы в доме висел Дега, — сказал Силверс печально.

Я вспомнил лекцию, прочитанную Лоу-старшим. Как видно, она соответствовала действительности. Конечно, я только наполовину поверил Лоу, он был склонен к преувеличениям, особенно когда речь шла о материях, ему не очень знакомых.

— Картины — такие же эмигранты, как и вы, — сказал Силверс. — Иногда они попадают в самые неожиданные места. Хорошо ли они себя там чувствуют — вопрос особый.

Он вынес из соседней комнаты две акварели.

— Знаете, чьи это акварели?

— Сезанна.

Силверс был поражен.

— А можете сказать, какая из них лучше?

— Все акварели Сезанна хороши, — ответил я. — Но левая пойдет по более дорогой цене.

— Почему? Потому, что она больше по размеру?

— Нет. Не потому. Эта акварель принадлежит к поздним работам Сезанна, здесь уже явственно чувствуется кубизм. Очень красивый пейзаж Прованса с вершиной Сен-Виктуар. В Брюссельском музее висит похожий пейзаж.

Выражение лица Силверса вдруг изменилось. Он вскочил.

— Где вы раньше работали? — отрывисто спросил он.

Я вспомнил случай с Наташей Петровой.

— Нигде. В конкурирующих фирмах я не работал. И не занимаюсь шпионажем. Просто провел некоторое время в Брюссельском музее.

— Когда именно?

— Во время оккупации. Меня прятали в музее, а потом мне удалось бежать и перейти границу. Вот источник моих скромных познаний.

Силверс снова сел.

— В нашей профессии необходима сугубая осторожность, — пробормотал он.

— Почему? — спросил я, обрадовавшись, что он не требует от меня дальнейших разъяснений.

Эрих Мария Ремарк

Секунду Силверс колебался.

— Картины — как живые существа. Как женщины. Не следует показывать их каждому встречному и поперечному. Иначе они потеряют свое очарование. И свою цену.

— Но ведь они созданы для того, чтобы на них смотрели.

— Возможно. Хотя я в этом сомневаюсь. Торговцу важно, чтобы его картины не были общеизвестны.

— Странно. Я думал, это как раз подымает цену.

— Далеко не всегда. Картины, которые слишком часто выставляли, на языке специалистов зовутся «сгоревшими». Их антипод — «девственницы». Эти картины всегда находились в одних руках, в одной частной коллекции, и их почти никто не видел. За «девственниц» больше платят. И не потому, что они лучше, а потому, что любой знаток и собиратель жаждет находок.

— И за это он выкладывает деньги?

Силверс кивнул.

— К сожалению, в наше время коллекционеров раз в десять больше, чем знатоков. Эпоха истинных собирателей, которые были в то же время и ценителями, кончилась после Первой мировой войны, в восемнадцатом году. Каждому политическому и экономическому перевороту сопутствует переворот финансовый. И тогда состояния меняют своих владельцев. Одни все теряют, другие богатеют. Старые собиратели вынуждены продавать свои коллекции, на их место приходят новые. У этих новых есть деньги, но зачастую они ничего не смыслят в искусстве. Чтобы стать истинным знатоком, требуется время, терпение и любовь.

Я внимательно слушал. Казалось, в этой комнате с двумя мольбертами, обитой серым бархатом, хранилась утерянная тишина мирных эпох. Силверс поставил на один из мольбертов новый картон.

— Вы знаете, что это?

— Моне. Поле маков.

— Нравится?

— Необычайно. Какое спокойствие! И какое солнце! Солнце Франции.

— Ну что ж, давайте попытаемся, — сказал Силверс наконец. — Особых знаний здесь не требуется. Мне нужен человек надежный и молчаливый. Это — главное. Шесть долларов в день. Согласны?

Я сразу встрепенулся.

— За какие часы? За утренние или за вечерние?

— За утренние и за вечерние. Но в промежутке у вас будет много свободного времени.

— Это приблизительно та сумма, какую получает вышколенный мальчик на побегушках.

Я ждал, что он скажет: ваши функции будут примерно такими же! Но Силверс проявил деликатность. Он вслух подсчитал, сколько получает мальчик на побегушках. Оказалось, меньше.

— Десять долларов — это минимум. Иначе я не согласен, — сказал я. — У меня долги, я их обязан выплачивать.

— Уже долги?

— Да. Я должен адвокату, который продлевает мой вид на жительство.

Я знал, что Силверс уже слышал все это от Лоу, тем не менее он притворился, будто отсутствие документов бросает на меня тень и будто он должен вновь обдумать, стоит ли со мной связываться. Наконец-то хищник показал когти.

Мы сторговались на восьми долларах после того, как Силверс со смущенной улыбкой пояснил, что, по-

Эрих Мария Ремарк

скольку я работаю нелегально, мне не придется платить налогов. Кроме того, я недостаточно свободно говорю по-английски. Тут я его, положим, поймал.

— Зато я говорю по-французски, — сказал я. — А это в вашем деле гораздо важнее.

Тогда он согласился на восемь долларов, пообещав, что, если я справлюсь с работой, мы еще вернемся к этому разговору.

Я пришел в гостиницу, и моим глазам представилось необычное зрелище. В старомодном холле горели все лампы, даже те, которые бережливая администрация неукоснительно выключала. Посередине стоял стол, вокруг которого собралась весьма занятная, разношерстная компания. Председательское место занимал Рауль. Он сидел у торца стола в бежевом костюме гигантских размеров, похожий на гигантскую потную жабу; стол, к моему удивлению, был накрыт белой скатертью, и гостей обслуживал официант. Рядом с Раулем восседал Меликов; кроме них, за столом сидели: Лахман и его пуэрториканка; мексиканец в розовом галстуке, с каменным лицом и беспокойными глазами; белокурый молодой человек, говоривший басом, хотя можно было предположить, что у него высокое сопрано, и две жгучие брюнетки неопределенного возраста — от тридцати до сорока, — востроглазые, темпераментные и привлекательные. По другую руку от Меликова сидела Наташа Петрова.

— Господин Росс, — крикнул Рауль, — окажите нам честь!

— В чем дело? — спросил я. — Коллективный день рождения? Или, может, кто-нибудь выиграл крупную сумму?

— Присаживайтесь, господин Росс, — сказал Рауль, еле ворочая языком. — Один из моих спасителей, — пояснил он белокурому молодому человеку, говорившему басом. — Пожмите друг другу руки! Это — Джон Болтон.

У меня было такое чувство, точно я коснулся дохлой рыбы. От молодого человека со столь низким голосом я невольно ждал крепкого рукопожатия.

— Что вы будете пить? — спросил Рауль. — У нас есть все, что вашей душе угодно: кока-кола, лимонад, американское виски, шотландское виски. И даже шампанское. Я помню, что вы сказали в тот раз, когда мое сердце исходило печалью... Все течет, сказали вы. Цитата из какого-то древнего грека. Правда? Из Гераклита, или Демокрита, или Демократа. Знаете, что говорят в таких случаях на Седьмой авеню: «Ничто не вечно под луной, и красотка станет сатаной». Очень справедливо. А на смену приходит другая молодежь. Итак, что вы будете пить? Альфонс! — Он подозвал официанта жестом, достойным римского императора.

— Что вы пьете? — спросил я Наташу Петрову.

— Водку, как всегда, — ответила она весело.

— Водку, — сказал я Альфонсу.

— Двойную порцию, — добавил Рауль, глядя на меня осоловелыми глазами.

— Что это? Мистерия человеческой души — любовь? — спросил я Меликова.

— Мистерия человеческих заблуждений, когда каждый верит, что другой — его пленник.

— Le coup de foudre*, — сказала Наташа Петрова. — Любовь без взаимности.

— Как вы оказались здесь, в этой компании?

---

* Любовь с первого взгляда (*фр.*).

Эрих Мария Ремарк

— Случайно. — Наташа засмеялась. — Случай. Счастливый случай. Мне давно хотелось вырваться из стерильной и однообразной атмосферы унылых приемов. Но такого я не ожидала.

— Вы опять собираетесь к фотографу?

— Сегодня не собираюсь. А почему вы спрашиваете? Пошли бы со мной?

Собственно, я не хотел говорить этого прямо, но почему-то сказал:

— Да.

— Наконец-то я слышу от вас нечто вразумительное, — сказала Наташа Петрова. — Salut!

— Salut, salve, salute! — крикнул Рауль и начал со всеми чокаться. При этом он попытался даже встать, но плюхнулся на кресло в виде трона, которое затрещало под ним. Эта старая гостиница в довершение всего была обставлена топорной псевдоготической мебелью.

Пока все чокались, ко мне подошел Лахман.

— Сегодня вечером, — шепнул он, — я напою мексиканца.

— А сам не напьешься?

— Я подкупил Альфонса. Он подает мне только воду. Мексиканец думает, что я пью, как и он, текилу. У нее тот же цвет, то есть она бесцветная.

— Я бы лучше подпоил даму сердца, — сказал я. — Мексиканец не имеет ничего против. Не хочет сама дама.

На секунду Лахман потерял уверенность в себе, но потом упрямо сказал:

— Ничего не значит. Сегодня это выйдет. Должно выйти. Должно. Понимаешь?

— Пей лучше с ними обоими... И с самим собой тоже. Может, спьяну ты придумаешь что-нибудь такое, до чего бы трезвый не додумался. Бывают пьяные, перед которыми трудно устоять.

— Но тогда я ничего не почувствую. Все забуду. Будет так, как будто ничего и не было.

— Жаль, что ты не можешь внушить себе обратное. Что все было, но для тебя как будто и не было.

— Послушай, ведь это жульничество, — запротестовал взволнованный Лахман. — Надо вести честную игру.

— А разве это честная игра — пить воду?

— Я честен с самим собой. — Лахман наклонился к моему уху. Дыхание у него было горячее и влажное, хоть он и пил одну воду. — Я узнал, что у Инес вовсе не ампутирована нога, она у нее просто не сгибается. Металлическую пластинку она носит из тщеславия.

— Что ты выдумываешь, Лахман!

— Я не выдумываю. Я знаю. Ты не понимаешь женщин. Может, она потому и отказывает мне? Чтобы я не дознался.

На секунду я потерял дар речи. Amore, amour[*], думал я. Вспышка молнии в ночи заблуждений, тщеславия в глубочайшей безнадежности, чудо белой и черной магии. Будь же благословенна, любовь. Я торжественно поклонился.

— Дорогой Лахман, в твоем лице я приветствую звездный сон любви.

— Вечные твои остроты! Я говорю совершенно серьезно.

Рауль с трудом приподнялся.

— Господа, — начал он, обливаясь потом. — Да здравствует жизнь! Я хочу сказать: как хорошо, что мы еще живем. Стоит мне подумать, что совсем недавно я хотел лишить себя жизни, и я готов влепить себе по-

---

[*] Любовь (*исп. и фр.*).

щечину. Какими же мы бываем идиотами, когда мним себя особенно благородными.

Пуэрториканка внезапно запела. Она пела по-испански. Наверное, это была мексиканская песня. Голос у нее был великолепный, низкий и сильный. Она пела, не сводя глаз с мексиканца. Это была песня, исполненная печали и в то же время ничем не прикрытого сладострастия. Почти жалобная песня, далекая от всяких раздумий и прикрас цивилизации. Песня эта возникла в те стародавние времена, когда человечество еще не обладало самым своим человечным свойством — юмором; она была прямая до бесстыдства и ангельски чистая. Ни один мускул не дрогнул на лице мексиканца. Да и женщина была недвижима — говорили только ее губы и взгляд. И оба они смотрели друг на друга немигающими глазами, а песня все лилась и лилась. То было слияние без единого прикосновения. Но они оба знали, что это так. Я оглянулся — все молчали. Я оглядывал их всех по очереди, а песня продолжала литься: я видел Рауля и Джона, Лахмана, Меликова и Наташу Петрову — они молча слушали, эта женщина подняла их над обыденностью, но сама она никого не видела, кроме мексиканца, кроме его помятого лица сутенера, в котором сосредоточилась вся ее жизнь. И это не было ни странно, ни смешно.

VIII

Перед тем как приступить к своим обязанностям, я получил трехдневный отпуск. В первый день я прошел всю Третью авеню в самый свой любимый час перед наступлением сумерек, когда в антикварных лавках время, казалось, замирает, тени становятся синими, а зеркала оживают. В этот час из ресторанов тянет запахом жареного лука и картофеля, официанты накрывают на стол, и омары, выставленные в огромных витринах «Морского царя» на ложе пыток изо льда, пытаются уползти на своих клешнях, изуродованных острыми деревянными колышками. Я не мог без содрогания смотреть на их круглые выгнутые тела, — они напоминали мне камеры пыток в концлагерях, на родине поэтов и мыслителей.

— Имперский егермейстер Герман Геринг не допустил бы ничего подобного, — сказал Кан, который тоже подошел к витрине с огромными крабами.

— Вы говорите об омарах? Крабы ведь четвертованы.

Кан кивнул.

— Третий рейх славится своей любовью к животным. Овчарку фюрера зовут Блонди, и фюрер лелеет ее как родное дитя. Имперский егермейстер, министр-президент Пруссии Герман Геринг и его белокурая Эмми Зоннеман держат у себя в Валгалле молодого льва, и Герман, облачившись в одежду древнего германца, с охотничьим рогом на боку, подходит к нему с ласковой улыбкой. А шеф всех концлагерей Генрих Гиммлер нежно привязан к ангорским кроликам.

— Зато при виде четвертованных крабов у Фрикка, имперского министра внутренних дел, может возникнуть какая-нибудь плодотворная идея. Впрочем, как человек культурный — и даже доктор, — он отказался от гильотины, сочтя ее чересчур гуманной, и заменил гильотину ручным топором. Может быть, он решит теперь четвертовать евреев, наподобие крабов.

— Как-никак мы народ, изначальным свойством которого было добродушие, — сказал Кан мрачно.

— Существует еще одно исконно тевтонское свойство — злорадство.

— А не пора ли перестать? — спросил Кан. — Наш юмор становится несколько утомительным.

Мы взглянули друг на друга, как школьники, захваченные на месте преступления.

— Не знал, что от этого невозможно отделаться, — пробормотал Кан.

— Только нам так плохо?

— Всем. После того как улетучивается первое, поверхностное чувство защищенности и ты перестаешь играть сам с собою в прятки и вести страусову политику, тебя настигает опасность. Она тем больше, чем защищенней чувствует себя человек. Завидую тем, кто, подобно неунывающим муравьям, сразу же после грозы начинает строить заново, вить гнездышко, строить собственное дело, семью, будущее. Самой большой опасности подвергаются люди, которые ждут.

— И вы ждете?

Кан посмотрел на меня с насмешкой.

— А разве вы, Росс, не ждете?

— Жду, — сказал я, помолчав немного.

— Я тоже. Почему, собственно?

— Я знаю почему.

— У каждого свои причины. Боюсь только, что, когда война кончится, причины эти испарятся, как вода на горячей плите. И мы опять потеряем несколько лет, прежде чем начнем все сначала. Другие люди обгонят нас за эти несколько лет.

— Какая разница? — спросил я с удивлением. — Жизнь ведь — не скачка с препятствиями.

— Вы думаете? — спросил Кан.

— Дело не в соперничестве. Вернуться хочет большинство. Разве я не прав?

— По-моему, ни один человек не знает этого точно. Некоторым необходимо вернуться. Например, актерам. Здесь их ничего не ждет, они никогда не выучатся как следует говорить по-английски. Писателям тоже. В Штатах их не будут читать. Но у большинства причина совсем иная. Неодолимая, дурацкая тоска по родине. Вопреки всему. Черт бы ее подрал.

— Эдакую слепую любовь к Германии я наблюдал, — сказал я. — В Швейцарии. У одного еврея, коммерции советника. Я хотел стрельнуть у него денег. Но денег он мне не дал, зато дал добрый совет — вернуться в Германию. Газеты, мол, врут. А если кое-что и правда, то это временное явление, совершенно необходимые строгости. Лес рубят — щепки летят. И потом, сами евреи во многом виноваты. Я сказал, что сидел в концлагере. И тогда он разъяснил мне, что без причины людей не сажают и что самый факт моего освобождения — еще одно доказательство справедливости немцев.

— Этот тип людей мне знаком, — сказал Кан, нахмурившись. — Их не так уж много, но они все же встречаются.

— Даже в Америке. — Я вспомнил своего адвоката. — Кукушка, — сказал я.

Кан засмеялся.

— Кукушка! Нет ничего хуже дураков. Пошли они все к дьяволу!

— Наши дураки тоже.

— В первую очередь — наши. Но, может, мы, несмотря на все, отведаем крабов?

Я кивнул.

Эрих Мария Ремарк

— Позвольте мне пригласить вас, уже сама возможность пригласить кого-нибудь в ресторан повышает тонус и избавляет от комплекса неполноценности. Ты перестаешь чувствовать себя профессиональным нищим. Или благородным паразитом, если хотите.

— Ничто не может избавить от комплекса вины за то, что ты жив, от комплекса, внушенного нам нашим возлюбленным отечеством. Но я принимаю ваше приглашение. И позвольте мне в свою очередь угостить вас бутылочкой нью-йоркского рислинга. На короткое время мы снова почувствуем себя людьми.

— По-вашему, мы здесь не люди?

— Люди на девять десятых.

Кан вытащил из кармана розовую бумагу.

— Паспорт! — с благоговением сказал я.

— Нет. Удостоверение для иностранцев, подданных вражеского государства. Вот кто мы здесь.

— Стало быть, все еще люди неполноценные, — сказал я, раскрывая огромное меню.

Вечером мы отправились к Бетти Штейн. Она осталась верна берлинскому обычаю. По четвергам к ней приходили вечером гости. Все, кто желал. А тот, у кого завелось немного денег, приносил бутылку вина, пачку сигарет или банку консервированных сосисок. У Бетти был патефон и старые пластинки. Песни в исполнении Рихарда Таубера и арии из оперетт Кальмана, Легара и Вальтера Колло. Иногда кто-нибудь из поэтов читал свои стихи. Но большую часть времени в салоне Бетти спорили.

— У нее благие намерения, — сказал Кан. — И все равно это — морг, где среди мертвецов бродят живые, вернее, полутрупы, которые еще сами не осознали этого.

Бетти была в старом шелковом платье, сшитом еще в догитлеровские времена. Платье было ярко-лиловое, все в оборках, оно шуршало и пахло нафталином. Румяные щеки, седина и блестящие темные глаза Бетти никак не вязались с этим туалетом. Бетти протянула нам навстречу свои пухлые руки. В ней было столько сердечности, что в ответ можно было только беспомощно улыбнуться и сказать, что она трогательная и забавная. Бетти нельзя было не любить. Она вела себя так, словно в 1933 году время остановилось. Действительность существовала во все дни недели, но «четвергов» Бетти она не коснулась. По четвергам были опять Берлин и Веймарская конституция, оставшаяся в полной силе. В большой комнате, завешанной портретами покойников, было довольно много народа. Актер Отто Вилер стоял в кругу почитателей.

— Он завоевал Голливуд! — восклицала Бетти с гордостью. — Добился признания.

Вилер явно не возражал против чествования.

— Какую роль ему дали? — спросил я Бетти. — Отелло? Одного из братьев Карамазовых?

— Огромнейшую роль. Не знаю, какую точно. Но он всех заткнет за пояс! Его ждет слава Кларка Гейбла.

— Или Чарльза Лаутона, — ввернула племянница Бетти, высохшая старая дева, которая разливала кофе. — Скорее Чарльза Лаутона. Он ведь характерный актер.

Кан язвительно усмехнулся.

— Роль не такая уж грандиозная, — сказал он, — да и сам Вилер не был в Европе таким уж грандиозным актером. Помните историю о том, как один человек пошел в Париже в ночное кабаре русских эмигрантов? Владелец кабаре решил произвести на него впечатление. Поэтому он сказал: наш швейцар был раньше генералом, официант у нас граф, этот певец — великий князь и так далее и так далее. Гость молча слушал. Наконец владелец вежливо спросил, указывая на маленькую таксу, которую тот держал на поводке: «Будьте добры сказать, какой породы ваша собачка?» — «Моя собачка, — ответил посетитель, — была в свое время в Берлине огромным сенбернаром». — Кан грустно улыбнулся. — Вилер на самом деле получил маленькую роль. Он играет в одном второсортном фильме нациста, эсэсовца.

— Неужели? Но ведь он еврей.

— Ничего не значит. Пути Голливуда неисповедимы. Да и там, видимо, считают, что эсэсовцы и евреи — на одно лицо. Вот уже четвертый раз, как роль эсэсовца исполняет еврей. — Кан засмеялся. — Своего рода справедливость искусства. Гестапо косвенным образом спасает одаренных евреев от голодной смерти.

Бетти сообщила, что в этот вечер проездом в Нью-Йорке будет доктор Грефенгейм. Многие присутствовавшие знали его: он был знаменитым берлинским гинекологом. Одно из противозачаточных средств назвали его именем. Кан познакомил меня с ним. Грефенгейм был скромный худощавый человек с темной бородкой.

— Где вы работаете? — спросил его Кан. — Где практикуете?

— Практикую? — удивился Грефенгейм. — Я еще не сдал экзаменов. Трудновато. А вы могли бы снова сдать на аттестат зрелости?

— Разве от вас этого требуют?

— Надо сдавать все с самого начала. И еще английский язык.

— Но ведь вы были известным врачом. Вас наверняка знают. И если в Штатах существуют такие правила, для вас должны сделать исключение.

Грефенгейм пожал плечами.

— Это не так. Наоборот, по сравнению с американцами нас ставят в более трудные условия. Вы ведь сами знаете, как все обстоит. Правда, специальность врача такова, что он спасает чужую жизнь. Но, вступив в свои ферейны и клубы, врачи защищают собственную жизнь и не допускают в свою среду чужаков. Вот нам и приходится вторично сдавать экзамены. Нелегкое дело — экзаменоваться на чужом языке. Мне ведь уже за шестьдесят. — Грефенгейм виновато улыбнулся. — Надо было учить языки. Впрочем, всем нам несладко живется. А потом я еще должен год проходить стажировку в качестве ассистента. Но при этом я буду по крайней мере иметь бесплатное питание в больнице и крышу над головой...

— Вы можете сказать нам всю правду, — решительно прервала его Бетти. — Кан и Росс вас поймут. Дело в том, что его обобрали. Один подонок, тоже эмигрант, обобрал его.

— Послушайте, Бетти.

— Да. Нагло ограбил. У Грефенгейма была ценнейшая коллекция марок. Часть этой коллекции он отдал приятелю, который уже давно выехал из Германии. Тот должен был сохранить марки. Но когда Грефенгейм прибыл сюда, приятеля как подменили. Он заявил, что ровно ничего не получал от Грефенгейма.

— Старая история! — сказал Кан. — Обычно, впрочем, утверждают, что переданные вещи были отняты на границе.

— Тот тип оказался хитрее. Ведь иначе он признал бы, что получил марки. И, стало быть, у Грефенгейма появилось бы все же некоторое основание требовать возмещение убытков.

— Нет, Бетти, — сказал Кан. — Никаких оснований. Вы ведь не брали расписку? — спросил он Грефенгейма.

— Разумеется, не брал. Это было исключено, такие передачи совершались с глазу на глаз.

— Зато этот подлец живет теперь припеваючи, — возмущалась Бетти, — а Грефенгейм голодает.

— Ну уж и голодаю... Конечно, я рассчитывал оплатить этими деньгами мое вторичное обучение.

— Скажите мне, на сколько вас обштопали? — требовала безжалостная Бетти.

— Ну знаете... — смущенно улыбался Грефенгейм. — Да, это были мои самые редкие марки. Думаю, любой коллекционер охотно заплатил бы за них шесть-семь тысяч долларов.

Бетти уже знала эту историю, тем не менее ее глаза-вишни опять широко раскрылись.

— Целое состояние! Сколько добра можно сделать на эти деньги.

— Спасибо и на том, что марки не достались нацистам, — сказал Грефенгейм виновато.

Бетти взглянула на него с возмущением.

— Вечно эта присказка «спасибо и на том». Эмигрантская безропотность! Почему вы не проклинаете от всей души жизнь?

— Разве это поможет, Бетти?

— Всегдашнее ваше всепонимание, почти уже всепрощение. Неужели вы думаете, что нацист на вашем месте поступил бы так же? Да он избил бы обманщика до полусмерти!

Кан смотрел на Бетти с ласковой насмешкой; в своем платье с лиловыми оборками она была точь-в-точь драчливый попугай.

— Чего вы смеетесь? Ты, Кан, хоть задал перцу этим варварам. И должен меня понять. Иногда я просто задыхаюсь. Всегдашнее ваше смирение! И эта способность все терпеть! — Бетти сердито взглянула на меня. — Что вы на это скажете? Тоже способны все вытерпеть?

Я ничего не ответил. Да и что тут можно было ответить? Бетти встряхнула головой, посмеялась над собственной горячностью и перешла к другой группе гостей.

Кто-то завел патефон. Раздался голос Рихарда Таубера. Он пел песню из «Страны улыбок».

— Начинается! Ностальгия, тоска по Курфюрстендамму, — сказал Кан. И, повернувшись к Грефенгейму, спросил: — Где вы теперь обретаетесь?

— В Филадельфии. Один коллега пригласил меня к себе. Может, вы его тоже знаете: Равик*.

— Равик? Тот, что жил в Париже? Ну, конечно, знаю. Вот не предполагал, что ему удастся бежать. Чем он сейчас занимается?

— Тем же, чем и я. Но он ко всему легче относится. В Париже было вообще невозможно сдать экзамены. А здесь возможно: вот он и рассматривает это как шаг вперед. Мне тяжелей. Я, к сожалению, знаю только один проклятый немецкий, не считая греческого и латыни, на которых довольно свободно изъясняюсь. Кому они нужны в наше время?

— А вы не можете подождать, пока все кончится? Германии не выиграть эту войну, теперь это всем ясно. И тогда вы вернетесь.

Грефенгейм медленно покачал головой:

— Это — наша последняя иллюзия, но и она рассыплется в прах. Мы не сможем вернуться.

---

* Равик — герой романа Ремарка «Триумфальная арка».

— Почему? Я говорю о том времени, когда с нацистами будет покончено.

— С немцами, может, и будет покончено, но с нацистами — никогда. Нацисты не с Марса свалились, и они не изнасиловали Германию. Так могут думать только те, кто покинул страну в тридцать третьем. А я еще прожил в ней несколько лет. И слышал рев по радио, густой кровожадный рык на их сборищах. То была уже не партия нацистов, то была сама Германия.

А пластинка все вертелась. «Берлин остается Берлином», — пели певцы, которые за это время оказались либо в концлагерях, либо в эмиграции. Бетти Штейн и еще два-три человека внимали певцам, преисполненные восторга, недоверия и страстной тоски.

— Там, в стране, вовсе не хотят получить нас обратно, — продолжал Грефенгейм. — Никто. И никого.

Я возвращался в гостиницу. Прием у Бетти Штейн настроил меня на грустный лад. Я вспоминал Грефенгейма, который пытался начать жизнь заново. Зачем? Свою жену он оставил в Германии. Жена у него была немка. Пять лет она стойко сопротивлялась нажиму гестапо, не соглашаясь на развод с ним. За эти пять лет цветущая женщина превратилась в старуху, в комок нервов... Его то и дело таскали на допрос. И каждую ночь на рассвете жена и он тряслись от страха: в это время за ним обычно приезжали. Допросы начинались на следующий день или много дней спустя. И Грефенгейм сидел в камере с другими заключенными, как и они, весь в холодном поту от смертной тоски. В эти часы в камере возникало своеобразное братство. Люди шептались, не слыша друг друга. Они ловили каждый звук в коридоре, где раздавались шаги тюремщиков.

Члены братства помогали товарищам тем немногим, что они имели, и одновременно были полны любви и ненависти друг к другу, раздираемые необъяснимыми симпатиями и антипатиями; иногда казалось, для них всех существует строго ограниченное число шансов на спасение и каждый новый человек в камере уменьшает возможности остальных.

Время от времени «гордость немецкой нации», двадцатилетние герои, выволакивали из камеры очередную жертву, пиная ее ногами, подгоняя ударами и руганью, — иначе они и не мыслили себе обращение с больными и старыми людьми. И в камере воцарялась тишина.

Нередко проходило много часов, прежде чем к ним швыряли взятого на допрос — окровавленное тело. И тогда все молча принимались за работу. Для Грефенгейма эти сцены стали настолько привычными, что, когда его в очередной раз забирали из дома, он просил плачущую жену сунуть ему в карман несколько носовых платков — пригодятся для перевязок. Бинты он брать не решался. Даже перевязки в камерах были актом огромного мужества. Бывало, что людей, которые на это шли, убивали как «саботажников».

Грефенгейм вспоминал несчастных жертв, которых опять водворяли в камеру. Каждое движение было для них мучительно, но многие все же обводили товарищей полубезумным взглядом и шептали охрипшими от крика голосами: «Мне повезло. Они меня не задержали!» Быть задержанным — значило оказаться в подвале, где узников затаптывали насмерть, или в лагере, где их истязали до тех пор, пока они не бросались на колючую проволоку, через которую был пропущен ток.

Свою практику ему уже давно пришлось передать другому врачу. Преемник обещал заплатить за нее тридцать тысяч марок, а заплатил тысячу, хотя практика стоила все триста тысяч. Это случилось так: в один прекрасный день к Грефенгейму явился унтерштурмфюрер, родственник преемника, и предложил на выбор — либо ждать отправки в концлагерь за незаконный прием больных, либо взять тысячу марок и написать расписку на тридцать тысяч. Грефенгейм ни минуты не колебался, он знал, какое решение принять. Жена его и так созрела для сумасшедшего дома. Но разводиться все еще не желала. Она верила, что спасает мужа от лагеря. Жена Грефенгейма была согласна развестись при одном условии — если Грефенгейму разрешат уехать. Ей нужно было знать, что он в безопасности.

Наконец им все же счастье улыбнулось! Как-то ночью к Грефенгейму пришел тот же самый унтерштурмфюрер, за это время уже успевший стать оберштурмфюрером. Он был в штатском и, помявшись немного, изложил свою просьбу: сделать аборт девице. Оберштурмфюрер был женат, и его супруга не разделяла национал-социалистской идеи о том, что арийские производители должны иметь большое потомство чистых кровей, даже если в скрещивании будут участвовать разные особи. Супруга оберштурмфюрера считала, что чистых кровей у нее самой предостаточно. Грефенгейм сначала отказывался — подозревая западню. Осторожности ради он сослался на своего преемника, тот ведь тоже врач. Почему бы оберштурмфюреру не обратиться к нему? Тем более преемник — его родственник и тем более — тут Грефенгейм проявил сугубую осмотрительность — он должен испытывать

благодарность к оберштурмфюреру. Но оберштурмфюрер привел свои контрдоводы. «Этот сукин сын не
желает! — сказал он. — Стоило мне только намекнуть
ему, как он разразился целой речугой в духе национал-
социализма о наследственных признаках, генетиче-
ском достоянии нации и прочей чепухе. Сами видите,
благодарности не жди. А ведь без меня он не получил
бы вашей практики!» Грефенгейм не заметил ни тени
иронии на упитанном лице оберштурмфюрера. «Вы —
дело другое, — продолжал оберштурмфюрер. — Мы
не станем выносить сора из избы. А мой тесть, эда-
кий мерзавец, проболтается рано или поздно. Или всю
жизнь будет меня шантажировать». — «Но вы и сами
сумеете его шантажировать, раз он пойдет на недозво-
ленное хирургическое вмешательство», — осмелился
возразить Грефенгейм. «Я простой солдат, — прервал
его оберштурмфюрер. — Эти штуки не по мне. Пред-
почитаю иметь дело с вами, дорогуша. Мы друг друга
поймем с полуслова. Вам запрещено работать, а ей
запрещено делать аборт. Стало быть, никто ничем не
рискует. Она придет к вам сегодня ночью, а утром уйдет домой. Порядок?» — «Нет! — сказала жена Грефенгейма из-за двери. Мучимая страхом, она подслушала
весь разговор. Сейчас эта полубезумная стояла в дверях. Грефенгейм вскочил. — Оставь меня! — сказала
жена. — Я все слышала. Ты и пальцем не шевельнешь,
не шевельнешь пальцем до тех пор, пока не получишь
разрешение на выезд. Такова — цена. Обеспечьте ему
разрешение», — сказала она, оборачиваясь к оберштурмфюреру. Тот попытался растолковать ей, что это
не в его ведении. Но жена Грефенгейма была неумо-
лима. Тогда оберштурмфюрер собрался уходить. Жена
стала угрожать ему — она все расскажет его началь-

Эрих Мария Ремарк

нику. Кто ей поверит? Пусть свидетельствует против него, он тоже будет свидетельствовать. Посмотрим, чья возьмет. Под конец он ей бог знает чего наобещал. Но жена Грефенгейма не поверила ему. Сперва разрешение на выезд — потом аборт.

Невозможное совершилось. В дебрях этого забюрократизированного царства ужасов попадались иногда оазисы. Девушка пришла к Грефенгейму. Это случилось примерно две недели спустя. Ночью. А потом, когда все благополучно миновало, оберштурмфюрер разъяснил Грефенгейму, что он обратился к нему еще и по другой причине: врачу-еврею он доверял больше, чем этому остолопу, своему тестю. До последней минуты Грефенгейм страшился западни. Оберштурмфюрер вручил ему двести марок гонорара. Грефенгейм отказался. Тогда оберштурмфюрер насильно засунул ему деньги в карман. «Вам, дорогуша, они еще пригодятся». Оберштурмфюрер и впрямь любил эту девицу. Исполненный подозрительности, Грефенгейм даже не попрощался с женой. Он вообразил, что так обманет судьбу. И загадал: если он попрощается, его вернут обратно. Грефенгейму удалось бежать. А теперь, сидя в Филадельфии, он горько раскаивался, что уехал, не поцеловав жену. Мысль эта не давала ему покоя. И он не имел никаких вестей из дома. Впрочем, иметь вести было почти невозможно, ведь вскоре началась война.

Перед гостиницей «Ройбен» стоял «роллс-ройс». За рулем сидел шофер. «Роллс-ройс» производил впечатление золотого слитка в груде пепла.

— Вот наконец подходящий кавалер для вас, — сказал Меликов, сидевший в глубине плюшевого холла. — Я, к сожалению, занят.

В углу стояла Наташа Петрова.

— Неужели этот роскошный «роллс-ройс» принадлежит вам?

— Взят взаймы, — ответила она. — Как платья и драгоценности, в которых меня фотографируют. У меня все не свое, все не подлинное.

— Голос у вас свой, а «роллс-ройс» — подлинный.

— Пусть так. Но мне все равно ничего не принадлежит. Скажем так: я обманщица, но вещи у меня подлинные. Вас это больше устраивает?

— Да, но это гораздо опаснее, — сказал я.

— Наташе нужен кавалер, — вмешался Меликов. — Этот «роллс-ройс» дали ей только на сегодняшний вечер. Завтра она должна его вернуть. Не хочешь ли стать на один вечер авантюристом и пожить в свое удовольствие?

Я засмеялся.

— Примерно так я и поступаю много лет. Но без машины. Машина для меня нечто новое.

— Вдобавок мы держим шофера, — сказала Наташа Петрова, — и даже в ливрее. В английской ливрее.

— Мне следует переодеться?

— Конечно, нет! Посмотрите на меня.

Переодеться мне, кстати, было не во что. Я имел всего два костюма, и сегодня на мне был лучший из них.

— Поедете со мной? — спросила Наташа Петрова.

— С удовольствием.

Для меня это было самое верное средство избавиться от мыслей о Грефенгейме.

— Сегодняшний день, кажется, станет счастливым, — сказал я. — Я ведь дал себе три дня отпуска. Но о таких сюрпризах даже не смел мечтать.

— Вы можете сами давать себе отпуск? Я — не могу.

— *Я* — тоже. Но в данный момент я меняю место работы. Через три дня стану зазывалой, окантовщиком и слугой у одного торговца картинами.

— Продавцом тоже?

Секунду Наташа Петрова внимательно смотрела на меня.

— Избави Бог! Этим занимается сам господин Силверс.

— А вы разве не умеете продавать?

— Слишком мало смыслю в этом деле.

— В том, что ты продаешь, вовсе не надо смыслить. Именно тогда продаешь всего успешней. Не видя изъянов, чувствуешь себя свободнее.

— Откуда вы все это знаете? — засмеялся я.

— Мне тоже иногда приходится продавать. Платья и шляпки. — Она опять внимательно посмотрела на меня. — Но за это я получаю комиссионные. Вам тоже надо их потребовать.

— Пока еще вообще неизвестно, не заставят ли меня подметать пол и подавать клиентам кофе. Или коктейли.

Мы медленно проезжали по улице. Перед нами маячила широкая, обтянутая вельветом спина шофера и его бежевая фуражка. Наташа нажала на какую-то кнопку — и из стенки, обшитой красным деревом, появился складной столик.

— Вот вам и коктейли! — сказала она и сунула руку в нишу, оказавшуюся под столиком: там стояло несколько бутылок и рюмок. — Холодные как лед! — объяснила Наташа. — Последний крик моды! Маленький встроенный холодильник. Ну так что же? Водки, виски или минеральной воды? Водки? Я угадала?

— Разумеется.

Я взглянул на бутылку.

— Настоящая русская водка. Как она сюда попала?

— Нектар! Или даже лучше. Одно из немногих приятных последствий войны. Человек, которому принадлежит машина, имеет какое-то отношение к внешней политике, и ему приходится часто ездить в Россию и в Вашингтон. — Наташа засмеялась. — Впрочем, к чему вопросы? Давайте просто наслаждаться. Мне разрешили пить эту водку.

— Но не мне.

— Человек, которому принадлежит машина, знает, что я не стану разъезжать в его «роллс-ройсе» одна.

Водка была замечательная. Все, что я пил до этого, казалось мне теперь слишком крепким и невкусным.

— Еще рюмку? — спросила Наташа.

— Не возражаю. Видно, такова уж моя судьба — примкнуть к тем, кто наживается на войне. Мне разрешили въезд в Штаты, потому что идет война. Я получил работу, потому что идет война. Против воли я стал паразитом.

Наташа Петрова подмигнула мне.

— А почему бы вам не стать им по собственной воле? Это куда приятней.

Мы ехали сейчас вверх по Пятой авеню вдоль парка.

— Скоро начнутся ваши владения, — сказала Наташа Петрова.

Через некоторое время мы свернули на Восемьдесят шестую улицу. Это была широкая, типично американская улица, и все-таки она сразу напомнила мне маленькие немецкие городишки. По обе стороны мелькали кондитерские, пивнушки, сосисочные.

— Здесь все еще говорят по-немецки? — спросил я.

— Сколько угодно. Американцы не мелочны. Они

Эрих Мария Ремарк

никого не сажают. Не то что немцы. — Наташа Петрова засмеялась. — Впрочем, и американцы сажают. К примеру, японцев, которые здесь жили.

— А также французов и немецких эмигрантов, которые жили в Европе.

— По-моему, всюду сажают не тех, кого надо. Правда?

— Возможно. Как бы то ни было, нацисты с этой улицы разгуливают на свободе. Нельзя ли нам поехать куда-нибудь еще?

Секунду Наташа Петрова смотрела на меня молча, потом задумчиво сказала:

— С другими я не такая. Что-то раздражает меня в вас.

— Ценное признание. Со мной происходит то же самое.

Она не обратила внимания на мои слова.

— Раздражает. Нечто похожее на скрытое самодовольство, — сказала она, — оно так далеко запрятано, что не доберешься. Но это злит. Вы меня понимаете?

— Безусловно. В других это злит и меня. Но к чему такой разговор?

— Чтобы вас позлить, — ответила Наташа Петрова, — только поэтому. А что вас раздражает во мне?

— Ничего, — сказал я, рассмеявшись.

Наташа вспыхнула. И я тут же раскаялся, но было уже поздно.

— Чертов немец! — проборматала она. Лицо у нее побледнело, она избегала встречаться со мной взглядом.

— Возможно, вам будет интересно узнать, что Германия лишила меня гражданства, — ответил я и разозлился на самого себя за эти слова.

— Ничего удивительного. — Наташа Петрова постучала в стекло. — А теперь к гостинице «Ройбен».

— Извините, мадам, — сказал шофер, — на какой она улице?

— Это та гостиница, у которой вы меня дожидались.

— Очень хорошо.

— Зачем подвозить меня к гостинице? — сказал я. — Могу выйти сейчас. Автобусов везде сколько угодно.

— Ваша воля. Тем более здесь — ваши родные места.

— Остановите, пожалуйста! — сказал я, обращаясь к шоферу, и вышел из машины. — Большое спасибо, Наташа.

Она не ответила. Я стоял на Восемьдесят шестой улице в Нью-Йорке и смотрел не отрываясь на кафе «Гинденбург», откуда доносились звуки духового оркестра. В кафе «Скрипач» был выставлен домашний крендель. В соседней витрине висели кровяные колбасы. Вокруг меня слышалась немецкая речь. Все эти годы я не раз представлял себе, как было бы хорошо вернуться к своим. Но не о таком возвращении я мечтал.

IX

У Силверса я поначалу должен был составлять каталог на все когда-либо проданное им и отмечать на фотографиях картин имена их прежних владельцев.

— Самое трудное, — говорил Силверс, — это установить подлинность старых полотен. Никогда нельзя быть уверенным в их подлинности. Картины — они как аристократы. Их родословную надо прослеживать вплоть до написавшего их художника. И линия эта должна быть непрерывной: от церкви X к кардиналу A, от коллекции князя Y к каучуковому магнату Рабиновичу или автомобильному королю Форду. Пробелы здесь недопустимы.

— Но речь ведь идет об известных картинах?

— Ну и что? Фотография возникла лишь в конце девятнадцатого века. К тому же далеко не у всех старинных полотен есть копии, с которыми можно было бы сверяться. Нередко приходится довольствоваться одними предположениями, — Силверс саркастически ухмыльнулся, — и заключениями искусствоведов.

Я сгреб в кучу фотографии. Сверху лежали цветные снимки картины Мане — небольшого натюрморта: пионы в стакане воды. Цветы и вода были как живые. От них исходило удивительное спокойствие и внутренняя энергия — настоящее произведение искусства! Казалось, художник впервые сотворил эти цветы и до него их не существовало на свете.

— Нравится? — спросил Силверс.

— Прелестно.

— Лучше, чем розы Ренуара там на стене?

— Это совсем другое, — сказал я. — В искусстве вообще вряд ли уместно слово «лучше»!

— Уместно, если ты — антиквар.

— Эта картина Мане — миг творения, тогда как Ренуар — само цветение жизни.

Силверс покачал головой.

— Недурно. Вы были писателем?

— Всего лишь журналистом, да и то плохоньким.

— Вам сам Бог велел писать о живописи.

— Для этого я слишком слабо в ней разбираюсь.

На лице Силверса вновь появилась саркастическая усмешка.

— Думаете, люди, которые пишут о картинах, разбираются в них лучше? Скажу вам по секрету: о картинах нельзя писать — как вообще об искусстве. Все, что пишут об этом, служит лишь одной цели — просвещению невежд. Писать об искусстве нельзя. Его можно только чувствовать.

Я не возражал.

— И продавать, — добавил Силверс. — Вы, наверное, это подумали?

— Нет, — ответил я и не покривил душой. — А почему вы решили, что мне сам Бог велел писать о картинах? Потому что писать о них нечего?

— Все-таки это лучше, чем быть плохоньким журналистом.

— Как знать.

Силверс рассмеялся:

— Вы, как и многие европейцы, мыслите крайностями. Или это свойственно молодежи? Однако вы уже не так молоды. А ведь между крайностями есть еще множество всяких вариантов и нюансов. У вас же об этом неверные представления. Я вот хотел стать художником. И стал им. Писал со всем энтузиазмом, присущим заурядному художнику. А теперь я антиквар и торгую картинами — со всем присущим этой профессии цинизмом. Ну и что? Предал я искусство тем, что не пишу больше плохих картин, или предаю его тем, что торгую картинами? Размышления в летний день в Нью-Йорке, — помолчав, сказал он и предложил мне сигару. — Попробуйте-ка вот эту сигару. Самая легкая изо всех гаванских. Вы любите сигары?

— Я еще плохо в них разбираюсь. Курю все, что попадается под руку.

— Вам можно позавидовать.

Я удивленно поднял голову:

— Это для меня новость. Не думал, что этому можно завидовать.

— У вас все еще впереди — выбор, наслаждение и пресыщение. Под конец остается лишь пресыщение. Чем ниже ступень, с которой начинаешь свой путь, тем позже наступает пресыщение.

— По-вашему, начинать надо с варварства?

— Если угодно.

Я обозлился. Варваров мне довелось видеть предостаточно. Эти салонные эстетические концепции меня раздражали — ими можно забавляться в более безмятежные времена. Даже за восемь долларов в день я не желал слушать разглагольствования Силверса. Я показал ему кипу фотографий.

— В картинах импрессионистов, наверное, проще разобраться, чем в картинах эпохи Ренессанса, — сказал я. — Все-таки они писали на несколько столетий позже. Дега и Ренуар дожили до Первой мировой войны, а Ренуар даже пережил ее.

— И тем не менее появилось уже немало подделок и Ренуара, и Дега.

— Стало быть, единственной гарантией является тщательная экспертиза?

Силверс усмехнулся:

— Экспертиза или чутье. Нужно знать сотни картин. Видеть их вновь и вновь. На протяжении многих лет. Смотреть, изучать, сравнивать. И снова смотреть.

— Ну, разумеется, — сказал я. — Только почему же тогда многие директора музеев ошибаются в своих заключениях?

— Одни — умышленно. Но это быстро выходит наружу. Другие на самом деле ошибаются. Почему? Вот мы и подошли к вопросу о различии между директором музея и коммерсантом. Директор музея покупает редко и за счет музея. Коммерсант покупает часто —

и всегда за свой счет. Не кажется ли вам, что этим они и отличаются друг от друга? Если коммерсант в чем-то ошибается, он теряет свои деньги. Директору же музея гарантирован каждый цент жалованья. У него интерес к картинам чисто академический, а у коммерсанта — финансовый. Естественно, что у коммерсанта взгляд острее, он большим рискует.

Я принялся разглядывать этого изысканно одетого человека. Костюм и ботинки на нем были английские, рубашка — из лучшего парижского магазина. Он был выхолен и благоухал французским одеколоном. И мне показалось, что он отделен от меня стеклянной стеной: я слышал все, что он говорил, но так, будто он где-то далеко-далеко. Он жил в некоем темном мире, мире головорезов и разбойников — в этом я был уверен, — но разбойников весьма элегантных и весьма коварных. Все, что он говорил, было верно и в то же время неверно. Все представало в странно искаженном виде. На первый взгляд Силверс производил впечатление спокойного, убежденного в своем превосходстве человека, но у меня было такое чувство, что он в любую минуту может превратиться в безжалостного дельца и не убоится пойти по трупам. Его мир насквозь фальшив, он слагался из мыльных пузырей благозвучных фраз и сомнительной близости к искусству, в котором Силверс разбирался лишь в ценах. Человек, действительно любящий картины, не стал бы ими торговать, подумалось мне.

Силверс посмотрел на часы.

— На сегодня хватит. Мне пора в клуб.

Меня нисколько не удивило, что он торопился туда. Это вполне вязалось с моим представлением о его нереальном существовании за «стеклянной стеной».

— Мы найдем общий язык, — сказал он и провел рукой по складке брюк.

Я невольно посмотрел на его ботинки. Он был слишком уж элегантен. Носки ботинок были чуть острее, чем нужно, а цвет — чуть светлее. Покрой костюма несколько вызывающий, а галстук — чересчур пестрый и шикарный. Он в свою очередь окинул взглядом мой костюм.

— Вам в нем не жарко?

— Когда очень жарко, я снимаю пиджак.

— Это не годится. Купите себе костюм из тропикала. Американские готовые вещи очень добротны. Здесь даже миллионеры редко шьют костюмы на заказ. Купите в магазине братьев Брук. А хотите подешевле — у «Браунинг энд Кинг». За шестьдесят долларов можно приобрести нечто вполне приличное.

Силверс вытащил из кармана пиджака пачку банкнот. Я еще раньше заметил, что у него нет бумажника.

— Вот, — сказал он и протянул мне сто долларов. — Считайте это авансом.

Стодолларовая бумажка жгла мне карман. У меня еще было время зайти в магазин «Браунинг энд Кинг». Я шел по Пятой авеню, славя имя Силверса в безмолвной молитве. Лучше всего было бы сохранить деньги и донашивать старый костюм. Но это было невозможно. Через несколько дней Силверс наверняка спросит меня о костюме. Так или иначе, после всех лекций об искусстве, как о наилучшем помещении капитала, мой собственный капитал удвоился, хоть я и не приобрел картины Мане.

Через некоторое время я свернул на Пятьдесят четвертую улицу. Чуть подальше находился небольшой цветочный магазин, где продавались очень дешевые орхидеи — может быть, не совсем свежие, но это было незаметно. Накануне Меликов дал мне адрес фирмы, где работала Наташа Петрова. В мыслях у меня был полный разброд — я так и не понял, что представляет собой эта женщина: то она казалась мне модницей и шовинисткой, то я сам себе казался вульгарным плебеем. Теперь, похоже, в мою жизнь вмешался Бог, о чем свидетельствовала стодолларовая бумажка, лежавшая у меня в кармане. Я купил две орхидеи и послал Наташе. Цветы стоили всего пять долларов, но производили впечатление более дорогих, что было весьма кстати.

В магазине «Браунинг энд Кинг» я выбрал себе легкий серый костюм, причем подгонять пришлось только брюки.

— Завтра вечером будет готово, — сказал продавец.

— А нельзя ли получить костюм сегодня?

— Уже поздно.

— Он мне очень нужен сегодня вечером, — настаивал я.

Особой срочности в этом не было, но на меня вдруг напала блажь получить новый костюм как можно скорее. В кои-то веки я мог себе это позволить, и мне в голову внезапно пришла глупая мысль, будто новый костюм знаменует собой конец моей бездомной эмигрантской жизни и начало оседлого обывательского существования.

— Попытайтесь это устроить, — попросил я.

— Пойду узнаю в мастерской.

Я стоял между длинными рядами развешанных костюмов и ждал. Казалось, костюмы со всех сторон шли маршем на меня, как армия автоматов, доведенных до верха совершенства, когда в человеке уже нет нужды.

Эрих Мария Ремарк

Продавец, прошмыгнувший по безмолвным рядам, показался мне анахронизмом.

— Все в порядке. Приходите часов в семь.

— Очень вам благодарен.

Я вышел на раскаленную пыльную улицу.

Я свернул на Третью авеню. Лоу-старший украшал витрину. Я предстал перед ним во всем великолепии своего нового костюма. Он вытаращил глаза, точно филин ночью, и махнул канделябром, предлагая мне войти.

— Замечательно, — сказал он. — Это уже первый плод вашей деятельности в качестве обер-мошенника?

— Нет, всего лишь аванс от человека, которому рекомендовали меня вы, господин Лоу.

Лоу ухмыльнулся:

— Целый костюм. Tiens[*].

— И даже деньги еще остались. Силверс посоветовал мне магазин братьев Брук. Я же выбрал более скромный.

— У вас вид авантюриста.

— Благодарю вас. Так оно и есть.

— Кажется, вы уже неплохо спелись, — пробурчал Лоу и принялся устанавливать на фоне генуэзского бархата прелестного свежераскрашенного ангела восемнадцатого века. — Удивительно, что вы вообще еще появляетесь среди нас, мелких сошек.

Я молча глядел на него. Маленький толстяк, оказывается, ревновал, хотя сам же направил меня к Силверсу.

— Вас больше устроило бы, если бы я ограбил Силверса? — спросил я.

_____

[*] Смотри-ка (*фр.*).

— Между ограблением и лизанием зада есть определенная разница!

Лоу поставил на место французский стул, у которого лишь половина ножки была действительно старинной. Меня охватило теплое чувство. Ко мне уже давно никто не относился с такой бескорыстной симпатией. А задумался я над этим лишь совсем недавно. Мир полон добрых людей, но замечаешь это, лишь когда оказываешься в беде. И это является своего рода компенсацией за трудные минуты жизни. Удивительный баланс, заставляющий в минуты отчаяния уверовать даже в очень далекого, обезличенного, автоматического Бога, восседающего перед пультом управления. Впрочем, только в минуты отчаяния — и никогда больше.

— Что вы так на меня уставились? — спросил Лоу.

— Славный вы человек, — искренне воскликнул я. — Прямо отец родной!

— Что?

— Это я так... В неопределенно-трансцендентном смысле.

— Что? — переспросил Лоу. — У вас, надо понимать, все хорошо, раз вы несете такой вздор. Вздор, да и только. Вам что, так уж нравится состоять при этом паразите? — Он вытер пыль с ладоней. — Наверное, у него черную работу делать не приходится, не так ли? — Он швырнул грязное полотенце за штору на груду японских офортов в рамках. — Ну как, там лучше, чем здесь?

— Нет, — ответил я.

— Так я и поверил!

— Просто там все иначе, господин Лоу. Когда глядишь на прекрасные картины, все остальное отступает на второй план. К тому же картины — не паразиты!

— Они жертвы, — неожиданно спокойно произнес Лоу-старший. — Представьте себе, каково бы им пришлось, будь у них разум! Ведь их продают, как рабов. Продают торговцам оружием, военным, промышленникам, дельцам, сбывающим бомбы! На обагренные человеческой кровью деньги эти типы приобретают картины, излучающие мир и покой.

Я взглянул на Лоу.

— Ну, хорошо, — сказал он. — Пусть эта война иная. Но такая ли уж она иная для этих паразитов! Их цель — заработать, нажиться, а где и как — им все равно. Если понадобится, они готовы и дьяволу... — Лоу замолк. — Юлий идет, — прошептал он. — Боже праведный, в смокинге! Все погибло!

Лоу-младший не был в смокинге. Мы увидели его в ту секунду, когда он входил с улицы, освещенный последним грязновато-медвяным лучом солнца, весь пропахший бензином и выхлопными газами. На нем была узкая визитка цвета маренго, полосатые брюки, котелок и, к моему удивлению, светло-серые старомодные гетры.

Я с умилением рассматривал их, ибо ничего подобного не видел с догитлеровских времен.

— Юлий! — воскликнул Лоу-старший. — Постой, подожди. В последний раз говорю: вспомни хотя бы о своей благочестивой матери!

Юлий медленно переступил порог.

— О матери я помню, — сказал он. — А ты не сбивай меня с толку, еврейский фашист!

— Юлий, побойся Бога. Разве я не желаю тебе добра? Разве я не заботился о тебе, как только может заботиться старший брат, разве не ухаживал за тобой, когда ты болел, ты...

— Мы близнецы, — заметил Юлий, обращаясь ко мне. — Я вам уже говорил, что брат старше меня всего на три часа.

— Иной раз три часа значат больше, чем целая жизнь. Ты всегда был мечтателем, не от мира сего, мне вечно приходилось смотреть за тобой, Юлий. Ты же знаешь, я всегда думал о твоем благе, а ты вдруг стал относиться ко мне, как к своему заклятому врагу.

— Потому что я хочу жениться.

— Потому что ты хочешь жениться Бог знает на ком. Господин Росс, вы только взгляните на него, прямо жалость берет, он стоит здесь с таким видом, будто собирается взять барьер. Юлий! Юлий! Опомнись! Не спеши! Он, видите ли, хочет сделать предложение по всем правилам, как какой-нибудь коммерции советник. Тебя опоили любовным зельем, вспомни о Тристане и Изольде и несчастье, которое их постигло. Своего родного брата ты называешь фашистом за то, что он хочет предостеречь тебя от неверного шага. Юлий, найди себе добропорядочную еврейку.

— Не нужна мне добропорядочная еврейка. Я хочу жениться на женщине, которую люблю!

— Нет, вы только подумайте, он ее любит! Посмотри, на кого ты похож! Он собирается сделать ей предложение. Вы только поглядите на него, господин Росс!

— Ничем не могу вам помочь, — сказал я. — На мне тоже новый костюм. Костюм для обер-мошенника. Не так ли, господин Лоу?

— Это я пошутил.

Вскоре разговор вошел в более спокойное русло. Юлий взял назад свои слова о «еврейском фашисте» и обозвал брата «сионистом», а затем — «семейным фанатиком». В пылу спора Лоу-старший допустил одну тактическую ошибку. Он сказал, что мне, к примеру, вовсе не обязательно жениться на еврейке.

— Это почему? — спросил я. — Когда мне было шестнадцать лет, мой отец советовал мне взять в жены еврейку. Иначе, полагал он, ничего путного из меня не выйдет.

— Вот видишь! — воскликнул Юлий.

Спор разгорелся с новой силой. Однако Лоу-старший благодаря своей напористости взял верх над лириком и мечтателем Юлием. Ничего другого я и не ожидал. Если бы Юлий твердо решил жениться, он не появился бы здесь в визитке, а просто пошел бы к своей богине с рыжими космами — крашеными, как полагал Лоу-старший. Убедить его не спешить с предложением оказалось не так уж трудно.

— Ты ничего не потеряешь, — увещевал его Лоу-старший. — Еще раз хорошенько все обдумай.

— А если она заведет себе другого!

— Не заведет, Юлий. Ты ведь не зря вот уже тридцать лет в деле! Разве мы не уверяли тысячу раз своих покупателей, что у нас уже есть претенденты на облюбованную ими вещь, но это всегда было только ловким трюком. Ну, Юлий, поди и сними эту дурацкую визитку!

— Нет, — неожиданно резко возразил Юлий. — Я ее надел и не сниму.

Лоу-старший испугался, что опять возникнут осложнения.

— Хорошо, будь по-твоему, — сказал он с готовностью. — Куда пойдем? Может быть, в кино? На фильм с Полетт Годар.

— В кино? — Юлий с сожалением оглядел свою визитку цвета маренго. В кино ее никто не увидит, из-за темноты.

— Хорошо, Юлий. Тогда пойдем в ресторан, самый первоклассный. Закажем хорошую закуску. Рубленую куриную печенку, а на десерт пломбир с персиками. Куда хочешь, туда и пойдем.

— К «Соседу», — решительно заявил Юлий.

Лоу-старший на какое-то мгновение задумался, как бы переваривая услышанное.

— Ну хорошо, к «Соседу» так к «Соседу». — Он обернулся ко мне. — Господин Росс, пойдемте с нами. Вы сегодня так элегантны. А что это у вас за сверток?

— Мой старый костюм.

— Оставьте его здесь. Зайдете за ним после.

В гостиницу я вернулся около десяти вечера.

— Тут для тебя есть пакет, — объявил Меликов. — Если не ошибаюсь, это бутылка.

Я развернул бумагу.

— Боже мой! — воскликнул Меликов. — Настоящая русская водка!

Я осмотрел упаковку. Никакой записки не было. Только водка.

— Ты заметил, что бутылка не совсем полная? — спросил Меликов. — Я не повинен в этом. Так и было.

— Знаю, — сказал я. — Кто-то выпил две довольно большие рюмки. Нальем, что ли? Ну и денек!

X

Я зашел за Каном. Мы были приглашены на торжество к Фрислендерам.

— У них большой праздник, — пояснил Кан. — Фрислендеры позавчера стали американскими гражданами.

— Так скоро? Разве не надо ждать пять лет, чтобы получить документы?

— Фрислендеры и ждали пять лет. Они прибыли в Америку еще до войны, с первой волной наиболее ловких эмигрантов.

— И впрямь ловкачи, — согласился я. — Что же это нам не пришла в голову такая идея?

Фрислендерам сопутствовала удача. Еще до прихода нацистов к власти они поместили часть своего капитала в Америке. Старик не доверял ни европейцам вообще, ни немцам в частности. Свои сбережения он вложил в американские акции, главным образом в «Америкэн телеграф энд телефон компани». С течением времени они изрядно поднялись в цене. Единственное, в чем Фрислендер ошибся, это в сроках. В Америке он поместил только ту часть своего капитала, которая не требовалась в деле. Фрислендер торговал шелком и мехами и считал, что всегда сумеет, в случае если ситуация станет опасной, быстро реализовать свой товар. Но ситуация стала опасной уже за два года до захвата власти нацистами. Дела Дармштадтского национального банка, одного из крупнейших банков Германии, внезапно пошатнулись. У касс началась свалка. Немцы еще не забыли страшной инфляции, которая разразилась десять лет назад. Тогда триллион фактически стоил четыре марки. Во избежание полной катастрофы правительство закрыло банки и блокировало все переводы денег за границу. Этой мерой оно стремилось предотвратить обмен наличного запаса марок на более устойчивую валюту. В то время у власти стояло демократическое правительство, однако, само того не ведая, оно вынесло смертный приговор множеству евреев и противников нацистской партии. Капиталы, блокированные в 1931 году, так и не были разморожены. Поэтому после прихода нацистов к власти почти никому не удалось переправить за границу свои средства и тем самым спасти их. Надо было либо все бросить, либо сидеть и караулить свои деньги, ждать гибели. В кругах национал-социалистов немало потешались над этой ситуацией.

Фрислендер тогда еще колебался. Он не мог решиться все бросить и уехать; к тому же, подобно многим евреям в 1933 году, он стал жертвой странного благодушия и считал все происходящее лишь временным явлением. Бесчинства нацистов прекратятся, как только они достигнут вожделенной власти. Тогда будет сформировано разумное правительство. Ну что ж, придется пережить несколько беспокойных месяцев, как при любом перевороте. Потом все войдет в свою колею — Фрислендер был не только осторожным дельцом, но и пламенным патриотом. Он не очень доверял нацистам, но ведь имелся еще и президент Германии — почтенный фон Гинденбург, фельдмаршал и столп прусского права и добродетели.

Прошло еще некоторое время, прежде чем Фрислендер пробудился от спячки. Спячка продолжалась до тех пор, пока суд не предъявил ему обвинение во всевозможных злодеяниях, начиная с мошенничества и кончая изнасилованием несовершеннолетней девочки, которую он и в глаза не видел. Мать и дочь клялись, что обвинение вполне обоснованно, так как глупый Фрислендер, веровавший в пресловутую справедливость немецкой юстиции, с возмущением отверг притязания мамаши — она требовала от него 50 000 марок. Однако Фрислендер быстро «образумился» и при второй попытке шантажа оказался уже более сговорчивым. Как-то вечером к нему зашел секретарь уголовной полиции, подосланный крупным нацистским деятелем. От Фрислендера потребовали куда более высокую сумму, но взамен ему было позволено вместе с семьей выехать из Германии. Ему сказали, что на границе с Голландией часовому будут даны соответствующие инструкции. Фрислендер ничему не верил. Он каждый вечер проклинал себя, а по ночам его проклинала жена. Он подписал все, что от него требовали. И произошло невероятное: Фрислендера с семьей переправили через границу. Сначала — жену и дочь. Получив открытку из Арнхейма, он отдал остаток своих акций нацистам. Через три дня он тоже был в Голландии. Затем начался второй акт трагикомедии. Срок его паспорта истек, прежде чем он успел обратиться с ходатайством о получении американской визы. Он попытался раздобыть другие документы. Но тщетно. Тогда ему удалось получить некоторую сумму из Америки. Однако и этот источник вскоре иссяк. Остальные деньги — а это была большая часть его состояния — Фрислендер поместил с таким условием, что их могли выдать только ему лично. Он, конечно, рассчитывал, что скоро сам окажется в Нью-Йорке. Но срок его паспорта истек, и Фрислендер стал воистину нищим миллионером! Он отправился во Францию, где власти уже тогда проявляли нервозность и обращались с ним как с одним из тех беженцев, кто в страхе за свою шкуру плел всевозможные небылицы, надеясь таким путем получить разрешение на жительство. В конце концов, благодаря поручившимся за него американским родственникам, Фрислендеру удалось получить визу на въезд в США, несмотря на просроченный паспорт. И когда в Америке ему выдали на руки его акции, он облобызал их и решил переменить имя.

Сегодня умер Фрислендер и родился Дэниел Варвик. Фрислендер сменил имя при получении гражданства.

Мы вошли в большую, ярко освещенную гостиную. Сразу можно было заметить, что в Америке Фрислендер не терял времени даром. Все здесь говорило о богатстве. В столовой высился огромный буфет. Стол был уставлен вазами с пирожными, и среди всего этого великолепия красовались еще два круглых торта, облитых сахарной глазурью с надписью «Фрислендер» — на одном и «Варвик» — на другом. На торте «Фрислендер» был шоколадный ободок, который при некоторой фантазии можно было считать траурной каймой, а у торта «Варвик» ободок был из розовых марципановых розочек.

— Изобретательность моей кухарки, — с гордостью сказал Фрислендер. — Как, нравится?

Его красное широкое лицо сияло от удовольствия.

— Торт «Фрислендер» мы сегодня разрежем и съедим, — пояснил он. — Второй останется нетронутым. Это своего рода символ.

— Почему вам пришло в голову назваться Варвиком? — спросил Кан. — Если не ошибаюсь, это известный род в Англии?

Фрислендер утвердительно кивнул:

— Как раз поэтому. Если уж менять имя, так на что-то приличное. Что будете пить, господин Кан?

Тот с удивлением взглянул на хозяина.

— Шампанское, конечно, «Дом Периньон». Как и подобает по такому случаю!

Фрислендер на минуту смутился.

— Этого у нас, к сожалению, нет, господин Кан. Зато могу предложить отличное американское шампанское.

— Американское?.. Налейте-ка лучше бокал бордо.

— Калифорнийского. Хороший сорт.

— Господин Фрислендер, — сдерживая себя, сказал Кан. — Хотя Бордо и оккупирован немцами, он пока еще не в Калифорнии. Не стоит заходить так далеко в вашем новом патриотизме.

— Почему? — Фрислендер выпятил грудь, между лацканами смокинга блеснули сапфировые пуговицы. — Зачем сегодня вспоминать прошлое? Можно было бы выпить и голландского джина, и немецкого вина. Но мы от них отказались. В Германии и в Голландии нам слишком многое пришлось испытать. По этой же причине мы не заказывали французских вин. К тому же они ненамного лучше. Все это реклама! А вот чилийское вино действительно первоклассное.

— Выходит, свою досаду вы вымещаете на напитках?

— Кто как может. Прошу к столу, господа.

Мы последовали за ним.

— Как видите, есть и преуспевающие эмигранты, — заметил Кан. — Правда, их совсем мало. В Германии Фрислендер лишился всего, что нажил там. Но некоторые из так называемых «ловкачей» не теряли времени даром и уже многого добились. Основную же массу эмигрантов составляют «нерешительные». Эти топчутся на месте, не зная, захотят они вернуться в Германию или нет. Кроме того, здесь есть и просто «зимующие». Эти будут вынуждены вернуться, так как в Америке им не найти работы.

— А к какой волне вы относите меня? — спросил я, принимаясь за куриную ножку в винном желе.

— К самой поздней, которая уже сливается с той, что откатывается. У Фрислендера великолепная кухня, не правда ли?

— Все это приготовлено здесь, в доме?

— Все. Фрислендеру повезло, что в Европе кухаркой у него была венгерка. Она осталась ему верна и несколько лет спустя последовала за ним через Швейцарию во Францию — с драгоценностями фрау Фрислендер в желудке. Несколько прекрасных камней без оправы, которые в свое время вручила ей фрау Фрислендер, Рози проглотила перед границей вместе со сдобной булкой. Впрочем, необходимости в этом не было, ведь ее, как венгерку, никто не обыскивал. Сейчас она продолжает кухарничать. Истинное сокровище!

Я оглянулся. У буфета толпились гости.

— Это все эмигранты? — спросил я.

— Нет, не все. Фрау Фрислендер обожает американских знакомых. Вы же слышите, вся семья говорит только по-английски. С немецким акцентом, но по-английски.

— Разумно. А как им еще научиться английскому?

Кан рассмеялся. У него на тарелке лежал огромный кусок жареной свинины.

— Я вольнодумец, — сказал он, заметив мой взгляд, — а красная капуста одно из моих...

— Знаю, — перебил я его. — Одно из ваших многочисленных пристрастий.

— Чем больше таких пристрастий, тем лучше. Особенно если подвергаешься опасности. Это отвлекает от мыслей о самоубийстве.

— Вы когда-нибудь помышляли о самоубийстве?

— Да. Однажды. Меня спас запах жареной печенки с луком. Это была критическая ситуация. Вы знаете, жизнь протекает в разных пластах, и у каждого — свои цезуры, свои паузы. Обычно эти цезуры не совпадают. Один пласт подпирает другие, в которых жизнь на время угасла. Самая большая опасность, когда цезуры возникают одновременно во всех пластах. Тогда-то и наступает момент для самоубийства без видимой причины. Меня в такой момент спас запах жареной печенки с луком. Я решил перед смертью поесть. Пришлось немного обождать, за стаканом пива завязался разговор. Слово за слово, и я воскрес. Верите ли? Это не анекдот. Я расскажу вам историю, которая всегда приходит мне на память, когда я слышу жалкое английское кваканье наших эмигрантов. Оно меня очень умиляет, напоминая об одной старой эмигрантке, бедной, больной и беспомощной. Эта женщина решила покончить с собой и исполнила бы свое намерение, если бы, уже собравшись открыть газ, не вспомнила, с каким трудом ей давался английский язык и как с каждой неделей она все лучше и лучше его понимала. Ей стало жаль вот так разом все бросить. Крохотные познания в английском — это единственное, что у нее было, поэтому она уцепилась за них и выжила. Я частенько вспоминаю о ней, когда слышу английские слова, чудовищно исковерканные старательными новичками. Это трогательно. Даже у Фрислендеров. Комизм ведь не спасает от трагизма, и наоборот. Взгляните на ту девушку, что уплетает яблочный пирог со взбитыми сливками. Красива, не правда ли?

Я взглянул на девушку.

— Она не просто красива, — произнес я в изумлении. — Она трагически красива. — Я оглянулся еще раз. — Она божественна. Если бы она не ела яблочный пирог с таким аппетитом, то была бы одной из тех редких женщин, перед которыми падаешь ниц не задумываясь. Какое прекрасное лицо!.. У нее что, горб? Или слоновая болезнь? Если эта богиня забрела к Фрислендерам, что-то с ней наверняка не в порядке.

— Подождите, пока она встанет, — восторженно прошептал Кан. — Эта девушка — само совершенство. Лодыжка газели. Колени Дианы. Стройная фигура. Полная упругая грудь. Кожа восхитительная. Ножки — идеальные. И ни малейшего намека на мозоли.

Я взглянул на нее.

— Не верите? — спросил он. — Я это точно знаю. Кроме того, зовут ее Кармен. Грета Гарбо и Долорос дэль Рио в одном лице!

— И... — с усилием произнес я.

Кан потянулся.

— Она глупа, — сказал он. — И не просто глупа, а неописуемо глупа. То, что она сейчас проделывает с яблочным пирогом, уже представляет для нее непосильное умственное напряжение.

— Жаль, — сказал я в нерешительности.

— Зато как хороша!

— Чем же может пленить такая фантастическая глупость?

— Своей неожиданностью.

— Статуя еще глупее.

— Статуя безмолвна, а Кармен умеет говорить.

— И что же она говорит?

— Самые несусветные глупости, какие только можно себе представить. Куда до нее какой-нибудь обывательнице! Она сверхъестественно глупа! Я иногда встречался с нею во Франции. Ее глупость была легендарной и хранила ее, как волшебный плащ. Но однажды она оказалась в опасности. Ей надо было уносить ноги. И я решил взять ее с собой. Она отказалась. Ей, видите ли, надо было еще принять ванну и одеться.

Эрих Мария Ремарк

Потом ей втемяшилось собрать свои туалеты — идти без них она не желала. А гестапо между тем было уже совсем близко. Я бы не удивился, если бы она вздумала еще побывать у парикмахера. К счастью, парикмахера там не было. Вдобавок ко всему ей захотелось позавтракать. Я еле удержался, чтобы не запустить бутербродом в ее прелестное ушко. Она завтракала, а меня била дрожь. Недоеденные бутерброды и мармелад ей непременно нужно было прихватить с собой. Она так долго искала «чистую бумагу», что мы почти услышали скрип гестаповских сапог. Затем она села ко мне в машину. Не спеша. В то утро я в нее влюбился.

— Сразу же?

— Нет. Когда мы были уже в безопасности. Она так ничего и не заметила. Боюсь, что она слишком глупа даже для любви.

— Такое не часто встретишь!

— Иногда до меня долетали разные слухи о Кармен. Она проходила сквозь все опасности, словно величавый заколдованный парусник. Оказывалась в невероятных ситуациях. И хоть бы что. Ее бесподобная непосредственность обезоруживала убийц. Думаю, что ее даже ни разу не изнасиловали. Она, разумеется, прибыла сюда с одним из последних самолетов. Подойдя в Лиссабоне к кучке дрожавших от страха беженцев, она невозмутимо произнесла: «Было бы забавно, если бы самолет упал сейчас в море, правда?» И никто ее не линчевал. К тому же ее зовут Кармен. Не Рут, не Элизабет, не Берта, а — Кармен!

— Что она делает теперь?

— Счастливая судьба священной коровы сразу же ниспослала ей место манекенщицы у Сакса на Пятой авеню. Она сама не искала этого места, искать было бы для нее слишком утомительно. Ей преподнесли его на блюдечке.

— Почему бы ей не сниматься в кино?

— Даже для этого она чересчур глупа.

— Невероятно!

— Не только глупа, но и инертна. Никакого честолюбия. Никаких комплексов. Удивительная женщина!

Я взял кусочек торта «Фрислендер». Между тем торт «Варвик» унесли со стола в безопасное место. «Фрислендер» был великолепен — горький шоколад, посыпанный миндалем. Наверное, это тоже был символ. Мне стало ясно, чем Кармен так привлекала Кана. Невозмутимость, которую он воспитал в себе бесстрашием и презрением к смерти, ей была дана от природы. И это непреодолимо влекло его.

Его лицо приняло мечтательное выражение.

— На всю жизнь! Это величайшая авантюра из всех моих авантюр.

— Что?

— Величайшая, — повторил он.

— Неужели это вам не наскучит?

— Нет. — Кан тоже решил попробовать торт «Фрислендер». Он отрезал кусочек с начальными буквами «Фрис». — Почему бы ему не назвать себя просто Лендер? — заметил он.

— Решил начать все заново, — сказал я. — Хвостик старого имени его не удовлетворил бы. В общем, вполне понятно.

— Как вы себя назовете, когда примете американское гражданство?

— Позволю себе пошутить и в качестве псевдонима возьму свое прежнее имя. Свое настоящее имя. Этого, наверное, еще никто не делал.

Эрих Мария Ремарк

— Во Франции я встретил одного зубного врача. За день до отъезда из Германии — он уже получил разрешение на выезд — его еще раз срочно вызвали в гестапо. В отчаянии он простился со своими близкими. Все думали, что его отправят в концлагерь. А ему учинили допрос относительно его имени. Заявили, что, будучи евреем, он не может выехать под этим именем. Его звали Адольф Дойчланд. Отпустили его лишь после того, как он согласился ехать под именем Ланд. Во французском лагере для интернированных он сообразил, что мог бы выехать и совсем под другим именем.

Наконец, подали кофе. Мы чувствовали себя как обжоры на картине Брейгеля-старшего.

— Как вы думаете, принципы Фрислендера и французский коньяк несовместимы?

— Здесь есть «Фундадор». Португальский или испанский. Пожалуй, сладковат немного, но ничего.

Вошла фрау Фрислендер.

— Уже начались танцы, господа. Сейчас, когда идет война, наверное, не следовало бы их устраивать, однако по такому случаю и потанцевать не грех. А вот и наши военные пришли.

Мы увидели несколько американских военных. Из числа новых знакомых Фрислендеров. Ковер в гостиной был скатан, и фрейлейн Фрислендер в ярко-красном платье избрала своей жертвой юного лейтенанта, довольно неохотно расставшегося с двумя приятелями, которые ели мороженое. Но и тех сразу же пригласили танцевать две удивительно похожие друг на друга девушки, обе очень красивые и веселые.

— Это двойняшки Коллер, — пояснил Кан, — из Венгрии. Одна из них прибыла сюда два года назад и прямо с парохода отправилась на такси к врачу, который славится своими пластическими операциями. Полтора месяца спустя она появилась вновь, перекрашенная, с прямым, наполовину укороченным носом и роскошным бюстом. Адрес этого врача она узнала в дороге и действовала, не теряя ни минуты. Когда позже приехала вторая сестра, ее прямо с парохода увезли к тому же врачу. Злые языки утверждали, что под вуалью. Так или иначе, через два месяца она объявилась преображенной, и тут началась ее карьера. Говорят, что приехала еще третья сестра, но она отказывается от операции. Те же злые языки разнесли слух, что двойняшки держат ее взаперти, пока она не станет более сговорчивой.

— Эти предприимчивые двойняшки произвели операцию и со своими именами? — спросил я.

— Нет. Они утверждают, что в Будапеште были чуть ли не кинозвездами. Впрочем, и здесь они стали малыми звездами на малых ролях. Они далеко пойдут. Остроумны и интеллигентны. К тому же они венгерки. В общем, красный перец в крови, как говорится.

— Замечательно. Каждый здесь может начать сызнова, изменив все, что ему дано природой: лицо, бюст и даже имя. Словно это маскарад или источник вечной молодости. Дурнушка погружается в воду и выходит из нее преображенной. Я — за сестер Коллер, за Варвиков, за чудо перевоплощения.

Подошел Фрислендер.

— Будет еще гуляш. Рози уже готовит его. Подадут примерно в одиннадцать часов. Вы не танцуете?

— И танго, и императорскому вальсу мы предпочли отличную еду.

— Вам правда она понравилась?

— Выше всяких похвал.

— Очень рад. — Фрислендер наклонил к нам свое вспотевшее красное лицо. — Теперь редко чему-нибудь радуешься, не правда ли?

— Ну что вы, господин Фрислендер!

— Конечно. Я вот никак не могу избавиться от смутного чувства тревоги. Никак. Думаете, мне легко было решиться взять себе чужое имя, господин Кан? Иногда меня и на этот счет гложет тревога.

— Но вы же сами хотели поменять имя, господин Фрислендер, — мягко заметил Кан.

Он ненавидел фальшь, и если обнаруживал хотя бы слабый намек на нее, в его голосе начинали звучать иронические нотки. Но чужой страх и неуверенность тут же пробуждали в нем сострадание.

— Если имя вам не подходит, поменяйте еще раз.

— Думаете, можно?

— В такой благословенной стране это легче, чем где бы то ни было. Здесь относятся к этому с таким же пониманием, как на Яве. Если там кому-нибудь наскучит или опротивит собственное имя, можно выбрать новое. Это считается естественным, и многие прибегают к такому способу по нескольку раз в жизни. К чему вечно таскать за собой прошлое, когда уже давно его перерос? Врачи считают, что организм человека обновляется каждые семь лет.

На лице Фрислендера появилась благодушная улыбка.

— Вы сокровище, господин Кан! — сказал он и отошел к другим гостям.

— Вон Кармен танцует, — сказал Кан.

Я повернул голову. Кармен медленно двигалась.

Живое воплощение несбыточных мечтаний с трагическим выражением лица, она безвольно покоилась в объятиях долговязого рыжеволосого сержанта. Все с восторгом смотрели на нее, она же, если верить Кану, размышляла о рецепте яблочного пирога.

— Я молюсь на эту корову, — сдавленным голосом произнес Кан.

Я молчал, разглядывая Кармен и фрау Фрислендер, двойняшек Коллер с их новыми бюстами и господина Фрислендера-Варвика в коротковатых брюках, и мне было так легко, как давно уже не было. Может, это и впрямь Земля Обетованная, думал я, и Кан прав, говоря, что здесь в самом деле можно переродиться, а не только изменить имя и черты лица. Наверное, это действительно возможно, хотя и кажется нереальным: ничего не забыть и вместе с тем начать все сначала, сублимировать страдание, пока не утихнет боль, пустить все в переплавку, ничего при этом не утратив, никого не предав и не став дезертиром.

XI

На следующий день вечером я получил письмо от адвоката: мой вид на жительство продлен на шесть месяцев. Меня словно раскачивало на качелях — вверх-вниз, вверх-вниз. Но и к такому ощущению в конце концов можно привыкнуть. Адвокат просил позвонить ему завтра в первой половине дня. Я догадывался зачем.

Придя в свою убогую гостиницу, я застал там Наташу Петрову.

— Вы ждете Меликова? — спросил я в некотором смущении.

— Нет, я жду вас. — Она рассмеялась. — Мы так мало знакомы и уже так много должны друг другу простить, просто удивительно. Какие, собственно, у нас теперь отношения?

— Великолепные, — ответил я. — По крайней мере, нам как будто не скучно вместе?

— Вы ужинали?

Я мысленно подсчитал свои деньги.

— Нет еще. Может, пойдем в ресторан «Лоншан»?

Она оглядела меня. На мне был новый костюм.

— Новый! — сказала она, и я, проследив за ее взглядом, вытянул ногу.

— Ботинки тоже новые. Как по-вашему, я уже созрел для ресторана «Лоншан»?

— Я была там вчера вечером. Довольно скучно. Летом приятнее сидеть на открытом воздухе. Но в Америке до этого еще не додумались. Здесь ведь и кафе нет.

— Только кондитерские.

Она бросила на меня быстрый взгляд.

— Да! Для старух, от которых уже слегка попахивает прелью.

— У меня в номере есть кастрюля с гуляшом по-сегедски, — сказал я. — Хватит на шесть здоровых едоков, венгерская кухарка приготовила. Вчера вечером он был вкусный, а сегодня еще вкусней. Гуляш по-сегедски с тмином и зеленью даже вкуснее на следующий день.

— Откуда у вас гуляш по-сегедски?

— Я был вчера в гостях.

— Впервые слышу, чтобы домой из гостей приносили гуляш на шесть человек. Где это было?.. В..?

Я возмущенно посмотрел на нее.

— Нет, не в немецкой пивной. Гуляш — блюдо венгерское, а не немецкое. Я получил приглашение в один дом. На ужин с танцами! — добавил я, чтобы отомстить за ее подозрения.

— Даже с танцами! У вас отличные знакомства!

Подвергаться дальнейшему допросу мне не хотелось.

— Одинокие холостяки, ютящиеся в унылых, убогих гостиницах, получают там от человеколюбивой хозяйки кастрюлю гуляша. В этом доме так принято, — пояснил я. — Еды там хватило бы на целую роту солдат. Кроме того, мне и моему приятелю дали малосольных огурцов и пирог с вишнями. Пища богов. Но, к сожалению, все остыло.

— А нельзя подогреть?

— Где? — удивился я. — У меня есть только маленький электрический кофейник, больше ничего.

Наташа рассмеялась.

— Надеюсь, у вас в номере найдется и несколько офортов, которые вы показываете вашим посетительницам!

— Об этом я еще не успел позаботиться. Так вы не хотите пойти в «Лоншан»?

— Нет. Вы так соблазнительно описали ваш гуляш... Скоро придет Меликов, — сказала Наташа. — Он наверняка нам поможет. А мы пока побродим полчаса по городу. Я еще не была сегодня на воздухе. А для гуляша надо нагулять аппетит.

— Ну что ж, пойдемте.

Мы брели по улицам. Дома плыли в красноватом свете. В магазинах зажглись огни. Наташа призналась мне, что страдает «обувным» комплексом. Не может равнодушно пройти мимо обувного магазина. Даже если она уже побывала там час назад, она на обратном пути непременно постоит у витрины, чтобы проверить, не появилось ли чего-нибудь нового.

— Сумасшедшая? Правда?

— Почему?

— Ведь за это время ничего не могло измениться. Я же все успела рассмотреть.

— Но могли что-нибудь и упустить. Кроме того, вдруг хозяину пришла в голову мысль оформить витрину по-иному.

— После закрытия магазина?

— А когда же еще? Пока магазин открыт, хозяин должен торговать.

Она бросила на меня быстрый взгляд.

— Вы... вы немножко того... — И постучала себе пальцем по виску. — Я действительно несколько раз видела, как меняли оформление витрины. Вы ведь знаете, как это делается: все беззвучно шныряют за стеклом в одних чулках и делают вид, что не замечают глазеющих прохожих.

Она представила это в лицах.

— А как насчет домов мод? — спросил я.

— Это же моя профессия. К вечеру я уже сыта ею по горло.

Мы были недалеко от магазина Кана. Я подумал: а почему бы мне не одолжить у него электрическую плитку? К моему удивлению, Кан еще был в магазине.

— Одну минуту, — сказал я Наташе, — вот где мы решим проблему ужина.

Я открыл дверь.

— Я будто предчувствовал, что вы придете! — сказал Кан, разглядывая через мое плечо Наташу Петрову. — А вы не хотите пригласить вашу даму сюда?

— Ни в коей мере, — ответил я. — Я только хотел просить вас одолжить мне плитку.

— Сейчас?

— Да.

— Ничего не выйдет. Она мне самому нужна. Сегодня по радио последний отборочный матч чемпионата по боксу. Кармен придет ко мне ужинать. Должна вот-вот появиться. Она уже опаздывает на сорок пять минут.

— Кармен? — спросил я и посмотрел на Наташу, которая вдруг показалась мне такой желанной и такой далекой по ту сторону витрины, словно нас разделяли сотни километров. — Кармен, — повторил я.

— Да, а почему бы вам не остаться здесь? Мы бы вместе поужинали, а потом послушали бы репортаж о матче.

— Превосходно, — согласился я. — Еды здесь хватит.

— И все уже готово.

— А где мы будем ужинать? Для четверых ваша комната слишком мала.

— В магазине.

— В магазине?

Я вышел к Наташе, казавшейся мне по-прежнему такой далекой в отблеске витрины, мерцавшей серебристо-серым светом. Но когда я подошел к ней, мною овладело странное чувство, будто она стала мне гораздо ближе, чем раньше. «Иллюзия света, тени и отражения», — подумал я, совсем сбитый с толку.

— Мы приглашены на ужин, — сказал я. — И на репортаж о соревнованиях по боксу!

— А как же гуляш?

— На гуляш тоже, — добавил я.

— Как?

— Сами увидите.

— У вас по всему городу спрятаны миски с гуляшом? — спросила она удивленно.

— Только в стратегических точках.

Я увидел, как подошла Кармен. Она была в светлом плаще, без шляпы. Наташа смерила Кармен взглядом.

Кармен же оставалась невозмутимой и не обнаруживала ни малейших признаков любопытства. В красноватом вечернем свете ее черные волосы казались выкрашенными хной.

— Я немного опоздала, — проговорила она томным голосом. — Но это ничего, правда? Ага, гуляш на столе. Вы, надеюсь, прихватили с собой кусочек пирога с вишнями?

— С вишнями, с творогом и с яблоками, — уточнил Кан. — Сегодня перед обедом получен пакет из неистощимой кухни Фрислендера.

— Тут даже водка есть, — заметила Наташа.

— Настоящий день сюрпризов.

Гуляш был действительно вкуснее, чем накануне. Еще и потому, что мы ели его под звуки органа. Кан включил приемник, чтобы не дай бог не пропустить соревнований по боксу. Пришлось прослушать и предшествующую репортажу программу. Как ни странно, но Иоганн-Себастьян Бах неплохо сочетался с гуляшом по-сегедски, хотя мне казалось, что здесь более уместен был бы Ференц Лист. Впрочем, обычный гуляш в сочетании с Бахом был бы невозможен. Снаружи, у витрины, собралось несколько прохожих: им хотелось послушать репортаж о соревнованиях по боксу, а пока они рассматривали нас. Нам они казались рыбками в аквариуме, так же, наверное, как и мы им.

Неожиданно раздался энергичный стук в дверь. Мы с Каном подумали, что это полиция, но это был официант из ресторана напротив, который принес четыре двойных порции спиртного.

— Кто это прислал? — спросил Кан.

— Господин с лысиной. Он, наверное, увидел через стекло, что вы пьете водку и что бутылка почти пуста.

— Где он?

Официант пожал плечами.

— Тут четыре порции водки. Они оплачены. Стаканы я заберу после.

— Тогда принесите еще четыре.

— Хорошо.

Мы подняли стаканы за незнакомых людей на улице. В рассеянном свете реклам я насчитал по крайней мере пять лысин. Нашего благодетеля узнать было невозможно. Поэтому мы поступили так, как редко доводится поступать: мы подняли стаканы за безымянное Человечество. В ответ Человечество начало барабанить пальцами по стеклу. Орган стих. Кан прибавил громкости и стал раздавать куски пирога. Он извинился, что не сварил кофе: для этого надо было сбегать наверх и найти там банку с кофе. А первый раунд уже начался.

Когда соревнования закончились, Наташа Петрова потянулась за стаканом с водкой. Кан казался утомленным — он был слишком страстным болельщиком. Кармен мирно и безмятежно спала.

— Что я вам говорил, — заметил Кан.

— Пусть спит, — прошептала Наташа. — Нам уже пора идти. Большое спасибо за все. Доброй ночи.

Мы вышли на улицу.

— Ему наверняка хочется остаться с ней наедине.

— Не совсем в этом уверен.

— Почему? Она очень красива. — Наташа рассмеялась. — Красива до неприличия. Так красива, что у других может возникнуть комплекс неполноценности.

— Вы поэтому ушли?

— Нет. Я поэтому осталась. Мне симпатичны красивые люди. Впрочем, иногда они настраивают меня на грустный лад.

Эрих Мария Ремарк

— Почему?

— Потому что красота проходит. Старость не многим к лицу. Для этого, очевидно, нужно нечто большее, чем просто красота.

Мы шли по улице. Уснувшие витрины были полны дешевых украшений. Несколько гастрономических магазинов еще были открыты.

— Странно, — заговорил я. — Я никогда не задумывался над тем, что будет, когда мы состаримся. Возможно, меня так захватила проблема «лишь бы выжить», что я ни о чем другом и не думал.

Наташа рассмеялась.

— А я ни о чем другом не думаю.

— Наверное, и меня это ждет. Меликов утверждает, что этого не минуешь.

— Меликов всегда был старым.

— Всегда?

— Всегда слишком старым для женщин. Только старость ли это?

— Да. Если смотреть на вещи просто.

— Наверное, вы правы. А все прочее лишь отказ от радостей жизни под разными красивыми именами. Согласны?

— Возможно. Не знаю. Я не могу еще в этом разобраться.

Наташа окинула меня быстрым взглядом.

— Браво, — сказала она с улыбкой и взяла меня за руку.

Я показал налево.

— Вон обувной магазин. Еще освещенный. Посмотрим?

— Обязательно.

Мы подошли ближе.

— Какой большой город! — воскликнула она. — Без конца и края. Вам нравится Нью-Йорк?

— Очень.

— Почему?

— Потому что меня отсюда не гонят. Просто, не так ли?

Она глядела на меня, о чем-то размышляя.

— И вам этого довольно?

— Довольно для маленького счастья. Счастья примитивного человека, у которого есть жилье и еда.

— И этого достаточно? — повторила она.

— Для начала — да. Приключения уж очень надоедают, если входят в привычку.

Наташа рассмеялась.

— Счастье в укромном уголке, да? Все это вы придумали. Не верю ни единому вашему слову.

— Я тоже. Но иногда я успокаиваю себя такими сентенциями.

Она опять рассмеялась.

— Чтобы не впасть в отчаяние, не так ли? Ох, как мне все это знакомо!

— Куда теперь пойдем? — спросил я.

— Большая проблема большого города. Все заведения скоро надоедают.

— Как насчет ресторана «Эль Марокко»?

Она нежно пожала мне руку.

— Сегодня у вас в голове одни рестораны для миллионеров, будто вы богатый владелец обувной фабрики.

— Надо же мне продемонстрировать новый костюм.

— А не меня?

— Я предпочел бы не отвечать на этот вопрос.

Мы прошли в малый зал «Эль Марокко», а не в просторный с потолком в звездах и с полосатыми, как зе-

Эрих Мария Ремарк

бры, диванами. В малом зале Карл Инвальд исполнял венские песни.

— Что вы будете пить? — спросил я.

— «Русскую тройку».

— Что это такое?

— «Русская тройка»? Водка, имбирное пиво и лимонный сок. Очень освежает.

— Я тоже попробую.

Наташа забралась с ногами на диван, оставив туфли на полу.

— В отличие от американцев я не так уж обожаю спорт, — сказала она. — Не умею ездить верхом, плавать или играть в теннис. Я из тех, кто любит валяться на диване и болтать.

— Что вы еще можете о себе рассказать?

— Я сентиментальна, романтична и невыносима. Обожаю дешевую романтику. И чем дешевле, тем лучше. Ну, как «Русская тройка»?

— Великолепно.

— А венские песни?

— Тоже чудесны.

— Хорошо. — Она уютно устроилась в углу дивана. — Иногда просто необходимо, чтоб тебя захлестнула волна сентиментальности и ты забыл о всякой осмотрительности и хорошем вкусе. Потом можно отряхнуться и вдоволь посмеяться над собой. Так и поступим.

— Я уже встал.

В Наташе было что-то кошачье-веселое и вместе с тем печальное. И личико у нее было маленькое, с серыми глазами под густой копной волос.

— Давайте сразу и начнем, — сказала она. — У меня несчастная любовь, я во всем разочарована, одинока, нуждаюсь в утешении, ни о чем не хочу больше слышать и не знаю, для чего живу. Хватит для начала. — Она сделала большой глоток и выжидающе посмотрела на меня.

— Нет, — возразил я. — Все это лишь детали.

— И то, что я не знаю, для чего живу?

— А кто это знает? Если же кто-то и знает, то это лишь усложняет жизнь.

Она внимательно посмотрела на меня.

— Вы серьезно?

— Разумеется, нет. Мы несем чепуху. Вы же этого хотели?

— Не совсем. Только отчасти.

К столу подошел пианист и поздоровался с Наташей.

— Карл, — сказала она, — сыграйте, пожалуйста, арию из «Графа Люксембурга».

— С превеликим удовольствием.

Карл начал играть. Он очень хорошо пел и был великолепным пианистом.

> Кто б мог счастью назвать точный срок
> И вновь скрыться из глаз земных дорог.

Наташа слушала его, погруженная в свои мысли. При всей своей банальности, мелодия была прекрасная, но слова, как всегда, дурацкие.

— Как вы это находите? — спросила Наташа.

— Мещанская песенка.

Она раздумывала всего лишь мгновение.

— Тогда вам это не может не нравиться. Как счастье в укромном уголке, которое вы так высоко цените.

Умная каналья, подумал я.

— Вы не можете обойтись без критики? — вдруг спокойно проговорила она. — Не можете от этого отказаться? Боитесь оскоромиться?

Эрих Мария Ремарк

Самый уместный вопрос в ночном нью-йоркском ресторане! Я злился на себя, потому что она была права. Как это ни отвратительно, все свои мысли я излагал с чисто немецкой обстоятельностью. Мне только не хватало еще заняться пространным описанием увеселительных заведений — от седой старины до наших дней, подробно остановившись на танцевальных салонах и ночных барах в период после Первой мировой войны.

— Эта ария напоминает мне давно прошедшие, довоенные времена, — сказал я. — Это очень старая ария — ее знал еще мой отец. Помнится, он даже иногда пел ее. Это был хрупкий мужчина, любивший старые вещи и старые сады. Я часто слышал эту арию. Обычная сентиментальная ария из оперетты, но в сумеречных садах венских пригородов и деревень, где при свете свечей под высокими орешниками и каштанами пьют молодое вино, она утрачивала свою сентиментальность. Она щемит душу, если слушать ее при свечах, в ненавязчивом сопровождении скрипки, гитары и губной гармоники, под мягким покровом ночи. Я уже давно ее не слышал. Тогда пели еще одну песню: «И музыке конец, вина всего лишь капля».

— Карл наверняка ее знает.

— Но мне не хотелось бы, чтобы ее сейчас исполняли. Это было последнее, что я слышал перед тем, как нацисты заняли Австрию. Потом пошли только марши.

Наташа на минуту задумалась.

— Арию из «Графа Люксембурга» Карл непременно будет повторять. Если хотите, я попрошу, чтобы он этого не делал.

— Он ведь ее только что спел.

— Когда я здесь, он исполняет ее по нескольку раз.

— Но мы ведь уже были здесь. А этой арии я не слышал.

— Тогда у него был свободный вечер и играл кто-то другой.

— Я слушаю это с таким же удовольствием, как и вы.

— Правда? Это не вызывает у вас печальных воспоминаний?

— Видите ли, многое зависит от индивидуального восприятия. В конце концов, все воспоминания печальны, ибо они связаны с прошлым.

Она принялась рассматривать меня.

— Не пора ли снова выпить «Русской тройки»?

— Непременно. — Теперь я стал рассматривать Наташу. Она не обладала трагической красотой Кармен, но лицо ее отличалось удивительной живостью — глаза ее то искрились озорным, мгновенно рождающимся, агрессивным юмором, то вдруг становились мечтательно-нежными.

— Что это вы так уставились? — Она испытующе посмотрела на меня. — У меня что, нос блестит?

— Нет. Я только подумал: почему вы так дружелюбно относитесь к официантам и пианистам и так агрессивны к своим друзьям.

— Потому что официанты беззащитны. — Она снова посмотрела на меня. — Я действительно очень агрессивна? Или это вы излишне впечатлительны?

— Да. Вероятно, я чрезмерно впечатлителен.

Она рассмеялась.

— Вы сами не верите тому, что говорите. Никто не считает себя излишне впечатлительным. Признайтесь, не верите?

— Отчасти все же верю.

Карл вторично запел арию из «Графа Люксембурга».

— Я вас предупреждала, — шепнула Наташа.

Вошли несколько человек и кивнули ей. И раньше уже кое-кто с ней здоровался. Она знала здесь многих — это я уже заметил. Затем двое мужчин подошли к столику и заговорили с ней. Я стоял рядом, и у меня вдруг возникло ощущение, какое бывает, когда самолет попадает в воздушную яму. Почва уходила из-под ног, все рушилось и плыло у меня перед глазами — зелено-голубые полосатые стены, бесчисленные лица и проклятая музыка, — все раскачивалось, будто я внезапно потерял равновесие. Тут дело было не в водке и не в гуляше — гуляш был отличный, а водки я выпил слишком мало. Вероятно, со злостью думал я, виной тому воспоминание о Вене и моем покойном отце, не успевшем вовремя бежать.

Мой взгляд упал на рояль и на Карла Инвальда, я видел его пальцы, бегавшие по клавишам, но ничего не слышал.

Потом все стало на свое место. Я сделал глубокий вдох — у меня было такое чувство, будто я вернулся из далекого путешествия.

— Здесь стало слишком людно, — сказала Наташа. — В это время как раз кончаются спектакли. Пойдем?

Театры закрываются, думал я, и ночные рестораны заполняют в полночь миллионеры и сутенеры, идет война, а я где-то посредине. Это была вздорная и несправедливая мысль, ибо многие посетители были в военной форме, и наверняка не все они — тыловые крысы; безусловно, здесь находились и отпускники с фронта. Но сейчас мне было не до справедливости. Меня душила бессильная ярость.

Здороваясь и обмениваясь улыбками со знакомыми, мы прошли по узкому проходу, где находились туалет и гардероб, и выбрались наружу. Улица дышала теплом и влагой. У входа выстроились в ряд такси. Швейцар распахнул дверцу одной из машин.

— Не нужно такси, — сказала Наташа. — Я живу рядом.

Улица стала темнее. Мы подошли к ее дому. Она потянулась, как кошка.

— Люблю такие ночные разговоры обо всем и ни о чем, — сказала она. — Все, что я вам наговорила, разумеется, неправда.

Яркий свет уличного фонаря упал на ее лицо.

— Конечно, — подтвердил я, все еще кипя от бессильной злобы, вызванной жалостью к себе.

Я обнял ее и поцеловал, ожидая, что она с гневом оттолкнет меня.

Но этого не произошло. Она только посмотрела на меня странным, спокойным взглядом, постояла немного и молча вошла в дом.

XII

Я вернулся от адвоката. Бетти Штейн дала мне сто долларов для уплаты первого взноса. Глядя на часы с кукушкой, я пытался торговаться, но адвокат, чуждый каких бы то ни было сантиментов, был тверд как алмаз. Я дошел до того, что даже рассказал ему кое-что из своей жизни в последние годы. Я знал, что многое ему уже известно — во всяком случае, все необходимое для продления моего вида на жительство. И тем не менее мне казалось, что некоторые детали могут настроить его более благожелательно. Пятьсот долларов для меня — огромная сумма.

Эрих Мария Ремарк

— Поплачьтесь ему в жилетку, — посоветовала мне Бетти. — А вдруг поможет. К тому же все, что вы рассказываете, — чистая правда.

Но ничего у меня не вышло. Адвокат сказал, что он уже и так пошел мне навстречу, ибо его обычный гонорар намного выше. Не помогли и ссылки на судьбу эмигранта, лишенного всяких средств к существованию. Адвокат просто рассмеялся мне в лицо.

— Таких эмигрантов, как вы, в Америку ежегодно приезжает более ста пятидесяти тысяч. Здесь вы отнюдь не являетесь трогательным исключением. Что вы хотите? Вы здоровы, сильны, молоды. Так начинали все наши миллионеры. И, насколько я могу судить, вы уже прошли стадию мойщика посуды. Ваше положение не так уж плохо. Знаете, что действительно плохо? Плохо быть бедным, старым, больным и плохо быть евреем в Германии! Вот это плохо. А теперь прощайте! У меня есть дела поважнее. Не забудьте точно в срок уплатить следующий взнос!

Хорошо еще, что он не потребовал дополнительного гонорара за то, что выслушал меня.

Я плелся по городу, окутанному утренней дымкой. Сквозь блестящие, прозрачные облака просвечивало солнце. Свежим блеском отливали автомобили, а Сентрал-парк был полон детского гомона. У Силверса я видел примерно такие пейзажи на фотографиях картин Пикассо, присланных из Парижа. Злость на адвоката мало-помалу улеглась, — пожалуй, теперь это была скорее досада на себя за ту жалкую роль, которую мне приходилось играть. Он видел меня насквозь и был по-своему прав. Не было у меня основания обижаться и на Бетти, посоветовавшую мне сделать этот шаг. В конце концов, я сам должен был решать, воспользоваться ее советом или нет.

Я шел мимо бассейна с морскими львами — они блестели в лучах теплого солнца, как полированные живые бронзовые скульптуры. Тигры, львы и гориллы находились в клетках под открытым небом. Они беспокойно метались взад и вперед, глядя на мир своими прозрачными берилловыми глазами, которые видели все и не видели ничего. Гориллы, играя, бросались банановой кожурой. Я не испытывал к ним ни малейшего сочувствия. Звери выглядели не голодными искателями добычи, которых мучают комары и болезни, а спокойными, сытыми рантье во время утреннего променада. Они были избавлены от страха и голода — главных движущих сил природы — и платили за это лишь монотонностью существования. Однако кто знает, кому что больше нравится. У зверей, как и у людей, есть свои привычки, с которыми они не желают расставаться, а от привычки до монотонности всего один шаг. Бунты бывают редко. Я невольно вспомнил о Наташе Петровой и о своей теории счастья в укромном уголке. Она отнюдь не была бунтаркой, а я подумал о счастье в укромном уголке лишь по контрасту: у нас обоих не было почвы под ногами; судьба бросала нас повсюду, лишь иногда мы делали остановку, чтобы перевести дух. Но разве не то же самое делают звери — только без лишнего шума?

Я уселся на террасе и заказал себе кофе. У меня было пятьсот долларов долгу, а капитала — сорок долларов. Но я был свободен, здоров и, как сказал адвокат, сделал первый шаг к тому, чтобы стать миллионером. Я выпил еще чашечку кофе и представил себе летнее утро в Люксембургском саду в Париже. Тогда я притворялся гуляющим, чтобы не привлекать к себе внимания полиции. Сегодня же я обратился к полицейскому с просьбой прикурить, и он дал мне огня. Думая о Люксембургском саде, я вспомнил арию из «Графа Люксембурга» в ресторане «Эль Марокко». Но тогда была ночь, а сейчас — ясный и очень ветреный день. А днем все выглядит иначе.

— Где вас только носит? Вы пропадали целую вечность! — сказал Силверс. — Чтобы заплатить адвокату, вряд ли требуется столько времени.

Я был поражен. Куда девались его светские манеры? Впрочем, его внешнему лоску я никогда особенно не доверял.

Сейчас в нем чувствовалась напряженность и нервозность, сгорбившись, он быстро шагал по комнатам. Даже в лице его что-то изменилось — мягкая, округлая плавность линий исчезла. Я вдруг увидел перед собой существо, готовящееся к нападению, что-то вроде ручного леопарда, узревшего дичь.

— Когда нечем платить, визиты могут быть и более продолжительными.

Силверс, казалось, не слышал.

— Идемте, у нас мало времени. Нам надо еще перевесить картины.

Мы направились в приемную с мольбертами. Силверс прошел в соседнюю комнату, вынес оттуда два полотна и поставил передо мной.

— Скажите, не раздумывая, какое бы вы купили?

Это опять были две картины Дега. Обе без рам. На обеих были изображены танцовщицы.

— Ну, живей! — потребовал Силверс.

Я показал на левую.

— Вот эту.

— Почему? Она ведь менее выписана.

Я пожал плечами.

— Она мне больше нравится. А почему, сказать вам с ходу затрудняюсь. Вы это лучше понимаете, чем я.

— Разумеется, лучше, — нетерпеливо буркнул Силверс. — Пошли. Надо вставить обе картины в рамы до прихода клиента.

Я принес несколько рам из запасника.

— Надо подобрать по размеру, — пробормотал он. — Вот эти будут, пожалуй, в самый раз. У нас не остается времени подгонять их.

В рамах картины поразительно менялись. Полотно, раньше как бы растекавшееся в пространстве, вдруг удивительным образом концентрировалось. Картины производили более законченное впечатление.

— Показывать их следует только в рамах, — сказал Силверс. — Лишь антиквары могут судить о них без рам. Даже директора музеев не всегда способны разобраться. Какая рама, по-вашему, лучше?

— Вот эта.

Силверс с одобрением посмотрел на меня.

— У вас неплохой вкус. Но мы возьмем другую. Вот эту. — Он втиснул танцовщиц в широкую, богато отделанную раму.

— Не слишком ли она шикарна для не совсем законченного полотна? — спросил я.

— Как раз такой она и должна быть, потому что картина сырая. Именно потому.

— Понимаю. Рама скрывает несовершенство.

— У рамы вполне законченный вид, это придает законченность и обрамляемому полотну. Рама вообще играет очень большую роль, — поучал меня Силверс, усаживаясь поудобнее. Я уже не раз замечал, что он любит говорить менторским тоном. — Некоторые торговцы произведениями искусства экономят на рамах — они полагают, что клиент этого не заметит. Рамы теперь дороги, а позолоченные гипсовые рамы, черт возьми, на первый взгляд и впрямь напоминают настоящие дорогие рамы, и, заметьте, не только на первый взгляд.

Я осторожно вставлял в раму одно из полотен Дега. Тем временем Силверс подбирал раму для второй картины.

— Вы все-таки хотите показать обе? — спросил я.

Он хитро усмехнулся:

— Нет. Вторую картину я попридержу. Никогда не знаешь, что может случиться. Обе картины — «девственны». Я их еще никому не показывал. Клиент, который придет сегодня, хотел прийти лишь послезавтра. Кстати, оборотную сторону заделывать не будем, времени нет. Загните только гвозди, чтобы покрепче держалось.

Я принес вторую раму.

— Хорошо. Правда? — сказал Силверс. — Людовик Пятнадцатый — богатство, пышность. В результате картина поднимается в цене на пять тысяч долларов. Как минимум! Даже Ван Гог хотел, чтобы его картины помещали в первоклассные рамы. А вот Дега обычно заказывал для своих полотен простые деревянные рейки, выкрашенные белилами. Я думаю, впрочем, что он, скорей всего, был отъявленным скупердяем.

Может быть, у него просто не было денег, подумал я. И Ван Гог тоже страшно нуждался: при жизни он не сумел продать ни одной картины и существовал только благодаря скудной поддержке брата. Картины, наконец, были готовы. Силверс велел мне отнести одну из них в соседнюю комнату.

— Другую повесьте в спальне моей жены.

Я посмотрел на него с удивлением.

— Вы правильно поняли, — сказал он. — Пойдемте со мной.

У миссис Силверс была прелестная спальня. На стенах и в простенках висело несколько рисунков и пастелей. Силверс оглядел их, точно полководец, производящий смотр.

— Вон тот рисунок Ренуара снимите, вместо него давайте повесим Дега, Ренуара перенесем вон туда, к туалетному столику, а рисунок Берты Моризо уберем совсем. Штору справа слегка задернем. Чуть больше... Так, вот теперь хорошее освещение.

Он был прав. Золотистый свет из-под приспущенной шторы придал картине очарование и теплоту.

— Правильная стратегия, — заметил Силверс, — половина успеха в нашем деле. Теперь пойдемте.

И он стал посвящать меня в тайны своей стратегии. Картины, которые он сегодня собирался показать клиентам, я должен был вносить в комнату, где стояли мольберты. После четвертой или пятой картины он попросит вынести из кабинета полотно Дега. Я же должен буду напомнить ему, что эта картина висит в спальне миссис Силверс.

— Можете говорить по-французски, — наставлял он меня. — Когда же я спрошу вас о картине, отвечайте по-английски, чтобы это было понятно и клиенту.

Я услышал звонок.

— А вот и он, — воскликнул Силверс. — Ждите здесь, наверху, пока я не позову вас.

Я отправился в запасник, где одна возле другой на деревянных стеллажах стояли картины, и присел на стул; Силверс же спустился вниз, чтобы встретить клиента. В запаснике было оконце с матовым стеклом, забранное частой решеткой, и мне стало казаться, будто я сижу в тюремной камере, где по чьему-то капризу хранятся картины ценою в несколько сотен тысяч долларов. Молочный свет напомнил мне камеру в Швейцарии, где я просидел две недели за незаконное пребывание без документов — обычное «преступление» эмигранта. Камера там была такой чистой и прибранной, что я охотно просидел бы в ней и дольше: еда была превосходной, к тому же камера отапливалась. Но через две недели в бурную ночь меня переправили в Аннемас, на границе с Францией. На прощание мне сунули сигарету и дали пинка: «Марш во Францию. И чтоб духа твоего в Швейцарии больше не было».

Я, наверное, немного вздремнул. Вдруг зазвенел звонок. Было слышно, что Силверс с кем-то разговаривает. Я вошел в комнату. Там сидел грузный мужчина с большими красными ушами и маленькими поросячьими глазками.

— Господин Росс, — притворно сладко проговорил Силверс, — принесите, пожалуйста, светлый пейзаж Сислея.

Я принес и поставил картину перед ними. Силверс долго не произносил ни слова: он смотрел в окно на облака.

— Нравится? — спросил он наконец скучливым голосом. — Одна из лучших картин Сислея. «Наводнение» — мечта каждого коллекционера.

— Ерунда, — процедил клиент еще скучливее, чем Силверс.

Силверс улыбнулся.

— Если картина ерунда, то и критика не лучше, — заметил он с явной иронией. — Господин Росс, — обратился он ко мне по-французски, — унесите это замечательное полотно.

Я немного постоял, ожидая, чтобы Силверс сказал мне, какую картину теперь принести. Но поскольку указаний не последовало, я удалился, унося с собой Сислея. Однако краем уха я успел услышать слова Силверса: «Сегодня вы не в духе, господин Купер. Отложим до следующего раза».

«Ну и хитер, — размышлял я в молочном свете запасника. — Теперь придется Куперу попотеть». Когда спустя некоторое время меня позвали снова и я одну за другой стал вносить картины, оба уже курили сигары из ящичка, который Силверс держал для клиентуры. Затем пришел мой черед подавать реплику.

— Картина Дега не здесь, господин Силверс, — сказал я.

— А где же? Она должна быть здесь.

Я подошел, нагнулся к нему поближе и прошептал так, чтоб услышал клиент:

— Картина наверху, у миссис Силверс...

— Где?

Я повторил по-французски, что картина висит в спальне у миссис Силверс.

Силверс хлопнул себя по лбу.

— А-а, правильно, я об этом совсем забыл. Ну, тогда ничего не выйдет...

Мое восхищение им было безгранично. Теперь он снова уступил инициативу Куперу. Он не приказывал мне нести картину и вместе с тем ни словом не обмолвился о том, что картина предназначена в подарок жене или даже уже принадлежит ей. Он просто прекратил разговор об этом и выжидал.

Я удалился в свою конуру и тоже стал ждать. Мне

казалось, что Силверс держит на крючке акулу, но чем кончится поединок — акула ли проглотит Силверса или он выловит ее, — решить было трудно. Впрочем, положение Силверса было более выгодным: ведь акула, собственно говоря, могла только перегрызть леску и уплыть. Одно мне было ясно: Силверс ничего задешево не отдает, это исключено. Акула то и дело предпринимала новые забавные броски. Поскольку дверь была чуть приоткрыта, я слышал, что разговор зашел об экономическом положении и войне. Акула предрекала самое худшее: крах биржи, долги, новые расходы, новые битвы, кризисы и даже угрозу коммунизма. Все, мол, погибнет. Только наличный капитал сохранит ценность. Она не забыла упомянуть и о тяжелом кризисе тридцатых годов, когда обладатель наличных денег был королем и мог купить все за полцены, за треть, даже за четверть.

— А предметы роскоши, такие, как мебель, ковры и картины, даже за десятую часть их стоимости, — добавила акула.

Невозмутимый Силверс предложил покупателю коньяк.

— Потом вещи снова поднялись в цене, — сказал он. — А деньги упали. Вы же сами знаете, нынешние деньги стоят вдвое меньше тогдашних. С тех пор они так и не поднялись в цене, зато картины стали дороже в пять раз и более. — Он притворно и слащаво засмеялся. — Ох уж эта инфляция! Как началась две тысячи лет назад, так с тех пор и не кончалась. Ничего не поделаешь — ценности дорожают, деньги дешевеют.

— Поэтому ничего не следует продавать, — с радостным рычанием произнесла акула.

— О, если бы это было возможно, — вздохнул Силверс, — я и так стараюсь продавать как можно меньше. Но ведь необходим оборотный капитал. Спросите моих клиентов. Для них я настоящий благодетель: совсем недавно я за двойную цену выкупил танцовщицу Дега, которую продал пять лет назад.

— У кого? — спросила акула.

— Этого я вам, конечно, не скажу. Разве вам было бы приятно, если бы я раструбил по всему свету, за сколько и что вы у меня покупаете?

— А почему бы и нет?

Акула определенно была непростой штучкой.

— Другим, представьте себе, это не по нутру. А я вынужден на них ориентироваться. — Силверс сделал вид, что хочет встать. — Жаль, что вы ничего у меня не нашли, господин Купер. Ну, может быть, в следующий раз. Поддерживать цены на прежнем уровне я, разумеется, долго не смогу, вы это, конечно, понимаете?

Акула тоже встала.

— У вас же была еще одна картина Дега, которую вы мне хотели показать, — заметил он как бы между прочим.

— Это та, что висит в спальне у моей жены? — протянул Силверс.

И у меня в запаснике раздался звонок.

— Моя жена у себя?

— Нет, миссис Силверс ушла полчаса тому назад.

— Тогда принесите, пожалуйста, полотно Дега, которое висит у зеркала.

— Для этого потребуется некоторое время, господин Силверс, — сказал я. — Вчера мне пришлось ввернуть деревянную пробку, чтобы картина лучше держалась.

Сейчас она привинчена к стене. Чтобы ее снять, мне нужно несколько минут.

— Не надо, — бросил Силверс. — Мы лучше поднимемся наверх. Вас не затруднит, господин Купер?

— Нисколько.

Я снова уселся у себя, как дракон, охраняющий золото Рейна. Через некоторое время оба вернулись, а мне было велено подняться за картиной, снять ее и принести вниз. Поскольку никакой пробки не было, я просто подождал там несколько минут. Из окна, выходившего во двор, я увидел миссис Силверс, которая стояла у кухонного окна. Она сделала вопросительный жест. Я резко замотал головой: опасность еще не миновала, и миссис Силверс следовало еще некоторое время побыть в укрытии.

Я внес картину в комнату с мольбертами и вышел. Что они говорили, я не мог разобрать, так как Силверс плотно закрыл за мной дверь. Вот сейчас он, наверное, деликатно намекает, что его жена охотно оставила бы эту картину для своей частной коллекции; впрочем, нет, я был уверен, что он преподнесет все таким образом, чтобы не вызвать недоверия акулы. Беседа в комнате с мольбертами продолжалась еще около получаса, после чего Силверс вызволил меня из заточения на этом складе ценностей.

— Картину Дега вешать назад не будем, — сказал он. — Утром вы доставите ее господину Куперу.

— Поздравляю.

Он состроил гримасу.

— Чего только не приходится выдумывать. А ведь через два года, когда произведения искусства поднимутся в цене, этот человек станет потихоньку злорадствовать.

Я повторил вопрос Купера:

— Зачем же тогда вы действительно продаете?

— Потому что не могу отказаться от этого. Я по натуре игрок. Кроме того, мне надо зарабатывать. Впрочем, сегодняшняя выдумка с привинченной пробкой была неплоха. Вы делаете успехи.

— Не значит ли это, что я заслуживаю прибавки?

Силверс прищурил глаза.

— Успехи вы делаете слишком быстро. Не забывайте, что у меня вы бесплатно проходите обучение, которому мог бы позавидовать любой директор музея.

Вечером я отправился к Бетти Штейн, чтобы поблагодарить за одолженные деньги. Я застал Бетти с заплаканными глазами, в очень подавленном состоянии. У нее собралось несколько знакомых, которые, по-видимому, ее утешали.

— Если я не вовремя, то могу зайти и завтра, — сказал я. — Я хотел поблагодарить вас.

— За что? — Бетти растерянно посмотрела на меня.

— За деньги, которые я вручил адвокату, — сказал я. — Мне продлили вид на жительство. Так что я еще какое-то время могу оставаться здесь.

Она расплакалась.

— Что случилось? — спросил я актера Рабиновича, который держал Бетти за руку, нашептывая ей какие-то слова.

— Вы не слышали? Моллер умер. Позавчера.

Рабинович сделал знак, чтобы я прекратил расспросы. Он усадил Бетти на софу и вернулся ко мне. В кино он играл отпетых нацистов, а в обыденной жизни отличался кротким нравом.

— Повесился, — сказал он. — У себя в комнате. Его нашел Липшюц. Смерть наступила, вероятно, день или два назад. Висел на люстре. Все лампочки в комнате горели, и люстра тоже. Возможно, он не хотел умирать в темноте. Наверное, повесился ночью.

Я собрался уходить.

— Побудьте с нами, — сказал Рабинович. — Чем больше народу сейчас около Бетти, тем ей легче. Она не может быть одна.

Воздух в комнате был спертый и душный.

Бетти не желала открывать окна. Из-за какого-то загадочного атавистического суеверия она считала, что покойнику будет нанесена обида, если скорбь растворится в свежем воздухе. Много лет назад я слышал, что если в доме покойник, окна открывают, чтобы освободить витающую в комнате душу, но никогда не слышал, чтобы их закрывали, дабы удержать скорбь.

— Я глупая корова! — воскликнула Бетти и громко высморкалась. — Надо же взять себя в руки. — Она поднялась. — Сейчас я сварю вам кофе. Или вы хотите чего-нибудь еще?

— Нет, Бетти, ничего не надо, право.

— Нет. Я сварю вам кофе.

Шурша помятым платьем, она вышла на кухню.

— Причина известна? — спросил я Рабиновича.

— Разве нужна причина?

Я вспомнил теорию Кана о цезурах в жизни и о том, что людей, оторванных от родины, везде подкарауливает опасность.

— Нет, — ответил я.

— Нельзя сказать, чтобы он был нищим. И больным он тоже не был. Липшюц видел его недели две назад.

— Он работал?

— Писал. Но не сумел ничего опубликовать. За несколько лет ему не удалось напечатать ни строчки, — сказал Липшюц.

— Такова участь многих. Но дело, наверное, не только в этом? После него что-нибудь осталось?

— Ничего. Он висел на люстре, посиневший, с распухшим, высунутым языком, и по его открытым глазам ползали мухи. На него было страшно смотреть. В такую жару все происходит очень быстро. Глаза... — Липшюц содрогнулся. — Самое ужасное, что Бетти хочет взглянуть на него еще раз.

— Где он сейчас?

— В заведении, которое называется похоронным бюро. Вам уже приходилось бывать в подобных местах? Лучше избегайте их. Американцы — юная нация, они не признают смерти. Покойников гримируют под спящих. Многих бальзамируют.

— Если его загримировать... — сказал я.

— Мы тоже об этом думали, но тут ничто не поможет. Едва ли найдется столько грима, да к тому же это будет слишком дорого. Смерть в Америке — очень дорогая штука.

— Не только в Америке, — бросил Рабинович.

— Но не в Германии, — заметил я.

— В Америке это очень дорого. Мы подыскали похоронную контору подешевле. И все же это обойдется самое меньшее в несколько сот долларов.

— Если бы они у Моллера были, он, возможно, еще бы жил, — сказал Липшюц.

— Возможно.

Я заметил, что в фотографиях, висевших у Бетти в комнате, появился пробел: снимка Моллера уже не было среди живых. Его портрет висел на другой стене, еще не в черной рамке, как другие портреты, но Бетти уже прикрепила к старой золотой рамке кусок черного тюля. Моллер, улыбаясь, смотрел с фотографии пятнадцатилетней давности. Его смерть никак не укладывалась у меня в голове, и этот черный тюль... Бетти вошла с подносом, на котором стояли чашки, и стала разливать кофе из расписанного цветами кофейника.

— Вот сахар и сливки, — сказала она.

Все принялись за кофе, и я тоже.

— Похороны завтра, — сказала она. — Вы придете?

— Если смогу. Мне уже сегодня пришлось отпроситься на несколько часов.

— Все его знакомые должны прийти! — воскликнула Бетти взволнованно. — Завтра в половине первого. Время специально выбрано, чтобы все могли быть.

— Хорошо. Я приду. Где это?

Липшюц сказал:

— Похоронное бюро Эшера на Четырнадцатой улице.

— А где его похоронят? — спросил Рабинович.

— Хоронить не будут. Его кремируют. Кремация дешевле.

— Что?

— Кремируют.

— Кремируют, — машинально повторил я.

— Да. Об этом позаботится похоронное бюро.

Бетти подошла к нам поближе.

— Он лежит там один, среди совершенно чужих людей, — пожаловалась она. — Если бы гроб стоял у нас здесь, среди друзей, ну хотя бы до похорон... — Она повернулась ко мне: — Вы о чем-то хотели спросить? Кто вам ссудил деньги? Фрислендер.

— Фрислендер?

— Ну конечно, а кто еще? Но завтра вы обязательно придете?

— Непременно, — ответил я.

Что можно было еще сказать?..

Рабинович проводил меня до двери.

— Мы должны удержать Бетти, — прошептал он. — Ей нельзя видеть Моллера. Я хотел сказать — то, что от него осталось: ведь из-за самоубийства труп был подвергнут вскрытию. Бетти не имеет об этом понятия. Вы же знаете, она привыкла любыми средствами добиваться своего. К счастью, Липшюц бросил ей в кофе таблетку снотворного. Она ничего не заметила. Ей ведь уже пытались дать успокоительные пилюли, но она отказывается от лекарства, считая, что это предательство по отношению к Моллеру. Точно так же, как открыть окно. И все мы постараемся положить ей еще одну таблетку в еду. Самое трудное будет завтра утром, но необходимо удержать ее дома. Так вы придете?

— Да. В похоронное бюро. А оттуда тело доставят в крематорий?

Рабинович кивнул.

— Крематорий там же? — спросил я. — При похоронном бюро?

— Не думаю.

— Что вы там так долго обсуждаете? — крикнула Бетти из комнаты.

— Она что-то заподозрила, — шепнул Рабинович. — Доброй ночи.

— Доброй ночи.

По полутемному коридору, на стенах которого висели фотографии «Романского кафе» в Берлине, он вернулся в душную комнату.

Эрих Мария Ремарк

XIII

В эту ночь я плохо спал и рано вышел из гостиницы — слишком рано, чтобы идти к Силversу. До музея Метрополитен я добирался на автобусе — проехал по Пятой авеню до угла Восемьдесят третьей улицы. Музей еще был закрыт. Я прошел по Сентрал-парку позади музея до памятника Шекспиру, затем вдоль озера — до памятника Шиллеру, которого сперва я даже не узнал. Вероятно, его воздвиг какой-нибудь американский немец много десятилетий тому назад.

Между тем открыли музей. Я был в нем не первый раз. Здесь все напоминало о времени, проведенном мною в Брюссельском музее, и, как ни странно, больше всего тишиною в залах. Безграничная мучительная скука первых месяцев, монотонная напряженность и непреходящий страх первых дней, страх быть обнаруженным, лишь постепенно переходивший в своего рода фаталистическую привычку, — все это под конец ушло куда-то, скрылось за горизонтом. Осталась лишь эта зловещая тишина, полная оторванность, жизнь как бы в штилевом ядре, окруженном бурными вихрями торнадо, — там же, где я был, царило безветрие, там не полоскался, не шевелился ни один парус.

В первый раз придя в музей, я боялся, что во мне всколыхнется что-то более сильное, однако теперь я знал, что Метрополитен лишь снова погружает меня в ту же защитную тишину. Ничто во мне не дрогнуло, пока я медленно бродил по залам. Мир и тишина исходили даже от самых бурных батальных композиций на стенах — в них было что-то странно метафизическое, трансцендентное, потустороннее, какая-то поразительная умиротворенность оттого, что прошлое безвозвратно кануло в небытие, умиротворенность и тишина, какую имел в виду пророк, говоря, что Бог являет себя не в буре, а в тишине; эта всеобъемлющая тишина оставляла все на своих местах, не давая войне взорвать этот мир, — мне казалось даже, что она защищает и меня самого. Здесь, в этих залах, у меня родилось безгранично чистое ощущение жизни, которое индийцы называют «самадхи», когда возникает иллюзия, будто жизнь вечна и мы вечно пребудем в ней, если только нам удастся сбросить змеиную кожу собственного «я» и постигнуть, что смерть — всего лишь «аватара», превращение. Подобная иллюзия возникла у меня перед картиной Эль Греко, изображающей Толедо — мрачный и возвышенный пейзаж; она висела рядом с большим полотном — портретом Великого Инквизитора, этого благообразного прообраза гестаповца и всех палачей мира. Я не знал, существует ли между ними взаимосвязь, и вдруг в мгновенном озарении понял: ничто не связано друг с другом и все взаимосвязано, и эта всеобщая взаимосвязь — своего рода извечный человеческий посох в земном странствии, один конец которого — ложь, другой — непостижимая истина. Но чем является непостижимая истина? Непостижимой ложью?

В музее я оказался не случайно. Смерть Моллера задела меня сильнее, чем можно было ожидать. Вначале она как будто не слишком взволновала меня, ибо мне нередко доводилось переживать такое во Франции во время моих скитаний. Ведь и Хаштенеер, который по небрежности французской бюрократии беспомощно и бессмысленно прозябал в лагере для интернированных, узнав о приближении немцев, предпочел умереть, лишь бы не попасть в их кровавые руки. Но то была вполне объяснимая слабость в минуту опасности. С Моллером дело обстояло иначе. Человеку удалось спастись, а он не захотел жить, и он был не кем-то посторонним, незнакомцем, нет, — его смерть касалась всех нас. Я хотел и не мог не думать о судьбе Моллера. Мысли о нем преследовали меня, не давая ни минуты покоя. Именно поэтому я и отправился в музей и ходил по залам, переходя от одного полотна к другому, пока не дошел до картины Эль Греко.

Пейзаж Толедо произвел на меня сегодня особенно мрачное и безрадостное впечатление. Вероятно, это объяснялось игрою света, а может, моим собственным мрачным настроением. Прежде я ничего не искал в этом пейзаже, сегодня же надеялся найти в нем утешение, но это был самообман: произведения искусства — не сестры милосердия. Кто ищет утешения, должен молиться. Но и это тоже всего лишь самообман. Пейзаж безмолвствовал. Он не говорил ни о вечной, ни о преходящей жизни — он был просто прекрасен и полон внутреннего спокойствия, однако сейчас, когда я искал в нем жизнь, чтобы отогнать мысли о смерти, мне вдруг почудилось в нем нечто загробное, будто я находился по ту сторону Ахерона. Зато огромный портрет Великого Инквизитора светился, как никогда, холодным красным светом, и глаза его следили за тобой, куда бы ты ни шел, словно он вдруг, спустя столько веков, пробудился ото сна. Полотно было огромное, оно господствовало надо всем в этом зале. И оно не было мертвым. Оно никогда не умрет. Пытки не прекращаются, страх не проходит. Спастись никому не дано. Мне стало вдруг ясно, что убило Моллера. Впечатление от происшедшего не прошло, оно осталось. Тем не менее во мне таилась надежда, и она обретала все большую силу, заставляя верить в возможность спасения.

Я дошел до зала, где экспонировалась китайская бронза. Мне нравилась голубая бронза. Моя любимая яйцевидная чаша стояла в стеклянном шкафу, и я сразу направился к ней. Она была неполированной, в отличие от зеленой безукоризненной бронзы великолепного алтаря эпохи Чжоу, стоявшего посреди зала; его бронзовые фигурки сияли, как нефрит, древность сообщала им шелковистый блеск. Я охотно подержал бы чашу несколько минут в руках, но она была недосягаема в своем стеклянном шкафу, что было вполне разумно, потому что даже невидимые капельки пота с рук могли повредить драгоценный экспонат. Я задержался, пытаясь представить себе, какова она на ощупь. Удивительно, как это меня успокаивало. В высоком, светлом помещении было что-то магическое — именно это так и притягивало меня к антикварным магазинам на Второй и Третьей авеню. Время здесь останавливалось, — время, которое я так бесполезно тратил только на то, чтобы остаться в живых.

Хотя похороны стоили сравнительно недорого, но были обставлены с таким ложным пафосом, что лучше было бы положить тело в ящик из простых досок и на дрогах отвезти на кладбище. Самым отвратительным для меня было ханжество: кругом все и вся в черном, торжественные мины, скорбные лица, горшки с самшитом при входе и орган, который — как все отлично знали — был просто-напросто записью на граммофонной пластинке. Когда Бетти, красная, вспотевшая, вся в черных оборках, отчаянно и громко зарыдала, это прозвучало почти как избавление.

Эрих Мария Ремарк

Я понимал, что я несправедлив. На похоронах трудно избежать пафоса и тайного, глубоко запрятанного удовлетворения от того, что не ты лежишь в этом ужасном полированном ящике. Это чувство, которое ты ненавидишь, но от которого тем не менее трудно избавиться, все чуть-чуть смещает, преувеличивает и искажает. К тому же мне было не по себе.

Мысль о крематории вызывала у меня все большее раздражение. Мне было известно, что у похоронных бюро, естественно, нет собственных крематориев — они есть только в концентрационных лагерях в Германии, — но эта мысль засела у меня в голове и гудела, как неотвязный слепень. Мне тяжело было погружаться в подобные воспоминания, поэтому я решил про себя, что если после панихиды придется ехать еще и на кремацию, как это раньше было принято в Европе, я откажусь. Нет, не откажусь, просто исчезну без всяких объяснений.

Говорил Липшюц. Я не слушал его. Меня мутило от духоты и резкого запаха цветов. Я увидел Фрислендера и Рабиновича. Всего пришло человек двадцать или тридцать. Половины из них я не знал, но, судя по внешности, это были в основном писатели и артисты. Двойняшки Коллер тоже присутствовали здесь. Они сидели рядом с Фрислендером и его женой. Кан был один. Кармен сидела на две скамейки впереди него, причем у меня сложилось впечатление, что, пока Липшюц говорил, она попросту спала. Остальное было как обычно на панихидах. Когда на людей обрушивается нечто непостижимое, они пытаются постичь это с помощью молитв, звуков органа и надгробных речей, сдобренных сердобольной обывательской фальшью.

Вдруг возле гроба появились четверо мужчин в черных перчатках; они быстро и легко подняли гроб — их сноровка напоминала сноровку палача — и, бесшумно шагая на резиновых подошвах, вынесли его из помещения. Все закончилось неожиданно и быстро. Когда они проходили мимо меня, мне показалось, будто что-то потянуло вверх мой желудок, и, к своему изумлению, я почувствовал, как слезы навернулись мне на глаза.

Мы вышли на улицу. Я осмотрелся, но гроба уже не было. Рядом со мной оказался Фрислендер. Я подумал: можно ли в такой момент поблагодарить его за одолженные деньги?

— Идемте, — сказал он, — у меня машина.

— Куда? — спросил я в панике.

— К Бетти. Она подготовила кое-что выпить и поесть.

— Мне пора на работу.

— Сейчас ведь обеденное время. И вы можете побыть совсем недолго. Только чтоб Бетти видела, что вы пришли. Она принимает это очень близко к сердцу. И так — всякий раз. Вы же знаете, какая она. Пойдемте.

Вместе с нами поехали Рабинович, двойняшки Коллер, Кан и Кармен.

— Это была единственная возможность убедить ее не прощаться с Моллером, — заметил Рабинович. — Мы сказали, что после панихиды все придут к ней. Это была идея Мейера. Подействовало. Она гордится своей славой хорошей хозяйки, и это победило в ней все прочие соображения. Она встала в шесть утра, чтобы все сделать. Мы ей посоветовали приготовить салаты и холодные закуски: в жару это лучше всего. К тому же приготовление их займет у нее больше времени. Она хлопотала до часу. Слава Богу! О Господи, как там сейчас выглядит Моллер в такую жару.

Эрих Мария Ремарк

Бетти вышла нам навстречу. Двойняшки Коллер сразу же отправились с ней на кухню. Стол уже был накрыт. Все эти хлопоты трогали и бередили душу.

— В старину это называлось тризной, — заметил Рабинович. — Впрочем, сей древний обычай...

Увлекшись, он разразился длинной тирадой о возникновении этого обычая на заре человечества.

«Вот ведь дотошный!» — подумал я, не слишком внимательно прислушиваясь к его словам и выискивая способ незаметно уйти. Появились двойняшки Коллер с блюдами — сардины в масле, куриная печенка и тунец под майонезом. Всем раздали тарелки. Я заметил, как Мейер-второй, иногда бывавший у Бетти, ущипнул одну из сестер за весьма соблазнительный зад. Итак, жизнь продолжается. Она может быть страшной или прекрасной в зависимости от того, как на нее смотреть! Проще было считать ее прекрасной.

Всю вторую половину дня я выслушивал наставления Силверса. Он разучивал со мной очередной трюк: я должен был говорить покупателю, что картины нет, хотя на самом деле она находилась у Силверса в кабинете. Мне надлежало говорить, что картина сейчас у одного из Рокфеллеров, Фордов или Меллонов.

— Вы представить себе не можете, как это действует на клиента, — наставлял меня Силверс. — Снобизм и зависть — неоценимые союзники антиквара. Если картина хоть раз выставлялась в Лувре или в музее Метрополитен, ценность ее значительно возрастает. Обывателям, покупающим произведения искусства, достаточно знать, что картиной интересуется какой-нибудь миллионер, чтобы она поднялась в цене.

Тени в раю

— Даже тем, которые действительно любят картины?

— Вы хотите сказать — настоящим коллекционерам? Они мало-помалу вымирают. Теперь произведения искусства собирают, чтобы вкладывать деньги или хвастаться ими.

— А раньше было не так?

Силверс посмотрел на меня с иронией.

— В спокойные времена дело обстоит иначе: тогда истинное понимание искусства может формироваться постепенно, в течение жизни одного-двух поколений. После каждой войны происходит перераспределение собственности: одни разоряются, другие обогащаются. Старые коллекции идут с молотка. Нувориши становятся коллекционерами. Отнюдь не из неутолимой любви к искусству. Почему у спекулянта землей или фабриканта оружия вдруг появляется такая любовь? Она обнаруживается лишь после первых миллионов. Главным образом потому, что жена теряет покой, если у них нет ни одной картины Моне, тогда как у Джонсонов целых две. Это так же, как с «кадиллаками» и «линкольнами». — Силверс рассмеялся своим добродушным гортанным смехом, отчего у него забулькало в груди. — Бедные картины! Ими торгуют, как рабами.

— Продали бы вы картину какому-нибудь бедняку за часть стоимости только потому, что картина для него милее жизни, но у него нет денег, чтобы заплатить за нее? — спросил я.

Силверс погладил подбородок.

— Тут легко солгать и ответить: да. И все же я этого не сделал бы. Бедняк может каждый день бесплатно ходить в музей Метрополитен и сколько душе угодно любоваться полотнами Рембрандта, Сезанна, Дега,

Энгра и другими произведениями искусства за пять столетий.

— Ну, а если ему этого мало? — не унимался я. — Может, ему хочется иметь у себя какую-нибудь картину, чтобы всегда, в любое время, даже ночью, молиться на нее?

— Тогда пусть покупает себе репродукции пастелей и рисунков, — без тени смущения ответил Силверс. — Они теперь настолько хороши, что даже коллекционеры попадаются на удочку, принимая их за оригиналы.

Его не так-то просто было сбить с толку. Да я к этому и не стремился. Я невольно все время мысленно возвращался к похоронам. Когда я уходил от Бетти, Кармен вдруг воскликнула: «Бедный господин Моллер! Теперь его сжигают в крематории!» Какое идиотство — до сих пор называть его «господином»! Меня это разозлило и вместе с тем рассмешило. От всего этого утра, как зубная боль, осталась только мысль о крематории. И это был не просто образ. Я это видел в действительности. Я знаю, что происходит, когда мертвец вздымается в огне, будто от невыносимой боли, когда лицо его, озаренное пламенем горящих волос, искажается душераздирающей гримасой. Я знал и как выглядят в пламени глаза.

— У старого Оппенгеймера, — спокойно продолжал Силверс, — была прекрасная коллекция, но он с ней порядком намучился. Дважды у него что-то похищали. Один раз ему, правда, вернули картину, после чего он был вынужден застраховать коллекцию на большую сумму, чтобы чувствовать себя спокойно. Тогда она стала для него слишком дорогой. Но он действительно настолько любил картины, что если бы потерял их, никакая страховка не была бы для него достаточной компенсацией. Поэтому, опасаясь новых ограблений, он перестал выходить из дому. И наконец пришел к решению продать всю коллекцию одному музею в Нью-Йорке. После этого он сразу обрел свободу, получил возможность ездить куда и когда хотел — у него появилось достаточно денег для всех его прихотей. А если он желал видеть свои картины, то шел в музей, где уже другим людям приходилось беспокоиться о страховке и ограблениях. Теперь он с презрением взирает на коллекционеров: в самом деле, ведь трудно сказать, картины ли являются их узниками или они сами являются узниками своих картин. — И Силверс опять залился своим булькающим смехом. — Кстати, совсем неплохая острота!

Я смотрел на него и сгорал от зависти. Какая налаженная, устроенная жизнь! Он, правда, был немного циник, ироничный и холодный бизнесмен, и пламя, в котором агонизировало искусство, было для него лишь пламенем в уютном камине. Люди такого склада могли готовить себе пищу и жарить филе миньон на раскаленной лаве чужих страстей. Если бы можно было всему этому научиться! Хотел ли я этого на самом деле? Трудно сказать, но сегодня хотел. Мне было жутко опять возвращаться в свой темный гостиничный номер.

Заворачивая за угол, я увидел стоявший перед гостиницей «роллс-ройс». Я прибавил шагу, чтобы застать Наташу Петрову. Когда чего-нибудь очень хочется, оно ускользает от тебя в последний момент — мне не раз, и даже довольно часто, приходилось это испытывать.

— Вот он! — воскликнула Наташа, когда я вошел в плюшевый холл. — Сразу же дадим ему водки. Или сейчас слишком жарко?

Эрих Мария Ремарк

— Надо научиться делать «Русскую тройку», — сказал я. — Летом в Нью-Йорке — как в огромной пекарне. В Париже совсем другое дело.

— Сегодня я опять выступаю в роли авантюристки, — сказала Наташа. — «Роллс-ройс» с шофером в моем распоряжении до одиннадцати часов. Хотите рискнуть и еще раз поехать со мною?

Она бросила на меня вызывающий взгляд. А я подумал о том, что растратил уже все деньги.

— Куда? — спросил я.

Она засмеялась.

— Не в «Лоншан», конечно. Поехали в Сентрал-парк, съедим по котлетке.

— С кока-колой?

— С пивом, чтобы пощадить ваши европейские чувства.

— Хорошо.

— Она и меня хотела утащить с тобой, — добавил Меликов, — но я приглашен к Раулю.

— На панихиду или на торжество? — спросила Наташа.

— На деловое свидание! Рауль собирается съезжать отсюда — хочет снять квартиру. И устроиться с Джоном по-семейному. Я должен отговорить его от этого шага. Таков приказ шефа.

— Какого шефа? — спросил я.

— Человека, который владеет гостиницей.

— Кто же этот таинственный шеф? Я уже видел его?

— Нет, — коротко ответил Меликов.

— Гангстер, — ввернула Наташа.

Меликов оглянулся.

— Вы не должны так говорить, Наташа, не надо. Это нехорошо.

— Я его знаю, я ведь жила здесь. Он толстый, обрюзгший, носит узкие костюмы и хотел спать со мной.

— Наташа! — резко сказал Меликов.

— Хорошо, Владимир, будь по-вашему. Поговорим о чем-нибудь другом. Но он хотел со мной спать.

— Кто же этого не хочет, Наташа? — Меликов снова улыбнулся.

— Всегда не тот, кто надо, Владимир. Горькая участь! Налейте-ка мне еще немного водки.

Она повернулась ко мне.

— Водка здесь такая вкусная потому, что босс, кроме всего прочего, является совладельцем водочного завода. Поэтому она обходится здесь дешевле, чем всюду. А мне она обходится дешевле еще и потому, что шеф не совсем оставил надежду лечь со мной в постель. У него исключительное терпение. В этом его сила.

— Наташа! — воскликнул Меликов.

— Хорошо, мы уходим. Или вам хочется еще немного гангстерской водки? — спросила она меня.

Я покачал головой.

— Он предпочитает водку в «роллс-ройсе», — съязвил Меликов.

— Выпейте лучше здесь, — сказала Наташа. — В машине по какому-то трагическому стечению обстоятельств есть только бутылка датского шерри-бренди. Должно быть, хозяин автомобиля ездил вчера на прогулку с дамой.

Мы вышли на улицу. У машины стоял шофер и курил.

— Не хотите сесть за руль, сэр? — спросил он меня.

— В «роллс-ройсе»? Нет, не рискну. Я плохо вожу. Кроме того, у меня нет прав.

— Как чудесно! Нет ничего скучнее шофера-любителя, — сказала Наташа.

Я посмотрел на нее. Казалось, она больше всего на свете боялась скуки. Я любил Наташу. Она была воплощенная уверенность в себе. Поэтому она, вероятно, и любила приключения, тогда как я ненавидел их — слишком долго они были моим хлебом насущным. Черствым хлебом. Черствым и беспощадным, как кандалы.

— Вы действительно хотите поехать в Сентрал-парк?

— Почему бы и нет? Закусочная там еще открыта. Можно посидеть под открытым небом и посмотреть, как играют морские львы. Тигры в это время уже спят. Зато голуби подлетают к столу. Даже белки подбегают к самой террасе. Где еще можно быть ближе к раю?

— Вы думаете, элегантный шофер «роллс-ройса» будет доволен, если на обед мы предложим ему котлету с минеральной водой? Спиртного ему, наверное, нельзя?

— Много вы понимаете! Он хлещет, как лошадь. Впрочем, не сегодня, потому что ему еще надо будет заехать за своим повелителем в театр. А котлеты — это его страсть. И моя тоже.

Было очень тихо. Кроме нас, на террасе сидело несколько человек. На деревьях повисли сумерки. Бурые медведи готовились ко сну. Только белые медведи беспрестанно плавали в своих маленьких бассейнах. Шофер Джон в стороне уничтожал три большие котлеты с томатным соусом и солеными огурцами, запивая все это кофе.

— Жаль, что нельзя гулять ночью в Сентрал-парке, — сказала Наташа. — Через час это уже станет опасно. Четвероногие хищники засыпают, а двуногие просыпаются. Где вы были сегодня? У своего хищника антиквара?

— Да. Он объяснял мне на примере картины Дега смысл жизни. Своей. Не Дега, конечно.

— Странно, как много мы получаем отовсюду советов.

— И вы тоже получаете?

— То и дело. Каждый хочет меня воспитывать. И каждый знает все лучше меня. Слушая эти советы, можно подумать, что счастья полно в каждом доме. Но это не так. Человек — мастер давать советы другим.

Я посмотрел на нее:

— Думаю, вы не очень нуждаетесь в советах.

— Мне их нужно бесконечно много. Но они для меня бесполезны. Я делаю все наоборот. Я не хочу быть несчастной, и тем не менее я несчастна. Я не хочу быть одинокой, и тем не менее я одинока. Теперь вы смеетесь. Думаете, что у меня много знакомых. Это правда. Но и другое тоже правда.

Она выглядела прелестно в сгущавшихся сумерках, оглашаемых последними криками хищных зверей. Я слушал этот ее детский вздор с тем же чувством, с каким слушал сегодня Силверса: жизнь Наташи казалась мне непонятной и такой далекой от моей собственной. Она тоже была во власти простых эмоций и бесхитростных горестей; тоже никак не могла понять, что счастье — не стабильное состояние, а лишь зыбь на воде; но ни ее, ни таких, как она, не мучил по ночам орестов долг мести, сомнения в своей невинности, увязание в грехе, хор эриний, осаждающих нашу память. Можно было позавидовать счастью и успехам окружавших меня людей, их усталому цинизму, красноречию и безобидным неудачам, пределом которых была утрата денег или любви. Они напоминали мне щебечущих райских птичек из другого столетия. Как бы я хотел стать такой птичкой, все забыть и щебетать вместе с ними!

— Иногда человек теряет мужество, — сказала Наташа. — А иной раз кажется, что к разочарованию можно привыкнуть. Но это не так. С каждым разом они причиняют все большую боль. Такую боль, что становится жутко. Кажется, будто с каждым разом ожоги все сильнее. И с каждым разом боль проходит все медленнее. — Она подперла голову рукой. — Не хочу больше обжигаться.

— А как вы думаете избежать этого? — спросил я. — Уйти в монастырь?

Она сделала нетерпеливый жест.

— От самой себя не убежишь.

— Нет, это можно. Но только раз в жизни. И пути назад уже нет, — сказал я и подумал о Моллере, о том, как в душную ночь в Нью-Йорке он одиноко висел на люстре в лучшем своем костюме и чистой сорочке, но без галстука, по словам Липшюца. Он считал, что в галстуке смерть была бы более мучительной. Я этому не поверил. Какая разница? Ведь это все равно, как если бы пассажир в поезде решил, что скорее доберется до места, бегая взад и вперед по коридору. Это заинтересовало Рабиновича, и он принялся было распространяться по этому поводу, исследуя проблему с холодным любопытством ученого. Тогда-то я и ушел. — Несколько дней назад вы сказали мне, что несчастны, — заговорил я. — Потом сами же опровергли свои слова. У вас все так быстро меняется! Значит, вы очень счастливый человек!

— Ни то ни другое. Вы действительно так наивны? Или просто смеетесь надо мной?

— Ни то ни другое? — повторил я. — Я уже научился ни над кем не смеяться. И верить во все, что мне говорят. Это многое упрощает.

Наташа с сомнением взглянула на меня.

— Какой вы странный, — сказала она. — Рассуждаете, как старик. Скажите, вам никогда не хотелось стать пастором?

Я рассмеялся.

— Никогда!

— А иногда вы производите именно такое впечатление. Почему бы вам не посмеяться над другими? Вы так серьезны. Вам явно не хватает юмора! Ох уж эти немцы...

Я покачал головой.

— Вы правы. Немцы не понимают юмора. Это, пожалуй, верно.

— Что же вам заменяет юмор?

— Злорадство. Почти то же самое, что вы именуете юмором: желание потешаться над другими.

На какой-то миг она смутилась.

— Прямо в цель, профессор! Как же вы глубокомысленны!

— Как истинный немец, — рассмеялся я.

— А я несчастна. И в душе у меня пусто! И я сентиментальна. И все время обжигаюсь. Вам это непонятно?

— Понятно.

— Это случается и с немцами?

— Случалось. Раньше.

— И с вами тоже?

К столу подошел официант.

— Шофер спрашивает, может ли он заказать порцию мороженого, ванильного и шоколадного.

— Две порции, — сказал я.

— Все из вас надо вытягивать, — нетерпеливо произнесла Наташа. — Можем мы, наконец, поговорить разумно? Вы тоже несчастны?

— Не знаю. Счастье — это такое расплывчатое понятие.

Она озадаченно посмотрела на меня. С наступлением темноты ее глаза заметно посветлели.

— Тогда, значит, с нами ничего не может произойти, — как-то робко сказала она. — Мы оба на мели.

— Ничего с нами не произойдет, — подтвердил я. — Мы оба обожглись, и оба стали чертовски осторожны.

Официант принес счет.

— Кажется, уже закрывают, — сказала Наташа.

На какой-то момент я ощутил знакомое мне паническое чувство. Мне не хотелось быть одному, и я боялся, что Наташа сейчас уйдет.

— Машина в вашем распоряжении до закрытия театров? — спросил я.

— Да. Хотите куда-нибудь прокатиться?

— С большим удовольствием.

Мы поднялись с мест. Терраса и парк совсем опустели. Темнота черным полотном затянула кроны деревьев. Такое было впечатление, точно стоишь на деревенской площади: где-то в бассейне, тихонько плескаясь, как негритята, купались морские львы, а чуть поодаль размещались стойла буйволов и зебу.

— В это время в Сентрал-парке уже становится опасно?

— Пока это час патрулей и извращенцев. Они околачиваются возле скамеек, на которых целуются влюбленные. Час воров-карманников, насильников и убийц наступает позже, когда совсем стемнеет. Тогда же появляются и бандиты.

— И полиция ничего не может с этим поделать?

— Она прочесывает аллеи и рассылает патрули, но парк велик и в нем есть где спрятаться. А жаль. Хорошо, если бы летом все было по-другому. Но сейчас бояться нечего, мы ведь не одни.

Она взяла меня под руку. «Сейчас бояться нечего, мы ведь не одни», — думал я, ощущая ее близость. Темнота не таила в себе опасности; она защищала нас, сохраняя скрытые в ней тайны. Я чувствовал обволакивающую нежность, у которой еще не было имени, — она ни к кому конкретно не относилась и свободно парила, как ветерок поздним летним вечером, и тем не менее уже была сладостным обманом. Она не была безоблачной, а слагалась из страха и опасения, что прошлое нагрянет вновь, из трусости и желания выстоять в этот таинственный и опасный промежуточный период беспомощности, втиснувшийся где-то между бегством и спасением; она, как слепец, хваталась за все, что представлялось ей надежной опорой. Мне было стыдно, но я легкомысленно убеждал себя в том, что и Наташа не лучше меня, что и она, словно лиана, цепляется за ближайшее дерево, не терзая себя вопросами и угрызениями совести.

Ей, как и мне, не хотелось быть одной в трудные минуты жизни. Эта едва теплившаяся нежность витала вокруг нее и казалась такой безопасной, потому что у нее еще не было имени и ее еще не успела закогтить боль.

— Я обожаю тебя! — неожиданно, к собственному моему удивлению, вырвалось у меня, когда мы проходили под освещенной желтыми фонарями аркой, которая вела к Пятой авеню. Перед нами маячила широкая тень шофера. — Я не знаю тебя, но я обожаю тебя, Наташа, — повторил я, поймав себя на том, что впервые обратился к ней на «ты». Она повернулась ко мне.

— Это неправда, — ответила она. — Ты лжешь, все неправда, хотя такие слова и приятно слышать.

Я проснулся, но прошло некоторое время, прежде чем я уяснил себе, что видел сон. Лишь постепенно я снова стал различать темные контуры своей комнаты, более светлые очертания окна и красноватый отблеск нью-йоркской ночи. Но это было тягучее, медленное пробуждение, будто мне приходилось выбираться из трясины, где я чуть не задохнулся.

Я прислушался. По-видимому, я кричал. Я всегда кричал, когда видел этот сон, и каждый раз мне требовалось много времени, чтобы прийти в себя. Мне снилось, что я кого-то убил и закопал в заросшем саду у ручья; что по прошествии долгого времени труп нашли, это навлекло на меня большие несчастья, и я был схвачен. Я никогда толком не знал, кого же я убил — мужчину или женщину. Не знал также, почему я это сделал, и, кроме того, мне казалось, будто я уже забыл во сне, что я совершил. Тем ужаснее был для меня страх и глубокое замешательство, еще долго преследовавшие меня после пробуждения, будто сон все-таки был явью. Ночь и внезапный испуг сокрушили все защитные барьеры, которые я воздвиг вокруг себя. Побеленное известью помещение в крематории с крюками, на которых подвешивали людей, и пятнами под ними, оставленными головами, дергавшимися от ударов и обивавшими известку, снова явилось мне в эту душную ночь; потом я увидел скелетообразную руку на полу, которая еще шевелилась, и услышал жирный голос, который повелевал: «Наступи на нее! Грязная тварь, растопчешь ты ее, наконец, или нет? Быстрее, или я тебя уничтожу! Мы и тебя, свинья, подвесим, но не торопясь, с наслаждением!»

Мне вновь послышался этот голос, и я увидел холодные глумящиеся глаза, и в сотый раз повторил себе, что он уничтожит меня, как назойливую муху, как десятки других узников, просто удовольствия ради, если я не выполню его приказа. Он только и ждал, что я откажусь. И все же я чувствовал, как пот ручьями лил у меня из-под мышек; и я стонал, беспомощный и мучимый тошнотой. Этот жирный голос и эти садистские глаза должны быть уничтожены. Мэрц, думал я. Эгон Мэрц. Потом он меня выпустил при очередном послаблении режима, потому что я не был евреем, и тогда я бежал. До границы с Голландией было рукой подать — я хорошо знал эти места и воспользовался оказанной помощью, — но и тогда уже понимал, что это лицо садиста еще не раз возникнет передо мною прежде, чем я умру.

В эту короткую летнюю ночь я сидел на кровати, подобрав ноги, оцепенев. Сидел и размышлял обо всем, что хотелось похоронить и спрятать глубоко под землей, и снова о том, что это невозможно и что мне надо вернуться назад, пока я не подох раньше срока от ужаса и отчаяния, как это случилось с Моллером. Я должен остаться в живых и спастись — спастись во что бы то ни стало. Я сознавал, что ночью все кажется более драматичным, умножаются ценности, меняются понятия, и тем не менее я продолжал сидеть, ощущая распростертые надо мной крылья грусти, бессильной ярости и скорби. Я сидел на кровати, ночная мгла рассеивалась, и я разговаривал сам с собой, как с ребенком, я ждал дня, а когда он наступил, я был совершенно разбит, будто всю ночь бросался с ножом на бесконечную черную ватную стену и никак не мог ее повредить.

XIV

Силверс послал меня к Куперу, тому самому, который приобрел танцовщицу Дега. Мне было велено доставить ему картину и помочь ее повесить. Купер жил на четвертом этаже дома на Парк-авеню. Я думал, что дверь откроет прислуга, но навстречу мне вышел сам Купер. Он был без пиджака.

— Входите, — сказал он. — Давайте не спеша подыщем место для этой зелено-голубой дамы. Хотите виски? Или лучше кофе?

— Спасибо, я с удовольствием выпью кофе.

— А я виски. Самое разумное в такую жару.

Я не стал возражать. Благодаря кондиционерам в квартире было прохладно, как в склепе. Голова Купера напоминала созревший помидор. Это впечатление еще более оттеняла изысканная французская мебель в стиле Людовика XV, а также маленькие итальянские кресла и небольшой роскошный желтый комод венецианской работы. На обитых штофом стенах висели картины французских импрессионистов.

Купер сорвал бумагу с полотна Дега и поставил его на стул.

— Это ведь было мошенничество с картиной, не так ли? — спросил он. — Силверс утверждал, будто подарил ее жене и та устроит скандал, если, вернувшись домой, вдруг не обнаружит ее. Какой блеф!

— Вы поэтому и купили ее? — спросил я.

— Конечно, нет. Я купил ее потому, что мне хотелось ее иметь. Вы знаете, сколько Силверс содрал с меня за это полотно?

— Нет, не знаю.

— Тридцать тысяч долларов.

Купер испытующе посмотрел на меня. Я сразу понял, что он лжет, устраивает мне проверку.

— Ну? — сказал он. — Немалая сумма, верно?

— Для меня целое состояние.

— А сколько бы вы за нее заплатили?

Я рассмеялся.

— Ни гроша!

— Почему? — быстро спросил Купер.

— Очень просто: у меня нет на это денег. В данный момент от полного безденежья меня отделяют тридцать пять долларов.

— А сколько бы вы заплатили, если бы у вас были деньги? — не унимался Купер.

Я решил, что отработал свою чашечку кофе и расспросов с меня довольно.

— Столько, сколько имел бы. Если вы оцените ваши картины, то убедитесь, что увлечение искусством довольно прибыльное дело. Выгодней и не придумаешь. Мне кажется, Силверс охотно купил бы некоторые ваши картины и при этом не прогадал бы.

— Мошенник! Чтобы через неделю снова предложить их мне — только на пятьдесят процентов дороже!

Купер откулдыкал, точно индюк после кормежки, и на этом успокоился.

— Итак, где будем вешать танцовщицу?

Мы прошли по квартире. В это время Купера позвали к телефону.

— Осмотритесь не спеша, — сказал он мне. — Может, найдете какое-нибудь подходящее местечко.

Квартира была обставлена с тонким вкусом. Должно быть, Купер либо сам знал толк в этом деле, либо имел прекрасных советчиков, а может, и то и другое вместе. Я послушно шел за горничной.

— Это спальня мистера Купера, — сказала она, — здесь, пожалуй, найдется место.

Над широкой кроватью в стиле модерн висела картина в позолоченной раме — лесной пейзаж с трубящим оленем, несколькими косулями и ручьем на переднем плане.

Я безмолвно рассматривал эту низкопробную мазню.

— Мистер Купер написал это сам? — поинтересовался я. — Или получил в наследство от родителей?

— Не знаю. Картина у него висит все время, пока я здесь. Чудесно, а? Совсем как в жизни!

— Вот именно. Даже пар перед мордой оленя — и тот не забыли. Что, мистер Купер охотник?

— Не знаю.

Я огляделся и увидел венецианский пейзаж Цима. У меня прямо слезы навернулись на глаза от умиления: я разгадал тайну Купера. Здесь, в собственной спальне, ему незачем было притворяться. Тут было то, что ему действительно нравилось. Все прочее было показухой, бизнесом, возможно, даже увлечением — кто мог это знать, да и кому это было интересно? Но трубящий олень — это уже была страсть, а от сентиментального венецианского пейзажа веяло дешевой романтикой.

— Пойдем дальше, — сказал я девушке. — Картины здесь так хорошо висят, что мы только все испортим. Наверху тоже есть комнаты?

— Там терраса и маленькая гостиная.

Она повела меня вверх по лестнице.

Слышно было, как в кабинете Купер грубо, лающим голосом отдавал приказания по телефону. Интересно, похожа ли обстановка кабинета на спальню: второй трубящий олень был бы там как раз к месту.

У двери, ведущей на террасу, я остановился. Подо мной, насколько хватало глаз, лежал Нью-Йорк в душном летнем зное — он показался мне в этот момент африканским городом с небоскребами. На горизонте угадывался океан. Это был город из камня и стали, производивший как раз то впечатление, какого добивались его строители: возникший бурно и целенаправленно, без вековых традиций, воздвигнутый решительно и смело трезвыми, не отягощенными предрассудками людьми, высшим законом для которых была не красота, а целесообразность, — он являл собою пример новой, дерзкой, антиромантической, антиклассической, современной красоты. Я подумал, что на Нью-Йорк, наверное, надо смотреть сверху, а не снизу, задрав голову к небоскребам. Сверху они производили более спокойное впечатление, будто являлись извечной органической составной частью окружающего — жирафы в стаде зебр, газелей и гигантских черепах.

Я слышал, как, тяжело дыша и шаркая ногами, по лестнице поднимался Купер.

— Ну, нашли место?

— Здесь, — ответил я и показал на террасу. — Хотя солнце скоро погубит картину. Но танцовщица над городом — согласитесь, в этом что-то есть... Может, поместить ее рядом, в гостиной, на той стене, куда не попадает солнце?

Мы вошли в гостиную. Она была очень светлая, с белыми стенами и мебелью, обитой пестрым английским ситцем. На одном из столов я заметил три китайские

Эрих Мария Ремарк

бронзовые статуэтки и двух танцовщиц. Я взглянул на Купера. Что же он все-таки такое? Не лучше ли было бы ему вместо бронзовых статуэток эпохи Чжоу приобрести, скажем, три старинных бокала, а вместо фигурок танцовщиц из терракоты — фарфоровых гномиков или слонов?

— Там, у стены, за бронзовыми статуэтками, — сказал я. — Зелено-голубой цвет бронзы почти того же оттенка, что и танцовщица.

Купер все еще поглядывал на меня с опаской и сопел. Я приложил картину к стене.

— В таком случае придется дырявить стену, — сказал он наконец. — А если потом понадобится снять картину, останется дырка.

— Тогда на ее место можно будет повесить другую картину, — сказал я и с удивлением взглянул на Купера. — Кроме того, отверстие можно залепить гипсом, так что его почти не будет видно. — Ну и крохобор! Вот так, наверное, он и скопил свои миллионы. Удивительно только, что это меня не раздражало: трубящий олень в спальне примирил меня с ним. Все остальное в квартире было враждебно Куперу, хотя он и не отдавал себе в этом отчета. Он понимал, что на такого рода покупки требуется много денег, но сколько платить и за что — не знал и потому так старался все у меня выспросить. Он толком не понимал, в каком соотношении находятся деньги и искусство, и в этом смысле походил на истинного любителя.

Наконец Купер решился.

— Ну, пробейте небольшое отверстие. Самое маленькое, какое только можно. Видите вот этот патентованный крюк — для него нужен лишь тонкий гвоздик, а висеть на нем может большая картина.

Я быстро вбил крючок под недоверчивым взглядом Купера. А потом позволил себе поглазеть на китайские фигурки из бронзы и даже подержать их в руках. Я сразу же почувствовал нежную теплоту и в то же время прохладу патины. Это была чудесная бронза, и у меня возникло странное чувство, будто я вернулся домой, к своему погасшему очагу. Фигурки отличались безукоризненным совершенством. Это было неописуемое чувство, возникавшее от сознания того, что кому-то, много веков назад, посчастливилось овладеть материализованной «иллюзией вечности».

— Вы разбираетесь в бронзе? — спросил Купер.

— Немного.

— Сколько они стоят? — сразу же спросил он, и мне захотелось его обнять, до того он был искренен и неподделен в эту минуту.

— Им нет цены.

— Что? Как это? В них надежнее вкладывать капитал, чем в картины?

— Этого я не сказал, — ответил я, проявив мгновенную осторожность, чтобы не нанести Силversу удар с фланга, — но они превосходны. Лучших нет даже в музее Метрополитен.

— Неужели? Гляди-ка! Их всучил мне однажды какой-то мошенник.

— Вам просто повезло.

— Думаете? — Он закулдыкал, как шесть индюков, и пренебрежительно взглянул на меня. Казалось, он прикидывал, дать мне на чай или нет, но так и не решился. — Хотите еще кофе?

— Благодарю.

Я вернулся к Силверсу и все ему рассказал.

— Старый разбойник! — воскликнул Силверс. — Он

каждый раз устраивает дознание, когда я кого-нибудь посылаю к нему. Прирожденный случайный покупатель. А начинал-то ведь с тачки железного лома! Это уж потом он продавал целые поезда с ломом. А накануне войны, в самый подходящий момент, занялся военным бизнесом. Кстати, он поставлял оружие и железный лом Японии. А когда эта возможность отпала, переключился на Соединенные Штаты. За каждое приобретенное им полотно Дега заплатили жизнью сотни, если не тысячи, ни в чем не повинных людей.

Я еще никогда не видел Силверса таким рассерженным. То, что он сказал насчет Дега, было, разумеется, абсолютной выдумкой, но слова его все же отложились в моем сознании. Фальшь и лицемерие производят большее впечатление, чем истина.

— Почему же тогда вы ведете с ним дела? — поинтересовался я. — Ведь таким образом вы становитесь его соучастником?

Силверс хоть и рассмеялся, но все еще кипел от негодования.

— Почему? Потому что я ему что-то продаю! Не могу же я, в самом деле, быть квакером в бизнесе! Соучастник? В чем? В войне? Это просто смешно!

Мне стоило известных усилий успокоить его и объяснить, что все мои вопросы вытекают из моего пристрастия к логическому мышлению. Это всегда приводит к недоразумениям.

— Не выношу этих торгашей смертью, — изрек, наконец, Силверс, успокоившись. — И тем не менее! Я выудил из него на пять тысяч больше, чем была оценена картина. Надо было содрать с него еще тысяч пять.

Он принес себе виски с содовой.

— Хотите?

— Спасибо. Я уже напился кофе.

Надо наказать Купера, подумал я, звонкой монетой. Зато в случае удачи я сумею выбраться из трясины прошлого.

— Вы вполне сможете наверстать свое, — сказал я. — Вероятно, он скоро опять придет. Я ему дал понять, что другое полотно Дега составило бы великолепную пару с тем, которое он купил, и что, на мой вкус, вторая картина в художественном отношении куда ценнее.

Силверс задумчиво посмотрел на меня.

— Вы делаете успехи! Заключаем пари: если в течение месяца Купер явится за второй картиной Дега, вы получаете сто долларов!

Перед отелем «Плаза» я вдруг увидел Наташу. Она пересекала площадь, засаженную разросшимися деревьями, направляясь к Пятьдесят девятой улице. Впервые после долгого перерыва я увидел ее днем. Она шла быстрым и размашистым шагом, чуть наклонившись вперед. Меня она не видела.

— Наташа! — окликнул я, когда она поравнялась со мной. — Думаешь о том, какую диадему взять сегодня вечером напрокат у «Ван Клеефа и Арпельса»?

Она на какой-то момент опешила.

— А ты? — бросила она. — Стащил у Силверса картину Ренуара, чтобы оплатить счет в ресторане «Эль Марокко»?

— Я человек скромный, — вздохнул я. — Я думаю всего лишь о прокате, а ты сразу о грабеже. Ты далеко пойдешь.

— Зато проживу, наверное, меньше. Не хочешь ли со мной пообедать?

— Где?

— Я тебя приглашаю, — сказала она, смеясь.

— Так не годится. Для сутенера я слишком стар. К тому же я недостаточно обаятелен.

— Ты совсем не обаятелен, но не в этом дело. Пойдем, и не терзайся. Мы все постоянно обедаем здесь по талонам. Оплата в конце месяца. Так что за свое достоинство можешь не беспокоиться. Кроме того, мне бы хотелось, чтобы ты встретился с одной старой дамой. Очень богатой, которая интересуется картинами. Я рассказывала ей о тебе.

— Но, Наташа! Я ведь не торгую картинами!

— Не ты, так Силверс. А если ты приведешь к нему клиента, он должен будет заплатить тебе комиссионные.

— Что?

— Комиссионные. Так принято. Ты что, не знаешь разве, что добрая половина людей живет за счет комиссионных?

— Нет.

— Тогда тебе пора это усвоить. А теперь пошли. Я голодна. Или ты боишься?

Она вызывающе посмотрела на меня.

— Ты очень красивая, — сказал я.

— Браво!

— Если что-нибудь получится с комиссионными, я приглашу тебя на обед с икрой и шампанским.

— Браво. D'accord*. Ты перестанешь в таком случае терзаться?

— Несомненно. Теперь у меня осталась только боязнь пространства.

---

* Согласна (фр.).

— Не так уж сильно ты отличаешься от других, — сказала Наташа.

Ресторан был почти полон. У меня было такое ощущение, будто я попал в элегантную клетку, где находились вместе бабочки, галки и попугаи. По залу порхали официанты. Как всегда, Наташа встретила здесь много знакомых.

— Ты знаешь, наверное, половину Нью-Йорка, — сказал я.

— Чепуха. Я знаю лишь бездельников и людей, имеющих отношение к моде. Как и я. Чтобы тебя опять не мучила боязнь пространства, посмотрим летнее меню.

— Странное название — летнее меню.

Она рассмеялась.

— Это просто одна из диет. Вся Америка питается по какой-нибудь диете.

— Почему? У всех здесь довольно здоровый вид.

— Чтобы не толстеть. Америка помешана на том, чтобы сохранить молодость и фигуру. Каждый хочет быть юным и стройным. Старость здесь не в почете. Почтенный старец, пользовавшийся таким уважением в Древней Греции, в Америке попал бы в дом для престарелых. — Наташа закурила сигарету и подмигнула мне. — Не будем сейчас говорить о том, что большая часть мира голодает. Ты, наверное, это имел в виду?

— Я не такой дурак, как ты полагаешь. Я совсем не об этом думал.

— Ну, допустим!

— Я думал о Европе. Там не так уж голодают, но, конечно, продуктов там значительно меньше.

Она взглянула на меня из-под полуопущенных век.

— Не кажется ли тебе, что было бы куда полезней поменьше думать об Европе? — спросила она.

Меня поразило ее замечание.

— Я пытаюсь не думать об этом.

Она рассмеялась.

— Вот идет эта богатая старуха.

Я ожидал увидеть расфуфыренную выдру, этакое подобие Купера, а к нам подошла изящная женщина с серебристыми локонами и румяными щечками — она, несомненно, всю жизнь была такая холеная и ухоженная, точно и не покидала стен детской. Ей было около семидесяти, но можно было спокойно дать ей пятьдесят. Выдавали ее только шея и руки, поэтому на ней было ожерелье из четырех рядов жемчуга, уложенных друг на друга, которое закрывало всю шею и в то же время придавало даме сходство с портретом эпохи Империи.

Ее интересовал Париж, и она принялась меня расспрашивать. Я же поостерегся рассказывать ей о своей жизни там и преподносил все так, будто никакой войны там нет и в помине. Я смотрел на Наташу и рассказывал о Сене, об острове Св. Людовика, набережной Великих Августинов, о летних вечерах в Люксембургском саду, на Елисейских Полях и в Булонском лесу. Я видел, как теплели Наташины глаза, и мне легче было говорить обо всем этом.

Нас быстро обслужили, и менее чем через час миссис Уимпер стала прощаться.

— Вы не заедете за мной завтра в пять часов? — спросила она меня. — Мы поехали бы к вашему Силверсу посмотреть его коллекцию.

— Хорошо, — ответил я и хотел еще что-то добавить, но Наташа толкнула меня под столом ногой, и я прикусил язык.

Когда миссис Уимпер ушла, Наташа рассмеялась.

— Ну как, роды прошли безболезненно? Ты, конечно, хотел ей объяснить, что у Силверса только открываешь ящики, ведь так! Ни к чему это. Многие здесь занимаются лишь тем, что дают советы невежественным толстосумам и сводят их со знакомыми антикварами.

— Словом, агент по продаже, — резюмировал я.

— Консультант, — возразила Наташа. — То есть достойный, уважаемый человек, который защищает бедных, беспомощных миллионеров от грабителей-антикваров. Пойдешь к ней?

— Конечно, — ответил я.

— Браво!

— Из любви к тебе.

— Еще раз браво!

— Откровенно говоря, я и без того пошел бы к ней. Я куда меркантильнее, чем ты думаешь.

Она слегка ударила в ладоши.

— Ты постепенно становишься почти очаровательным.

— То есть становлюсь человеком? Если прибегнуть к твоей терминологии.

— Еще не человеком. Скажем, статуей, делающей первые шаги.

— Все уладилось удивительно быстро. А ведь миссис Уимпер ничего обо мне не знает.

— Ты рассказывал о том, что она любит: Париж, лето в Булонском лесу, Сена осенью, набережные, лотки букинистов...

— И ни слова о картинах...

— Это ей особенно понравилось. Ты правильно сделал: ни слова о делах.

Мы спокойно шли по Пятьдесят четвертой улице. На душе у меня было легко и радостно. Мы остановились

Эрих Мария Ремарк

возле антикварного магазина, где были выставлены египетские ожерелья. Они сияли в бирюзовом свете, а рядом с ними стоял большой ибис. С аукциона в «Савое» выходили люди, унося с собой ковры. Прекрасно было это ощущение жизни! И как далеко еще была ночь.

— Сегодня вечером я тебя увижу? — спросил я.

Она кивнула.

— В гостинице?

— Да.

Я пошел обратно. Солнце светило сквозь пелену пыли. Пахло выхлопными газами, воздух был раскален. Я постоял перед «Савоем», где происходил аукцион, и, наконец, вошел внутрь. Зал был наполовину пуст, атмосфера была какая-то сонная. Аукционист выкрикивал цены. Распродажа ковров закончилась; теперь с молотка пошли фигурки святых. Их вынесли на сцену и расставили в ряд, точно готовили к новому мученичеству. Некоторые из них пришлось распаковывать прямо на сцене. Цветные фигурки спросом не пользовались и стоили очень дешево. В военное время святые первыми попадают в тюрьму. Я снова вышел на улицу и стал рассматривать витрину. Среди массивной мебели эпохи Ренессанса стояли две бронзовые китайские фигурки; одна была явной копией фигурок эпохи Мин, а вот вторая вполне могла быть подлинной. Патина, правда, была плохая, может быть, даже подвергалась обработке, и все же в этой бронзе было что-то, придававшее ей вид подлинной. Наверное, какой-то профан счел статуэтку копией и пытался ее подделать. Я вернулся в сумрачное помещение, где проходил аукцион, и попросил дать мне каталог очередной распродажи. Бронзовые фигурки были перечислены без указания эпохи — среди оловянных кувшинов, всякой медной утвари и прочих дешевых вещей. По-видимому, стоить они будут недорого, ибо трудно ожидать участия крупных антикваров в столь обыденной распродаже.

Я вышел из «Савоя» и направился вниз по Пятьдесят четвертой улице ко Второй авеню. Там я свернул направо и пошел дальше — к магазину братьев Лоу. У меня появилась мысль купить бронзу, а потом перепродать ее Лоу-старшему. Я был уверен, что он ее не заметил среди оловянных кувшинов и массивной мебели. Потом я подумал о Наташе и вспомнил тот вечер, когда она довезла меня в «роллс-ройсе» до гостиницы. Я тогда наспех простился с ней да и, по правде говоря, всю дорогу был очень молчалив — я думал лишь о том, как бы поскорее выбраться из этого шикарного автомобиля. Причина была поистине детская: мне срочно требовалась уборная. Но поскольку в Нью-Йорке это заведение куда труднее отыскать, чем в Париже, я терпел, в результате чего мне просто не хватило времени для прощания. Наташа с возмущением смотрела мне вслед, и сам я, облегчившись, злился потом на себя за то, что опять все испортил по собственной глупости. Однако на следующий день этот эпизод представился мне уже в совершенно ином свете, даже с каким-то романтическим оттенком, ибо вместо того, чтобы велеть шоферу остановиться у ближайшего отеля и попросить Наташу подождать в машине, я предпочел мучиться и терпеть. Я счел это глупостью, но в то же время и верным признаком сердечной склонности, и меня охватило неподдельное чувство нежности. С этим чувством я и подошел к магазину братьев Лоу. Лоу-младший стоял между двумя белыми лакированными креслами в стиле Людовика XVI и задумчиво смотрел на улицу.

Я собрался с духом, отбросил мысль о своем первом самостоятельном бизнесе и переступил порог.

— Как дела, мистер Лоу? — нарочито небрежным тоном спросил я, опасаясь вызвать недовольство у этого романтика.

— Хорошо! Брата сейчас нет. Он ест свою кошерную пищу, вы же знаете! А я — нет, — добавил он, сверкнув глазами. — Я питаюсь по-американски.

Близнецы Лоу напоминали мне известных сиамских близнецов, из которых один был трезвенник, а другой — горький пьяница. Поскольку система кровообращения у них была одна, несчастному трезвеннику приходилось выдерживать не только опьянение, но и последующее похмелье своего пропойцы-брата. Как всегда, страдала добродетель. Так и у Лоу — один был ортодоксальным евреем, а другой — вольнодумцем.

— Я обнаружил бронзовые статуэтки, — объяснил я. — Они будут продаваться с аукциона по дешевке.

Лоу-младший махнул рукой.

— Скажите об этом моему брату-фашисту, я утратил интерес к бизнесу: меня занимают сейчас только проблемы жизни и смерти. — Он повернулся ко мне и вдруг спросил: — Скажите честно, что вы мне посоветуете: жениться или нет?

Это был коварный вопрос: при любом ответе я проигрывал.

— Кто вы с точки зрения астрологов? — ответил я вопросом на вопрос.

— Что?

— Когда вы родились?

— Какое это имеет значение? Ну, двенадцатого июля.

— Так я и думал. Вы — Рак. Легкоранимая, любвеобильная, художественная натура.

— Так как же все-таки? Жениться мне?

— От Рака трудно отделаться. Он крепко вцепляется в тебя, пока ему не отрежешь клешни.

— Какой кошмарный образ!

— Образ чисто символический. Если перевести его на язык психоаналитиков, это означает всего лишь: пока не вырвешь ему половые органы.

— Всего лишь? — жалобно воскликнул Лоу. — Оставьте наконец шутки и скажите ясно и просто: жениться мне или нет?

— В католической Италии я бы вам ответил: нет. В Америке это проще: вы всегда можете развестись.

— Кто говорит о разводе? Я говорю о женитьбе!

Дешевую шутку «это почти одно и то же» мне, к счастию, не пришлось произносить. Равно как и ничего не стоящий совет: раз ты спрашиваешь, жениться тебе или не жениться, то не женись. В магазин вошел Лоу-старший, весь сияя после тяжелой кошерной трапезы.

Младший брат взглядом призвал меня к молчанию. Я кивнул.

— Как поживает паразит? — весело спросил Лоу-старший.

— Силверс? Он только что добровольно прибавил мне жалованье.

— Это он может. На сколько? На доллар в месяц?

— На сто.

— Что?

Оба брата уставились на меня. Первым оправился от удивления старший.

— Ему бы следовало прибавить двести, — заметил он.

Такое присутствие духа восхитило меня, но я решил не поддаваться.

— Он так и хотел, — сказал я. — Но я отказался. Считаю, что еще не заслужил. Может быть, через год — тогда другое дело.

— С вами нельзя говорить разумно, — пробурчал Лоу-старший.

— Напротив, — сказал я. — Особенно если речь идет о бронзовых статуэтках. — Я поведал ему о своем открытии. — Я могу купить их для вас на аукционе. Все будут считать их подделками.

— А если это действительно подделки?

— Ну, значит, мы ошиблись. Или вы хотите, чтобы я еще застраховал вас от убытков?

— Почему бы и нет? — ухмыльнулся Лоу. — При ваших-то доходах!

— Я их и сам могу купить. Это даже проще, — сказал я разочарованно.

Я рассчитывал на большую благодарность за такой совет. Как всегда, это оказалось заблуждением.

— Ну, как чечевичный суп? — спросил я.

— Чечевичный суп? Откуда вы знаете, что я ел чечевичный суп?

Я показал на лацкан его пиджака, где прилипла половинка раздавленной чечевицы.

— Слишком тяжелая пища для этого времени года, мистер Лоу. Рискуете получить апоплексический удар. Всего хорошего, господа!

— Вы человеколюбивая бестия, господин Росс, — с кисло-сладкой улыбкой заметил Лоу-старший. — Но надо понимать шутку! Сколько могут запросить за эту бронзу?

— Я рассмотрю ее еще раз как следует.

— Хорошо. Я ведь не могу этого сделать: если я посмотрю на нее два раза, эти типы почуют недоброе. Они знают меня. Вы меня предупредите?

Тени в раю

— Разумеется.

Я уже был почти за дверью, когда Лоу-старший крикнул мне вслед:

— С Силверсом все неправда, да?

— Правда! — бросил я. — Но у меня есть предложение получше — от Розенберга.

Не прошел я и десяти шагов, как меня охватило раскаяние. Не из этических соображений, а из суеверия. В своей жизни я проделал уже немало афер с Господом Богом, в которого всегда начинал верить лишь в минуту опасности, — подобно тому, как тореадоры перед боем приносят к себе в каморку статуэтку Мадонны, украшают ее цветами, молятся, давая обет ставить ей свечи, служить мессы, вести благочестивую жизнь, воздерживаться отныне и во веки веков от выпивки и так далее и тому подобное. Но вот бой закончен, и статуэтка Богоматери летит в чемодан вместе с грязным бельем, цветы выбрасываются, обещания забываются, при первом же удобном случае на столе появляется бутылка текилы — и так до очередной корриды, когда все повторяется сначала. Мои аферы с Господом Богом были в том же духе. Но иногда я поддавался и иному суеверию — чувство это, правда, уже давно не возникало во мне, потому что в основе его лежало не стремление избежать опасности, а скорее боязнь спугнуть ожидание. Я остановился. Из магазина рыболовных принадлежностей на меня смотрели чучела щук, возле которых кольцами была разложена леска. «Чтобы не спугнуть ожидание, надо прежде всего чего-то ждать», — подумал я, и мне вдруг стало ясно, что я уступил братьям Лоу свой маленький бизнес тоже из суеверия. Мне хотелось настроить в свою пользу не только Бога, который незримо поднимал сейчас свою сонную главу над крышами домов, но и судьбу, ибо произошло то, во что, казалось, я больше не верил: я снова ожидал чего-то, и это что-то не было материальным, осязаемым — это было теплое чувство, преисполнявшее меня блаженным сознанием того, что я еще не совсем превратился в автомат. Я вспомнил старые, забытые ощущения — сердцебиение, учащенное дыхание; в эту минуту я реально ощутил все эти симптомы, питаемые светом двух жизней — моей собственной и другой безымянной.

XV

Когда на следующее утро я сообщил Силверсу о предстоящем визите миссис Уимпер, он отнесся к моим словам весьма пренебрежительно.

— Уимпер, что за Уимпер? Когда она придет? В пять? Не знаю, буду ли я дома.

Но мне было точно известно, что этот ленивый крокодил только тем и занимался, что поджидал клиентов, попивая виски.

— Ну, что же, — сказал я, — тогда отложим ее визит, может, потом у вас появится время.

— Ладно, привозите, привозите вашу даму, — снисходительно бросил он. — Лучше сразу покончить с таким пустяковым делом.

«Вот и прекрасно, — подумал я. — У меня будет возможность рассмотреть как следует бронзовые статуэтки в «Савое» после обеда, когда там не толкутся покупатели, как в обеденный перерыв».

— Вам понравилось, как обставлен дом у Купера? — спросил Силверс.

— Очень. У него, по-видимому, великолепные советчики.

— Так оно и есть. Сам он ничего в этом не понимает.

Я подумал о том, что и Силверс мало в чем разбирается, кроме одной, узкой области живописи — французских импрессионистов. Но даже этим у него не было особых оснований гордиться: картины являлись для него бизнесом, так же как для Купера — оружие и железный лом. При этом у Купера было преимущество перед Силверсом: он владел еще и прекрасной мебелью, тогда как у Силверса не было ничего, кроме мягких диванов, мягких кресел и скучной, стандартной мебели массового производства.

Он будто угадал мои мысли.

— Я тоже мог бы обставить свой дом мебелью конца восемнадцатого века, — сказал он. — Я этого не делаю из-за картин. Весь этот хлам в стиле барокко или рококо только отвлекает. Обломки минувших эпох! Современному человеку они ни к чему.

— У Купера другое дело, — поддакнул я. — Ему незачем продавать картины, поэтому он может позволить себе и хорошую мебель.

Силверс рассмеялся.

— Если бы он действительно стремился к стилевому единству своих интерьеров, ему следовало бы расставить по комнатам пулеметы и легкие орудия. Это было бы уместнее.

В его словах отчетливо проступала неприязнь к Куперу. Он испытывал подобные чувства ко всем своим клиентам. Показное добродушие моментально слетало с него, как слетает с медяшки дешевая позолота. Он считал, что презирает своих клиентов, скорее же всего он им завидовал. Он старался внушить себе, что цинизм сохраняет ему свободу, но это была дешевая свобода, вроде «свободы» клерка, за глаза ругающего своего шефа. Он усвоил привычку многих односторонне образованных людей потешаться над всем, чего не понимал. Однако эта удобная, но сомнительная позиция не очень-то ему помогала, иногда в нем неожиданно проглядывал просто разнузданный неврастеник. Это и вызывало во мне интерес к Силверсу. Его елейные проповеди можно было выносить, лишь пока они были внове, а потом они нагоняли только скуку — я еле сдерживал зевоту от этих уроков житейской мудрости.

В полдень я отправился на аукцион и попросил показать мне бронзовые статуэтки. Людей в залах было немного, потому что распродажи в тот день не предвиделось. Огромное унылое помещение, набитое мебелью и утварью XVI и XVII веков, казалось погруженным в сон. У стен громоздились новые партии ковров вперемежку с оружием, копьями, старыми саблями и латами. Я размышлял о словах Силверса по поводу Купера, а потом о самом Силверсе. Как Силверс в отношении Купера, так и я в отношении Силверса — мы оба перестали быть беспристрастными, объективными наблюдателями и превратились в пристрастных критиков. Я уже не являлся зрителем, ко всему, в сущности, равнодушным, — во мне клокотали страсти, которых я давно не испытывал. Я снова ощутил себя включенным в изменчивую игру бытия и уже не был пассивным созерцателем происходящего, стремившимся лишь к тому, чтобы выжить. Незаметно в меня вошло что-то новое, напоминавшее отдаленные раскаты грома и заставившее меня усомниться в моей мнимой безопасности. Все опять заколебалось. Я был снова близок к тому, чтобы принять чью-то сторону, хотя и сознавал, что это неразумно. Это было чувство примитивное, немного напоминавшее враждебность мужчины ко всем остальным представителям этого пола — потенциальным соперникам в борьбе за женщину.

Я стоял у окна в зале аукциона с бронзовой статуэткой в руках. Позади был пустой зал с расставленной в нем пыльной рухлядью, а я с легким волнением смотрел на улицу, где в любую минуту могла появиться Наташа, и чувствовал, как во мне растет неприязнь к Силверсу и я становлюсь вообще несправедлив ко всему роду людскому. Я понимал, что мое волнение связано с Наташей и что мне вдруг снова стало необходимо не просто выжить, а добиться чего-то большего.

Я положил бронзовые статуэтки на место.

— Это подделка, — сказал я принесшему их человеку, старику сторожу с сальными волосами; он жевал резинку, и мое мнение было ему абсолютно безразлично.

Бронза была, без сомнения, старинная, но, несмотря на мое новое внутреннее состояние, у меня хватило присутствия духа, чтобы об этом умолчать. Я медленно шел вверх по улице, пока не оказался напротив ресторана, где мы были с Наташей. Я не зашел туда, но мне почудилось, что подъезд его освещен ярче других, хотя вход в соседний ресторан был рядом с витриной «Баккара», сиявшей граненым стеклом и хрусталем.

Я явился к миссис Уимпер. Она жила на Пятой авеню. Пришел вовремя, но она вроде бы не очень торопилась. Картин у нее оказалось немного — всего лишь несколько полотен Ромнея и Рейсдаля.

— Для «Мартини», надеюсь, не рано? — спросила она.

Я увидел, что перед ней стоит бокал с чем-то похожим на водку.

— «Мартини» с водкой? — спросил я.

— «Мартини» с водкой? Такого я еще не пила! Это джин и немного вермута.

Эрих Мария Ремарк

Я пояснил, что в «Ройбене» научился вместо джина добавлять во все водку.

— Занятно. Надо как-нибудь попробовать. — Миссис Уимпер качнула своими локонами и нажала на кнопку звонка. — Джон, — сказала она вошедшему слуге. — У нас есть водка?

— Да, мадам.

— Тогда приготовьте «Мартини» с водкой для господина Росса. Водку вместо джина. — Она повернулась ко мне. — Французский вермут или итальянский? С маслинами?

— Французский вермут. Но без маслин. Я впервые пил этот коктейль именно так. Но, пожалуйста, не хлопочите из-за меня. Я выпью «Мартини» и с джином.

— Нет, нет! Всегда надо учиться новому, если есть возможность. Приготовьте и мне, Джон. Я тоже хочу попробовать.

Оказывается, старая кукла была не прочь выпить. И теперь я думал лишь о том, чтобы довезти ее до Силверса достаточно трезвой. Джон принес стаканы.

— За ваше здоровье! — воскликнула миссис Уимпер и стала жадно пить большими глотками. — Отлично, — объявила она. — Надо ввести это у нас, Джон. Удивительно вкусно!

— Непременно, мадам.

— Кто вам дал рецепт? — спросила она меня.

— Один человек, не желавший, чтобы от него пахло алкоголем. Он не мог себе это позволить и утверждал, что коктейль на водке в этом смысле безопаснее.

— Как забавно! Вы пробовали? Действительно не пахнет? Правда?

— Возможно. Меня это никогда не волновало.

— Нет? А у вас есть кто-нибудь, кого бы это волновало?

Я рассмеялся.

— Все, кого я знаю, изрядно выпивают.

Миссис Уимпер осмотрела меня с головы до ног.

— Это полезно для сердца, — бросила она как бы невзначай. — И для головы. Проясняет мозги. Может, выпьем еще по полстаканчика? На дорогу?

— С удовольствием, — сказал я, хотя вовсе не был этому рад, опасаясь, как бы за одним бокалом не последовало много других.

Но, к моему удивлению, осушив свои полстакана, миссис Уимпер встала и позвонила.

— Машина готова, Джон?

— Да, мадам.

— Хорошо. Тогда едем к мистеру Силверсу.

Мы вышли из дома и сели в большой черный «кадиллак». Почему-то я думал, что миссис Уимпер не поедет на своем автомобиле, и силился вспомнить, где тут ближайшая стоянка такси. Вместе с нами из дома вышел и Джон, чтобы везти нас к Силверсу. Я отметил, что мне везет по части автомобилей: сперва «роллс-ройс», а теперь «кадиллак» — и оба с шоферами. Недурно! Мне бросился в глаза небольшой бар — такой же, как в «роллс-ройсе», и я не удивился бы, если б миссис Уимпер извлекла из него еще по бокалу с коктейлем. Но вместо этого она принялась беседовать со мной о Франции и Париже на довольно корявом французском языке с сильным американским акцентом — я сразу перешел на французский, так как это давало мне преимущество, которое могло пригодиться у Силверса.

Я заранее знал, что Силверс отошлет меня, полагаясь на собственное обаяние. Однако миссис Уимпер не сразу меня отпустила. В конце концов я сказал, что хочу приготовить коктейли с водкой. Миссис Уимпер захлопала в ладоши.

Эрих Мария Ремарк

Силверс бросил на меня уничтожающий взгляд. Он предпочитал шотландское виски, считая все остальные напитки варварскими. Я объяснил ему, что доктор запретил миссис Уимпер пить шотландское виски, и отправился на кухню. При помощи прислуги я разыскал там, наконец, бутылку водки.

— Вы пьете это после обеда? — спросила сухопарая прислуга.

— Не я. Посетители.

— Какой ужас.

Любопытно, как часто на меня возлагали ответственность за чужие поступки. Я остался у кухонного окна, а к Силверсу послал прислугу с «Мартини» и с виски. Снаружи на подоконнике устроились голуби. Их развелось в Нью-Йорке не меньше, чем в Венеции, они стали совсем ручными, летали и гнездились всюду. Я прижался лбом к прохладному оконному стеклу. «Где-то мне суждено умереть?» — думал я.

Когда кухарка вернулась, я отправился на свой наблюдательный пост в запасник — оказалось, что Силверс уже собственноручно достал оттуда несколько небольших полотен Ренуара. Это было удивительно, потому что обычно он любил продемонстрировать, что держит помощника.

Немного спустя он явился ко мне.

— Вы забыли про свой коктейль. Идите к нам.

Миссис Уимпер уже осушила свой стакан.

— А вот и вы! — воскликнула она. — Вы всегда такой вероломный? Или испугались собственного рецепта «Мартини»?

Она сидела прямо, как кукла, только руки у нее были не мягкие и изящные, как у куклы, а жесткие и костлявые.

— Что вы думаете об этом Ренуаре? — спросила она.

Это был натюрморт с цветами, помеченный 1880 годом.

— Прекрасная вещь, — сказал я. — Вам будет трудно найти что-нибудь равноценное, если его продадут.

Миссис Уимпер кивнула.

— Выпьем еще немного? В такие дни, как сегодня, меня всегда мучит мигрень. Воспаление тройничного нерва. Ужасно! Доктор говорит, единственное, что может помочь, — это немного алкоголя; спирт как будто расширяет кровеносные сосуды. Чего только не делаешь ради здоровья.

— Я вас понимаю, — сказал я. — У меня тоже несколько лет была невралгия. Это очень болезненно.

Миссис Уимпер бросила на меня теплый взгляд, будто я сделал ей комплимент. Я вернулся на кухню.

— Где водка? — спросил я прислугу.

— Лучше б я ушла в монастырь, — сказала она. — Вот там она стоит, ваша водка! В монастыре, по крайней мере, не соблюдают диету.

— Ошибаетесь. Монахи были первыми, кто ввел строжайшую диету.

— Почему же они такие толстые?

— Потому что едят не то, что надо.

— Постыдились бы насмехаться над простой несчастной женщиной! Зачем же я училась стряпать, раз никто ничего не ест! Я готовила паштеты в жокей-клубе в Вене, если хотите знать, дорогой мой господин! А здесь готовлю одни салаты — без масла, точно капля масла — это цианистый калий! О приличном торте и говорить нечего! Здесь это считается чуть ли не изменой родине.

С двумя бокалами «Мартини» я вышел из кухни. Миссис Уимпер уже ждала меня.

— Слишком много налили, — сказала она и залпом выпила весь стакан. — Итак, до завтра. В пять. Господин Силверс сказал, что вы сами повесите у меня картину.

Мы проводили ее на улицу. По ней никак не было видно, что она много выпила. Я подвел ее к машине. Несмотря на жару, уже чувствовалось приближение вечера. Тепло скапливалось между домами, как густое невидимое желе; сухая листва деревьев шуршала, будто это южные пальмы.

Я вернулся в дом.

— Почему вы сразу не сказали мне, что это — миссис Уимпер? — небрежно заметил Силверс. — Конечно, я отлично знаю ее.

Я остановился.

— Я вам это говорил, — возразил я.

Он махнул рукой.

— Фамилия Уимпер встречается часто. Вы не сказали мне, что речь идет о миссис Андрэ Уимпер. Я знаю ее давно. Но теперь это уже неважно.

Я был озадачен.

— Надеюсь, вы не обиделись на меня, — саркастически заметил я.

— С чего бы мне на вас обижаться? — возразил Силверс. — В конце концов она, очевидно, что-нибудь купит. — Силверс махнул рукой, точно хотел прогнать муху. — Но трудно сказать наверняка. Эти старые дамы по десять раз возвращают картины, так что даже рамы не выдерживают и разваливаются. А они так и не покупают. Бизнес вовсе не простая штука, как вы думаете. — Силверс зевнул. — Пора кончать. В жару очень устаешь. До завтра. Унесите оставшиеся картины.

Он ушел, а я стоял и смотрел ему вслед. «Какой мошенник, — думал я. — Он, видно, хочет лишить меня комиссионных на том основании, что я-де привел к нему не нового, а старого, уже давно известного клиента». Я взял три полотна Ренуара и отнес в запасник.

— «Роллс-ройс»! — воскликнул я, завернув за угол. Машина стояла у тротуара, за рулем сидел шофер. Я был счастлив. Я как раз раздумывал о том, куда бы сводить Наташу сегодня вечером, и ничего не мог придумать. Везде было слишком душно. Решение подсказал «роллс-ройс». — Авантюры, кажется, следуют за мной, как тень, — сказал я. — Машина у тебя на весь вечер — до закрытия театров?

— Дольше, — сказала Наташа. — До полуночи. В полночь она должна стоять перед рестораном «Эль Марокко».

— Ты тоже?

— Мы оба.

— У миссис Уимпер — «кадиллак», — сказал я. — Может быть, у нее есть и «роллс-ройс». А у тебя что — появился еще один клиент для Силверса?

— Там видно будет. Как закончилось дело с миссис Уимпер?

— Очень мило. Она купила довольно хорошего Ренуара — картина вполне в стиле ее кукольного дома.

— Кукольный дом, — повторила Наташа и рассмеялась. — Эта кукла, которая кажется такой беспомощной и глупой, будто может только хлопать глазами и улыбаться, на самом деле является президентом двух компаний. И там она не хлопает глазами, а делом занимается.

— Неужели?

— Ты еще насмотришься чудес, общаясь с американками.

— Зачем мне американки? Ты сама — чудо, Наташа.

К моему удивлению, она покраснела до корней волос.

— Я сама — чудо? — пробормотала она. — Наверное, мне надо почаще посылать тебя к таким женщинам, как миссис Уимпер. Ты возвращаешься с удивительными результатами.

Я ухмыльнулся.

— Поедем на Гудзон, — предложила Наташа. — Сначала на пирс, где океанские пароходы, а потом вдоль Гудзона, пока не наткнемся на какую-нибудь уютную харчевню. Меня сегодня тянет в какой-нибудь маленький ресторанчик, к лунному свету и речным пароходам. Собственно, я предпочла бы поехать с тобой в Фонтенбло. Разумеется, когда кончится война. Но там меня, как возлюбленную немца, остригли бы наголо, а тебя без лишних слов поставили бы к стенке. Так что останемся при своем: с котлетами и кока-колой, в этой удивительной стране.

Она прижалась ко мне. Я почувствовал на своем лице ее волосы и ее прохладную кожу. Казалось, ей никогда не было жарко, даже в такие дни.

— Ты был хорошим журналистом? — спросила она.

— Нет, второсортным.

— А теперь больше не можешь писать?

— Для кого? Я недостаточно хорошо владею английским. К тому же я уже давно не могу писать.

— Значит, ты как пианист без рояля?

— Можно и так сказать. Твой неизвестный покровитель оставил тебе что-нибудь выпить?

— Сейчас посмотрим. Ты не любишь говорить о себе?

— Не очень.

— Понимаю. И о твоем теперешнем занятии тоже?

— Агент по продаже произведений искусства и мальчик на побегушках.

Наташа открыла бар.

— Вот видишь, мы как тени, — сказала она. — Странные тени прошлого. Станет ли когда-нибудь по-другому? О, да тут польская водка! Что это ему взбрело в голову? Польши ведь уже не существует.

— Да, — подтвердил я с горечью. — Польши как самостоятельного государства больше не существует. Но польская водка выжила. Прикажешь плакать или смеяться по этому поводу?

— Выпить ее, милый.

Она достала две рюмки и налила. Водка была великолепная и даже очень холодная. Бар, оказывается, был одновременно и холодильником.

— Две тени в «роллс-ройсе», — заметил я, — пьют охлажденную польскую водку. За твое здоровье, Наташа!

— Ты мог бы попасть в армию? — спросила она. — Если бы захотел?

— Нет. Никому я не нужен. Здесь я нежелательный иностранец и должен радоваться, что меня не загнали в лагерь для интернированных. Живу на птичьих правах, но так же было со мной и в Европе. Здесь-то рай. Если угодно, призрачный рай, отгороженный от всего, что имеет на этом свете значение, особенно для меня. Если угодно, временный рай, в котором можно перезимовать. Рай поневоле. Ах, Наташа! Поговорим о том, что у нас осталось! О ночи, о звездах, об искре жизни, которая еще теплится в нас, но только не о прошлом. Полюбуемся луной! Пассажирские пароходы «люкс» превратились в военные транспорты. А мы стоим за железными перилами, отделяющими этот рай

230   Эрих Мария Ремарк

от всемирной истории, и вынуждены беспомощно, бесцельно ждать да почитывать в газетах сообщения о победах, потерях и разбомбленных странах, и снова ждать, и снова вставать каждое утро, и пить кофе, и беседовать с Силверсом и миссис Уимпер, в то время как уровень океана пролитой в мире крови каждый день поднимается на сантиметр. Ты права, наша жизнь здесь — это жалкий парад теней.

Мы смотрели на причал. Он был почти пуст, но в зеленом свете сумерек отшвартовывалось несколько судов — серо-стальных, низко сидящих, без огней. Мы снова сели в машину.

— Постепенно улетучиваются мои глупые, старомодные грезы, — произнесла Наташа. — И моя сентиментальность. Прости меня, я, наверное, тебе надоела.

— Надоела? Что у тебя за странные мысли? Это ты должна простить меня за пошлости, которые я тебе говорил. Уже по одному этому ясно, что я был плохим журналистом! Смотри, какая прозрачная вода! И полнолуние!

— Куда теперь поедем, мадам? — спросил шофер.

— К мосту Джорджа Вашингтона. Только медленно.

Некоторое время мы молчали. Я упрекал себя за идиотское неумение поддерживать беседу. Я вел себя как тот человек в «Эль Марокко», который горько оплакивал участь Франции, и притом вполне искренне. Но он не понимал, что скорбь в отличие от радости нельзя проявлять на людях, и потому производил смешное впечатление. Я тщетно пытался выбраться из тупика.

Тут вдруг Наташа повернулась ко мне. Глаза ее сияли.

— Как это прекрасно. Река и маленькие буксиры, а там вдали — мост!

Она давно забыла о нашем разговоре. Я уже не раз замечал это: она быстро на все откликается и быстро все забывает. Это было очень кстати для такого слона, как я, — человека, который помнил невзгоды и совсем не помнил радостей.

— Я тебя обожаю! — воскликнул я. — И говорю это здесь, сейчас, под этой луной, у этой реки, впадающей в море, в водах которой отражаются сотни тысяч раздробленных лунных дисков. Я обожаю тебя и даже готов повторить избитую фразу о том, что мост Вашингтона, как диадема, венчает беспокойный Гудзон. Только мне хотелось бы, чтобы он действительно стал диадемой, а я — Рокфеллером, или Наполеоном Четвертым, или на худой конец главою фирмы «Ван Клееф и Арпельс». По-твоему, это ребячество?

— Почему ребячество? Ты что, всегда стремишься перестраховаться? Или ты в самом деле не знаешь, как нравится женщинам такое ребячество?

— Я прирожденный трус и каждый раз, прежде чем что-нибудь сказать, должен собраться с духом, — ответил я, целуя ее. — Мне хотелось бы научиться водить машину, — сказал я.

— Можешь начинать хоть сегодня.

— Я за рулем «роллс-ройса». Тогда мы могли бы высадить блюстителя нравственности у ближайшей пивной, а так мне кажется, точно я в Мадриде: вечно в сопровождении дуэньи.

Она засмеялась.

— Разве шофер нам мешает? Он же не знает немецкого и по-французски тоже не понимает ни слова. Кроме «мадам», разумеется.

— Значит, он нам не мешает? — переспросил я.

Она на мгновение умолкла.

Эрих Мария Ремарк

— Милый, это же беда большого города, — пробормотала она. — Здесь почти никогда нельзя побыть вдвоем.

— Откуда же тогда здесь берутся дети?

— Одному Богу известно!

Я постучал в стекло, отделявшее нас от шофера.

— Вы не остановитесь вон там, у того садика? — переспросил я, протягивая шоферу пятидолларовую бумажку. — Сходите, пожалуйста, куда-нибудь поужинать. А через час приезжайте за нами.

— Да, конечно, сэр.

— Вот видишь! — воскликнула Наташа.

Мы вышли из машины и увидели, как она исчезла в темноте. В тот же миг из открытого окна за сквером раздался грохот музыкального автомата. На сквере валялись бутылки из-под кока-колы, пакеты из-под пива и обертки мороженого.

— Прелести большого города! — бросила Наташа. — А шофер приедет только через час!

— Можем погулять вдоль берега.

— Гулять? В этих туфлях?

Я выскочил на середину улицы и замахал руками, как ветряная мельница. В неярком уличном свете я узнал удлиненный радиатор «роллс-ройса»: на Гудзоне таких было немного, должно быть, это наш шофер повернул назад.

Так оно и оказалось, но теперь он был уже не третьим лишним, а нашим спасителем. Глаза у Наташи блестели от сдерживаемого смеха.

— Куда дальше? — спросила она. — Где бы нам поесть?

— Жарища везде невыносимая, — сказал шофер. — Разве что в «Блю Риббон»? Прохладно. И тушеная говядина там — высший класс.

— Тушеная говядина? — сказал я.

— Тушеная говядина! — повторил он. — Высший класс!

— Будь я проклят, если в Нью-Йорке стану есть тушеную говядину или кислую капусту, — сказал я Наташе. — Это то же самое что кричать «Хайль Гитлер!». Поехали на Третью авеню. Там много всяких ресторанов.

— В ресторан «Морской царь»? — спросил он. — Хороший ресторан, и воздух там кондиционированный.

— Кислая капуста — блюдо эльзасское, — сказала Наташа, — если уж мы решили точно определить ее национальный статус!

— Эльзас долгое время принадлежал Германии.

— Мы без конца возвращаемся к политике. Хорошо, поедем на Третью авеню. Морские цари пока еще нейтральны.

Я перестал спорить: о, если бы все было так просто! В конце концов я и сам прибыл сюда с потушенными огнями, передвигаясь зигзагами, чтобы избежать встречи с подводными лодками. Что уж тут говорить о нейтралитете, если сам Бог перестал быть нейтральным и перед очередным боем перекочевывает с одного алтаря на другой?

В ресторане «Морской царь» мы увидели Кана. Он был там единственным посетителем, одиноко и отрешенно сидевшим перед блюдом, полным огромных крабовых клешней.

— Человек со множеством хобби, — заметил я. — Он превратил мир в коллекцию разных хобби и благодаря этому неплохо живет.

— Молодец.

— После крабов будете есть еще мороженое? — спросил я Кана.

— Я это проделал однажды. Не скажу, чтобы мне это пошло на пользу. Нельзя следовать всем влечениям сразу.

— Очень мудро.

Мы тяжело опустились на стулья, будто проделали долгий путь. Я решил не водить Наташу в ресторан «Эль Марокко»: мне почему-то не хотелось больше знакомиться с ее друзьями.

XVI

Днем я отправился к Кану. Он пригласил меня отобедать с ним в китайском ресторане. Кан предпочитал китайскую кухню всем остальным. Началось это его увлечение еще в Париже. Но Парижу тут далеко до Нью-Йорка: в Нью-Йорке есть целый китайский квартал.

Мы доехали на автобусе до Мотт-стрит. Ресторан помещался в подвале, куда вели несколько ступенек.

— Удивительное дело, — сказал Кан. — В Нью-Йорке почти не встретишь китаянок. Либо они сидят по домам, либо китайцы разрешили проблему внеполового размножения. Китайчат на улице сколько угодно, а женщин совсем не видно. А ведь китаянки самые прекрасные женщины на свете.

— В романах?

— Нет, в Китае, — сказал Кан.

— Вы там были?

— А как же. Поехал в тридцатом. И пробыл два года.

— Но потом вернулись. Почему?

Кан буквально затрясся от смеха.

— Тоска по родине!

Мы заказали креветки, зажаренные в масле.

— Как поживает Кармен? — спросил я. — С виду она

нечто среднее между полинезийкой и очень светлой китаянкой. В ней есть какая-то трагическая экзотика.

— А между тем она родилась в Померании, в Рюгенвальде. Такие парадоксы иногда бывают. Хорошо, что она еврейка и не надо доискиваться, откуда она такая взялась.

— Выглядит она так, словно ее родина Тимбукту, Гонконг или Папеэте.

— Однако по своему интеллектуальному уровню она — местечковая еврейка. Очаровательная смесь! Я могу представить себе, как вы примерно поступите и что подумаете в той или иной ситуации. Но когда дело касается Кармен, я — пас. Она для меня книга за семью печатями. Я никогда не знаю наперед ни что она подумает, ни как поступит. Вы ошибаетесь, она вовсе не дитя Иокогамы, Кантона или других экзотических городов — она просто с другой планеты. Спустилась к нам с лунных кратеров, поднялась из первозданных глубин глупости, чистой, святой простоты и чудовищной наивности, о которых мы, простые смертные, давно потеряли представление. Она чиста, как в первый день творения. Словом, законченный образец женщины. Ни к чему не прилагает усилий, не ведает сомнений. Она существует, и слава Богу! Может, хотите заказать еще порцию креветок? Сказочная еда!

— Хорошо.

— Глупость — ценнейший дар, — продолжал Кан. — Но тот, кто ее утратил, никогда не приобретет вновь. Она спасает, как шапка-невидимка. Опасности, перед которыми бессилен любой интеллект, глупость просто не замечает. Когда-то я пытался искусственно поглупеть. Практиковался в глупости и даже преуспел. Иначе мои проделки во Франции могли бы плохо кончиться. Но все это, конечно, жалкий эрзац по сравнению с истинной, бьющей через край глупостью, особенно если она сочетается с такой внешностью, какой могла бы позавидовать сама Дузе... — Кан усмехнулся. — Глупость Кармен — это уже глупость Парсифаля, она почти священна.

Я поперхнулся. Сравнение Кармен с Парсифалем или с Лоэнгрином было настолько дико — оно просто обезоруживало. Мне нравилось делать несопоставимые сравнения. В Брюсселе я иногда коротал время, придумывая их. Они и сейчас мгновенно приводили меня в хорошее настроение, подобно священному толчку, который, как гласит учение «дзэн», чувствуешь перед просветлением. Неожиданное сравнение всегда выходит за пределы человеческой логики.

— А как вы вообще живете? — спросил я. — Как идут дела?

— Умираю от скуки, — ответил Кан и оглянулся по сторонам.

Кроме официантов, в ресторане не было китайцев. Здоровенные потные бизнесмены неумело орудовали палочками, пиджаки, снятые по случаю жары, висели на спинках стульев, словно призраки. Кан ел палочками с элегантностью второразрядного мандарина.

— Я умираю от скуки, — повторил Кан. — А магазин процветает. Через несколько лет я стану старшим продавцом, еще через несколько — совладельцем. А потом, глядишь, пройдет еще какое-то время, и я смогу приобрести все дело. Заманчивая перспектива. Не правда ли?

— Во Франции она была бы заманчивей.

— Но только перспективой. Безопасность казалась там самой невероятной случайностью, ибо ее не существовало. Однако между перспективой и действительностью — дистанция огромного размера. Иногда это — вообще противоположные понятия. И когда человек оказывается в безопасности, она поворачивается к нему своим истинным лицом — скукой. Знаете, что я думаю на этот счет? Многолетние цыганские скитания испортили нас, мы уже не годимся для буржуазного образа жизни.

— Не ручайтесь за всех, — рассмеялся я. — Большинство еще годится. Многие скоро забудут свое цыганское житье. Представьте себе, что людей, торговавших мукой и кормом для кур, заставили работать на трапеции... Как только им разрешат слезть с трапеции, они тут же вернутся к своей муке и кормам.

Кан покачал головой.

— Далеко не все. Эмигранты куда сильнее отравлены годами скитаний, чем вы думаете.

— Ну, что ж. Значит, они станут несколько отравленными торговцами.

— А художники? Писатели? Актеры? Все те, кто не может найти в эмиграции применение своим силам? За это время они стали на десять лет старше. Сколько же им будет, когда они смогут вернуться и приступить к привычному делу?

Я задумался над словами Кана. Что будет со мной?

Миссис Уимпер приготовила к моему приходу «Мартини». На этот раз он был в большом графине. Значит, Джону не придется бегать за каждым коктейлем в отдельности. Мне стало не по себе. По самым скромным подсчетам, в графине было от шести до восьми двойных порций «Мартини».

Эрих Мария Ремарк

Стремясь поскорее уйти, я заговорил бойко и деловито:

— Куда мне повесить Ренуара? Я захватил все, что надо, — это не займет и двух минут.

— Сперва давайте подумаем. — Миссис Уимпер, облаченная во все розовое, показала на графин. — По вашему рецепту. С водкой. Очень вкусно. Не освежиться ли нам немного? Сегодня такой жаркий день.

— «Мартини», по-моему, чересчур крепок для такой жарищи!

— Не нахожу, — она засмеялась, — и вы, наверное, тоже. По лицу видно.

Я начал озираться по сторонам.

— Может быть, повесить картину здесь? На этой стене, над кушеткой — самое подходящее место.

— Здесь, собственно, уже достаточно картин. Когда вы были последний раз в Париже?

Я покорился своей судьбе. Но после второго бокала все же встал.

— А теперь пора за работу. Надеюсь, вы уже приняли решение?

— Нет, я еще ничего не решила. А как вы считаете?

Я показал на простенок, где стояла кушетка.

— Это место создано для натюрморта с цветами. Картина прекрасно впишется сюда, и освещение здесь очень хорошее.

Миссис Уимпер встала и пошла впереди меня — миниатюрная, изящная женщина, с голубовато-серебристыми волосами. Оглядевшись по сторонам, она направилась в соседнюю комнату. Здесь висел портрет маслом, пол-лица занимал тяжелый, выдававшийся вперед подбородок.

— Мой муж, — сообщила игрушечная миссис Уимпер, проходя мимо портрета. — Умер в тридцать пятом.

Инфаркт миокарда. Слишком много работал. У него никогда не было свободного времени, зато теперь времени у него в избытке. — Она мелодично засмеялась. — Американцы работают, чтобы умереть. В Европе это иначе. Да?

— В данное время — нет. Теперь там умирает куда больше мужчин, чем в Америке.

Миссис Уимпер обернулась.

— Вы имеете в виду войну? Не будем ее касаться.

Мы прошли еще через две комнаты, затем поднялись по лестнице. На лестнице висело несколько рисунков Гиса. Я захватил с собой Ренуара и молоток. И прикидывал, куда бы повесить картину.

— Может быть, в моей спальне? — небрежно заметила миссис Уимпер и пошла вперед.

Ее кремовая с золотом спальня была сногсшибательна: широкая кровать эпохи Людовика XVI, покрытая парчой, красивые кресла, стулья и черный лакированный комодик эпохи Людовика XV. Комод стоял на бронзовых ножках и был щедро украшен позолотой. На секунду я забыл обо всех своих мрачных предчувствиях и воскликнул:

— Здесь! Только здесь! Над этим комодиком!

Миссис Уимпер молчала. Она глядела на меня затуманенным, почти отсутствующим взглядом.

— Вы тоже так считаете? — спросил я, приложив маленькую картину Ренуара к стене над комодиком.

Миссис Уимпер не отрываясь смотрела на меня, потом она улыбнулась.

— Мне нужен стул, — сказал я.

— Возьмите любой, — ответила она.

— Стул эпохи Людовика Шестнадцатого?

Она опять улыбнулась.

Эрих Мария Ремарк

— Отчего же нет?

Я взял один из стульев. Он не был расшатан. Тогда я осторожно влез на него и начал обмерять стену. За моей спиной не слышалось ни звука. Я определил высоту, на какой должна висеть картина, и приставил к стенке гвоздь. Но прежде чем ударить молотком, я оглянулся. Миссис Уимпер стояла в той же позе с сигаретой в руке и со странной улыбкой глядела на меня. Мне стало не по себе, и я постарался как можно быстрее вбить гвоздь. Гвоздь держался крепко. Я взял картину, которую прежде положил на комодик, и повесил ее. Потом слез со стула и отставил его в сторону. Миссис Уимпер продолжала неподвижно стоять. И все так же не сводила с меня глаз.

— Нравится? — спросил я, собирая инструменты.

Она кивнула и пошла впереди меня к лестнице. Вздохнув с облегчением, я двинулся следом за ней. Миссис Уимпер вернулась в первую комнату и подняла графин.

— За Ренуара, за мою удачу!

— С удовольствием, — согласился я, решив, что после второго бокала «за удачу» улизну, сославшись на похороны.

Но мне не пришлось прибегать к этой лжи. Странная неловкость, которая возникла между нами, не проходила. Миссис Уимпер смотрела на меня невидящими глазами. Она слегка улыбалась, и трудно было понять, что означала ее улыбка — насмешку или еще что-то. Правда, я, как старый мазохист, решил, что она потешается надо мной.

— Я еще не выписала чека, — сказала она, — приходите как-нибудь на днях. И тогда вы его получите.

— Спасибо. Предварительно я позвоню.

— Можете прийти без звонка. Часов в пять я всегда дома. Спасибо за рецепт коктейля с водкой.

Смущенный, я вышел на жаркую улицу. У меня было такое впечатление, что меня ловко одурачили. Притом одурачил человек, который, как мне казалось, сам находился в несколько смешном положении. Надо полагать, что и в следующий раз со мной произойдет то же самое, хотя я не был в этом стопроцентно уверен. Могло случиться другое, только мне не хотелось убедиться в этом на собственном опыте. Во всяком случае, на данном этапе опасность миновала. Силверс наверняка пожелает сам получить чек. Он ни в коем случае не станет раскрывать мне свои карты.

— Ты без машины? — спросил я Наташу.

— Без машины, без шофера, без водки и без сил. Жарища невыносимая. В этой гостинице давно следовало установить кондиционер.

— Владелец нипочем не согласится.

— Конечно. Бандит!

— У меня есть лед — можно приготовить «Русскую тройку», — сказал я. — И имбирное пиво, и лимонный сок, и водка.

Наташа поглядела на меня с нежностью.

— Неужели ты все купил?

— Да. Между прочим, я уже выпил два «Мартини».

Наташа засмеялась.

— У миссис Уимпер?

— Да. Откуда ты знаешь?

— Она этим славится.

— Чем? Своими коктейлями?

— И коктейлями тоже.

Эрих Мария Ремарк

— Старая перечница. Удивительно еще, что все прошло так гладко.

— Она уже заплатила?

— Нет. А почему ты спрашиваешь? Считаешь, она вернет картину? — спросил я, не на шутку встревоженный.

— Этого я не считаю.

— У нее так много денег, что она может покупать не задумываясь?

— И это тоже. Кроме того, она любит молодых мужчин.

— Что?

— Ты ей понравился.

— Наташа, — сказал я, — ты это серьезно? Неужели ты хочешь свести меня с этой старой пьянчугой?

Наташа расхохоталась.

— Послушай, — сказала она, — дай мне выпить.

— Не дам ни капли. Сперва ответь.

— Она тебе понравилась?

Я глядел на Наташу во все глаза.

— Ну так вот! — сказала она. — Миссис Уимпер любит молодых мужчин. И ты ей понравился. Пригласила она тебя на один из своих званых вечеров?

— Пока еще нет. Предложила зайти за чеком, — сказал я мрачно. — Но, может, я еще удостоюсь и этой чести.

— Обязательно! — Наташа наблюдала за мной. — Тогда она пригласит и меня тоже.

— Ты уверена? Видно, ты уже не раз бывала в подобных ситуациях и знаешь все наперед? Она должна была сразу броситься мне на шею, так, что ли?

— Нет, — сухо ответила Наташа. — Дай мне рюмку водки.

— А почему не «Мартини» с водкой?

— Потому что я не пью «Мартини». Еще вопросы есть?

— Очень много. Я не привык, чтобы мною торговали, и я не сутенер.

Я не увидел, как она плеснула водкой, — просто почувствовал, что водка течет у меня по лицу и капает с подбородка. Она вцепилась в бутылку — на ее побелевшем лице глаза казались огромными. Но я оказался проворнее, вырвал бутылку и, проверив, плотно ли вставлена пробка, швырнул ее на кушетку, подальше от Наташи. Она тут же кинулась за бутылкой. Но я схватил Наташу и толкнул в угол; я крепко держал обе ее руки и свободной рукой рванул на ней платье.

— Не смей дотрагиваться до меня, — прошипела она.

— Я не только дотронусь до тебя, чертовка! Возьму силой, здесь, сию же минуту, ты у меня...

Она плюнула мне в лицо и пнула меня.

Я сжал коленями ее ноги. Она попыталась вырваться, но поскользнулась и упала. Я опять толкнул ее к дивану.

— Пусти меня. Ты взбесился, — зашептала она неожиданно высоким незнакомым голосом. — Пусти, я буду кричать.

— Ори сколько влезет, — захрипел я. — Все равно я проучу тебя, проклятая ведьма!..

— Сюда идут люди! Разве ты не видишь? Сюда идут люди! Пусти меня, негодяй, скотина... Пусти меня!..

Она лежала на диване, выгнувшись всем телом, чтобы я не мог подмять ее под себя. Я чувствовал, как напряжены ее мускулы; ноги ее были тесно и крепко прижаты к моим ногам, словно не я обхватил их, а она обхватила меня... И я заметил, что под юбкой у нее ничего нет. С силой я придавил ее к дивану... Теперь лицо ее было рядом с моим, и она не сводила с меня беспокойных глаз.

— Пусти меня! — шептала она. — Не здесь, только не здесь, пусти меня, не здесь, только не здесь.

— А где же, дрянь паршивая?.. — Я скрипел зубами от злобы. — Убери руку, не то я сломаю ее. Я тебя здесь...

— Не здесь, не здесь, — шептала она тем же высоким, незнакомым голосом.

— Где же еще...

— У тебя в номере, не здесь, у тебя в номере.

— Чтобы ты удрала, а потом издевалась надо мной.

— Я не удеру, я не удеру. Клянусь, не удеру. Дорогой мой, дорогой...

— Что? — спросил я.

— Пусти меня. Клянусь, я не удеру. Только пусти меня. Сюда идут люди.

Я отпустил ее. И встал. Я ожидал, что она оттолкнет меня и пустится бежать. Но она не побежала, оправила на себе юбку, выпрямилась.

Я привел себя в порядок. Она встала. Я не спускал с нее глаз: теперь она могла пройти мимо меня, но я мог еще удержать ее.

— Пошли, — сказала она.

— Куда?

— К тебе в номер.

Я шел сперва сзади, потом обогнал ее; торопливо и почему-то осторожно поднялся по скрипучей лестнице, устланной серой дорожкой, мимо таблички со словом «Думай!» к своему номеру на втором этаже. И остановился перед дверью.

— Ты можешь уйти, если хочешь, — сказал я.

Она отодвинула меня и плечом толкнула дверь.

— Пошли! — сказала она.

Я вошел за ней следом и захлопнул дверь. Но не запер ее на ключ. Я вдруг почувствовал, что наступила реакция, и прислонился к стене. У меня было такое ощущение, точно я стою в лифте, который стремительно падает вниз, а меня в это время тащат наверх. В глазах у меня потемнело, как будто кто-то влил мне в череп целое ведро воды; вода булькала, и, чтобы не упасть, я крепко уперся обеими руками в стену.

Потом я увидел Наташу, она лежала в постели.

— Почему ты не идешь ко мне? — спросила она.

— Не могу.

— Что?

— Не могу.

— Не можешь?

— Да, — сказал я. — Проклятая лестница.

— При чем тут лестница?

— Не знаю.

— Что?

— Не могу, вот и все. Прогони меня, если хочешь.

— Из твоей собственной комнаты?

— Тогда смейся надо мной, сколько влезет.

— Почему я должна смеяться?

— Не знаю. Я слышал, что когда с мужчиной такое случается, над ним смеются.

— Со мной этого еще не бывало.

— Тем более ты должна смеяться.

— Не хочу, — сказала Наташа.

— Почему ты не уходишь?

— Ты хочешь, чтобы я ушла?

— Нет.

Эрих Мария Ремарк

До сих пор она лежала неподвижно, а теперь приподнялась на локте, подперла голову и поглядела на меня.

— Я чувствую себя очень погано, — сказал я.

— А я нет, — сказала она. — Как ты думаешь, чем все это объясняется?

— Не знаю. Меня доконало слово «дорогой».

— А я считаю, во всем виновата лестница.

— И она тоже. А потом еще то, что ты вдруг решила стать моей.

— Лучше, чтобы я этого не решала?

Я беспомощно взглянул на нее.

— Не спрашивай. На меня повлияло все вместе.

Это был странный диалог: ни она, ни я даже не попытались приблизиться друг к другу, голоса наши звучали монотонно и невыразительно.

— В номере есть ванная? — спросила она.

— Нет. Только в коридоре. Четвертая дверь.

Она медленно встала, провела рукой по волосам и пошла к двери. Поравнявшись со мной, она погладила мена, глядя куда-то прямо перед собой. Однако, почувствовав ее прикосновение, я оторвался от стены и обнял ее. Она попыталась высвободиться. Ее тело сквозь одежду было такое молодое и теплое. И такое гибкое, будто я держал в руках форель... В ту же секунду все снова стало, как раньше. Я крепко обнимал ее.

— Ты ведь меня вовсе не хочешь, — прошептала она, отвернувшись.

Я поднял ее и понес к кровати. Она оказалась тяжелей, чем я думал.

— Я хочу тебя, — сказал я глухо. — Хочу тебя, только тебя, одну тебя, хочу тебя больше всего на свете, хочу проникнуть в тебя, слиться с тобой, хочу проникнуть в тебя!

Ее лицо было совсем рядом, я видел ее глаза, нестерпимо блестящие, остановившиеся.

— Тогда возьми меня! — пробормотала она сквозь зубы и не закрыла глаз.

... Голос ее становился все тише, она залепетала бессвязные, невнятные слова, потом перешла на шепот и совсем замолкла.

И вдруг она потянулась, проговорила что-то, закрыла глаза и тут же снова их открыла.

— Пошел дождь? — спросила она.

Я расхохотался.

— Нет еще. Может, пойдет ночью.

— Стало прохладней. Где у тебя ванная?

— Четвертая дверь по коридору.

— Можно я надену твой купальный халат?

Я дал ей халат. Она сняла с себя все, кроме туфель. Раздевалась она медленно, не глядя на меня. И не казалась смущенной. Она была вовсе не такая худая, как я предполагал. Уже раньше я чувствовал это, а теперь увидел своими глазами.

— Ты красивая! — сказал я.

Она подняла голову.

— Не слишком толстая?

— Помилуй Бог. Нет.

— Хорошо, — сказала она. — В таком случае наше будущее рисуется мне в розовом свете. Я люблю поесть. И всю жизнь голодаю. Из-за того, что работаю манекенщицей, — добавила она. — Только поэтому.

— Сегодня мы поедим вволю. Закажем все закуски подряд и шикарный десерт.

— Я слежу за собой, чтоб не стать бочкой. Иначе меня вышвырнут на улицу. Так что можешь не беспокоиться.

Эрих Мария Ремарк

— А я и не беспокоюсь, Наташа.

Взяв мое мыло и свою сумочку, она шутливо отдала мне честь и вышла. Я лежал и ни о чем не думал. Мне тоже казалось, будто полил дождь. Правда, я знал, что дождя не было, тем не менее я подошел к окну и выглянул наружу. Окно выходило на задний двор; из глубины каменного колодца поднималась духота и вонь от мусорных ящиков. «Только в нашей комнате стало свежей», — подумал я. Пошел назад к кровати, снова улегся и устремил взгляд на лампочку без абажура, свисавшую с потолка. Через некоторое время вернулась Наташа.

— Я перепутала комнату, — сказала она. — Думала, что твоя дверь следующая.

— Там кто-нибудь был?

— Никого. Темно. Разве здесь не запирают комнаты?

— Многие не запирают. Вору в них нечем поживиться.

От Наташи пахло мылом и одеколоном. Где она взяла одеколон? Для меня это было загадкой. Может, он лежал у нее в сумочке? А может, кто-нибудь оставил одеколон в ванной, и она им воспользовалась.

— Миссис Уимпер, — сказала она, — любит молодых мужчин, но дальше этого дело не идет. Она с удовольствием беседует с ними. Вот и все. Запомни это раз и навсегда.

— Хорошо, — сказал я, хотя Наташа не вполне меня убедила.

В голой комнате ярко горела лампа. Наташа расчесывала волосы щеткой перед жалким зеркальцем над раковиной.

— Муж ее умер от сифилиса. Не исключено, что миссис Уимпер тоже больна, — добавила она.

— Кроме того, у нее рак и потеют ноги, а летом она моется исключительно «Мартини» с водкой, — сказал я ей в тон.

Она засмеялась.

— Не веришь? Да и с чего бы ты вдруг мне поверил? Я встал.

— Как ты отнесешься к такому признанию: стоит мне до тебя дотронуться, и я уже не владею собой? — спросил я.

— Так было далеко не всегда, — сказала она.

— Зато теперь это так.

Она прильнула ко мне.

— Я убила бы тебя, если б это было иначе, — пробормотала она.

Я снял с нее купальный халат и бросил его на пол.

— Ты самая длинноногая женщина из всех, каких я знаю, — сказал я и выключил свет. В темноте я видел только ее светлую кожу и черные провалы рта и глаз.

Мы лежали, тесно прижавшись друг к другу, и чувствовали, как в темноте на нас надвигается темная волна, чувствовали, как она перекатывается через нас. Мы еще долго лежали так, не дыша, и другие, гораздо менее грозные волны подымались и опадали в нас.

Наташа шевельнулась.

— У тебя есть сигареты?

— Да. — Я дал ей сигарету и поглядел на нее при свете спички. Лицо у нее было спокойное и невинное. — Хочешь чего-нибудь выпить? — спросил я.

Она кивнула. Я заметил это в темноте по движению горящей сигареты.

— Только не водки.

— У меня нет холодильника, поэтому все теплое. Хочешь, я принесу снизу?

Эрих Мария Ремарк

— Разве это не может сделать кто-нибудь другой?

— Внизу никого нет, кроме Меликова.

В темноте я услышал ее смех.

— Он все равно нас увидит, когда мы спустимся, — сказала она.

Я не ответил. Мне еще надо было привыкнуть к этой мысли. Наташа поцеловала меня.

— Включи свет, — сказала она. — Мы пощадим привитые тебе правила приличия. К тому же я проголодалась. Давай пойдем в «Морской царь».

— Опять туда? Неужели тебе не хочется пойти в какое-нибудь другое заведение?

— Ты уже получил комиссионные за миссис Уимпер?

— Нет еще.

— Тогда пойдем в «Морской царь».

Наташа вскочила с постели и щелкнула выключателем. Потом она прошлась нагишом по комнате и подняла купальный халат.

Я встал и оделся. Потом снова сел на постель и стал ждать ее возвращения.

XVII

— А я ведь благодетель рода человеческого, — заявил Силверс. Закурив сигару, он благосклонно оглядывал меня.

Мы готовились к визиту миллионера Фреда Лэски. На сей раз мы не собирались вешать картину в спальне и выдавать ее за личную собственность госпожи Силверс, с которой она ни за что не расстанется, покуда супруг не пообещает ей норковую шубку и два туалета от Майнбохера. В конце концов она все же рассталась с любимыми полотнами, а норковой шубки не было и в помине. Впрочем, ничего удивительного: на дворе стояло лето! На этот раз речь шла о том, чтобы сделать из миллионера-плебея светского человека.

— Война — это плуг, — поучал меня Силверс, — она вспахивает землю и перераспределяет состояния. Старые исчезают, на их месте появляется бесчисленное множество новых.

— У спекулянтов, у торгашей, у поставщиков. Короче говоря, у тех, кто наживается на войне, — заметил я.

— Не только у поставщиков оружия, — продолжал Силверс как ни в чем не бывало. — Но также у поставщиков обмундирования, поставщиков продовольствия, судов, автомобилей и тому подобного. На войне зарабатывают все, кому не лень.

— Все, кроме солдат!

— О солдатах я не говорю.

Силверс отложил сигару и взглянул на часы.

— Он придет через пятнадцать минут. Сперва вы принесете две картины, а я спрошу вас насчет Сислея. Тогда вы притащите картину Сислея, поставите ее лицом к стене и шепнете мне на ухо несколько слов. Я притворюсь, будто не понял, и раздраженно спрошу, в чем дело. Вы скажете громче, что этот Сислей отложен для господина Рокфеллера. Понятно?

— Понятно, — ответил я.

Через пятнадцать минут явился Лэски с супругой.

Все шло как по маслу. Картина Сислея — пейзаж — была внесена в комнату. Я шепнул Силверсу несколько слов на ухо, и в ответ он сердито приказал мне говорить громче — какие, дескать, тут могут быть тайны.

— Что? — спросил он потом изумленно. — Разве Сислей, а не Моне? Ошибаетесь. Я же велел отложить картину Моне.

— Извините, господин Силверс, но боюсь, что ошибаетесь вы. Я все точно записал. Взгляните... — Я вынул записную книжку в клеенчатом переплете и протянул ее Силверсу.

— Вы правы, — сказал Силверс. — Ничего не поделаешь. Раз отложено, значит, отложено.

Я поглядел на господина Лэски. Это был тщедушный бледный человечек в синем костюме и коричневых ботинках. Он зачесывал на лысину длинные пряди волос сбоку, и казалось, что они буквально приклеены к его черепу. В противоположность мужу, супруга господина Лэски отличалась могучим телосложением. Она была на голову выше и в два раза толще его. И вся обвешана сапфирами. Впечатление было такое, что она вот-вот его проглотит.

На секунду я остановился в нерешительности, держа картину так, что часть ее была видна присутствующим. И госпожа Лэски клюнула.

— Посмотреть ведь никому не возбраняется? — проквакала она своим хриплым голосом. — Или это тоже невозможно?

Силверс мгновенно преобразился.

— Ну что вы! Ради Бога простите, многоуважаемая госпожа Лэски! Господин Росс, почему вы не показываете нам картину? — сказал он недовольным тоном, обращаясь ко мне по-французски и, как всегда, ужасающе коверкая слова. — Allez vite, vite!*

Я притворился смущенным и поставил картину на один из мольбертов. После чего скрылся у себя в каморке. Она напоминала мне Брюссель. Я сидел и читал монографию о Делакруа, время от времени прислушиваясь к разговору в соседней комнате. В госпоже

_____
* Давайте скорее, скорее! *(фр.)*

Лэски я не сомневался. Она производила впечатление человека, который вечно живет под угрозой нападения и, не желая быть страдательным лицом, неизменно выступает в роли агрессора. По-видимому, эта дама находилась в непрестанной борьбе с собственными представлениями о высшем свете Бостона и Филадельфии, а ей хотелось быть принятой в свете, хотелось добиться признания, чтобы в дальнейшем с язвительной усмешкой взирать на новичков.

Я захлопнул книгу и достал маленький натюрморт Мане: пион в стакане воды. Мысленно я вернулся в Брюссель — к тому времени, когда мне вручили электрический фонарик, чтобы я мог читать по ночам в своем убежище. Мне разрешили пользоваться фонариком только в запаснике, где не было окон, да и то лишь ночью. В запаснике многие месяцы стояла кромешная тьма. Долгое время я видел только блекло-серый ночной свет, когда покидал мое убежище и, подобно привидению, бесшумно бродил по залам музея. Но благодаря фонарику, который мне наконец доверили, я вернулся из призрачного царства теней в царство красок.

После этого я уже не вылезал ночью из своего тайника, освещенного теплым светом. Я заново наслаждался многокрасочностью мира, словно человек, чудом излечившийся от дальтонизма, или животное, которое из-за строения глаз воспринимает только различные оттенки серого. Я вспомнил, что с трудом удержался от слез, когда увидел первую цветную репродукцию акварели Сезанна с изображенной на ней вершиной Сент-Виктуар. Оригинал висел в одном из залов музея, и я не раз любовался им в обманчивой полутьме лунной ночи.

Судя по всему, люди в соседней комнате собрались уходить. Я осторожно поставил крохотный картон Мане, эту частичку его прекрасного мира, на деревянный стеллаж у стены. Жаркий день, отступивший, казалось, перед каплей росы на белом пионе и перед прозрачной водой стакана, написанными художником, вновь проник в мою каморку сквозь узкое и высокое окно. И вдруг во мне горячим ключом забила радость. На секунду все смешалось в моем сознании — день вчерашний с днем сегодняшним, брюссельский запасник с каморкой Силверса. Потом осталось лишь окрыляющее чувство, чувство благодарности за то, что я еще жив, за то, что я существую. Несчетные обязанности, обступающие человека со всех сторон, в мгновение ока рухнули, подобно стенам Иерихона, рухнувшим от громогласных труб Богом избранного народа; я обрел свободу, дикую соколиную свободу, от которой у меня захватило дух, ибо передо мной открылись ветер, солнце и гонимые ветром облака, открылась совсем иная, неведомая доселе жизнь.

Ко мне вошел Силверс, окутанный ароматом своей сигары.

— А вы не хотите закурить «Партагос»? — спросил он возбужденно.

Я отказался. Когда человек должен мне деньги, подобная щедрость вызывает у меня подозрение. Как-то раз один тип решил, что рассчитался со мной, подарив мне сигару. От Силверса я ждал комиссионных за миссис Уимпер. В ее доме моя «невинность» подверглась опасности, и теперь, выражаясь языком сутенера, я хотел получить за это хоть что-то. Вечером я намеревался пойти с Наташей ужинать в ресторан с кондиционированным воздухом — теперь был мой черед вести ее в ресторан. С Силверсом надо было держать ухо востро: дабы умерить мои притязания, он уже успел соврать, что миссис Уимпер — его старая знакомая. Я не удивился бы, если бы он объявил, что в мое жалованье входят и комиссионные за миссис Уимпер: ведь даже весьма почтенные фирмы автоматически присваивают себе права на патенты работающих у них изобретателей, в лучшем случае выплачивая тем лишь какую-то часть прибылей.

— Семейство Лэски клюнуло на Сислея, — сказал благодетель рода человеческого. — Как и было задумано! Я заявил им, что Рокфеллер просил подождать неделю, но он наверняка пропустит срок. Он, конечно, не думает, что я могу продать картину на следующий же день после истечения срока. Госпожа Лэски была просто вне себя от радости — шутка ли, вырвать картину из-под носа у самого Рокфеллера.

— Элементарные трюки, — заметил я небрежно. — Больше всего меня удивляет, кто на них попадается.

— Почему?

— Да потому, что попадаются-то на них бессовестные разбойники, разбогатевшие отнюдь не в результате филантропической деятельности.

— Все очень просто. Эти пираты наверняка поиздевались бы над нами всласть, попадись мы им в руки. Но искусство — не их стихия, здесь они чувствуют себя в некотором роде как акулы в подслащенной водице. Для них это — непривычное дело. И ведут они себя соответствующе. Чем хитроумней они в своей обычной среде, тем быстрее попадаются на наши самые простые уловки. Прибавим сюда влияние жен.

Эрих Мария Ремарк

— Мне надо к фотографу, — сказала Наташа. — Пойдем вместе. Я задержусь ненадолго.

— На сколько?

— Час или немного больше. Почему ты спрашиваешь? Тебе там скучно?

— Вовсе нет. Просто я хотел выяснить, когда пойдем ужинать: до фотографа или потом?

— Потом. Тогда у нас будет сколько угодно времени. А то мне уже через полчаса надо быть на месте. И вообще, разве это так важно. Ты уже получил комиссионные за миссис Уимпер?

— Нет еще. Зато получил десять долларов от братьев Лоу за совет. Они купили китайскую бронзу всего за двадцать долларов. И теперь я горю желанием прокутить с тобой эти деньги.

Наташа нежно взглянула на меня.

— Мы их обязательно прокутим. Сегодня вечером.

У фотографа было прохладно — закрытые окна и кондиционер. И у меня возникло впечатление, что я сижу в подводной лодке. Остальная публика, по всей видимости, ничего не замечала; мои ощущения объяснялись тем, что я был здесь новичком.

— В августе будет еще жарче, — сказал Никки мне в утешение и взмахнул рукой с цепочкой на запястье.

Включили софиты. Кроме Наташи, в ателье была еще брюнетка-манекенщица, которую я видел в прошлый раз.

И тот бледный чернявый специалист по лионским шелкам. Он меня узнал.

— Война подходит к концу, — сказал он меланхолически и устало. — Еще год, и мы о ней забудем.

— Вы в это верите?

— У меня есть сведения оттуда.

— Вот как?

В нереальном белом свете софитов, разъединяющем людей и делающем более четкими все контуры и пропорции, мне вдруг поверилось в это наивное пророчество — может, и впрямь этот человек знает больше, чем все остальные. Я глубоко вздохнул. Да, я понимал, что Германия находится в тяжелом положении, но все равно не мог поверить в смерть. О смерти люди говорят и знают, что она неизбежна, но никто в нее не верит, поскольку она лежит за пределами понятий о жизни и обусловлена самой жизнью. Смерть нельзя постичь.

— В самом деле! — заверил меня мой бледный собеседник. — Вот увидите! В будущем году мы опять сможем импортировать лионский шелк.

Меня охватило странное волнение — тот безвременный вакуум, в котором жили мы, эмигранты, внезапно утратил свою непреложность. Даже нелепое упоминание о лионском шелке не мешало этому ощущению. Часы затикали снова, колокола зазвонили, остановившаяся кинолента опять начала крутиться; она крутилась все быстрей и быстрей, вперед и назад, в сумасшедшей непоследовательности, словно брошенная с размаху шпулька. Читая сообщения в газетах, я ни разу всерьез не поверил, что война когда-нибудь кончится. Но даже если бы я предположил на секунду, что это может произойти, то и тогда ждал бы неизбежного наступления чего-то иного, гораздо более страшного. Для меня это был привычный образ мыслей. А сейчас передо мной сидел бледный человечек, для которого конец войны означал, что в Америку опять начнется ввоз лионского шелка! Только и всего. Эта идиотская фраза убедила меня в возможности окончания войны куда больше, чем убедили бы два фельдмаршала и один президент в придачу. Лионский шелк — услада жизни — мог больше не бояться войны.

Наконец появилась Наташа. Она была в облегающем белом вечернем платье с открытыми плечами, в длинных белых перчатках, с диадемой императрицы Евгении от «Ван Клеефа и Арпельса». Меня словно ударило в сердце. Мне вспомнилась предыдущая ночь, а сейчас передо мной стояла эта женщина, так непохожая на вчерашнюю Наташу, ярко освещенная, почти нереальная, женщина с мраморно-холодными плечами в искусственном холоде ателье. Даже эта диадема, сверкавшая в Наташиных волосах, казалась неким символом — она вполне могла бы венчать статую Свободы в Нью-Йоркской гавани.

— Лионский шелк! — заметил бледный человек рядом со мной. — Наш последний рулон!

— Неужели?

Я не сводил глаз с Наташи. С сосредоточенным видом она молча стояла в белом свете софитов. И мне казалось, что передо мной — очень хрупкая, прелестная копия гигантской статуи, которая освещает своим факелом бушующие волны Атлантики, бесстрашная женщина, правда, не совсем такая, как ее могучий прототип — некий гибрид Брунгильды и разбитной французской торговки, — а женщина, скорее похожая на вышедшую из девственных лесов Диану, воинственную и непобедимую. Но и эта Диана была опасна. Опасна и готова драться за свою свободу.

— Как вам понравился «роллс-ройс»? — спросил кто-то, опускаясь на стул рядом со мной.

Я оглянулся.

— Это ваш «роллс-ройс»?

Незнакомец кивнул. Он был высокого роста, темноволосый и моложе, чем я предполагал.

— Фрезер, — представился он. — Наташа хотела привести вас ко мне еще несколько дней назад.

— Я был занят, — сказал я. — Большое спасибо за приглашение.

— Сегодня наверстаем упущенное, — сказал он. — Я уже говорил с Наташей. Отправимся к «Лухову». Вы знаете этот ресторан?

— Нет, — сказал я удивленно. А я-то рассчитывал пойти с Наташей в «Морской царь». Мне так хотелось побыть с нею наедине. Но я не знал, как выйти из положения. Не мог же я сказать «нет», не оказавшись в дураках, если Наташа согласилась. Правда, я был не совсем уверен, что она дала согласие. Однако кто мог поручиться, что Наташа не захочет продемонстрировать мне свой вариант миссис Уимпер, — так сказать, «мистера Уимпера». Конечно, я бы скорее удивился, чем вступил бы в сговор с этим господином. Пусть он раздобудет себе второго Силверса!

— Ну хорошо. Стало быть, до скорого свидания.

Фрезер, по-видимому, привык, чтобы ему повиновались. Мне не хотелось принимать приглашение от него и Наташи. И он, хоть и не подал виду, понял это, что было ясно по его тону, вежливому, но не терпящему возражений.

Мы встретились с Наташей в ту минуту, когда она закрыла свой чемоданчик.

— Ты наденешь диадему? — спросил я.

— До такой степени я не пользуюсь их доверием. Диадему уже вернули. Служащий «Ван Клеефа» отвозит ее обратно.

— А мы, значит, идем в «Лухов»?

Эрих Мария Ремарк

— Да, ты ведь так пожелал.

— Я? — переспросил я. — Мне хотелось промотать свои десять долларов вместе с тобой в «Морском царе». Но ты приняла приглашение от владельца «роллс-ройса».

— Я? Он подошел ко мне и сказал, что договорился с тобой.

Наташа засмеялась.

— Ну и жулик!

Я смотрел ей прямо в глаза. И не знал, можно ей верить или нет. Если она говорила правду, то я попался на удочку глупейшим образом, что было мне, ученику Силверса, совершенно непростительно. Но я никак не мог предположить, что Фрезер пойдет на такой трюк; это не вязалось с его обликом.

— Раз так, поехали, — сказала Наташа. — Твои десять долларов мы прокутим завтра.

«Роллс-ройс» поджидал нас на другой стороне улицы у магазина скобяных изделий. Я сел в него с весьма противоречивыми чувствами, которые злили меня своей детскостью. Фрезер перешел с нами через улицу. После прохлады ателье невыносимая духота вечера почти оглушила нас.

— На будущий год велю встроить в машину кондиционер, — сказал Фрезер. — Кондиционеры для автомобилей уже изобретены, но их пока не производят. Война ведь продолжается.

— Летом будущего года она кончится, — сказал я.

— Вы в этом уверены? — спросил Фрезер. — В таком случае вы осведомлены лучше, чем Эйзенхауэр. Рюмку водки? — Он открыл хорошо знакомый мне бар.

— Покорнейше благодарю, — ответил я. — Но сейчас слишком жарко для водки.

К счастью, до ресторана «Лухов» было недалеко. Я уже приготовился гореть на медленном огне по милости Наташи и Фрезера, от которого ждал теперь самого худшего. К моему величайшему изумлению, «Лухов» оказался немецким рестораном. Вначале я решил, что мы просто по ошибке снова попали в немецкий квартал. Но потом даже не удивился — этот «роллс-ройс» приносил мне несчастье.

— Как вы относитесь к жаркому из оленины с брусникой? — спросил Фрезер. — И к картофельным оладьям?

— Разве в Штатах есть брусника?

— Да. Похожая ягода. Но здесь еще осталась моченая брусника из Германии. У вас на родине ее называют «прайсельберен», что значит прайсельская ягода. Правильно? — спросил Фрезер очень любезно, но не без ехидства.

— Возможно, — ответил я. — Я давно не был на родине. За это время многое изменилось. Не исключено, что бруснику теперь называют по-другому, если слова «прайсельская ягода» показались кому-нибудь недостаточно арийскими.

— Прайсельская? Ну что вы! Это звучит почти как прусская.

Фрезер захохотал.

— Что мы будем пить, Джек? — спросила Наташа.

— Что хочешь. Может, господин Росс пожелает выпить кружку пива? Или рейнвейна? Здесь еще сохранились запасы рейнвейна.

— От пива не откажусь. Оно больше соответствует здешнему духу, — сказал я.

Пока Фрезер совещался с официантом, я огляделся вокруг. Этот ресторан представлял собой нечто среднее между баварской пивнушкой в псевдонародном стиле и рейнским винным погребком. Кроме того, он слегка смахивал на «Хауз Фатерланд»[*].

В зале негде было яблоку упасть. Оркестр исполнял танцевальную музыку вперемежку с народными песнями. Я догадался, что Фрезер выбрал этот ресторан неспроста. Медленный огонь, на котором я должен был гореть, он зажег, так сказать, на эмигрантском топливе. Чтобы хоть как-то сохранить свое лицо, я был вынужден по пустякам защищать ненавистное мне отечество от нападок этого американца. Исключительная низость! Довольно хитроумным способом меня делали сопричастным преступлениям расы господ. «Так изничтожают только соперников!» — подумал я.

— Не взять ли нам на закуску селедку по-домашнему? — осведомился Фрезер. — Здесь она на редкость вкусная. И не запить ли нам эту селедку глотком настоящего немецкого штейнхегера, который пока еще подают в «Лухове»?

— Гениальная идея! — согласился я. — Но, к сожалению, врач запретил мне эти деликатесы.

Как и следовало ожидать, Наташа немедленно нанесла мне удар с фланга, заказав селедку со свеклой. Истинно немецкое блюдо!

Оркестр играл самые приторно-сладкие и самые идиотские рейнские песенки, какие я когда-либо слышал. В ресторане царила типичная туристско-провинциальная атмосфера, и меня особенно удивляло то, что часть посетителей принимала ее всерьез и считала высокопоэтичной. Я просто поражался невзыскательности американцев.

_____
[*] «Хауз Фатерланд» — фешенебельный берлинский ресторан в веймарской Германии.

Вино настроило меня на более миролюбивый лад, и я принялся с легким сарказмом восхищаться Фрезером. Он в свою очередь спросил, не нуждаюсь ли я в помощи. И, разыгрывая из себя эдакого скромненького бога-отца из Вашингтона, который охотно уберет с моего пути любые препятствия, стоит мне только слово сказать, подбросил еще дров в медленно горевший эмигрантский костер. Но и я не остался в долгу: пропел восторженную оду Америке, заявив, что дела у меня в полном порядке и что я сердечно благодарю его за заботу. Чувствовал я себя при этом довольно паршиво, хотя и не придавал значения пристальному интересу Фрезера к моим документам, особенно потому, что не знал, действительно ли он пользуется влиянием или просто напускает на себя важность.

Жаркое из оленины оказалось превосходным, равно как и картофельные оладьи. Я догадался, почему в ресторане негде яблоку упасть. Очевидно, в Нью-Йорке это было единственное заведение подобного рода.

Я ненавидел себя за то, что у меня не хватало чувства юмора, чтобы насладиться создавшейся ситуацией. Наташа, казалось, ничего не замечала. Теперь она потребовала пудинг с фруктовым сиропом. Я бы не удивился, если бы она предложила пойти после ужина в кафе «Гинденбург» выпить чашку кофе с пирожными. Не исключено, что она рассердилась на меня, — ведь, по ее версии, она попала в это неловкое положение из-за моей тупости. Одно было ясно: с Фрезером Наташа проводила вечер не в первый раз, и он сделал все от него зависящее, чтобы показать мне это. Ясно было также, что я провожу с ним вечер в последний раз. Меня вовсе не устраивало, чтобы американцы попрекали меня своими благодеяниями. Я не желал

Эрих Мария Ремарк

благодарить каждого американца в отдельности за то, что мне позволено жить в Америке. Я был благодарен властям, но никак не этому Фрезеру, который и пальцем не шевельнул ради меня.

— Не закончить ли нам вечер в «Эль Марокко»?

Только этого не хватало! Я и так уже слишком долго чувствовал себя эмигрантом, которого терпят поневоле. От Наташи я ожидал всего — она вполне могла согласиться. Наташа любила ходить в «Эль Марокко». Но она отказалась.

— Я устала, Джек, — сказала она. — Сегодня у меня был трудный день. Отвези меня домой.

Мы вышли на улицу, в духоту.

— Может, пойдем пешком? — предложил я Наташе.

— Но ведь я вас довезу, — сказал Фрезер.

Именно этого я и опасался. Он хотел высадить меня у дома, а потом уговорить Наташу поехать с ним дальше. В «Эль Марокко» или к нему. Кто знает? И какое мне, в сущности, до этого дело? Разве у меня были какие-нибудь права на Наташу? Что это вообще такое — «права»? А если что-нибудь в этом роде и существует, то, может, права были скорей у Фрезера? Может, я просто оккупант? И к тому же оккупант, который разыгрывает из себя обиженного?

— Вы тоже поедете? — спросил Фрезер не слишком дружелюбно.

— Я живу недалеко. Могу дойти пешком.

— Глупости, — возразила Наташа. — Идти пешком в такую духотищу! Довези нас до моего дома, Джек. Оттуда ему два шага.

— Хорошо.

Мы сели в машину. Джек мог еще попытаться высадить меня первым, но у него хватило ума предположить, что Наташа взбунтуется. Перед Наташиным домом он вышел из «роллс-ройса» и попрощался с нами.

— Очень приятный вечер! Повторим нашу вылазку как-нибудь еще.

— Большое спасибо. С удовольствием.

«Ни за что!» — поклялся я мысленно, наблюдая за тем, как Фрезер целует Наташу в щеку.

— Спокойной ночи, Джек, — сказала она. — Мне очень жаль, что я не могу пойти с тобою, но я слишком устала.

— В другой раз. Спокойной ночи, darling.

Это был его прощальный выпад. «Darling», — думал я. В Штатах это слово ничего не значит и значит очень многое. Так называли телефонисток, которых и в глаза не видели, и так называли женщин, которых любили больше жизни. «Darling»... на сей раз Фрезер заложил мину замедленного действия.

Мы с Наташей стояли друг против друга. И я знал, что если не сдержусь сейчас, все будет кончено.

— Очень милый человек, — сказал я. — Ты на самом деле так устала, Наташа?

Она кивнула.

— На самом деле. Было очень скучно, и Фрезер — омерзительный тип.

— Не нахожу. С его стороны было просто очаровательно повести нас в немецкий ресторан ради меня. Таких чутких людей не часто встретишь.

Наташа взглянула на меня.

— Darling, — сказала она, и это словечко пронзило меня, как острая зубная боль. — Не старайся быть джентльменом. Джентльмены удивительно часто наводили на меня скуку.

— Сегодня вечером тоже?

— Сегодня вечером тоже. Не понимаю, о чем ты думал, когда принимал это дурацкое приглашение.

— Я?

— Да, ты! Попробуй скажи, что виновата я.

Я уже собирался сказать это. Но тут, к счастью, вспомнил об уроке, который дал мне отец в день моего семнадцатилетия.

«Ты, — сказал он, — вступаешь в эпоху женщин. Запомни поэтому: только безнадежные кретины хотят доказать свою правоту женщине и взывают к ее логике».

— Виноват я! — пробормотал я в бешенстве. — Если можешь, прости меня за то, что я свалял дурака.

Наташа подозрительно оглядела меня.

— Ты действительно думаешь, что свалял дурака? Или это очередной подвох?

— И то и другое, Наташа.

— И то и другое?

— А как же иначе. Я совершенно сбит с толку, превратился в полного идиота. Ведь я боготворю тебя.

— Этого я как-то не заметила.

— И не надо. Мужчина, который боготворит женщину у всех на виду, напоминает слюнявого дога. А мое состояние выражается в растерянности, в беспричинных вспышках ненависти и в явной тупости. Ты делаешь из меня черт знает что! И притом все время.

Выражение ее лица изменилось.

— Бедняжка! — сказала она. — И я не могу даже взять тебя наверх. Моя соседка грохнется в обморок. А очнувшись, начнет подслушивать под дверью. Нет, это невозможно.

Я бы отдал все на свете, чтобы пойти с Наташей. Тем не менее я вдруг воспрянул духом от того, что это невозможно. Стало быть, и для других это тоже невозможно. Я обнял ее за плечи.

— Ведь у нас с тобой еще много времени впереди, — сказала она. — Бесконечно много времени. Завтра, послезавтра, недели, месяцы... И все же нам кажется, что из-за этого одного, не совсем удавшегося вечера вся жизнь пропала.

— Я все еще вижу у тебя в волосах диадему от «Ван Клеефа». Я хотел сказать, опять вижу. У «Лухова» я ее уже почти не видел. Видел вместо нее фальшивый жестяной обруч девятнадцатого века.

Наташа рассмеялась.

— В ресторане ты меня терпеть не мог. Правда?

— Да.

— И я тебя тоже. Не будем повторять такие хождения. Мы ведь еще пока на грани ненависти.

— А разве от этого можно уйти?

— Слава Богу, нет. Не то жизнь превратилась бы в сплошную патоку.

Я подумал, что в этом мире явно не хватает сладкого. Но ничего не сказал. Вечно меня тянет к дешевым обобщениям. Проклятый характер!

— Мед лучше патоки, — сказал я вслух. — Ты пахнешь медом. И сегодня ты являлась в разных ипостасях. Не забывай, что я в модах профан. И принимаю их пока всерьез, верю в них. Даже когда ты надеваешь диадему, взятую напрокат.

Она потянула меня в подъезд.

— Поцелуй меня, — пробормотала она. — И люби меня. Мне нужно, чтобы меня очень любили. А теперь — убирайся! Уходи! Или я сорву с себя платье!

— Сорви! Нас никто не видит.

Она вытолкнула меня на улицу.

Эрих Мария Ремарк

— Иди! Ты сам во всем виноват! Иди!

Она захлопнула дверь. Ночь была душная и влажная, и я медленно побрел к станции метро. Из метро на меня пахнуло спертым горячим воздухом, словно из подземелья, где тлела куча угля. Станция была плохо освещена. Поезд выскочил из темноты и с лязгом остановился. Вагон был почти пустой. Только в углу сидела пожилая женщина и наискосок от нее — мужчина. Я сел в другом конце вагона. И мы помчались под землей чужого города.

Это было одно из тех мгновений, когда имена, которые люди присваивают вещам, слетают с них, подобно шелухе, и когда вещи эти внезапно предстают перед человеком без пелены иллюзий, как нечто до ужаса враждебное, отчужденное по самой своей изначальной сути. Все связи на этой земле распались. И имена потеряли смысл. Остался лишь мир, полный угрозы, мир, лишенный имени и потому таивший в себе безымянные опасности, которые подстерегали тебя на каждом шагу. Опасности эти не обрушивались на человека сразу, не хватали его за горло, не валили с ног — нет, они были куда ужасней, ибо они подкрадывались беззвучно, незаметно.

Я взглянул в окно — мимо меня проносилась эта чужая тьма, заглядывавшая в окна тускло освещенного поезда, в котором еще сохранилась капля человечности, правда, уже совсем чуждой, призрачной, как полет летучей мыши: очертания лиц, кивок головы, частичка тепла, прикосновение плеч — язычок пламени из иного, безымянного мира, походивший на вольтову дугу и создававший впечатление моста, перекинутого через бездну. Но лишь впечатление — в действительности уже ничто не могло преодолеть хаос безграничной отчужденности и безнадежного одиночества. Не безобидного сентиментального одиночества, но одиночества абсолютного, в котором человек — это задуваемая ветром искра жизни — первая и последняя.

XVIII

Кан попросил меня сопровождать его.

— Речь идет о разбойничьем нападении, — сказал Кан, — на человека по имени Гирш. Надо вступиться за доктора Грефенгейма.

— Это тот Гирш, который облапошил Грефенгейма?

— Вот именно! — ответил Кан грозно.

— Тот Гирш, который утверждает, что никогда в жизни не получал ничего от Грефенгейма. А разве у Грефенгейма есть хотя бы клочок бумаги, обличающий Гирша?

— Все верно. Поэтому я и называю наш поход разбойничьим. Если бы у Грефенгейма была в руках хоть какая-нибудь расписка, на худой конец даже письмо, мы обратились бы к адвокату. Но у него в руках — воздух, в кармане — ни гроша и — золотая голова. Тем не менее он больше не может сдавать свои экзамены из-за отсутствия денег. Как-то раз он написал Гиршу и не получил ответа. До этого он сам заходил к нему. Гирш незамедлительно, хотя и вежливо, выпроводил его и пригрозил, что если Грефенгейм явится снова, он привлечет его к ответственности за шантаж. Он решил, что его вышлют. Все это я знаю от Бетти.

— Вы посвятили Грефенгейма в свой план?

Кан обнажил зубы в усмешке.

— Как бы не так! — сказал он, засмеявшись. — Грефенгейм ляжет костьми у дверей Гирша, чтобы не допустить нас к нему. Все тот же извечный страх!

— А Гирш знает, что мы к нему придем?

Кан кивнул.

— Я подготовил его. Два телефонных звонка.

— Он вышвырнет нас вон. Или велит сказать, что его нет дома.

Кан опять обнажил зубы. Это была его манера улыбаться, но когда он так улыбался, я предпочитал не иметь его среди своих врагов. Да и походка у Кана изменилась. Он шел сейчас быстрее, шаги стали шире, морщины на лице разгладились. Я подумал, что так он, наверное, выглядел во Франции.

— Нет, Гирш будет дома!

— Со своим поверенным, чтобы привлечь нас за шантаж.

— Не думаю, — сказал Кан и вдруг остановился. — Стервятник живет здесь. Недурно, не правда ли?

Это был дом на Пятьдесят четвертой улице. Красные ковровые дорожки, по стенам гравюры на металле, лифтер в причудливой ливрее. Наконец, сам лифт, обшитый деревянными панелями, с зеркалом. Благосостояние средней руки.

— На пятнадцатый этаж! — сказал Кан. — К Гиршу!

Мы взлетели наверх.

— Не думаю, что он позвал адвоката, — произнес Кан. — Я пригрозил ему, сказав, что располагаю новыми материалами. И поскольку Гирш жулик, он захочет увидеть их без свидетелей. А поскольку он еще не стал американским гражданином, в нем сидит старый добрый страх. Так что он предпочтет узнать сперва, в чем дело, и только потом доверится адвокату.

Кан позвонил. Дверь открыла горничная и провела нас в комнату, обставленную позолоченной мебелью под Людовика XV.

— Господин Гирш сейчас придет.

Гирш был круглый, среднего роста господин, лет пятидесяти. Вместе с ним в этот позолоченный рай вбежала немецкая овчарка. Увидев овчарку, Кан осклабился.

— Последний раз я видел эту породу в гестапо, господин Гирш, — сказал он. — Там их держат для охоты на людей.

— Спокойно, Гарро! — Гирш потрепал собаку по спине. — Вы хотели поговорить со мной. Но не предупредили, что явитесь не один. У меня очень мало времени.

— Познакомьтесь с господином Россом. Я вас не задержу, господин Гирш. Мы пришли к вам по делу доктора Грефенгейма, он болен, у него нет денег, и ему придется прекратить свои занятия в университете. Вы с ним знакомы, не правда ли?

Гирш не ответил, он продолжал похлопывать по спине собаку, которая тихонько рычала.

— Значит, вы с ним знакомы, — сказал Кан. — Не знаю только, знакомы ли вы со мной. Кан — распространенная фамилия, точно так же, как и Гирш. Я — Кан по прозвищу Кан-Гестапо. Возможно, вы обо мне уже слышали. Во Франции я довольно долго дурачил гестапо. В этой игре далеко не все приемы были благородными. Разумеется, с обеих сторон. Я не очень церемонился с ними. Этим я хочу сказать, что немецкая овчарка в качестве стража рассмешила бы меня. Она меня и сейчас смешит. Прежде чем ваш пес дотронется до меня, господин Гирш, он издохнет. Не исключено, что и вы последуете за ним, что, впрочем, не входит в мои расчеты. Цель нашего визита — сбор денег в пользу доктора Грефенгейма. Полагаю, вы мне поможете в этом деле? Сколько денег вы дадите для доктора Грефенгейма?

Гирш не сводил глаз с Кана.

— Почему я должен давать деньги?

— На это есть много причин. Одна из них — сострадание.

Довольно долгое время Гирш, казалось, что-то жевал. При этом он по-прежнему не сводил глаз с Кана. Наконец он вытащил из кармана пиджака коричневый бумажник крокодиловой кожи, открыл его и, помусолив палец, достал из бокового отделения две бумажки.

— Вот вам двадцать долларов. Больше дать не могу. Ко мне приходит слишком много народа по тому же поводу. Если все эмигранты пожертвуют вам столько же, вы без труда соберете плату за учение доктора Грефенгейма.

Я думал, Кан швырнет эти деньги в Гирша. Но он взял бумажки и сунул их в карман.

— Прекрасно, господин Гирш, — сказал он, — с вас причитается еще девятьсот восемьдесят долларов. При самой скромной жизни, отказавшись от курева и питья, Грефенгейм не обойдется меньшей суммой.

— Вы изволите шутить. У меня нет времени, чтобы...

— У вас есть время, чтобы выслушать меня, господин Гирш. И не рассказывайте, пожалуйста, что в соседней комнате у вас сидит адвокат. Он там не сидит. А теперь я хочу рассказать одну историю, которая вас наверняка заинтересует. Вы еще пока не американский гражданин, но надеетесь им стать в будущем году. Поэтому для вас нежелательны всякого рода неприятные пересуды. Соединенные Штаты на этот счет довольно щепетильны. И вот я и мой друг Росс — известный журналист — решили предостеречь вас от ложного шага.

— Вы не возражаете, если я извещу полицию? — спросил Гирш, который, по всей видимости, принял решение.

— Ни в малейшей степени. Заодно мы передадим им свои материалы.

— Материалы! Шантаж в Америке карается довольно строго. Убирайтесь.

Кан уселся на один из позолоченных стульев.

— Вы думаете, Гирш, — сказал он совсем другим тоном, — что вы поступили очень умно. Но это не так. Вам следовало вернуть деньги Грефенгейму. У меня в кармане лежит заявление на имя иммиграционных властей с просьбой не давать вам американского гражданства. Подписанное сотней эмигрантов. Есть у меня и другое заявление и также с просьбой не давать вам подданства из-за ваших махинаций с гестапо в Германии. Это заявление подписано шестью эмигрантами и содержит подробное объяснение того, почему вы сумели вывезти из Германии больше денег, чем другие, названа также фамилия нациста, который переправил вас в Швейцарию. Кроме того, у меня есть вырезка из лионской газеты, где рассказывается о еврее Гирше, который на допросе в гестапо выдал местопребывание двух беженцев, в результате чего они были расстреляны. Не стоит возражать, господин Гирш. Возможно, это были не вы, но я все равно буду утверждать, что это вы.

— Что?

— Да. Я засвидетельствую, что это были вы. Здесь все знают о моей борьбе во Франции. И мне поверят скорее, чем вам.

Гирш как загипнотизированный смотрел на Кана.

— Вы хотите дать ложные показания?

— Ложные только в примитивном толковании права! Я придерживаюсь другого принципа: око за око, зуб за зуб. Библейского принципа, Гирш. Вы загубили Грефенгейма, мы загубим вас. И тут уж неважно, что ложь и что правда. Я ведь вам уже сказал, что, живя под властью нацистов, кое-чему научился.

— Полиция в Америке...

— Про полицию в Америке мы тоже проходили, — прервал его Кан, — и знаем неплохо. Нам она не нужна. Чтобы разделаться с вами, хватит тех бумаг, которые лежат у меня в кармане. Тюрьма вовсе не обязательна. Достаточно, если мы отправим вас в лагерь для интернированных.

Гирш поднял руку.

— Ну, это уже не в вашей компетенции, господин Кан. Тут нужны другие доказательства, более веские, чем ваши бумажки.

— Вы уверены? — спросил Кан. — В военное-то время? Для человека, родившегося в Германии и к тому же эмигранта? Ничего страшного ведь не случится, вас посадят всего-навсего в лагерь для интернированных. А это весьма гуманное заведение. Чтобы туда попасть, особых причин не требуется. Представим себе даже, что вам удастся избежать лагеря... Что же будет с вашим подданством? Любые сомнения, любые сплетни могут сыграть здесь решающую роль.

Гирш вцепился в собачий ошейник.

— Ну, а что будет с вами? — спросил он тихо. — Что будет с вами, если все обнаружится? Что станет с вами? Шантаж, лжесвидетельство...

— Я знаю точно, что за это следует, — сказал Кан. — Но мне это безразлично. Мне на это наплевать. Наплевать на все то, что так важно вам, жуликам, которые мечтают устроить свое будущее. Мне все едино. Впрочем, это выше вашего разумения. Вы ведь жалкий червь. Я уже во Франции на всем поставил крест. Иначе я бы не мог делать то, что делал. Потому что мне нужно абстрактное человеколюбие. Просто мне все безразлично. И если вы что-нибудь предпримете против меня, я не побегу к судье, Гирш. Я сам вас прикончу. Мне это не впервой. Вам не понять, до чего доводит человека отчаяние, истинное отчаяние. И как дешева человеческая жизнь в наши дни. — Лицо Кана исказила гримаса отвращения. — Не знаю, зачем все это нужно. Я не собираюсь вас разорять. Вы заплатите всего лишь малую толику того, что присвоили. Вот и все.

Мне снова показалось, что Гирш беззвучно жует что-то.

— Я не держу дома денег, — выдавил он из себя наконец.

— Тогда дайте чек.

Внезапно Гирш отпустил овчарку.

— Гарро, куш! — крикнул он, открывая дверь. Собака убежала. Гирш закрыл за ней дверь.

— Наконец-то! — сказал Кан.

— Я не дам вам чека, — заявил Гирш. — Вы ведь понимаете почему.

Я смотрел на него с интересом. Сначала я не думал, что он так быстро уступит. Наверное, Кан был прав. Всепоглощающий страх в сочетании с конкретным чувством вины лишил Гирша уверенности в себе. Кроме того, он быстро соображал и так же быстро действовал. Если только не собирался выкинуть какой-нибудь фортель.

Эрих Мария Ремарк

— Завтра я приду к вам опять, — сказал Кан.

— А как же бумаги?

— Уничтожу их завтра на ваших глазах.

— Я дам деньги только в обмен на бумаги.

Кан покачал головой.

— Чтобы вы узнали имена тех, кто готов свидетельствовать против вас? Исключено!

— Какая у меня гарантия, что вы уничтожите именно те бумаги?

— Я даю слово, — сказал Кан. — Моего слова достаточно.

Гирш снова беззвучно пожевал что-то.

— Хорошо, — сказал он вполголоса.

— Завтра в то же самое время! — Кан поднялся с позолоченного стула.

Гирш кивнул. И вдруг весь покрылся потом.

— У меня болен сын, — прошептал он, — единственный сын! А вы... Как не стыдно! — сказал он внезапно. — Я в отчаянии. А вы!..

— Надеюсь, ваш сын поправится, — ответил Кан спокойно. — Доктор Грефенгейм наверняка назовет вам лучшего здешнего врача.

Гирш не ответил. Лицо его одновременно выражало и злобу и боль. Злоба застыла у него в глазах, и он горбился сейчас сильнее, чем вначале. Но я уже не раз убеждался, что боль из-за утраты денег бывает не менее сильной, чем любая другая боль. Не исключено также, что Гирш видел таинственную связь между страданиями сына и его, Гирша, подлостью в отношении Грефенгейма. Не потому ли он так быстро уступил? И не возросла ли его злость из-за невозможности сопротивляться? Как ни странно, мне было его почти жаль.

— Я совсем не уверен, что сын его действительно болен.

— Думаю все же, что это так.

Кан взглянул на меня с усмешкой.

— Не уверен даже, что у него вообще есть сын, — сказал он.

Мы вышли на улицу: было жарко и влажно, как в парильне.

— Вы считаете, что с Гиршем завтра будет немного возни?

— Думаю, нет. Он боится, что не получит американского гражданства.

— Зачем вы, собственно, взяли меня? Я ведь вам скорее мешал. При свидетелях Гиршу приходилось держаться осторожнее. Без меня вам, наверное, было бы легче.

Кан засмеялся.

— Но не намного. Зато мне очень помогла ваша внешность.

— Почему?

— Да потому, что вы выглядите так, как представляют себе арийцев колченогие и чернявые фюреры в Германии. Евреи типа Гирша не принимают своего брата всерьез. Но ежели ты явился с эдакой «белокурой бестией», они ведут себя совсем иначе. Полагаю, вы здорово напугали Гирша.

Я вспомнил, что не так давно мне волей-неволей пришлось защищать Германию от Фрезера. Теперь меня использовали как средство устрашения, как нациста... Я не такой уж мастер находить во всем смешную сторону и в данном случае ничего смешного не увидел. Я чувствовал себя так, словно меня облили помоями.

Эрих Мария Ремарк

Но Кан ничего не замечал. Пружинящей походкой он шел сквозь неподвижный зной этого невыносимо душного дня; шел, подобно охотнику, который обнаружил дичь.

— Наконец хоть какой-то просвет в этой скуке. Надоело все до чертиков! Я не привык быть в безопасности. В этом смысле я человек безнадежно испорченный.

— Почему вы не запишетесь добровольцем? — спросил я сухо.

— Записался. Но вы ведь знаете, что нас почти не берут на войну, мы — «нежелательные иностранцы». Прочтите, что написано в вашем удостоверении.

— У меня его нет. Я еще на ступеньку ниже вас. И все же вы — другое дело. Уверен, что в Вашингтоне известно о вашей деятельности во Франции.

— Известно. И потому мне еще меньше доверяют, опасаются двойной игры. Тот, кто совершал такие дерзкие поступки, мог обладать удивительного рода связями. Такова логика официальных учреждений. Я не удивлюсь, если меня посадят за решетку. Наша эпоха — эпоха кривых зеркал, где все выглядит нелепым. — Кан засмеялся. — К сожалению, это интересно только писателям, но не нам, простым смертным.

— Вы действительно собрали подписи эмигрантов против Гирша?

— Конечно, нет. Поэтому я и запросил всего тысячу долларов, а не всю сумму. Пускай Гирш считает, что он еще легко отделался.

— По-вашему, он считает, что совершил выгодный бизнес?

— Да, бедный мой Росс, — сказал Кан сочувственно, — так устроен мир.

— Мне хочется поехать в какое-нибудь тихое местечко, — сказал я Наташе. — За город или к озеру, где не будешь обливаться потом.

— У меня нет машины. Позвонить Фрезеру?

— Ни в коем случае.

— Совсем не обязательно брать его с собой. Мы просто одолжим у него машину.

— Все равно не надо. Лучше поедем в метро или на автобусе.

— Куда?

— Вот именно, куда? В этом городе летом, по-моему, вдвое больше жителей, чем обычно.

— И повсюду — жара невыносимая. Бедный мой Росс!

С досады я обернулся. Сегодня меня уже второй раз назвали «бедным Россом».

— Нельзя ли поехать в «Клойстерс», где выставлены ковры с единорогами? Я их никогда в жизни не видел. А ты?

— И я не видела. Но музеи по вечерам закрыты. Для эмигрантов тоже.

— Иногда мне все же надоедает быть эмигрантом, — сказал я, еще более раздосадованный. — Сегодня я, к примеру, весь день был эмигрантом. Сперва с Силверсом, потом с Каном. Как ты относишься к тому, чтобы побыть просто людьми?

— Когда человеку не надо заботиться ни о своем пропитании, ни о крове, он перестает быть просто человеком, дорогой мой Руссо и Торо. Даже любовь ведет к катастрофам.

— В том случае, если ее воспринимают иначе, чем мы.

— А как мы ее воспринимаем?

— В общем плане. А не в частном.

Эрих Мария Ремарк

— Боже правый! — сказала Наташа.

— Воспринимаем, как море. В целом. А не как отдельную волну. Ведь ты сама так думаешь? Или нет?

— Я? — В голосе Наташи слышалось удивление.

— Да, ты. Со всеми твоими многочисленными друзьями.

Наступила краткая пауза. Потом она сказала:

— Как по-твоему, рюмка водки меня не убьет?

— Не убьет. Даже в этой душной дыре.

Злясь без причины, я попросил у Меликова — сегодня дежурил он — бутылку водки и две рюмки.

— Водку? В такую жару? — удивился Меликов. — Будет гроза. Парит ужасно. Хоть бы у нас установили какое-то подобие кондиционера. Эти проклятые вентиляторы только месят воздух.

Я вернулся к Наташе.

— Прежде чем мы начнем с тобой ссориться, Наташа, — сказал я, — подумаем, куда нам пойти. Ссориться лучше в прохладе, а не в такой духоте. Я отказываюсь от загородной прогулки и от озера. И на сей раз я при деньгах. Силверс вручил мне комиссионные.

— Сколько?

— Двести пятьдесят долларов.

— Вот скряга. Пятьсот было бы в самый раз.

— Ерунда! Он объяснил, что, в сущности, ничего мне не должен. Он уже якобы давно знаком с миссис Уимпер. Вот что меня разозлило. А не сумма. Сумма показалась мне вполне приемлемой. Но я ненавижу, когда мне делают подарки.

Наташа поставила рюмку.

— Ты всегда это ненавидел? — спросила она.

— Не знаю, — сказал я с удивлением. — Наверное, нет. Почему ты спрашиваешь?

Она внимательно взглянула на меня.

— Мне показалось, что несколько недель назад это было тебе безразлично.

— Думаешь? Может быть. У меня нет чувства юмора. Наверняка все дело в этом.

— Чувства юмора у тебя хватает с избытком. Впрочем, сегодня оно тебе, возможно, изменило.

— Кто в силах сохранить чувство юмора при такой жарище?

— Фрезер, — тут же ответила Наташа. — В любую погоду юмор бьет в нем ключом, даже в зной.

Множество мыслей разом пронеслось у меня в голове, но я не сказал того, что хотел сказать. Вместо этого я спокойно заметил:

— Он мне очень понравился. Да, ты права, юмор бьет в нем ключом. В тот вечер он был очень занимательным собеседником.

— Дай мне еще полрюмки, — сказала Наташа, смеясь и поглядывая на меня.

Я молча налил ей полрюмки.

Она встала, погладила меня и спросила:

— Куда же ты предлагаешь идти?

— Я не могу затащить тебя к себе в номер, здесь слишком много народа.

— Затащи меня в какой-нибудь прохладный ресторан.

— Хорошо. Но не к рыбам в «Морской царь». В маленький французский ресторанчик на Третьей авеню. В бистро.

— Там дорого?

— Не для человека, у которого в кармане двести пятьдесят долларов. Каким бы путем они ему ни достались, — в подарок или не в подарок.

Эрих Мария Ремарк

Глаза у Наташи стали ласковые.

— Правильно, darling, — сказала она. — К черту мораль!

Я кивнул. У меня было такое чувство, словно я едва избежал множества разных опасностей.

Когда мы выходили из ресторана, уже сверкали молнии. Порывы ветра вздымали пыль и клочки бумаги.

— Началось, — сказал я. — Надо поскорее поймать такси!

— Зачем? В такси воняет потом. Давай лучше пойдем пешком.

— Хлынет дождь. А ты без плаща и без зонтика. Будет ливень.

— Тем лучше. Сегодня вечером я как раз собиралась мыть голову.

— Ты промокнешь до нитки, Наташа.

— На мне нейлоновое платье. Его и гладить не придется. В ресторане было даже чересчур прохладно. Пойдем! А в случае чего спрячемся в каком-нибудь подъезде. Ну и ветер! Прямо сбивает с ног. И будоражит кровь!

Мы жались поближе к стенам домов. Молнии сверкали теперь над небоскребами беспрерывно: казалось, они возникают в густой сети труб и кабелей под землей. А потом полил дождь; большие темные капли падали на асфальт; сперва мы увидели дождь, а уже потом ощутили его.

Наташа подставила лицо под дождь. Рот у нее был приоткрыт, глаза зажмурены.

— Держи меня крепко! — крикнула она.

Ветер усилился, за секунду улица опустела. Только в подъездах жались люди, да время от времени кто-нибудь, согнувшись, быстро пробегал вдоль домов, влажно заблестевших под серебристой пеленой дождя. Дождь барабанил по асфальту, и улица превратилась в темную, бурлящую неглубокую реку, в которую градом сыпались прозрачные копья и стрелы.

— О Боже! — воскликнула вдруг Наташа. — Ты же в новом костюме.

— Поздно заметила, — сказал я.

— Я думала только о себе. А на мне ничего такого нет. — Наташа подняла платье почти до бедер, мелькнули короткие белые трусики. Чулок на ней не было, а в ее белые лаковые босоножки на высоких каблуках ручьями лилась вода. — Ты — совсем другое дело. Что будет с твоим новым костюмом? Ведь за него даже не все деньги внесены.

— Слишком поздно, — повторил я. — Кроме того, я его высушу и выглажу. Кстати, деньги за него уже все внесены. И мы можем и впредь неумеренно восторгаться разбушевавшимися стихиями! К черту костюм! Давай выкупаемся в фонтане перед отелем «Плаза».

Наташа засмеялась и втолкнула меня в подъезд.

— Спасем хотя бы подкладку и конский волос. Их ведь не выгладишь. Да и ливень не такая уж невидаль, не то что новый костюм. А восторгаться можно также под крышей в парадном. Смотри, как сверкает! Стало совсем холодно. Какой ветер!

«Наташа умеет быть практичной и в то же время легкомысленной», — думал я, целуя ее теплое маленькое личико. Мы оказались между витринами двух магазинов: в одной были выставлены корсеты для пожилых полных дам, другая была витриной зоомагазина. На полках от самого низа до верха стояли подсвеченные аквариумы с зеленоватой, как бы шелковистой водой,

Эрих Мария Ремарк

в которой плавали яркие рыбки. Когда-то я сам разводил рыбок и узнал теперь некоторые породы. Удивительное чувство: как будто передо мной в мерцающем свете возникло собственное детство; казалось, оно беззвучно появилось из какого-то другого нездешнего и все же знакомого мне мира, окруженное зигзагами молний, но недоступное им; там все осталось таким, как было; словно добрый волшебник не дал вещам ни состариться, ни разрушиться, ни запачкаться в крови.

Я держал Наташу в объятиях, ощущал теплоту ее тела, и в то же время какая-то часть моего «я» была далеко-далеко; там, в этом далеке, «я» склонился над заброшенным фонтаном, который уже давно не бил, и слушал о прошлом, очень далеком и потому особенно пленительном. Дни у ручья в лесу, у маленького озера, над которым повисли трепещущие стрекозы, вечера в садах, густо заросших сиренью, — все это стремительно и беззвучно проносилось перед моим взором, будто в немом кино.

— Что ты скажешь, если у меня будет такой зад? — спросила Наташа.

Я обернулся. Она разглядывала витрину с корсетами. На черный манекен, каким обычно пользуются портнихи, был напялен панцирь, который был бы впору даже Валькирии.

— У тебя прелестный зад, — сказал я. — И тебе никогда не придется надевать корсет. Хотя ты и не такая тощая жирафа, как большинство нынешних девиц.

— Ну и хорошо. Дождь почти перестал. Еле-еле капает. Пошли.

Я подумал, что нет ничего более удручающего, чем возвращаться в прошлое, и бросил прощальный взгляд на аквариумы.

— Смотри-ка, обезьяны! — воскликнула вдруг Наташа, глядя в ту же витрину, где на заднем плане стояла большая клетка с обрубком дерева. В клетке кувыркались две длиннохвостые беспокойные обезьяны. — Настоящие эмигранты! В клетке! До этого вас еще не довели!

— Разве? — спросил я.

Наташа взглянула на меня.

— Я же ничего о тебе не знаю, — сказала она. — И не хочу ничего знать. У каждого свои проблемы, своя история, и посвящать в них другого, по-моему, просто скучно. Скучно до одури. — Она еще раз посмотрела на корсет для Брунгильды. — Как быстро летит время! Скоро эта броня будет мне впору. И я запишусь в какой-нибудь дамский клуб! Иногда я просыпаюсь в холодном поту. А ты?

— Я тоже.

— Правда? По тебе этого не видно.

— И по тебе не видно, Наташа.

— Давай же возьмем от жизни как можно больше!

— Мы так и делаем.

— Недостаточно! — Она крепко прижалась ко мне, и я ощутил ее всю с головы до ног. Платье у нее стало как купальный костюм. Волосы свисали мокрыми прядями, лицо побледнело.

— Через несколько дней у меня будет другая квартира, — пробормотала она. — Тогда ты сможешь приходить ко мне, и нам не придется околачиваться в гостиницах и ресторанах. — Наташа засмеялась. — И в квартире будет кондиционер.

— Ты переезжаешь на новую квартиру?

— Нет. Это — квартира моих друзей.

— Фрезера? — спросил я, и тысячи неприятных догадок пронеслись у меня в мозгу.

Эрих Мария Ремарк

— Нет, не Фрезера. — Наташа опять засмеялась. — Никогда не стану больше делать из тебя сутенера. Если это не будет необходимо для нашего благополучия.

— Я и так уже стал сутенером, — сказал я. — Мне приходится плясать на канате морали в свинцовых сапогах. Не мудрено, что я часто падаю. Быть порядочным эмигрантом — трудное занятие.

— Будь в таком случае непорядочным, — сказала Наташа и пошла впереди меня.

Похолодало. Между облаками кое-где уже проглядывали звезды. От света фар на мокром асфальте загорались блики, и казалось, машины мчатся по черному льду.

— У тебя очень причудливый вид, — сказал я Наташе. — Идя с тобою, можно вообразить себя человеком будущего, который возвращается с пляжа с марсианкой. Почему модельеры не придумали до сих пор такие облегающие платья?

— Они их уже придумали, — сказала Наташа. — Ты их только не видел. Подожди, может, попадешь на бал в залах «Сосайете».

— Я в них как раз нахожусь, — сказал я, втолкнув Наташу в темное парадное. От нее пахло дождем, вином и чесноком.

Когда мы дошли до ее дома, дождь совсем перестал. Весь обратный путь я проделал пешком. Около меня то и дело останавливались такси, предлагая подвезти. А еще час назад не было ни одной машины. Я упивался прохладным воздухом, как вином, и вспоминал минувший день. Я чувствовал, что где-то притаилась опасность. Она не угрожала мне со стороны, она была во мне. Я боялся, что ненароком переступил какую-то таинственную грань и очутился на чужой территории, которой управляли силы, неподвластные мне. Особых причин для тревоги пока не было. И все же я по собственной воле попал в запутанный мир, где существовали совсем иные ценности, неведомые мне. Многое, что еще недавно казалось мне безразличным, приобрело вдруг цену. Раньше я считал себя чужаком, а теперь был им только отчасти. «Что со мной случилось? — спрашивал я себя. — Ведь я не влюблен». Впрочем, я знал, что и чужак может влюбиться и даже не в очень подходящий объект, влюбиться только потому, что ему необходимо любить, и не так уж это важно, на кого излить свои чувства. Но знал я также, что на этом пути меня подстерегают опасности: внезапно я мог оказаться в ловушке и потерять ориентировку.

XIX

— На завтра Бетти назначили операцию, — сказал мне Кан по телефону. — Она очень боится. Не зайдете ли вы к ней?

— Обязательно. Что у нее?

— Точно не известно. Ее смотрели Грефенгейм и Равик. Только операция покажет, какая у Бетти опухоль: доброкачественная или нет.

— Боже мой! — сказал я.

— Равик будет за ней наблюдать. Он теперь ассистент в больнице Маунт-синай.

— Он будет ее оперировать?

— Нет. Только присутствовать при операции. Не знаю, разрешено ли ему уже оперировать самостоятельно. Когда вы пойдете к Бетти?

— В шесть. Освобожусь и пойду. Что нового с Гиршем?

— Я у него был. Все в порядке. Грефенгейм уже получил деньги. Всучить ему эти деньги было труднее,

Эрих Мария Ремарк

чем выцарапать их у Гирша. Иметь дело с честными людьми — наказание Божье. С жуликами ты по крайней мере знаешь, как себя вести.

— Вы тоже пойдете к Бетти?

— Я только оттуда. До этого я целый час сражался с Грефенгеймом. Думаю, он вернул бы Гирше деньги, если бы я не пригрозил, что пошлю их в Берлин в организацию «Сила через радость». Он, видите ли, не желал брать собственные деньги из рук подлеца! И при этом он голодает. Пойдите к Бетти. Я не могу пойти к ней опять. Она и так напугана. И ей покажется подозрительным, если я навещу ее во второй раз. Она еще пуще испугается. Пойдите к Бетти, поболтайте с ней по-немецки. Она утверждает, что когда человек болен, ему уже незачем говорить по-английски.

Я отправился к Бетти. День выдался теплый и пасмурный, и небо было светло-пепельным. Бетти лежала в постели в ярко-розовом халате; очевидно, фабрикант из Бруклина считал, что в его халатах будут щеголять мандарины.

— Вы пришли в самый раз, на мою прощальную трапезу, — закричала Бетти, — завтра меня отправят под нож.

— Что ты говоришь, Бетти, — возмутился Грефенгейм. — Завтра тебя обследуют в больнице. Обычная процедура. И совершают ее из чистой предосторожности.

— Нож — это нож! — возразила Бетти с наигранной, слишком нарочитой веселостью. — Неважно, что тебе отрежут — ногти или голову.

Я огляделся вокруг. У Бетти было человек десять гостей. Большинство — знакомые. Равик тоже пришел. Он сидел у окна и не отрываясь глядел на улицу.

В комнате было очень душно, тем не менее окна были закрыты. Бетти боялась, что при открытых окнах будет еще жарче. На этажерке жужжал вентилятор, похожий на большую усталую муху. Дверь в соседнюю комнату стояла открытой. Сестры-близнецы Коллер внесли кофе и яблочный пирог; в первую минуту я их не узнал. Они стали блондинками. Их щебетанье разом заполнило всю комнату; сестры напоминали ласточек. Двигались они проворно, как белки. Двойняшки были в коротких юбках и в бумажных джемперах в косую полоску с короткими рукавами.

— Очень аппетитно. Не правда ли? — спросил Танненбаум.

Я не сразу понял, что он имел в виду, яблочный пирог или девушек. Он имел в виду девушек.

— Очень, — согласился я. — Дух захватывает при мысли о том, что можно завести роман с близнецами, особенно с такими похожими.

— Да. Двойная гарантия, — сказал Танненбаум, разрезая кусок пирога. — Если одна из сестер умрет, можно жениться на второй. Редкий случай.

— Какие у вас мрачные мысли.

Я взглянул на Бетти, но она нас не слышала. По ее просьбе двойняшки принесли в спальню гравюры на меди с изображением Берлина, которые обычно висели в большой комнате; теперь они поставили гравюры на тумбочки по обе стороны кровати.

— Я вовсе не думал, что на близнецах можно дважды жениться, — сказал я. — И не подумал так уж сразу о смерти.

Танненбаум покачал головой; его окруженная черной растительностью лысина смахивала на блестящий зад павиана.

Эрих Мария Ремарк

— О чем еще можно думать? Когда ты кого-нибудь любишь, обязательно думаешь: «Кто-то из нас умрет раньше другого, и тот останется один». Если человек так не думает, он не любит по-настоящему. В этих мыслях находит свое выражение великий первобытный страх, правда, в несколько измененном виде. Благодаря любви примитивный страх перед собственной смертью превращается в тревогу за другого. И как раз эта сублимация страха делает любовь еще большей мукой, чем смерть, ибо страх полностью переходит на того, кто пережил партнера. — Танненбаум слизнул с пальцев сахарную пудру. — А поскольку нас преследует страх и тогда, когда мы живем в одиночестве — ибо и одиночество — мука! — самое разумное взять в жены близнецов. Тем более таких красивых, как сестры Коллер.

— Неужели вам все равно, на которой из них жениться? — спросил я. — Вы ведь не можете их отличить. Придется бросить жребий. Не иначе!

Танненбаум метнул на меня взгляд из-под косматых бровей, нависших над пенсне.

— Смейтесь, смейтесь над бедным, больным, лысым евреем. Это в вашем духе, арийское чудовище! Среди нас вы — белая ворона! Когда наши предки уже достигли вершин культуры, древние германцы в звериных шкурах еще сидели на деревьях на берегах Рейна и плевали друг в друга.

— Красочная картинка! — сказал я. — Но давайте вернемся к нашим двойняшкам. Почему бы вам не отбросить комплекс неполноценности и не ринуться в атаку?

Секунду Танненбаум печально взирал на меня.

— Эти девушки предназначены для кинопродюсеров, — сказал он немного погодя. — Голливудский товар.

— Вы, кажется, актер.

— Да. Но я играю нацистов, мелких нацистов. И я отнюдь не Тарзан.

— Что касается меня, то я рассматриваю этот вопрос с иной стороны: с близнецами хорошо жить, а не умирать. Представьте себе, вы разругались с одной сестрой, на этот случай осталась другая. А если одна сестра сбежит, опять-таки в запасе вторая. Безусловно, здесь существуют богатейшие возможности.

Танненбаум посмотрел на меня с отвращением.

— Неужели вы пережили эти последние десять лет только для того, чтобы говорить пошлости? И неужели вам не известно, что сейчас идет величайшая из войн, какие только знал мир? Странные уроки вы извлекли из кровавых событий.

— Танненбаум, — сказал я. — Вы первый начали разговор об аппетитных женских задницах. Вы, а не я.

— Я говорил об этом в чисто метафизическом смысле. Говорил, чтобы забыть о трагических противоречиях этой жизни. А у вас на уме одни гадости. Ведь вы всего-навсего запоздалый цветок на древе под названием мушмула, описанном в вашей Эдде, — произнес Танненбаум с грустью.

Одна из двойняшек подошла к нам, держа поднос с новой порцией яблочного пирога. Танненбаум оживился; он не сводил с меня глаз, и вдруг его будто осенило: он показал на кусок пирога. Девушка положила этот кусок ему на тарелку, и, пока у нее были заняты обе руки, Танненбаум робко шлепнул ее по округлому заду.

— Что вы делаете, господин Танненбаум, — прошептала девушка. — Не здесь же! — покачивая бедрами, она скользнула дальше.

— Хорош метафизик! — сказал я. — Запоздалый цветок на иссохшем кактусе Талмуда.

— Все из-за вас, — заявил сконфуженный и взволнованный Танненбаум.

— Ну разумеется. У немецкого щелкунчика виноватый всегда найдется, лишь бы не нести самому ответственность.

— Я хотел сказать, что это благодаря вам! По-моему, она ничуть не обиделась. А как по-вашему?

Танненбаум расцветал на глазах. Вытянул шею и покрылся красно-бурым румянцем; теперь его лицо напоминало железо, долго мокнувшее под дождем.

— Вы совершили ошибку, господин Танненбаум, — сказал я. — Вам следовало пометить ее юбку мелом — провести маленькую незаметную черточку. Тогда бы вы знали, какая из двойняшек приняла ваши пошлые ухаживания. Допустим, что другой они не по вкусу. Вы повторите свою попытку, а она швырнет вам в голову поднос с яблочным пирогом и кофейник в придачу! Как видите, обе сестрицы вносят в данный момент свежий пирог. Вы помните, кто из них угощал вас только что? Я уже не помню.

— Я... Это была... Нет... — Танненбаум бросил на меня взгляд, исполненный ненависти, и уставился на двойняшек. Казалось, его слепит солнце. Потом он с неимоверным трудом выдавил из себя сладенькую улыбку. Танненбаум решил, что та сестра, к которой он приставал, ответит ему улыбкой. Однако обе девушки улыбнулись одновременно. Танненбаум выругался сквозь зубы. Покинув его, я опять подошел к Бетти.

Мне хотелось уйти. Эта смесь слащавой сентиментальности и неподдельного страха была просто невыносима. Меня от нее мутило. Я ненавидел эту неистребимую эмигрантскую тоску, эту фальшивую ностальгию, которая, даже превратившись в ненависть и отвращение, всегда находила себе лазейки и возникала снова. На своем веку я слишком много наслушался разговоров, которые начинались сакраментальной фразой «не все немцы такие» и кончались болтовней на тему о старых и добрых временах в Германии до прихода нацистов. Я хорошо понимал Бетти, понимал ее нежное и наивное сердце, любил ее и все же не мог здесь оставаться. Глаза на мокром месте, картинки Берлина, родной язык, за который она цеплялась в страхе перед завтрашним днем, — все это трогало меня до слез. Но мне казалось при этом, что я чую запах покорности и бессильного бунтарства, которое наперед знает, что оно бессильно, и которое, будучи субъективно честным, сводится всего лишь к пустым словам и красивым жестам. Я снова ощутил себя узником, хотя нигде не было колючей проволоки; меня опять окружал этот трупный дух воспоминаний, эта призрачная и беспредметная ненависть.

Я оглянулся. Я был, наверное, дезертиром — ведь я хотел бежать. Хотел бежать, несмотря на то, что знал, сколько истинных страданий и невосполнимых утрат пережили эти люди, — у многих из них близкие исчезли навек. Но, на мой взгляд, эти утраты были слишком велики, и никто не имел права поминать их всуе, это только губило душу.

Внезапно я понял, почему мне не терпелось уйти. Я не желал принимать участия в их бессильном и призрачном бунте, не желал впасть затем в смирение, ибо ничем иным этот бунт не мог кончиться. Опасность смирения и так все время маячила передо мной. И если я сдамся, то в один прекрасный день после долгих лет ожидания обнаружу, что из-за бессмысленной «борьбы с тенью» я вовсе перестал быть боксером, превратился в тряпку, в труху... А я ведь решил, что сам добьюсь возмездия, сам отомщу; какой толк в жалобах и протестах; я буду действовать сам. Но для этого мне надо было держаться подальше от стены плача и сетований на реках вавилонских. Я быстро оглянулся, словно меня застали на месте преступления.

— Росс, — сказала Бетти. — Как хорошо, что вы пришли. Прекрасно иметь столько друзей.

— Вы ведь для всех нас, эмигрантов, как родная мать, Бетти. Без вас мы просто жалкие скитальцы.

— Как у вас дела с вашим новым хозяином?

— Очень хорошо, Бетти. Скоро я смогу отдать часть долга Фрислендеру.

Бетти подняла с подушки разгоряченное лицо и подмигнула мне.

— Время ждет. Фрислендер очень богатый человек. Эти деньги ему не нужны. И вы сможете вернуть долг после того, как все кончится. — Бетти засмеялась. — Я рада, что дела у вас идут неплохо, Росс. Очень немногие эмигранты могут этим похвастаться. Мне нельзя долго болеть. Люди во мне нуждаются. Вы согласны?

Я пошел к выходу вместе с Равиком. У дверей стоял Танненбаум. Он нерешительно переводил взгляд с одной сестры Коллер на другую. Лысина у него блестела. Он уже опять ненавидел меня.

— Вы с ним поссорились? — спросил Равик.

— Да нет. Просто глупая перебранка, чтобы немного отвлечься. Не умею я сидеть у постели больного. Выхожу из терпения и злюсь. А потом сам себя казню, но ничего не могу с этим поделать.

Тени в раю

— Большинство ведет себя так же. Чувствуешь себя виноватым в том, что ты здоров.

— Я чувствую себя виноватым в том, что другой болен.

Равик остановился на ступеньках.

— Неужели и вы немного тронулись?

— Разве этого кто-нибудь избежал?

Он улыбнулся.

— Это зависит от того, в какой степени вы подавляете ваши эмоции. Сдержанные люди подвергаются в этом смысле наибольшей опасности. Зато те, кто сразу начинает бушевать, почти неуязвимы.

— Приму к сведению, — пообещал я. — Что с Бетти?

— До операции трудно сказать.

— Вы уже сдали свои экзамены?

— Да.

— И будете делать операцию Бетти?

— Да.

— До свидания, Равик.

— Теперь меня зовут Фрезенбург. Это моя настоящая фамилия.

— А меня все еще зовут Росс. Это моя ненастоящая фамилия.

Равик засмеялся и быстро ушел.

— Почему ты все время озираешься? Можно подумать, что я спрятала здесь детский трупик, — сказала Наташа.

— Я всегда озираюсь. Старая привычка. Трудно отделаться от нее так скоро.

— Тебе часто приходилось скрываться?

Я взглянул на Наташу с удивлением. Какой дурацкий вопрос. Все равно, что тебя спросили бы: «Часто ли тебе приходилось дышать?» Но как ни странно,

Эрих Мария Ремарк

в груди у меня потеплело от радости, и я подумал: «Слава Богу, что она ничего не знает».

Наташа стояла у широкого окна в комнате с низким потолком. На свету ее фигура казалась совсем темной. Как хорошо, что ей не надо было ничего объяснять. Наконец-то я перестал чувствовать себя беженцем. Я обнял ее и поцеловал.

— От солнца у тебя совсем горячие плечи, — сказал я.

— Я переехала сюда вчера. Холодильник забит до отказа. Можно весь день не вылезать из дома. Сегодня ведь воскресенье, напоминаю тебе на всякий случай.

— Я и так помню. А выпивка в холодильнике тоже найдется?

— Там две бутылки водки. И еще две бутылки молока.

— Ты умеешь готовить?

— Как сказать. Умею поджарить бифштексы и открывать консервные банки. Кроме того, у нас полно фруктов и есть радиоприемник. Давай начнем жить как добропорядочные обыватели.

Наташа засмеялась. Я держал ее за руки и не смеялся. Ее слова ударяли в меня, словно мягкие стрелы; это были стрелы с резиновыми наконечниками, какими ребята стреляют из духовых ружей. Эти стрелы не причиняли боль, но я все же их чувствовал.

— Такая жизнь не для тебя. Правда? — спросила Наташа. — Очень уж мещанская.

— Наоборот, для меня это самое большое приключение, какое человек может пережить в наши дни, — возразил я, вдыхая аромат ее волос; они пахли кедром. — Нынче самая захватывающая жизнь — у простого бухгалтера, он живет так же, как во время оно жил король Артур. Я согласился бы месяцами слушать радио и пить пиво; мещанский уют я воспринял бы как накинутую на плечи пурпурную мантию.

— Ты когда-нибудь смотрел телевизор?

— Очень редко.

— Я так и думала. Тебе бы он скоро осточертел. А от твоей пурпурной мантии у тебя бы начали зудеть плечи.

— Сейчас меня это не трогает. Знаешь, мы сегодня впервые не шляемся по разным увеселительным заведениям и гостиницам.

Наташа кивнула.

— Я же тебе говорила. Но ты подозревал, что к этой квартире имеет отношение Фрезер.

— Я и сейчас подозреваю. Только мне все равно.

— Ты становишься умнее. Успокойся! У тебя нет оснований подозревать меня.

Я огляделся. Это была скромная квартирка на пятнадцатом этаже: гостиная, спальня и ванная. Для Фрезера квартира была недостаточно шикарной. Из окон гостиной и спальни открывался великолепный вид на Нью-Йорк от Пятьдесят седьмой улицы до самой Уолл-стрит... Небоскребы... дома пониже...

— Нравится тебе здесь? — спросила Наташа.

— Дай Бог такое всем жителям Нью-Йорка. Много света, простор, и город как на ладони. Ты права, сегодня для нас было бы безумием тронуться с места.

— Принеси воскресные газеты. Киоск рядом на углу. Тогда у нас будет все, что нам требуется. А я за это время попытаюсь сварить кофе.

Я направился к лифту.

На углу я купил воскресные выпуски «Нью-Йорк таймс» и «Геральд трибюн», в каждом из которых было несколько сотен страниц. И подумал, не было ли человечество во времена Гете счастливей, хотя в ту пору только богатые и образованные люди читали газеты? Я пришел к такому выводу: отсутствие того, что человеку известно, не может сделать его несчастным. Довольно-таки скромный итог размышлений.

Любуясь ясным небом, в котором кружил самолет, я пытался выбросить из головы все неприятные мысли, словно это были блохи. Потом я прошелся по Второй авеню. Слева была мясная какого-то баварца, рядом с ней гастрономический магазин, принадлежавший трем братьям Штерн.

Я снова свернул на Пятьдесят седьмую улицу и поднялся на пятнадцатый этаж в одном лифте с гомосексуалистом, назвавшим себя Яспером. Это был рыжий молодой человек в клетчатом спортивном пиджаке, с белым пуделем по кличке Рене. Яспер пригласил меня позавтракать с ним. Ускользнув от него, я пришел в хорошее настроение и позвонил. Наташа открыла мне дверь полуголая — на голове у нее был тюрбан, вокруг бедер обмотано купальное полотенце.

— Блеск! — сказал я, швырнув газеты на стул в передней. — Твой наряд вполне подходит к характеристике этого этажа.

— Какой характеристике?

— Той, которую дал мне Ник, продавец газет на углу. Он утверждает, что раньше здесь помещался бордель.

— Я приняла ванну, — сказала Наташа, — и притом уже во второй раз. Холодную. А ты все не появлялся. Покупал газеты на Таймс-сквер?

— Нет, соприкоснулся с незнакомым мне миром, миром гомосексуалистов. Ты знаешь, что здесь их полным-полно?

Наташа кивнула и бросила на пол купальное полотенце.

— Знаю. Эта квартира тоже принадлежит парню из их породы. Надеюсь, теперь ты, наконец, успокоишься?

— Поэтому ты и встретила меня в таком наряде?

— Я не подумала, что мой вид тебя так взволнует. Впрочем, по-моему, тебе это не повредит.

Мы лежали на кровати. После кофе мы выпили пива. Стол заказов в магазине братьев Штерн, работавший и по воскресеньям, прислал нам на дом копченое мясо, салями, масло, сыр и хлеб. В Штатах достаточно позвонить по телефону, чтобы приобрести все, что угодно. Даже по воскресеньям. И притом продукты приносят на дом — тебе остается только приоткрыть дверь и забрать заказ. Прелестная страна для тех, кому по карману эта благодать.

— Я обожаю тебя, Наташа, — сказал я. В ту минуту у меня была одна забота — не надеть пижаму с чужого плеча, которую она мне кинула. — Я боготворю тебя. И это так же верно, как то, что я существую. Но чужую пижаму я все равно не надену.

— Послушай, Роберт! Она ведь выстирана и выглажена. Да и Джерри чрезвычайно чистоплотный человек.

— Кто?

— Джерри. Спишь же ты в своей гостинице на простынях, на которых черт знает кто валялся до тебя.

— Правильно. Но думать об этом мне неприятно. Но это все же другое. Я понятия не имею, кто на них спал. Люди эти мне незнакомы.

— Джерри тоже незнакомый.

— Я знаю его через тебя. Вот в чем разница. Одно дело есть курицу, которую ты никогда не видел, другое дело — курицу, которую ты сам вырастил и выпестовал.

— Жаль! Я с удовольствием поглядела бы на тебя в красной пижаме. Но меня клонит ко сну. Ты не возражаешь, если я посплю часок? От саляти, пива и любви я совсем разомлела. А ты пока почитай газеты.

— И не подумаю. Я буду лежать с тобой рядом.

— По-твоему, мы так сможем заснуть? По-моему, это трудно.

— Давай попробуем. Я тоже постараюсь заснуть.

Через несколько минут Наташа крепко заснула. Довольно долго я смотрел на нее, но мысли мои были далеко. Кондиционер почти неслышно гудел, и снизу доносились приглушенные звуки рояля. Кто-то играл упражнения, видимо, начинающий пианист; он играл очень плохо, но как раз поэтому я вспомнил детство и жаркие летние дни, когда нерешительные и медленные звуки рояля просачивались в квартиру с другого этажа, а за окном лениво шелестели каштаны, колеблемые ветром.

Внезапно я очнулся. Оказывается, я тоже спал. Я осторожно слез с кровати и прошел в соседнюю комнату, чтобы одеться. Мои вещи были разбросаны повсюду. Я собрал их, а потом подошел к окну и начал смотреть на этот чужой город, лишенный воспоминаний и традиций. Никаких воспоминаний! Город был новый, весь устремленный в будущее. Я долго стоял и думал о всякой всячине. Кто-то снова начал терзать рояль, на этот раз играли не этюды Черни, а сонату Клементи. А потом заиграли медленный блюз.

Я встал на середину комнаты, чтобы видеть Наташу. Она лежала поверх одеяла, обнаженная, закинув руку за голову, лицом к стене. Я очень любил ее. Любил за то, что она не знала сомнений. И еще она умела стать тебе необходимой и в то же время никогда не быть в тягость; ты не успевал оглянуться, а ее уже и след простыл. Я опять подошел к окну и начал разглядывать эту белую каменную пустыню, напоминавшую Восток. Нечто среднее между Алжиром и лунным ландшафтом.

Я прислушивался к незатихающему уличному шуму и следил за длинным рядом светофоров на Второй авеню, свет в которых автоматически переключался с зеленого на красный, а потом снова на зеленый. В регулярности этого переключения было что-то успокаивающее и вместе с тем бесчеловечное; казалось, этим городом управляют роботы. Впрочем, мысль о роботах меня не пугала.

Я снова встал на середину комнаты; теперь я сделал открытие: когда я оборачивался, то видел Наташу в зеркале, висевшем напротив нее. Я видел ее в зеркале и без зеркала. Странное ощущение! Мне скоро стало не по себе, словно мы оба утратили свою реальность, и я повис в башне между двумя зеркалами, которые перебрасывались возникавшими в них изображениями, пока не исчезли в бесконечности.

Наташа зашевелилась. Вздохнув, она повернулась на живот. Я раздумывал — не вынести ли мне на кухню поднос с жестянками из-под пива, бумажными салфетками, салями и хлебом. Но потом решил, что не стоит. Я ведь вовсе не собирался потрясать ее своими хозяйственными способностями. Я даже не поставил водку в холодильник; правда, я знал, что у нас есть еще вторая бутылка, в холодильнике. И тут я подумал, что меня до странности трогает вся эта обстановка, в сущности, очень обыденная: ты пришел домой, где тебя ждет другой человек, который доверчиво спит теперь в соседней комнате и ничего не боится. Очень давно я

Эрих Мария Ремарк

пережил нечто подобное, но тогда покой казался призрачным. И я не хотел вспоминать о тех временах, пока не вернусь назад. Я знал, что воспоминания чрезвычайно опасны; если ты вступишь на путь воспоминаний, то окажешься на узких мостках без перил, по обе стороны которых — пропасть; пробираясь по этим мосткам, нельзя ни иронизировать, ни размышлять, можно только идти вперед не раздумывая. Конечно, я мог избрать эту дорогу; но при любом неверном шаге мне грозила опасность, какая грозит акробату под куполом цирка.

Я снова взглянул на Наташу. Я очень любил ее, но в моем чувстве к ней не было ни малейшей сентиментальности. И до тех пор, пока сентиментальность не появится, я был в безопасности. Я мог порвать с ней сравнительно безболезненно. Я любовался ее красивыми плечами, ее прелестными руками, бесшумно шевеля пальцами, делая пассы и шепча заклинания: «Останься со мной, существо из другого мира! Не покидай меня раньше, чем я покину тебя! Да будет благословенна твоя сущность — воплощение необузданности и покоя!»

— Что ты делаешь? — спросила Наташа.

Я опустил руки.

— Разве ты меня видишь? — удивился я. — Ведь ты лежишь на животе!

Она показала рукой на маленькое зеркальце, стоявшее на ночном столике рядом с радиоприемником.

— Хочешь меня заколдовать? — спросила она. — Или уже успел пресытиться радостями домашнего очага?

— Ни то, ни другое. Мы не тронемся с места, не выйдем из этой крепости; правда, из нее уже почти выветрился запах борделя, но зато здесь попахивает гомосексуализмом. Самое большее, на что я готов решиться, — это пройтись после обеда по Пятой авеню, как все приличные американские граждане, потомки тех, кто прибыл на «Мейфлауерс»*. Но мы тут же вернемся к своему радио, бифштексам, электрической плите и любви.

Мы не вышли на улицу даже после обеда. Вместо этого мы открыли на час окна, и в комнату хлынул горячий воздух. А потом мы включили на полную мощность кондиционер, чтобы не вспотеть.

В конце этого дня у меня появилось странное чувство: мне казалось, что мы прожили почти год в безвоздушном пространстве, в состоянии покоя и невесомости.

XX

— Я устраиваю небольшой прием, — сообщил Силверс. — Вас я тоже приглашаю.

— Спасибо, — сказал я без особого энтузиазма. — К сожалению, я вынужден отказаться. У меня нет смокинга.

— И не надо. Сейчас лето. Каждый может прийти в чем хочет.

Теперь у меня не было пути к отступлению.

— Хорошо, — сказал я.

— Смогли бы вы привести с собой миссис Уимпер?

— Вы ее пригласили?

— Пока еще нет. Ведь она ваша знакомая.

Я взглянул на Силверса. Ну и хитрец!

— Не думаю, чтобы ее можно было так вот взять и привести. Кроме того, вы утверждали, что она ваша знакомая, и притом очень давняя.

---

* Имеется в виду корабль, на котором прибыли первые поселенцы в Америку.

Эрих Мария Ремарк

— Я сказал это просто так, к слову. У меня будут очень интересные люди.

Я отлично представлял себе, что это за интересные люди. Та часть человечества, которая живет на доходы от купли-продажи, воспринимает прикладную психологию весьма примитивно. Люди, на которых можно заработать, — интересные. Остаток рода человеческого делится на людей приятных и безразличных. Что же касается людей, из-за которых можно потерять деньги, то они, безусловно, подлецы. Силверс фактически строго придерживался этой классификации. И даже, пожалуй, шел еще дальше...

Рокфеллеров, Фордов и Меллонов я на приеме не увидел, хотя, по рассказам Силверса, они являлись его лучшими друзьями и должны были присутствовать обязательно. Зато другие миллионеры пришли — очевидно, миллионеры в первом поколении, а не во втором и тем паче в третьем. Они вели себя шумно и благодушно, ибо находились сейчас на ничейной земле между царством чистогана, где чувствовали себя очень уверенно, и царством живописи, где чувствовали себя не очень уверенно. Все они считали себя коллекционерами, а не людьми, случайно купившими несколько картин, чтобы повесить их дома. В этом заключался самый главный трюк Силверса: он делал из своих клиентов коллекционеров, то есть заботился о том, чтобы музеи время от времени брали у них какую-нибудь картину для выставки и вносили ее в каталог с пометкой: «Из собрания мистера и миссис Х». Благодаря этому клиенты Силверса подымались еще на одну ступеньку выше по вожделенной лестнице, ведущей в светское общество.

Внезапно я увидел напротив себя миссис Уимпер. Она поманила меня пальцем.

— Что мы делаем здесь, среди этих акул? — спросила она. — Для чего меня, собственно, пригласили? Ужасные люди. Не сбежать ли нам?

— Куда?

— Все равно куда. В «Эль Марокко» или ко мне домой.

— Я бы с удовольствием, — начал я. — Но не могу. Я здесь, так сказать, по долгу службы.

— По долгу службы? А как же я? Ведь у вас есть долг и по отношению ко мне. Вы должны доставить меня домой. Меня пригласили из-за вас.

Ее аргументация показалась мне весьма занятной.

— Вы, случайно, не русская? — осведомился я.

— Нет. А почему вы спрашиваете?

— Да потому, что некоторые русские дамы умеют возводить стройные логические построения, основываясь на ложных посылках и ложных умозаключениях, а потом предъявлять претензии к другим. Очень привлекательная, очень женственная и очень опасная черта.

Миссис Уимпер вдруг рассмеялась.

— У вас так много знакомых русских дам?

— Есть несколько. Эмигрантки. Я заметил, что они обладают гениальной способностью предъявлять ложные обвинения ни в чем не повинным мужчинам. По их мнению, это не дает угаснуть любви.

— И все-то вы знаете! — заметила миссис Уимпер, бросив на меня долгий испытующий взгляд. — Когда же мы уйдем? Не желаю выслушивать фарисейские проповеди этой Красной Шапочки.

— Почему Красной Шапочки?

— Тогда волка в овечьей шкуре.

Эрих Мария Ремарк

— Это уже не из сказки о Красной Шапочке. Это из Библии, миссис Уимпер.

— Спасибо, профессор. Но и тут и там фигурирует волк. Скажите, неужели вам не становится худо при виде этой стаи малых и больших гиен и волков, которые шныряют взад и вперед с Ренуарами в пасти?

— Пока нет. Я воспринимаю это иначе, чем вы. Мне нравится, когда человек серьезно рассуждает о материях, в которых он ничего не смыслит. Это звучит по-детски и успокаивает нервы. Узкие специалисты нагоняют скуку.

— А ваш верховный жрец? Он говорит о картинах со слезами на глазах, будто это его родные дети, а потом выгодно продает их. Впрочем, он продаст и мать, и отца.

Я не мог удержаться от смеха. Она хорошо разбиралась в этой ярмарке тщеславия.

— Нам здесь нечего делать, — сказала она. — Проводите меня домой.

— Могу отвезти вас домой, но потом я должен вернуться.

— Хорошо.

Я бы и сам мог догадаться, что у подъезда миссис Уимпер ждет машина с шофером, но для меня это было почему-то неожиданностью. Она заметила мое удивление.

— Все равно, отвезите меня домой. Я не кусаюсь, — сказала она. — Шофер доставит вас обратно. Ненавижу приходить домой одна. Вы не представляете себе, какой пустой может казаться собственная квартира.

— Ошибаетесь, — возразил я, — представляю.

Машина остановилась, шофер распахнул дверцу. Миссис Уимпер вышла из машины и, не дожидаясь меня, направилась к подъезду. Разозленный, я последовал за ней.

— Как ни жаль, но мне придется ехать обратно, — сказал я. — Вы, конечно, понимаете, что иначе нельзя.

— Можно, — сказала она. — Но в этом вы опять-таки ничего не смыслите. Спокойной ночи. Джон, отвези господина... Извините, забыла вашу фамилию.

Я оторопело взглянул на нее.

— Мартин, — сказал я без запинки.

Миссис Уимпер и бровью не повела.

— Господина Мартина, — повторила она.

Секунду я размышлял, не лучше ли мне отказаться. Потом сел в машину.

— Довезите меня до ближайшей стоянки такси, — сказал я шоферу.

Машина тронулась. Мы проехали две улицы, и я сказал:

— Остановитесь! Вон — такси.

Шофер повернулся ко мне:

— Почему вы хотите выйти? Для меня сущий пустяк довезти вас до места.

— А для меня не пустяк.

Он усмехнулся.

— Боже мой! Мне бы ваши заботы.

Мы остановились. Я протянул ему чаевые. Он покачал головой, но деньги все же взял. Я поехал на такси к Силверсу. И вдруг сам покачал головой и подумал: «Какой я идиот!»

— Отвезите меня, пожалуйста, не на Шестьдесят вторую улицу, а на Пятьдесят седьмую, угол Второй авеню.

— Как угодно. Хорошая ночь, правда?

— Чересчур теплая.

Я вышел у магазина братьев Штерн. Магазин был еще открыт. Несколько гомосексуалистов с плотоядной улыбкой выбирали холодные закуски на ужин. Я позвонил Наташе. Она ждала меня не раньше чем через два-три часа, поэтому я не решился подняться к ней без звонка. День был и так богат неожиданностями, и я хотел избежать новых. Наташа была дома.

— Ты где? — спросила она. — У своих коллекционеров? Краткая передышка?

— Я не у коллекционеров и не у миссис Уимпер. Я в магазине братьев Штерн. Среди сыров и салями.

— Купи полфунта салями и серого хлеба.

— Масла тоже?

— Масло у нас есть. А вот против эдамского сыра я не возражаю.

Я вдруг почувствовал себя очень счастливым.

К тому времени, когда я вышел из телефонной будки, в магазине уже резвились три пуделя. Я узнал Рене, а потом и его хозяина, рыжего Яспера. Яспер поздоровался со мной — он был какой-то развинченный, как большинство педерастов.

— Что поделываешь, незнакомец? Давно не виделись.

Я получил свои покупки: салями, сыр и шоколадный крем в тонкой жестяной формочке.

— Вот как? — заметил Яспер. — Продукты для позднего ужина.

Я молча смерил его взглядом. На его счастье, он не спросил, буду ли я ужинать с приятельницей. Иначе я увенчал бы его рыжую шевелюру формочкой с кремом — чем не корона!

Но он ничего не сказал, молча последовал за мной на улицу.

Тени в раю

— Может, прогуляемся немного? — предложил он, стараясь шагать со мной в ногу.

Я огляделся. На Второй авеню царило оживление. Был, очевидно, час вечернего променада. Улица буквально кишела гомосексуалистами с пуделями и без оных. А также с карликовыми таксами, причем многих владельцы несли под мышкой. Атмосфера была праздничная. Молодые люди здоровались, перебрасывались шутками, останавливались, когда собаки справляли свою нужду у края тротуара, рассматривали друг друга, обменивались взглядами. Я заметил, что вызываю всеобщее внимание. Яспер шел рядом со мной, кивая знакомым с такой гордостью, словно я был его новым приобретением. И все обсуждали мою скромную особу. Потеряв терпение, я круто повернул назад.

— Почему вы так торопитесь? — спросил Яспер.

— Каждое утро я хожу в церковь и причащаюсь. Мне надо подготовиться к этому. До свидания.

На секунду Яспер потерял дар речи. Потом за моей спиной раздался громкий смех. Этот смех неожиданно напомнил мне прощание с миссис Уимпер. Я остановился у газетного киоска и купил «Джорнэл» и «Ньюс».

— Сегодня вечером они, по-моему, в полном сборе, — заметил Ник и сплюнул.

— Здесь всегда так?

— Каждый вечер. Парад звезд. Если это будет продолжаться, в Америке снизится рождаемость.

Я поднялся на лифте в квартиру Наташи. С тех пор как она здесь жила, наши отношении вступили в новую фазу. Раньше мы встречались от случая к случаю, теперь я проводил у нее все вечера.

— Я должен принять ванну. У меня такое чувство, будто я испачкался с ног до головы.

Эрих Мария Ремарк

— Давай! Грех удерживать человека от мытья. Хочешь ароматическую соль? Гвоздику фирмы «Мэри Чесс»?

— Лучше не надо! — Я подумал о Яспере и о том, что произойдет, если, встретившись с ним, я буду благоухать гвоздикой.

— Каким образом ты так скоро вернулся?

— Я отвез миссис Уимпер домой. Силверс пригласил ее без моего ведома.

— И она так быстро отпустила тебя? Браво!

Я слегка приподнялся в теплой воде.

— Она не хотела меня отпускать. Но откуда ты знаешь, что вырваться от нее нелегко?

Наташа рассмеялась.

— Это известно каждому.

— Каждому? Кому именно?

— Каждому, кто с ней сталкивается. Она чувствует себя одинокой, не интересуется мужчинами своего возраста, поглощает в большом количестве коктейли «Мартини» и вполне безобидна. Бедный Роберт! А ты испугался?

Я схватил Наташу за подол пестрого, разрисованного вручную платья и попытался втащить ее в воду. Но она закричала:

— Пусти! Платье не мое! Это модель!

Я отпустил ее.

— А что в таком случае наше? Квартира — не наша, платья — не наши, драгоценности — не наши...

— Вот и прекрасно. Никакой ответственности! Это ведь то, о чем ты мечтал. Правда?

— Сегодня у меня плохой день, — сказал я. — Сжалься надо мной!

Наташа встала.

— И ты еще собираешься осуждать меня за Элизу Уимпер. Ты со своим пресловутым пактом.

— Каким пактом?

— О том, что мы не должны причинять друг другу боль. И о том, что мы сошлись лишь для того, чтобы забыть старые романы. О Боже! Как ты мне все это преподнес! И мы, дрожа как овцы после урагана, укрылись под сенью этой ни к чему не обязывающей любвишки, укрылись, чтобы зализать раны, которые нам нанесли другие.

Она заметалась по ванной. А я с удивлением смотрел на нее. Почему она вдруг вспомнила все эти наполовину забытые дурацкие разговоры, с которых всегда начинается сближение? Я был уверен, что не говорил всего этого — не такой уж я дурак! Скорее она сама так думала... И, наверное, именно потому она прибилась ко мне. В голове у меня промелькнуло множество мыслей; да, я понимал, что отчасти она права, хотя и не хотел в этом признаться. Меня удивляло только, что она все так ясно сознавала.

— Дай мне рюмку водки, — сказал я осторожно, решив перейти в наступление. Когда у человека совесть не чиста, это самое верное средство.

— Здорово мы друг друга обманули! Не так ли?

— По-моему, это обычная история, — сказал я, радуясь тому, что увидел какой-то просвет.

— Не знаю. Я потом каждый раз все забываю.

— Каждый раз? С тобой это часто случается?

— Тоже не знаю. Я ведь не счетная машина. Может, ты — счетная машина, а я — нет.

— Я лежу в ванне, Наташа. Исключительно невыгодная позиция. Давай заключим мир.

— Мир! — повторила она язвительно. — Кому нужен мир?

Эрих Мария Ремарк

Схватив купальное полотенце, я встал. Если бы я мог предположить, чем кончится этот разговор, я бежал бы от ванны, как от холеры.

Наташа начала обличать меня не то всерьез, не то в шутку, но потом взвинтила себя и пришла в воинственное настроение — я заметил это по ее глазам, по движениям и по голосу, который вдруг стал звонче. Мне надо смотреть в оба! И прежде всего потому, что она была права. Вначале я решил сам наступать, используя миссис Уимпер. Но неожиданно все повернулось по-другому.

— Прелестное платье, — сказал я. — А ведь я хотел выкупать тебя в нем!

— Почему же не выкупал?

— Вода была слишком горячая, а ванна слишком тесная для двоих.

— Зачем ты одеваешься? — спросила Наташа.

— Мне холодно.

— Можно выключить кондиционер.

— Не стоит. Тогда будет жарко.

Она подозрительно взглянула на меня.

— Хочешь удрать? Трус! — сказала она.

— Что ты! Разве я могу покинуть салями и эдамский сыр?

Неожиданно она пришла в ярость.

— Иди к черту! — закричала она. — Убирайся в свою вонючую гостиницу. В свою дыру! Там твое место!

Она дрожала от злости. Я поднял руку, чтобы поймать на лету пепельницу, в случае если Наташа швырнет ее в меня: я не сомневался, что пепельница попадет в цель. Наташа была просто великолепна. Гнев не искажал ее черт, наоборот, он красил ее. Она трепетала не только от злобы, но и от полноты жизни.

Я хотел овладеть ею, но внутренний голос предостерег меня: «Не делай этого!» На меня вдруг нашло прозрение: я понял, что сиюминутная близость ничего не даст. Мы просто уйдем от проблем, так и не разрешив их. И в будущем я уже не сумею использовать этот столь важный эмоциональный довод! Самым разумным в моем положении было спастись бегством. И именно сейчас, ни минутой позже.

— Как знаешь! — сказал я, быстро пересек комнату и хлопнул дверью. Поджидая лифт, я прислушался. До меня не донеслось ни звука. Может быть, она считала, что я вернусь.

В антикварной лавке братьев Лоу электрические лампы освещали французские латунные канделябры начала девятнадцатого века с белыми фарфоровыми цветами. Я остановился и начал разглядывать витрину. Потом я прошел мимо светлых безотрадных и полупустых закусочных, где у длинной стойки люди ели котлеты или сосиски, запивая их кока-колой и апельсиновым соком, — к этому сочетанию я до сих пор не мог привыкнуть.

В гостинице, к счастью, в тот вечер дежурил Меликов.

— Cafard?[*] — спросил он.

Я кивнул:

— Разве по мне это заметно?

— За километр. Хочешь выпить?

Я покачал головой.

— Пока еще на первой стадии, а при этом алкоголь только вредит.

— Что значит — на первой стадии?

— Когда считаешь, что вел себя скверно и глупо и потерял чувство юмора.

---

[*] Хандра? (*фр.*).

Эрих Мария Ремарк

— Я думал, ты уже прошел через это.

— По-видимому, нет.

— А когда наступает вторая стадия?

— Когда я решаю, что все кончено. По моей вине.

— Может, выпьешь хотя бы кружку пива? Садись в это плюшевое кресло и кончай психовать.

— Хорошо.

Я предался фантасмагорическим мечтаниям, а Меликов тем временем разносил по номерам бутылки минеральной воды, а потом и виски.

— Добрый вечер, — произнес чей-то голос за моей спиной.

Лахман! Первым моим побуждением было встать и быстро улизнуть.

— Только тебя мне не хватало, — сказал я.

Но Лахман с умоляющим видом снова усадил меня в кресло.

— Сегодня я не буду плакаться тебе в жилетку, — прошептал он. — Мои несчастья кончились. Я ликую!

— Подцепил ее все-таки? Жалкий гробокопатель!

— Кого?

Я поднял голову:

— Кого? Своими причитаниями ты надоел всей гостинице, лампы тряслись от твоего воя, а теперь у тебя хватает нахальства спрашивать «кого»?

— Это уже дело прошлое, — сказал Лахман, — я быстро забываю.

Я взглянул на него с интересом.

— Вот как? Ты быстро забываешь? И потому хныкал месяцами?

— Конечно. Быстро забываешь только после того, как полностью очистишься!

— От чего? От нечистот?

— Дело не в словах. Я ничего не добился. Меня обманывали — мексиканец и эта донья из Пуэрто-Рико.

— Никто тебя не обманывал. Просто ты не добился того, чего хотел. Большая разница.

— Сейчас уже десять вечера, а в такую поздноту я не воспринимаю нюансов.

— Ты что-то очень развеселился, — сказал я не без зависти. — У тебя, видимо, в самом деле все быстро проходит.

— Я нашел перл, — прошептал Лахман. — Пока еще не хочу ничего говорить. Но это — перл. И без мексиканца.

Меликов жестом подозвал меня к своей конторке.

— К телефону, Роберт.

— Кто?

— Наташа.

Я взял трубку.

— Где ты обретаешься? — спросила Наташа.

— На приеме у Силверса.

— Ерунда! Пьешь водку с Меликовым.

— Распростерся ниц перед плюшевым креслом, молюсь на тебя и проклинаю свою судьбу. Я совершенно уничтожен.

Наташа рассмеялась.

— Возвращайся, Роберт.

— Вооруженный?

— Безоружный, дурень. Ты не должен оставлять меня одну. Вот и все.

Я вышел на улицу. Она поблескивала при свете ночных фонарей — войны и тайфуны были от нее за тридевять земель; затаив дыхание, она прислушивалась к тихому ветру и к собственным мечтам. Улица эта никогда не казалась мне красивой, но сейчас вдруг я почувствовал ее прелесть.

— Сегодня ночью я остаюсь здесь, — сказал я Наташе. — Не пойду в гостиницу. Хочу спать и проснуться с тобой рядом. А потом я притащу от братьев Штерн хлеб, молоко и яйца. В первый раз мы проснемся с тобой вместе. По-моему, у всех наших недоразумений одна причина: мы с тобой слишком мало бываем вдвоем. И каждый раз нам приходится снова привыкать друг к другу.

Наташа потянулась.

— Я всегда думала, что жизнь ужасно длинная и поэтому не стоит быть все время вместе. Соскучишься.

Я невольно рассмеялся.

— В этом что-то есть, — сказал я. — Но мне пока еще не приходилось испытывать такое. Сама судьба постоянно заботилась, чтобы я не соскучился... У меня такое чувство, — продолжал я, — будто мы летим на воздушном шаре. Не на самолете, а на тихом шаре, на воздушном шаре братьев Монгольфье в самом начале девятнадцатого века. Мы поднялись на такую высоту, где уже ничего не слышно, но все еще видно: улицы, игрушечные автомобили и гирлянды городских огней. Да благословит Бог незнакомого благодетеля, который поставил сюда эту широкую кровать и повесил на стене напротив зеркало; когда ты проходишь по комнате, вас становится двое — две одинаковые женщины, из которых одна — немая.

— С немой куда проще. Правда?

— Нет.

Наташа резко повернулась.

— Правильный ответ.

— Ты очень красивая, — сказал я. — Обычно я сначала смотрю, какие у женщины ноги, потом какой у нее зад, и уж под конец разглядываю ее лицо.

С тобой все получилось наоборот. Вначале я разглядел твое лицо, потом ноги и, только влюбившись, обратил внимание на зад. Ты — стройная и сзади могла бы быть плоской, как эти изголодавшиеся, костлявые манекенщицы. Меня это очень тревожило.

— А когда ты заметил, что все в порядке?

— Своевременно. Существует весьма простые способы, чтобы это определить. Но самое странное, что интерес к этому у меня не проходил очень долго.

— Рассказывай дальше!

Она лениво свернулась клубочком на одеяле, мурлыча, словно огромная кошка. Маленькой кисточкой она покрывала лаком ногти на ногах.

— Не смей меня сейчас насиловать, — сказала она. — Это должно сперва высохнуть, не то мы станем липкими. Продолжай рассказывать!

— Я всегда считал, что не в силах устоять перед загорелыми женщинами, которые летом весь день плещутся в воде и лежат на солнце. А ты такая белая, будто вообще не видела солнца. У тебя что-то общее с луной... Глаза серые и прозрачные... Я не говорю, конечно, о твоем необузданном нраве. Ты — нимфа. Редко в ком я так ошибался, как в тебе. Там, где ты, в небо взлетают ракеты, вспыхивают фейерверки и рвутся снаряды; самое удивительное, что все это происходит беззвучно.

— Рассказывай еще! Хочешь чего-нибудь выпить?

Я покачал головой.

— Часто я взирал на собственные чувства немного со стороны. Я воспринимал их, так сказать, не в анфас, а в профиль. Они не заполняли меня целиком, а скользили мимо. Сам не знаю почему. Может, я боялся, а может, не мог избавиться от проклятых

Эрих Мария Ремарк

комплексов. С тобой все по-иному. С тобой я ни о чем не размышляю. Все мои чувства нараспашку. Тебя хорошо любить и так же хорошо быть с тобой после... Вот как сейчас. Со многими женщинами это исключено, да и сам не захочешь. А с тобой неизвестно, что лучше: когда тебя любишь, кажется, что это вершина всего, а потом, когда лежишь с тобой в постели в полном покое, кажется, что полюбил тебя еще больше.

— Ногти у меня почти высохли. Но ты рассказывай дальше.

Я взглянул в полутемную соседнюю комнату.

— Хорошо ощущать твою близость и думать, что человек бессмертен, — сказал я. — В какое-то мгновение вдруг начинаешь верить, что это и впрямь возможно. И тогда и я и ты бормочем бессвязные слова, чтобы чувствовать еще острее, чтобы стать еще ближе; мы выкрикиваем грубые, непристойные, циничные слова, чтобы еще теснее слиться друг с другом, чтобы преодолеть то крохотное расстояние, которое еще разделяет нас, — слова из лексикона шоферов грузовиков или мясников на бойне, слова-бичи. И все ради того, чтобы быть еще ближе, любить еще ярче, еще сильнее.

Наташа вытянула ногу и поглядела на нее. Потом она откинулась на подушку.

— Да, мой дорогой, в белых перчатках нельзя любить.

Я рассмеялся.

— Никто не знает этого лучше нас, романтиков. Ах, эти обманчивые слова, которые рассеиваются от легкого дуновения ветра, как облачка пуха. С тобой все иначе. Тебе не надо лгать.

— Ты лжешь очень даже умело, — сказала Наташа

сонным голосом. — Надеюсь, сегодня ночью ты не станешь удирать?

— Если удеру, то только с тобой.

— Ладно.

Через несколько минут она уже спала. Она засыпала мгновенно. Я накрыл ее, потом долго лежал без сна, прислушиваясь к ее дыханию и думая о разных разностях.

XXI

Бетти Штейн вернулась из больницы.

— Никто не говорит мне правду, — жаловалась она. — Ни друзья, ни враги.

— У вас нет врагов, Бетти.

— Вы — золото. Но почему мне не говорят правду? Я ее перенесу. Куда ужаснее не знать, что с тобой на самом деле.

Я обменялся взглядом с Грефенгеймом, который сидел за ее спиной.

— Вам сказали правду, Бетти. Почему надо обязательно думать, что правда — это самое худшее? Неужели вы не можете жить без драм?

Бетти заулыбалась, как ребенок.

— Я настрою себя иначе. А если все действительно в порядке, то опять распущусь. Я ведь себя знаю. Но если мне скажут: «Твоя жизнь в опасности», я начну бороться. Я как безумная буду бороться за то время, которое у меня еще осталось. И, борясь, быть может, продлю отпущенный мне срок. Иначе драгоценное время уйдет впустую. Неужели вы этого не понимаете? Вы ведь должны меня понять.

— Я понимаю. Но раз доктор Грефенгейм сказал, что все в порядке, вы обязаны ему верить. Зачем ему вас обманывать?

Эрих Мария Ремарк

— Так все делают. Ни один врач не говорит правду.

— Даже если он старый друг?

— Тогда тем более.

Бетти Штейн три дня назад вернулась из больницы и теперь мучила себя и своих друзей бесконечными вопросами. Ее большие, выразительные и беспокойные глаза на добром, не по годам наивном лице, вопреки всему сохранившем черты молоденькой девушки, перебегали с одного собеседника на другой. Порой кому-нибудь из друзей удавалось на короткое время успокоить ее, и тогда она по-детски радовалась. Но уже через несколько часов у нее опять возникали сомнения, и она снова начинала свои расспросы.

Теперь Бетти часами просиживала в вольтеровском кресле, которое она купила у братьев Лоу, потому что оно напоминало ей Европу, в окружении своих гравюр с видами Берлина; она перевесила их из коридора в спальню, а две маленькие гравюры в кабинетных рамках всегда ставила возле себя, таская их из комнаты в комнату.

Сообщения о бомбежках Берлина, которые поступали теперь почти ежедневно, лишь на короткое время омрачали ее настроение. Она переживала это всего несколько часов, но столь бурно, что в больнице Грефенгейму приходилось прятать от нее газеты. Впрочем, это не помогало. На следующий день Грефенгейм заставал ее в слезах у радиоприемника.

Бетти вообще была человеком крайностей и постоянно пребывала в состоянии транса. При этом скорбь ее по Берлину находилась в явном противоречии с ненавистью к нацистскому режиму, который уничтожил многих членов ее семьи. В довершение Бетти боялась открыто скорбеть: она тщательно скрывала свои чувства от друзей, как нечто неприличное. И так уже ее нередко ругали за тоску по Курфюрстендамму и говорили, что она готова лобызать ноги убийцам.

Ведь нервы всех изгнанников, раздираемых противоречивыми чувствами: надеждой, отвращением и страхом, были и так взвинчены до предела, ибо каждая бомба, упавшая на покинутую ими родину, разрушала и их былое достояние; бомбежки восторженно приветствовали и в то же время проклинали; надежда и ужас причудливо смешались в душах эмигрантов, и человеку надо было самому решать, какую ему занять позицию; проще всего оказалось тем, у кого ненависть была столь велика, что она заглушала все другие, более слабые движения сердца: сострадание к невинным, врожденное милосердие и человечность. Однако, несмотря на пережитое, в среде эмигрантов было немало людей, которые считали невозможным предать анафеме целый народ. Для них вопрос не исчерпывался тезисом о том, что немцы, дескать, сами накликали на себя беду своими ужасными злодеяниями или по меньшей мере равнодушием к ним, слепой верой в свою непогрешимость и чудовищным упрямством — словом, всеми качествами немецкого характера, которые идут рука об руку с верой в равнозначность приказа и права и в то, что приказ освобождает якобы от всякой ответственности.

Конечно, умение понять противника было одним из самых привлекательных свойств эмиграции, хотя свойство это не раз ввергало меня в ярость и отчаяние. Там, где можно было ждать лишь ненависти, и там, где она действительно существовала, спустя короткое время появлялось пресловутое понимание. А вслед за пониманием — первые робкие попытки оправдать;

у палачей с окровавленной пастью сразу же находились свидетели защиты. То было племя защитников, а не прокуроров. Племя страдальцев, а не мстителей!

Бетти Штейн — натура пылкая и сентиментальная — металась среди этого хаоса, чувствуя себя несчастной. Она оправдывалась, обвиняла, опять оправдывалась, а потом вдруг перед ней вставал самый бесплотный из всех призраков — страх смерти.

— Как вам теперь живется, Росс? — спросила Бетти.

— Хорошо, Бетти. Очень хорошо.

— Рада слышать!

Я заметил, что от моих слов в ней вновь вспыхнула надежда. Раз другому хорошо живется, стало быть, можно надеяться, что и ей будет хорошо.

— Это меня радует, — повторила она. — Вы, кажется, сказали «очень хорошо»?

— Да, очень хорошо, Бетти.

Она с удовлетворением кивнула.

— Они разбомбили Оливаерплац в Берлине, — прошептала она. — Слышали?

— Они разбомбили весь Берлин, а не одну эту площадь.

— Знаю. Но ведь это Оливаерплац. Мы там жили. — Она робко оглянулась по сторонам. — Все на меня сердятся, когда я об этом говорю. Наш старый добрый Берлин!

— Это был довольно-таки мерзкий город, — осторожно возразил я. — По сравнению с Парижем или с Римом, например. Я имею в виду архитектуру, Бетти.

— Как вы думаете, я доживу до того времени, когда можно будет вернуться домой?

— Конечно. Почему нет?

— Это было бы ужасно... Я так долго ждала.

— Да. Но там все будет по-другому, а не так, как нам запомнилось, — сказал я.

Бетти некоторое время обдумывала мои слева.

— Кое-что останется по-старому. И не все немцы — нацисты.

— Да, — сказал я, вставая. Подобного рода разговоры я не выносил. — Это мы успеем обсудить когда-нибудь потом, Бетти.

Я вышел в другую комнату. Там сидел Танненбаум и, держа в руках лист бумаги, читал вслух. Я увидел также Грефенгейма и Равика. И как раз в эту минуту вошел Кан.

— Кровавый список! — объявил Танненбаум.

— Что это такое?

— Я составил список тех людей в Германии, которых надо расстрелять, — сказал Танненбаум, перекладывая к себе на тарелку кусок яблочного пирога.

Кан пробежал глазами список.

— Прекрасно! — сказал он.

— Разумеется, он будет еще расширен, — заверил его Танненбаум.

— Вдвойне прекрасно! — сказал Кан.

— Кто же его будет расширять?

— Каждый может добавить свои кандидатуры.

— А кто приведет приговор в исполнение?

— Комитет. Надо его образовать. Это очень просто.

— Вы согласны стать во главе комитета?

Танненбаум глотнул.

— Я предоставлю себя в ваше распоряжение.

— Можно поступить еще проще, — сказал Кан. — Давайте заключим нижеследующий пакт: вы расстреляете первого в этом списке, а я всех остальных. Согласны?

Танненбаум снова глотнул. Грефенгейм и Равик посмотрели на него.

— При этом я имею в виду, — продолжал Кан резко, — что вы расстреляете первого в этом списке собственноручно. И не будете прятаться за спину комитета. Согласны?

Танненбаум не отвечал.

— Ваше счастье, что вы молчите, — бросил Кан, — если бы вы ответили: «Согласен», я влепил бы вам пощечину. Вы не представляете себе, как я ненавижу эту кровожадную салонную болтовню. Занимайтесь лучше своим делом — играйте в кино. Из всех ваших прожектов ничего не выйдет.

И Кан отправился в спальню к Бетти.

— Повадки, как у нациста, — пробормотал Танненбаум ему вслед.

Мы вышли от Бетти вместе с Грефенгеймом. Он переехал в Нью-Йорк, работал ассистентом в больнице. Там и жил, что не позволяло ему иметь частную практику; получал он шестьдесят долларов в месяц, жилье и бесплатное питание.

— Зайдемте ко мне на минутку, — предложил он.

Я пошел с ним. Вечер был теплый, но не такой душный, как обычно.

— Что с Бетти? — спросил я. — Или вы не хотите говорить?

— Спросите Равика.

— Он посоветует мне спросить вас.

Грефенгейм молчал в нерешительности.

— Ее вскрыли, а потом зашили опять. Это правда? — спросил я.

Грефенгейм не отвечал.

— Ей уже делали операцию раньше?

— Да, — сказал он.

Я не стал больше спрашивать.

— Бедная Бетти, — сказал я. — Сколько времени это может продлиться?

— Этого никто не знает. Иногда болезнь развивается быстро, иногда медленно.

Мы пришли в больницу. Грефенгейм повел меня к себе. Комната у него была маленькая, бедно обставленная, если не считать большого аквариума с подогретой водой.

— Единственная роскошь, которую я себе позволил, — сказал он, — после того как Кан отдал мне деньги. В Берлине вся приемная у меня была заставлена аквариумами. Я разводил декоративных рыбок. — Он виновато посмотрел на меня близорукими глазами. — У каждого человека есть свое хобби.

— Вы хотите вернуться в Берлин после окончания войны? — спросил я.

— Да. Ведь там у меня жена.

— Вы что-нибудь слышали о ней за это время?

— Мы договорились, что не будем писать друг другу. Всю почту они перлюстрируют. Надеюсь, она выехала из Берлина. Как вы думаете, ее не арестовали?

— Нет. Зачем ее арестовывать?

— По-вашему, они задают себе такие вопросы?

— Задают все же. Немцы остаются бюрократами, даже если они творят заведомо неправое дело. Им кажется, что тем самым оно становится правым.

— Трудно ждать так долго, — сказал Грефенгейм. Он взял стеклянную трубочку, с помощью которой очищают дно аквариума от тины, не замутив воду. — Так вы считаете, ее выпустили из Берлина. В какой-нибудь город в Центральной Германии?

— Вполне возможно.

Я вдруг осознал весь комизм положения: Грефенгейм обманывал Бетти, а я должен был обманывать Грефенгейма.

— Ужас в том, что мы обречены на полное бездействие, — сказал Грефенгейм.

— Да, мы всего лишь зрители, — сказал я. — Проклятые Богом зрители, достойные, быть может, зависти, потому что нам не разрешают участвовать в самой заварухе. Но именно это делает наше существование здесь таким призрачным, пожалуй, даже непристойным. Люди сражаются, между прочим, и за нас тоже, но не хотят, чтобы мы сражались с ними рядом. А если некоторым и разрешают это, то очень неохотно, с тысячью предосторожностей и где-то на периферии.

— Во Франции можно было записаться в Иностранный легион, — сказал Грефенгейм, откладывая в сторону стеклянную трубочку.

— Вы же не записались?

— Нет.

— Не хотели стрелять в немцев. Не так ли?

— Я вообще ни в кого не хотел стрелять.

Я пожал плечами.

— Иногда у человека не остается выбора. Он чувствует необходимость стрелять в кого-то.

— Только в себя самого.

— Чушь! Многие из нас не соглашались стрелять в немцев, потому что знали: те, в кого им хотелось бы выстрелить, далеко от фронта. На фронт посылают безобидных и послушных обывателей, пушечное мясо.

Грефенгейм кивнул.

— Нам не доверяют. Ни нашему возмущению, ни нашей ненависти. Мы вроде Танненбаума: он хоть и составляет списки, но никогда не стал бы расстреливать. Мы приблизительно такие же. Или нет?

— Да. Приблизительно. Даже Кана они не хотят брать. И, возможно, они правы.

Я пошел к выходу по белым коридорам, освещенным лампами в белых плафонах. Я возвращался назад к своему призрачному существованию, и у меня было такое чувство, точно я живу в эпицентре урагана на заколдованном острове, имеющем всего лишь два измерения... В Штатах было все не так, как в Европе, где недостающее третье измерение заменяла борьба против бюрократизма, против властей и жандармов, борьба за временные визы, за работу, борьба против таможенников и полицейских — словом, борьба за то, чтобы выжить! А здесь нас встретила тишина, мертвый штиль! Только кричащие газетные заголовки и сводки по радио напоминали о том, что где-то далеко за океаном бушует война; Америка знала лишь войну в эфире: ни один вражеский самолет не бороздил американских небес, ни одна бомба не упала на американскую землю, ни один пулемет не строчил по американским городам. В кармане у меня лежало извещение о том, что вид на жительство мне продлили на три месяца: я был теперь Enemy Alien — иностранец-враг, правда, не такой уж враг, чтобы засадить меня в тюрьму. И сейчас я шел по этому городу, открытому всем ветрам, — искра жизни, которая не хотела погаснуть, чужак. Я шел, глубоко дыша и тихонько насвистывая. Комок плоти, носивший чужое имя — Росс.

— Квартира! — воскликнул я. — Свет! Мебель! Кровать! Любимая женщина! Электрическая плита для жарки мяса! Стакан водки! Во всем можно най-

Эрих Мария Ремарк

ти светлую сторону, она есть даже в той несчастной жизни, на какую я обречен. При такой жизни ничто не входит в привычку. Отлично! Всем ты наслаждаешься, словно в первый раз. Все пробирает тебя до костей. Не щекочет, а именно пробирает до костей, до мозга костей, до серого вещества, которое заключено в твоей черепной коробке. Дай на тебя поглядеть, Наташа! Я боготворю тебя уже за то, что ты со мной. За то, что мы живем в одно время. А потом уже за все остальное. Я — Робинзон, который всякий раз находит своего Пятницу! Следы на песке! Отпечатки ног! Ты для меня — первый человек на этой земле. И при каждой встрече я ощущаю это снова. Вот в чем светлая сторона моей треклятой жизни.

— Ты много выпил? — спросила Наташа.

— Ни капли. Ничего я не пил, кроме кофе и грусти.

— Тебе грустно?

— В моем положении грустишь недолго. Потом рывками переворачиваешься, будто во сне. И тогда грусть становится всего лишь фоном, еще сильнее оттеняющим полноту жизни. Грусть идет на дно, а жизненный тонус поднимается вверх, словно вода в сосуде, куда бросили камень. То, что я говорю, далеко не истина. Я только хочу, чтобы это было истиной. И все же доля истины в этом есть. Иначе будешь жить на износ, как бархатный лоскут в коробке с лезвиями.

— Хорошо, что ты не грустишь, — сказала Наташа. — Причины меня не интересуют. Все, на что находятся причины, уже само по себе подозрительно.

— А то, что я тебя боготворю, тоже подозрительно?

Наташа рассмеялась:

— Это опасно. Человек, который склонен к возвышенным чувствам, обманывает обычно и себя и других.

Я озадаченно посмотрел на нее.

— Почему ты это говоришь?

— Просто так.

— Ты на самом деле это думаешь?

— А отчего бы и нет? Разве ты не Робинзон? Робинзон, который без конца убеждает себя, что видел следы на песке?

Я не отвечал. Ее слова задели меня сильнее, чем я ожидал. А я-то думал, что обрел твердую почву под ногами, — оказывается, это была всего-навсего осыпь, которая при первом же шаге может обрушиться. Неужели я нарочно преувеличивал прочность наших отношений? Хотел утешить себя?

— Не знаю, Наташа, — ответил я, пытаясь избавиться от неприятных мыслей. — Знаю только одно: до сих пор мне были заказаны любые привычки. Говорят, что пережитые несчастья воспринимаются как приключения. Я в этом не уверен. В чем, собственно, можно быть уверенным?

— Да, в чем можно быть уверенным? — переспросила она.

Я засмеялся:

— В этой водке, что у меня в стакане, в куске мяса на плите и, надеюсь, в нас обоих... Все равно я тебя боготворю, хоть ты и находишь это опасным. Боготворить — радостно, и чем раньше этим займешься, тем лучше.

— Вот это правильно. И не нуждается в доказательствах. Такие вещи надо чувствовать.

— Так и есть. И опять-таки, чем раньше начнешь чувствовать, тем лучше.

— А с чего начнем мы?

— Хоть с этой комнаты! С этих ламп! С этой кровати! Хоть они и не принадлежат нам. Что в конечном счете принадлежит человеку? И на какой срок? Все взято взаймы, украдено у жизни и без конца крадется вновь.

Наташа обернулась.

— И самих себя мы тоже обкрадываем?

— Да. Себя тоже.

— Почему же в таком случае человек не впадает в отчаяние и не пускает себе пулю в лоб?

— Это никогда не поздно. Кроме того, есть более легкие пути.

— Догадываюсь, о чем ты говоришь.

Наташа обошла вокруг стола.

— По-моему, нам надо кое-что отпраздновать.

— Что именно?

— То, что тебе разрешили жить в Америке еще три лишних месяца.

— Ты права.

— А что бы ты делал, если бы разрешение тебе не продлили?

— Пытался бы получить разрешение на въезд в Мексику.

— Почему в Мексику?

— Там более гуманное правительство. Оно впустило бы даже беженцев из Испании.

— Коммунистов?

— Просто людей. С легкой руки Гитлера, слово «коммунист» употребляется теперь к месту и не к месту. Каждый человек, выступающий против Гитлера, для него коммунист. Любой диктатор начинает свою деятельность с того, что упрощает все понятия.

— Хватит нам говорить о политике. Ты смог бы вернуться из Мексики в Штаты?

— Только с документами по всей форме. И только если меня не вышлют отсюда. Допрос на сегодня закончен?

— Нет еще. Почему тебя оставили здесь?

Я рассмеялся.

— Весьма запутанная история. Если бы Америка не была в состоянии войны с Германией, меня наверняка не впустили бы сюда. Выходит: чем хуже — тем лучше. Трагичное всегда идет рядом со смешным. Иначе множество людей с моей биографией уже давно погибли бы.

Наташа села рядом со мной.

— Твою жизнь не так-то легко понять.

— К сожалению.

— Сдается мне, что ты этим гордишься.

Я покачал головой.

— Нет, Наташа. Я только делаю вид, что горжусь.

— Очень лихо делаешь вид.

— Как и Кан. Не правда ли? Существуют эмигранты активные и пассивные. Мы с Каном предпочитали быть активными. И соответственно вели себя во Франции. Положение обязывает! Вместо того чтобы оплакивать свою долю, мы, по мере возможности, считали превратности судьбы приключениями. А приключения у нас были довольно-таки отчаянные.

Поздно вечером мы решили еще раз выйти. До этого я некоторое время в задумчивости просидел у окна. Небо было очень звездное, и ветер гулял где-то под нами, над невысокими крышами домов на Пятьдесят пятой и Пятьдесят шестой улицах; казалось, он готовился взять штурмом небоскребы, которые безмолвно, подобно башням, возвышались среди зеленых и красных вспышек светофоров. Я открыл окно и высунул голову.

— Посвежело, Наташа, в первый раз за долгие месяцы. И дышится легко!

Наташа подошла ко мне.

— Скоро осень, — сказала она.

— Слава Богу.

— Слава Богу? Не надо подгонять время!

Я засмеялся.

— Ты рассуждаешь, как восьмидесятилетняя старуха.

— Нельзя подгонять время. А ты только и делаешь, что торопишь его.

— Больше не буду! — обещал я, заведомо зная, что это ложь.

— Куда ты спешишь? Хочешь вернуться?

— Послушай, Наташа, я еще не поселился здесь как следует. Разве мне пристало думать о возвращении?

— Ты только об этом и думаешь. Ни о чем другом.

Я покачал головой.

— Я не загадываю дальше завтрашнего дня... Настанет осень, потом зима, а потом лето и опять осень, а мы по-прежнему будем смеяться, по-прежнему будем вместе.

Наташа прижалась ко мне.

— Не покидай меня! Я не способна быть одна. Я не героиня. Характер у меня отнюдь не героический.

— Я встречал среди тевтонцев миллионы женщин с героическим характером. Это их национальная особенность... Геройство заменяет этим дамам женскую привлекательность. А часто также секс. От них тошнит. А теперь хватит хныкать, давай выйдем на улицу в этот первый вечер бабьего лета.

— Хорошо.

Мы спустились на лифте. В кабине никого, кроме нас, не было. Час парада «звезд» давно миновал. Час пуделей тоже. Ветер, как гончая, рыскал возле аптеки Эдвардса на углу.

— Лето пролетело, — заметил Ник из своего киоска.

— Слава Богу! — бросила Наташа.

— Не радуйся раньше времени, — сказал я. — Оно еще вернется.

— Ничего никогда не возвращается, — объявил Ник. — Возвращаются только беда и этот паршивый гад, пудель по кличке Рене, стоит мне зазеваться — и он уже написал на обложки «Вога» и «Эсквайра». Хотите «Ньюс»?

— Мы заберем ее на обратном пути.

Бесхитростная болтовня с Ником каждый раз приводила меня в волнение. Уже само сознание, что не надо скрываться, волновало меня. Вечерняя прогулка, столь обычная для каждого обывателя, казалась мне авантюрой, ибо самой большой авантюрой для меня была безопасность. Я стал почти человеком; правда, меня всего лишь терпели, но уже не гнали. Мое американское «я» успело вырасти примерно до двух третей европейского. Конечно, мой английский язык был далек от совершенства и весьма беден, тем не менее я уже довольно свободно болтал. Словарный запас был у меня, как у подростка лет четырнадцати, но я им умело пользовался. Многие американцы обходились тем же количеством слов, только они говорили без запинки.

— Как ты относишься к тому, чтобы сделать большой круг? — спросил я.

Наташа кивнула.

Эрих Мария Ремарк

— Я хочу света. Столько света, сколько может быть в этом полутемном городе. Дни становятся короче.

Мы пошли вверх, к Пятой авеню, и, миновав гостиницу «Шерри Нэзерленд», вышли к Сентрал-парку. Несмотря на уличный шум, из зоологического уголка отчетливо доносился львиный рык. У «Вьей Рюси» мы остановились, чтобы поглядеть на иконы и пасхальные яйца из оникса и золота, которые Фаберже изготовлял когда-то для царской фамилии. Русские эмигранты до сих пор продавали их здесь. И конца этому не предвиделось, точно так же, как донским казакам, которые из года в год давали концерты и ничуть не старели, словно герои детских комиксов.

— Там уже начинается осень, — сказала Наташа, показывая на Сентрал-парк. — Пойдем назад, к «Ван Клеефу и Арпельсу».

Мы медленно брели вдоль витрин, в которых были выставлены осенние моды.

— Для меня это уже давно пройденный этап, — сказала Наташа. — Эти модели мы снимали в июне. Я всегда живу на одно время года вперед. Завтра мы будем снимать меха. Может быть, поэтому мне и кажется, что жизнь летит чересчур быстро. Все люди еще радуются лету, а у меня в крови уже осень.

Я остановился и поцеловал ее.

— Просто удивительно, о чем мы с тобой говорим! — воскликнул я. — Совсем как персонажи Тургенева или Флобера. Девятнадцатый век! Теперь у тебя в крови уже зима: вьюги, меха и камины. Ты — провозвестница времен года.

— А что у тебя в крови?

— У меня? Сам не знаю. Наверное, воспоминания о бесчинствах и разрушениях. С осенью и зимой в Штатах я вовсе не знаком. Эту страну я видел лишь весной и летом. Понятия не имею, на что похожи небоскребы в снежный день.

Мы дошли до Сорок второй улицы и вернулись к себе по Второй авеню.

— Ну так как же, останешься сегодня ночью со мной? — спросила Наташа.

— А это можно?

— Конечно, ведь у тебя есть зубная щетка и белье. Пижама не обязательна. А бритву я тебе дам. Сегодня ночью мне не хотелось бы спать одной. Будет ветрено. И если ветер меня разбудит, ты окажешься рядом и успокоишь меня. Мне хочется дать себе волю и расчувствоваться, хочется, чтобы ты меня утешал и чтобы мы заснули, ощущая приближение осени, хочется забыть о ней и снова вспомнить.

— Я остаюсь.

— Хорошо. Мы ляжем в постель и прижмемся друг к другу. Увидим наши лица в зеркале напротив и прислушаемся к вою ветра. Когда ветер усилится, в глазах у нас промелькнет испуг, и они потемнеют. Ты обнимешь меня крепче и начнешь рассказывать о Флоренции, Париже и Венеции, обо всех тех городах, где мы никогда не будем вместе.

— Я не был ни в Венеции, ни во Флоренции.

— Все равно, можешь рассказывать о них так, будто ты там был. Я, наверное, разревусь и буду ужасно выглядеть. Когда я плачу, я далеко не красавица. Но ты меня простишь за это и за мою чувствительность тоже.

— Да.

— Тогда иди ко мне и скажи, что ты будешь любить меня вечно и что мы никогда не состаримся.

Эрих Мария Ремарк

XXII

— У меня для вас интересная новость, — сказал Силверс. — Скоро мы с вами отправимся в путь и завоюем Голливуд. Что вы на это скажете?

— Завоюем своими актерскими талантами?

— Нет, картинами. Я получил оттуда много приглашений и решил прочесать этот район как специалист.

— Вместе со мной?

— Вместе с вами, — великодушно подтвердил Силверс. — Вы неплохо вошли в курс дела и будете мне полезны.

— Когда мы поедем?

— Приблизительно недели через две. Для сборов, стало быть, достаточно времени.

— Надолго? — спросил я.

— Пока что на две недели. Но, может, мы пробудем и дольше, Лос-Анджелес для торговца картинами — нетронутая целина. К тому же вымощенная золотом.

— Золотом?

— Да, тысячедолларовыми кредитками. Не задавайте мне глупых вопросов. Другой человек на вашем месте плясал бы от радости. Или, может, вы не хотите ехать? В таком случае мне придется подыскать себе нового помощника.

— А меня вы уволите?

Силверс разозлился не на шутку.

— Что с вами? Конечно, уволю. А как же иначе? Но почему бы вам не поехать со мной? — Силверс с любопытством оглядел меня. — Или вы считаете, что вы недостаточно хорошо экипированы? Могу дать аванс.

— Для закупки, так сказать, спецодежды, которую я буду носить в служебное время? И эту одежду я должен оплачивать из собственных денежек? Довольно невыгодное предприятие, господин Силверс.

Силверс рассмеялся. Наконец-то он опять был в своей стихии.

— Вы так считаете?

Я кивнул. Мне хотелось выиграть время. К отъезду из Нью-Йорка я не мог отнестись равнодушно. В Калифорнии у меня не было ни одной знакомой души, и перспектива скучать вдвоем с Силверсом мне не улыбалась. Я уже достаточно изучил его. Это оказалось нетрудно, он не был примечателен ничем, кроме хитрости. И потом, этот человек беспрестанно рисовался — наблюдать за ним было скучнейшим занятием. Это можно было вытерпеть недолго. И я с содроганием представил себе нескончаемые вечера в холле гостиницы, где мы сидим вдвоем с Силверсом. И мне решительно некуда деться.

— Где мы остановимся? — спросил я.

— Я остановлюсь в «Беверли-Хиллз». А вы в «Садах Аллаха».

Я с интересом воззрился на него.

— Красивое название. Напоминает о Рудольфе Валентино. Мы, значит, не будем жить вместе?

— Слишком дорого. Я слышал, что «Сады Аллаха» — очень хорошая гостиница. И она в двух шагах от «Беверли-Хиллз».

— А как мы будем рассчитываться? Как будет с расходами на гостиницу? И на питание?

— Вы будете записывать все, что потратите.

— По-вашему, я должен питаться только в гостинице?

Силверс махнул рукой.

— С вами очень трудно разговаривать. Можете делать все, что вам угодно. Еще замечания есть?

Эрих Мария Ремарк

— Есть, — сказал я. — Вы должны прибавить мне жалованье, чтобы я купил себе новый костюм.

— Сколько?

— Сто долларов в месяц.

Силверс подскочил.

— Исключено! Вы собираетесь, как видно, заказать себе костюм у Книце? В Америке носят готовые вещи. И чем вам не нравится этот костюм? Вполне хороший.

— Недостаточно хороший для человека, который служит у вас. Может быть, мне понадобится даже смокинг.

— Мы едем в Голливуд не для того, чтобы танцевать и бегать по балам.

— Кто знает! По-моему, это не такая уж плохая идея. Кроме того, нигде так не размягчаются сердца миллионеров, как в ночных кабаре. Мы ведь намерены ловить их с помощью испытанного трюка — внушать, что, купив у нас картины, они станут светскими людьми.

Силверс сердито посмотрел на меня.

— Это — производственная тайна! О ней не говорят вслух. И, поверьте мне, голливудские миллионеры черт знает что о себе воображают. Они считают себя культурнейшими людьми... Так и быть, прибавлю вам двадцать долларов.

— Сто! — не сдавался я.

— Не забудьте, что вы работаете нелегально. Из-за вас я многим рискую.

— Теперь уже нет!

Я взглянул на картину Моне, которая висела как раз напротив. На ней была изображена поляна с цветущими маками, по которой прогуливалась женщина в белом; картину эту относили к 1889 году, но, судя по покою, исходившему от нее, она была написана в куда более отдаленные времена.

— Я получил разрешение на жительство в Штатах. Пока на три месяца, но потом его автоматически продлят.

Силверс прикусил губу.

— Ну и что? — спросил он.

— Теперь я имею право работать, — ответил я. Я солгал, но в данной ситуации это был не такой уж грех.

— Вы собираетесь искать себе другое место?

— Конечно, нет. Зачем? У Вильденштейна мне пришлось бы, наверное, весь день торчать в салоне возле картин. У вас мне нравится больше.

Я посмотрел на Силверса — он быстро что-то подсчитывал. Наверное, прикидывал, сколько стоит то, что я о нем знаю, и какую цену это имеет для него и для Вильденштейна. Вероятно, в эту минуту он раскаивался, что посвятил меня в свои многочисленные трюки.

— Примите во внимание также, что в последние месяцы вы ради своего бизнеса заставили меня поступиться моими нравственными правилами. Не далее как позавчера, во время вашей беседы с миллионером из Техаса, я выдал себя за эксперта из Лувра. И, наконец, мои знания иностранных языков тоже кое-чего стоят.

Мы сторговались на семидесяти пяти долларах, хотя я и не мечтал получить больше тридцати. Теперь я не упоминал больше о смокинге. Конечно, я не собирался покупать его сейчас. В Калифорнии можно будет еще раз использовать смокинг для нажима на Силверса: авось удастся выцарапать у него единовременную ссуду, особенно если он опять захочет выдать меня за эксперта из Лувра, который сопровождает его.

Я отправился к Фрислендеру, чтобы отдать ему первые сто долларов в счет моего долга, который пошел на оплату юриста.

— Присаживайтесь, — сказал Фрислендер и небрежно сунул деньги в черный бумажник крокодиловой кожи. — Вы ужинали?

— Нет, — ответил я не задумываясь: у Фрислендеров отлично кормили.

— Тогда оставайтесь, — сказал он решительно. — К ужину придет еще человек пять-шесть. Правда, не знаю кто. Спросите у жены. Не желаете ли виски?

С того дня как Фрислендер получил американское гражданство, он не пил ничего, кроме виски. Правда, с моей точки зрения, он должен был поступить как раз наоборот: сперва пить исключительно виски, чтобы показать свое искреннее желание стать стопроцентным янки, а потом снова вернуться к бараку и кюммелю. Но Фрислендер был человеком своеобразным. До своей натурализации он, запинаясь на каждом слове, с немыслимым венгерским акцентом говорил только по-английски, более того, заставлял изъясняться на английском и всю свою семью; злые языки утверждали даже, что он болтал по-английски в постели... Но уже через несколько дней после того, как он стал американским гражданином, в его доме снова началось вавилонское столпотворение и все его домочадцы перешли на свой обычный язык — немецко-английско-еврейско-венгерский.

— Барак спрятан у жены, — пояснил мне Фрислендер. — Мы его прибегаем. Здесь его ни за какие деньги не достанешь. Вот и приходится запирать последние бутылки. Не то их моментально выдует прислуга. В этом выражается ее тоска по родине. Вы тоже тоскуете по родине?

— По какой?

— По Германии.

— Нет. Я ведь не еврей.

Фрислендер рассмеялся.

— В ваших словах есть доля правды.

— Чистая правда, — сказал я, вспомнив Бетти Штейн. — Самыми слюнявыми немецкими патриотами были евреи.

— Знаете почему? Потому, что до тридцать третьего года им жилось в Германии хорошо. Последний кайзер жаловал им дворянство. Их даже принимали при дворе. У кайзера были друзья евреи, кронпринц любил еврейку.

— Во времена его величества вы, быть может, стали бы бароном, — сказал я.

Фрислендер провел рукой по волосам.

— Tempi passati[*].

На секунду он задумался: вспомнил о старых добрых временах. Мне стало стыдно за свое нахальное замечание. Но Фрислендер не понял иронии, ему вдруг ударил в голову весь его консерватизм, спесь человека, у которого когда-то был особняк на Тиргартенштрассе.

— Вы в те годы были еще ребенком, — сказал он. — Да, дорогой мой юный друг. А теперь идите к дамам.

«Дамами» оказались Танненбаум и, к моему немалому удивлению, хирург Равик.

— Двойняшки уже ушли? — спросил я Танненбаума. — На этот раз вы ущипнули за задницу не ту сестру?

— Глупости! Как вы думаете, они похожи не только внешне, но и...

---

[*] Прошли эти времена (ит.).

— Конечно.

— Вы имеете в виду темперамент?

— На этот счет существует две теории...

— Идите к черту! А вы что скажете, доктор Равик?

— Ничего.

— Для такого ответа вовсе не обязательно быть врачом, — сказал Танненбаум, явно задетый.

— Именно, — спокойно парировал Равик.

Вошла госпожа Фрислендер в платье эпохи Империи с поясом под грудью. Эдакая дородная мадам де Сталь. На руке у нее позвякивал браслет с сапфирами величиной с орех.

— Коктейли, господа! Кто желает?

Мы с Равиком попросили водки; Танненбаум, несмотря на наше возмущение, предпочел желтый шартрез.

— К селедке? — удивленно спросил Равик.

— К сестрам-близнецам, — ответил Танненбаум, все еще уязвленный. — Кто не знает одного, не имеет права говорить о другом.

— Браво, Танненбаум! — воскликнул я. — А я и не подозревал, что вы сюрреалист.

Фрислендер появился вместе с двойняшками, Кармен и еще несколькими гостями. Сестры были живые как ртуть, Кармен оделась во все черное, что подчеркивало ее трагическую красоту; в данный момент она, правда, грызла шоколад с орехами. Я с любопытством подумал: неужели после шоколада Кармен примется за селедку? Она так и сделала. Желудок у нее был такой же луженый, как и мозги.

— В ближайшие две недели я уезжаю в Голливуд, — громко возвестил Танненбаум, в то время как гостей обносили гуляшом. Надувшись как индюк, он метал взоры в сторону сестер-близнецов.

— В качестве кого? — спросил Фрислендер.

— В качестве актера. А вы как думали?

Я встрепенулся. Впрочем, я не верил Танненбауму. Слишком часто он говорил о Голливуде. Правда, он уже раз побывал там — сыграл маленькую роль, роль беженца в антифашистском фильме.

— Кого вы будете играть? — спросил я.

— Буффало Билла!* — сказал кто-то.

— Группенфюрера СС.

— Несмотря на то, что вы еврей? — спросила госпожа Фрислендер.

— А почему бы и нет?

— С фамилией Танненбаум?

— Мой артистический псевдоним Гордон Т. Кроу. Буква «Т» — от Танненбаума.

Все взглянули на него с некоторым сомнением. Правда, эмигранты нередко исполняли роли нацистов: голливудские боссы до сих пор валили в одну кучу всех европейцев, считая, что кем бы они ни были — друзьями или врагами, — европейцы все же больше походят друг на друга, нежели коренные американцы.

— Группенфюрера СС? — переспросил Фрислендер. — По-моему, там у них это соответствует генералу.

Танненбаум кивнул.

— Может быть, штурмбаннфюрера? — спросил я.

— Группенфюрера. Отчего нет? В американской армии тоже есть генералы-евреи. Не исключено, впрочем, что моего персонажа повысят в чине, и тогда он будет чем-то вроде обер-генерала.

— А вы вообще разбираетесь в их субординации?

---

* Известный персонаж ковбойских фильмов.

Эрих Мария Ремарк

— Чего там разбираться? У меня есть роль. Конечно, этот группенфюрер — чудовище. Симпатичного эсэсовца я бы, разумеется, не стал играть.

— Группенфюрер, — протянула госпожа Фрислендер. — А я-то думала, что такую важную птицу должен играть сам Гарри Купер.

— Американцы отказываются исполнять роли нацистов, — пояснил маленький Везель, соперник Танненбаума. — Это может испортить им репутацию. Они во что бы то ни стало должны быть обаятельными. Роли нацистов они дают эмигрантам. И те их играют, чтобы не подохнуть с голоду.

— Искусство — это искусство, — высокомерно возразил Танненбаум. — Разве вы не согласились бы сыграть Распутина, или Чингисхана, или Ивана Грозного?

— Эта роль — главная?

— Конечно, нет, — вмешался Везель. — Да и как это может быть? В главной роли всегда выступает обаятельный американец в паре с добродетельной американкой. Таков закон!

— Не спорьте, — увещевал гостей Фрислендер. — Лучше помогайте друг другу. Что у нас сегодня на третье?

— Сливовый пирог и торт с глазурью.

И на этот раз, как обычно у Фрислендеров, гостям приготовили миски с едой. Равик отказался от своей доли. Танненбаум и Везель попросили добавочную порцию торта. Я тайком сунул фрислендеровской кухарке два доллара, и она вынесла мне удобную луженую кастрюлю с ручками и раскрашенную коробку для торта. Двойняшки получили по двойной порции. Кармен не пожелала взять ничего: ей было лень нести.

Наконец мы попрощались с хозяевами. Бедные родственники!

— Как мне разлучить этих близнецов? — тихо спросил меня группенфюрер — Танненбаум. — Они вместе едят, вместе живут, даже спят вместе!

— По-моему, это не так уж сложно, — ответил я. — Вот если бы они были сиамскими близнецами, тогда это была бы проблема.

В тот вечер Наташа собиралась к фотографу. Она дала мне ключ от квартиры, чтобы я мог дождаться ее. Я поднялся наверх с гуляшом и тортом. Потом еще раз спустился — купил пива.

Когда я открыл дверь своим ключом и вошел в пустую квартиру, меня охватило странное чувство. Я никак не мог вспомнить в своем прошлом сходной ситуации — мне казалось, что я всегда входил либо в гостиничный номер, либо в чужую квартиру как гость. А теперь вдруг я вернулся к себе домой. В ту минуту, когда я отпирал дверь, мурашки поползли у меня по телу от какого-то тайного трепета. И мне почудилось, что издалека до меня донесся тихий призыв — наверное, из отчего дома, о котором я уже давно не вспоминал.

В квартире было прохладно, я услышал слабое гудение кондиционера у окна и холодильника на кухне. Казалось, это бормотали добрые духи, охраняющие нашу квартиру. Я зажег свет, поставил пиво в холодильник, а гуляш на газ, на маленький огонь, чтобы он был горячий к приходу Наташи. Потом опять погасил свет и открыл окно. Горячий воздух неудержимо хлынул с улицы и мгновенно заполнил комнату. Маленький синий венчик пламени на газовой плите излучал слабый таинственный свет. Я включил приемник и настроился на станцию, которая передавала классическую музыку, без рекламы. Исполнялись прелюды Дебюсси. Я сел в кресло у окна и стал смотреть на город. Впервые я ждал Наташу в этой квартире. На душе у меня был мир, напряжение спало, и я наслаждался покоем. Я еще не сказал Наташе, что мне придется ехать с Силверсом в Калифорнию.

Она пришла примерно через час. Я услышал, как ключ повернулся в замке. И вдруг подумал, что это нежданно нагрянул хозяин квартиры. Но потом услышал Наташины шаги.

— Ты здесь, Роберт? Почему ты сидишь в темноте? Она швырнула в комнату свой чемоданчик.

— Я грязная и ужасно голодная. С чего мне начать?

— С ванны. А пока ты будешь в ванне, я принесу тебе тарелку гуляша. Он уже горячий, стоит на плите. К гуляшу есть огурцы, а на десерт — торт с глазурью.

— Ты опять был в гостях у этой несравненной поварихи?

— Да, я был у Фрислендеров и притащил уйму корма, как ворона для своих птенцов. Два-три дня мы можем не покупать еды.

Наташа уже сбрасывала с себя платье. От ванны шел пар, благоухавший гвоздикой фирмы «Мэри Чесс». Я принес гуляш. И на мгновение на земле воцарились мир и покой.

— Сегодня ты опять была императрицей Евгенией — тебя снимали с диадемой от «Ван Клеефа и Арпельса»? — спросил я в то время, как Наташа с наслаждением вдыхала запах гуляша.

— Нет. Сегодня я была Анной Карениной. Стояла на вокзале не то в Петербурге, не то в Москве, вся закутанная в меха, и ждала свою судьбу в образе Вронского. И даже испугалась, когда, выйдя на улицу, не обнаружила снега.

— Ты похожа на Анну Каренину.

— Все еще?

— Вообще похожа.

Наташа засмеялась.

— Каждый представляет себе Анну Каренину по-своему. Боюсь, что она была гораздо толще, чем теперешние женщины. Нравы меняются. В девятнадцатом веке были еще рубенсовские формы и носили твердые длинные корсеты с пластинками из китового уса и платья до полу. И этот век почти не знал ванн... А что ты без меня делал? Читал газеты?

— Как раз наоборот. Старался не думать ни о газетных шапках, ни о передовицах!

— Почему?

— Думай не думай, ничего не изменишь.

— Изменить что-либо могут лишь единицы. Не считая солдат.

— Вот именно, — сказал я. — Не считая солдат.

Наташа протянула мне пустую тарелку.

— А ты хотел бы стать солдатом?

— Нет. Ведь и это ничего бы не изменило.

Некоторое время она молча смотрела на меня.

— Ты очень тоскуешь, Роберт? — спросила она потом.

— В этом я никогда не признаюсь. Да и что это вообще значит — тосковать? В особенности когда столько людей лишились жизни.

Наташа покачала головой.

— К чему ты, собственно, стремишься, Роберт?

Я взглянул на нее с удивлением.

— К чему я стремлюсь? — повторил я, чтобы выиграть время. — Что ты под этим подразумеваешь?

— В будущем. К чему ты стремишься в будущем? Во имя чего ты живешь?

— Выходи, — сказал я. — Этот разговор не для ванны. Вылезай из воды!

Наташа встала.

— Во имя чего ты действительно живешь? — спросила она.

— Разве человек это знает? Разве ты знаешь?

— Мне и не надо знать. Я живу отраженным светом. Ты — другое дело.

— Ты живешь отраженным светом?

— Не уклоняйся, отвечай. К чему ты стремишься? Во имя чего живешь?

— В твоих словах я слышу знакомые мотивы — типично обывательские рассуждения. Кто это действительно знает? И даже если ты вдруг поймешь «что и зачем», это сразу станет неправдой. Я не хочу обременять себя проклятыми вопросами. Вот и все — до поры до времени.

— Ты просто не можешь на них ответить.

— Не могу ответить, как ответил бы банкир или священник. Так я никогда не смогу ответить. — Я поцеловал ее влажные плечи. — Да я и не привык отвечать на эти вопросы, Наташа. Долгое время моей единственной целью было выжить, и это оказалось так трудно, что на все остальное не хватало сил. Теперь ты удовлетворена?

— Все это не так, и ты это прекрасно знаешь. Но не хочешь мне сказать. Быть может, не хочешь сказать и себе самому. Я слышала, как ты кричал.

— Что?

Наташа кивнула.

— Кричал во сне.

— Что я кричал?

— Это я уже не помню. Я спала и проснулась от твоего крика.

Я вздохнул с облегчением.

— Кошмары снятся всем людям.

Наташа не ответила.

— Собственно, я вообще ничего толком о тебе не знаю, — протянула она задумчиво.

— Знаешь слишком много. И это мешает любви. — Я обнял ее и начал тихонько выталкивать из ванной. — Давай лучше обследуем припасы, которые я принес. У тебя самые красивые колени на свете.

— Не заговаривай зубы.

— Зачем мне заговаривать зубы? Ведь мы же заключили с тобой пакт. Ты совсем недавно напомнила мне о нем.

— Пакт! Это был всего лишь предлог. Оба мы хотели о чем-то забыть. Ты забыл?

Мне вдруг показалось, что сердце у меня зашлось от холода. Правда, не так сильно, как я ожидал, — просто в груди стало холодно, будто сердце сжала бесплотная рука. Боль продолжалась лишь миг, но ощущение холода не проходило. Холод остался и отпускал очень медленно.

— Мне нечего забывать, — сказал я. — Тогда я лгал.

— Я не должна была задавать тебе такие дурацкие вопросы, — сказала она. — Не знаю, что на меня нашло. Может, это случилось потому, что я весь вечер воображала себя Анной Карениной, и у меня до сих пор такое чувство, будто я, вся в мехах, лечу на тройке по снегу, преисполненная романтики и чувствительности той эпохи, которую нам не довелось узнать. А быть может, во всем виновата осень; я ощущаю ее куда сильнее, чем ты. Осенью рвутся пакты и все становится недействительным. И человек хочет... Да, чего же он хочет?

— Любви, — сказал я, взглянув на нее.

Она сидела на кровати немного растерянная, полная нежности и легкой жалости к себе, не зная, как справиться с этими чувствами.

— Да, любви, которая остается.

Я кивнул.

— Любви у горящего камина, при свете лампы, под вой ночного ветра и шелест опадающих листьев, любви, при которой — ты уверена — тебе не грозят никакие потери.

Наташа потянулась.

— Я опять голодная. Гуляш еще остался?

— Хватит на целую роту. Ты и впрямь будешь есть после торта гуляш по-сегедски?

— Сегодня вечером я способна на все. Ты останешься ночевать?

— Да.

— Хорошо. Тогда я не буду мучить тебя рассказами о моих несбывшихся осенних мечтах. К тому же они — преждевременны... По-моему, у нас в холодильнике больше нет пива. Правильно?

— Нет, есть. Я сходил за пивом.

— А можно ужинать в кровати?

— Конечно. От гуляша пятен не будет.

Наташа засмеялась.

— Я буду осторожна. Что бы ты хотел сейчас делать, если бы мог выбирать?

XXIII

Сон этот я увидел опять только через неделю с лишним. Я ждал, что он придет раньше, а потом подумал, что он вообще уже никогда не придет. Во мне даже шевельнулась робкая, слабая надежда на то, что с ним навсегда покончено. Я делал все возможное, пытаясь избавиться от него, и когда вдруг наступили эти секунды острой нехватки воздуха и появилось чувство, что все рушится, какое, наверное, появляется при землетрясении, — даже тогда я начал поспешно и горячо убеждать себя, что это всего лишь воспоминания о кошмаре.

Но я ошибся. Это был тот же самый липкий, неотвязный, темный сон, что и раньше, — пожалуй, даже еще более страшный, и мне было так же трудно избавиться от него, как всегда. Только очень медленно я начал сознавать, что это не явь, а всего лишь сновидение.

Сперва я оказался в Брюссельском музее, в подвале со спертым воздухом, и мне почудилось, что каменные плиты с боков и сверху начали сдвигаться, вот-вот задавят. А потом, когда я стал мучительно ловить воздух и с криком вскочил, так и не проснувшись, опять появилась та вязкая трясина, а вместе с нею и ощущение, что меня преследуют, так как я осмелился перейти границу. Я оказался в Шварцвальде, и по пятам за мной гнались эсэсовцы с собаками под предводительством человека, чье лицо я не мог вспоминать без содрогания.

Да, они меня поймали, и я опять оказался в бункере, где находились печи крематория, беззащитный, отданный во власть тем харям: я дышал с трудом — меня только что без сознания сняли с крюка, вбитого в стену; пока они подвешивали очередную жертву, другие жертвы царапали стены — руками и связанными ногами, а палачи заключали между собой пари, кто из пытаемых протянет дольше. Потом я снова услышал голос того весельчака, благоухавшего духами; он говорил, что когда-нибудь, очень не скоро, если я на коленях стану умолять его, он сожжет меня живьем, и принялся рассказывать, что произойдет при этом с моими глазами... А под конец мне, как всегда, приснилось, будто я закопал в саду человека и уже почти забыл об этом, как вдруг полиция обнаружила труп в трясине, и я мучительно размышляю, почему я не спрятал его в другом, более надежном месте.

Прошло очень много времени, прежде чем я понял, что нахожусь в Америке и что мне все это лишь приснилось.

Я был настолько измучен, что довольно долго не мог подняться. Я лежал и глядел на красноватый отблеск ночи. Наконец я встал и оделся, не желая рисковать, боясь провалиться снова в небытие и оказаться во власти кошмаров. Со мной это уже не раз случалось, и второй сон бывал тогда еще страшнее первого. Не только сновидение и явь, но и оба сна сливались воедино, причем первый казался не сном, а еще более страшной явью, и это приводило меня в полное отчаяние.

Я спустился в холл, где горела лишь одна тусклая лампочка. В углу храпел человек, дежуривший три раза в неделю по ночам вместо Меликова. Во сне его морщинистое, лишенное выражения лицо с открытым стонущим ртом походило на лицо пытаемого, которого только что сняли без сознания с крюка на стене.

Я ведь тоже принадлежу к ним, подумал я, к этой шайке убийц; это мой народ — несмотря на все утешения, какие я придумываю себе при свете дня, несмотря на то, что эти разбойники преследовали меня, гнали, лишили гражданства. Все равно я родился среди них; глупо воображать, будто мой верный, честный, ни в чем не повинный народ подчинили себе легионы с Марса. Легионы эти выросли в гуще самих немцев; они прошли выучку на казарменных плацах у своих изрыгавших команды начальников и на митингах у неистовых демагогов, и вот их охватила давняя, обожествляемая всеми гимназическими учителями Furor teutonicus*; она расцвела на почве, унавоженной рабами послушания, обожателями военных мундиров и носителями скотских инстинктов, с той лишь оговоркой, что ни одна скотина не способна на такое скотство. Нет, это не было единичным явлением. В еженедельной кинохронике мы видели не забитый и негодующий народ, поневоле повинующийся приказам, а обезумевшие морды с разинутыми ртами; мы видели варваров, которые с ликованием сбросили с себя тонкий покров цивилизации и валялись сейчас в собственных кровавых нечистотах. Furor teutonicus! Священные слова для моего бородатого и очкастого гимназического учителя. Как он их смаковал! И как их смаковал сам Томас Манн в начале Первой мировой войны, когда он писал свои «Мысли о войне» и «Фридриха и большую коалицию»! Томас Манн — вождь и оплот эмигрантов! Какие глубокие корни пустило варварство, если его не мог полностью искоренить в себе даже этот гуманный человек и гуманный художник!

Я вышел на улицу. Между стенами домов еще покоилась ночь. В поисках яркого света я побрел к Брод-

---

* Тевтонская ярость *(лат.)*.

Эрих Мария Ремарк

вею. Несколько забегаловок, торговавших сосисками и не закрывавшихся всю ночь, выплескивали на улицу скудный свет. Кое-где в них на высоких табуретах томились люди, словно души грешников. Свет на пустынной улице казался еще более призрачным, чем темнота, — он был бессмыслен, тогда как все в нашей жизни стремится к осмысленности; и это был какой-то нездешний свет, словно он исходил от лунных кратеров, заполнивших опустевшие здания.

Я остановился перед гастрономическим магазином. В витрине его пригорюнились охотничьи сосиски и сыры всех сортов. Владельца магазина звали Ирвин Вольф — видимо, он вовремя покинул Европу. Я не отрываясь смотрел на это имя. А свое имя я даже не мог назвать себе в оправдание. Между мной и нацистами не было разницы. Даже чисто условной. Я не мог сказать: «Я — еврей», не мог сослаться на свою национальность и громко заявить: «С тевтонцами у меня нет ничего общего», не мог сразить этих расистов их же собственным негодным оружием. Я принадлежал к ним, я был с ними одной породы, и если бы в этот сумрачный час из-под земли вдруг вырос господин Ирвин Вольф и погнался за мной с ножом, называя меня убийцей его братьев, то это не ошеломило бы меня.

Я двинулся дальше по темной Двадцатой улице, потом поднялся вверх по Бродвею, но скоро свернул направо на Третью авеню. Перешел на другую сторону и вернулся обратно, и снова пошел по Бродвею вверх, — теперь его яркие огни казались поблекшими. Так я добрался до Пятой авеню, тихой и почти безлюдной. Только светофоры на ней переключались, как всегда, и каждый раз вся эта длинная улица по чьей-то воле, бессмысленной и бездушной, становилась то красной, то зеленой. Это напомнило мне, что целые народы вот так же вдруг беспричинно переключают с мирного зеленого цвета на красный, зажигая на тысячекилометровых дистанциях мрачные факелы войны... Но вот небо над этим жутким и безмолвным ландшафтом начало медленно уходить в вышину. Да и дома стали расти: они поднимали темный покров ночи все выше, от этажа к этажу, словно женщина, снимающая через голову платье; и вот уже я увидел карнизы зданий — бесформенная тьма с почти ощутимым усилием отделялась от них, уплывала ввысь, а потом и вовсе таяла. А я все шел и шел, ибо единственным спасением для меня было идти и дышать полной грудью. Потом я невольно остановился на широкой Пятой авеню: в серой дымке зарождавшегося дня тускнели освещенные витрины, будто эти светлые, отделенные друг от друга квадраты поразил рак.

Я никак не мог расстаться с этой улицей дешевой цивилизации и дорогих магазинов, бодрившей и даже утешавшей меня: я знал, что за каменными стенами по обе стороны Пятой авеню, улицы, созданной на потребу бессмысленным человеческим прихотям, таился черный, вязкий хаос; правда, его еще держали под землей, но он уже готов был вырваться из подземных каналов и затопить все вокруг.

Ночь постепенно угасала, наступил зыбкий серый предрассветный час, а потом вдруг над городом поднялась по-девичьи нежная, серебристо-розовая заря с целой свитой облачков-барашков, и первые лучи солнца, подобно стрелам, коснулись верхних этажей небоскребов, окрасили их в светлые, пастельные тона, и те как бы воспарили над застывшей темной зыбью улиц.

«Время кошмаров миновало», — подумал я, останавливаясь у магазина Сакса, где были выставлены куклы-манекены; казалось, это — заколдованные спящие красавицы. Горжетки, палантины, накидки с норковыми воротниками — в витринах замерла целая дюжина манекенов: Анны Каренины, только что вернувшиеся с охоты на вальдшнепов.

Внезапно я почувствовал сильный голод и ввалился в ближайшую открытую закусочную.

Бетти Штейн была убеждена теперь, что у нее рак. Никто ей этого не говорил, наоборот, все ее успокаивали. Тем не менее с настороженной проницательностью, свойственной недоверчивым больным, по крохам собирая и усваивая истину, она постепенно составила верную картину своей болезни. В тот период она походила на генерала, который сводит воедино донесения о мелких боевых эпизодах и наносит их на большую карту. Ничто не ускользает от его внимания, он сравнивает, проясняет неясности, регистрирует факты, и вот перед его глазами встает вся картина сражения; вокруг него люди празднуют победу и с оптимизмом смотрят в будущее, но генерал уже знает, что сражение проиграно, и, невзирая на победные реляции профанов, он собирает свое войско, чтобы повести его на последний штурм!

Бетти сопоставила отдельные жесты, взгляды и случайно оброненные замечания с тем, что она вычитала в книгах, как это делают люди, борющиеся за свою жизнь. И период относительного спокойствия уступил место периоду недоверчивости, а потом и периоду серьезных сомнений. Тогда, призвав на помощь все свои силы и весь свой разум, она вдруг обрела уверенность в самом худшем. Но вместо того чтобы сдаться, покориться судьбе, Бетти начала воистину героическую борьбу за каждый день жизни. Она не хотела умирать. Неслыханным усилием воли она поборола смерть, которая, казалось, уже стояла у ее изголовья в период сомнений. Впрочем, смерть, наверное, нисколько не отодвинулась — просто Бетти не стала ее замечать. Она хотела жить, и она хотела вернуться назад в Берлин. Ей не хотелось умирать в Нью-Йорке. Она стремилась на Оливаерплац. Там был ее дом, и туда ей хотелось вернуться.

В ту пору Бетти лихорадочно набрасывалась на газеты, скупала карты Германии и развешивала их у себя в спальне, чтобы следить за продвижением войск союзников. Каждое утро, проглядев военные сводки, она передвигала чуть дальше разноцветные булавки. Ее смерть и смерть, косившая Германию, мчались наперегонки, не отставая друг от друга ни на шаг. Но Бетти была преисполнена жизненной решимости победить в этом состязании.

По натуре она была человеком добрейшей души: ее мягкое сердце буквально таяло, как масло на солнце. Такой она и осталась для друзей. При виде чужих слез она была готова на все, лишь бы их унять. И все же Бетти ожесточилась: гибель Германии она воспринимала не как человеческую трагедию, а всего лишь как трагедию больших чисел. Бетти никак не могла понять, почему немцы не капитулируют. Кан утверждал, что мало-помалу она начала относиться к этому факту, как к личному оскорблению. Многие эмигранты разделяли чувства Бетти, особенно те, которые еще верили, что Германию кто-то совратил. И эти люди также не могли уразуметь, почему немецкое государство не прекращает сопротивления. Они даже согласны были признать невиновность простого человека, зажатого в тисках послушания и долга. Никто не понимал, однако, почему сражался генералитет, который не мог не сознавать безнадежность ситуации. Давно известно, что генералитет, ведущий заведомо проигранную войну, превращается из кучки сомнительных героев в шайку убийц; вот почему эмигранты с отвращением и возмущением взирали на Германию, где из-за трусости, страха и лжегероизма уже произошла эта метаморфоза. Покушение на Гитлера только еще больше подчеркнуло все это: горстке храбрецов противостояло подавляющее большинство себялюбивых и кровожадных генералов, пытавшихся спастись от позора повторением нацистского лозунга: «Сражаться до последней капли крови», — лозунга, который им самим ничем не грозил.

Для Бетти Штейн все это стало глубоко личным делом. Теперь она рассматривала войну лишь с одной точки зрения — удастся ли ей увидеть Оливаерплац или нет. Мысль о пролитой крови заслоняли километры, пройденные союзниками. Бетти шагала с ними вместе. Просыпаясь, она прежде всего думала, где в данный момент находятся американцы; германское государство уменьшилось в ее сознании до предела — до границ Берлина. После долгих поисков Бетти удалось обзавестись картой Берлина. И тут она снова увидела войну со всей ее кровью и ужасами. Она страдала, отмечая на карте районы, разрушенные бомбежками. И она плакала и возмущалась при мысли о том, что даже на детей в Берлине напяливают солдатские шинели и бросают их в бой. Своими большими испуганными глазами — глазами печальной совы — смотрела она на мир, отказываясь понимать, почему ее Берлин и ее берлинцы не капитулируют и не сбрасывают со своей шеи паразитов, которые сосут их кровь.

— Вы надолго уезжаете, Росс? — спросила она меня.

— Не знаю точно. Недели на две. А может, и больше.

— Мне будет вас недоставать.

— Мне вас также, Бетти. Вы мой ангел-хранитель.

— Ангел-хранитель, у которого рак пожирает внутренности.

— У вас нет рака, Бетти.

— Я его чувствую, — сказала она, переходя на шепот. — Чувствую, как он жрет меня по ночам. Я его слышу. Он точно гусеница шелкопряда, которая пожирает листву шелковицы. Я ем пять раз в день. По-моему, я немного поправилась. Как я выгляжу?

— Блестяще, Бетти. У вас здоровый вид.

— Вы думаете, мне это удастся?

— Что, Бетти? Вернуться в Германию? А почему нет?

Бетти взглянула на меня, ее беспокойные глаза были обведены темными кругами.

— А они нас впустят?

— Немцы?

Бетти кивнула.

— Я думала об этом сегодня ночью. Вдруг они схватят нас на границе и посадят в концентрационные лагеря?

— Исключено. Ведь они будут тогда побежденным народом и уже не смогут приказывать и распоряжаться. Там начнут распоряжаться американцы, англичане и русские.

Губы Бетти дрожали.

— И вообще на вашем месте, Бетти, я не стал бы ломать себе голову насчет этого, — сказал я. — Подо-

Эрих Мария Ремарк

ждите, пока война кончится. Тогда увидим, как будут развиваться события. Может быть, совсем иначе, чем мы себе представляем.

— Что? — спросила Бетти испуганно. — Вы считаете, война будет продолжаться и после того, как возьмут Берлин? В Альпах? В Берхтесгадене?

Войну она все время соотносила со своей собственной, быстро убывавшей жизнью, — иначе она не могла о ней думать. Но тут я заметил, что Бетти наблюдает за мной, и взял себя в руки: больные люди куда проницательнее здоровых.

— Вы с Каном зря на меня нападаете, — сказала она жалобно, — все эмигранты, мол, интересуются победами и поражениями, одна я интересуюсь своей Оливаерплац.

— А почему бы вам не интересоваться ею, Бетти? Вы достаточно пережили. Теперь можете спокойно обратить свои помыслы на Оливаерплац.

— Знаю. Но...

— Не слушайте никого, кто вас критикует. Эмигрантам здесь не грозит опасность, вот многие из них и впали в своего рода тюремный психоз. Как ни грубо это звучит, но их рассуждения напоминают рассуждения завсегдатаев пивных, так сказать, «пивных политиканов». Всё они знают лучше всех. Будьте такой, какая вы есть, Бетти. Нам хватит «генерала» Танненбаума с его кровавым списком. Второго такого не требуется.

Дождь барабанил в окна. В комнате стало тихо. Бетти вдруг захихикала.

— Ох уж этот Танненбаум. Он говорит, что если ему поручат сыграть в кинофильме Гитлера, он сыграет его как жалкого брачного афериста. Гитлер, говорит он, точь-в-точь брачный аферист с этим его псевдонаполеоновским клоком волос и со щеточкой под носом. Специалист по стареющим дамам.

Я кивнул. Хотя давно уже устал от дешевых эмигрантских острот. Нельзя отделываться остротами от того, что вызвало мировую катастрофу!

— Юмор Танненбаума неистощим, — сказал я. — Патентованный остряк.

Я встал.

— До свидания, Бетти. Скоро я вернусь. Надеюсь, к тому времени вы забудете все ужасы, какие рисует ваша богатая фантазия. И опять станете прежней Бетти. Ей-богу, вам надо было сделаться писательницей. Хотелось бы мне обладать хотя бы половиной вашей фантазии.

Бетти восприняла мои слова так, как я и хотел, — сочла их комплиментом. Ее большие глаза, в которых застыл вопрос, оживились.

— Неплохая мысль, Росс! Но о чем я могла бы написать? Ведь я ничего особенного не пережила.

— Напишите о своей жизни, Бетти. О своей самоотверженной жизни, которую вы посвятили всем нам.

— Знаете что, Росс? Я действительно могу попробовать.

— Попробуйте.

— Но кто это прочтет? И кто напечатает? Помните, что получилось с Моллером? Он впал в отчаяние, потому что никто в Америке не хотел напечатать ни строчки из его сочинений. Из-за этого он и повесился.

— Не думаю, Бетти. По-моему, это произошло скорее всего из-за того, что он здесь не мог писать, — сказал я поспешно. — Это нечто совсем другое. Моллер не мог писать, его мозг иссяк. В первый год он еще писал, тогда он был преисполнен возмущения и гнева. Но потом наступил штиль. Опасность миновала, слова возмущения начали повторяться, ибо его чувства не обогащались новыми впечатлениями; он стал просто скучным брюзгой, а потом брюзжание перешло в пассивность и пессимизм. Да, он спасся, но этого ему было мало, как и большинству из нас. Он хотел чего-то иного и из-за этого погиб.

Бетти внимательно слушала. Глаза ее стали менее тревожными

— И Кан тоже? — спросила она.

— Кан? Что тут общего с Каном?

— Не знаю. Просто мне пришло на ум.

— Кан не писатель. Скорее, он противоположность писателю, человек действия.

— Именно поэтому я о нем вспомнила, — сказала Бетти робко, — но, может, я ошибаюсь.

— Уверен, что ошибаетесь, Бетти.

Впрочем, спускаясь по темной лестнице, я не был в этом уверен. В подъезде я встретил Грефенгейма.

— Ну, как она? — спросил он.

— Плохо, — сказал я. — Вы ей даете лекарства?

— Пока нет. Но они ей скоро понадобятся.

Я шел по мокрой от дождя улице. Недалеко от магазина, где работал Кан, я свернул. Сперва я намеревался идти прямо на Пятьдесят седьмую улицу, но потом раздумал: решил заглянуть к Кану.

Кана я застал в магазине.

— Когда вы едете в Голливуд?

— Дня через два.

— Весьма возможно, что вы встретите там Кармен.

— Кармен?

Кан засмеялся.

— Один тамошний жучок предложил ей контракт как дебютантке. На три месяца. По сто долларов в неделю. Но скоро она опять явится сюда. Кармен — антиталант.

— А она хотела ехать?

— Нет. Слишком тяжела на подъем. Мне пришлось ее уговаривать.

— Зачем?

— Пусть не думает потом, будто упустила шанс. Не хочу давать ей повод всю жизнь попрекать меня. Ну, а так она сама во всем убедится за три месяца. Правильно?

Я не ответил. Кан явно нервничал.

— Разве я неправильно поступил? — спросил он снова.

— Надеюсь, правильно. Но она очень красивая женщина, я бы не рисковал.

Он снова засмеялся несколько деланым смехом.

— Почему, собственно? В Голливуде таких, как Кармен, тысячи. И многие талантливы. А она даже по-английски не говорит. Но вы все-таки позаботьтесь о ней, когда она туда явится.

— Конечно, Кан. В той степени, в какой вообще можно заботиться о красивой молодой женщине.

— С Кармен возни не много. Большую часть времени она спит.

— Я охотно сделаю все, что смогу. Но ведь я сам не знаю там ни души. Разве что Танненбаума, больше никого.

— Вы можете время от времени водить ее обедать. Уговаривайте ее, когда срок истечет, вернуться в Нью-Йорк.

— Хорошо. Что вы будете делать во время ее отсутствия?

— То же, что всегда.

— Что именно?

— Ничего. Вы же знаете, я продаю приемники. Что я могу делать еще? Энтузиазм, вызванный тем, что ты остался жив, напоминает шампанское. Когда бутылку откупоривают, шампанское быстро выдыхается. Хорошо, что почти никто не размышляет подолгу на эти темы. Желаю вам счастья, Росс! Только не становитесь актером! Вы и так уже актер.

— Когда ты вернешься, в нашем кукушкином гнезде в поднебесье уже будет жить этот педераст-меланхолик, — сказала Наташа, — он возвращается в ближайшие дни. Сегодня утром я узнала это из письма на толстой серой бумаге, от которой несло жокей-клубом.

— Откуда письмо?

— Почему тебя это вдруг заинтересовало?

— Да нет же. Просто я задал идиотский вопрос, чтобы скрыть замешательство.

— Письмо из Мексики. Там тоже закончилась одна большая любовь.

— Что значит: там тоже?

— Этот вопрос также вызван желанием скрыть замешательство?

— Нет. Он вызван чисто абстрактным интересом к развитию человеческих отношений.

Наташа оперлась на руку и посмотрела в зеркало; наши взгляды встретились.

— Почему, собственно, мы проявляем гораздо больший интерес к несчастью своих ближних, нежели к счастью? Значит ли это, что человек — завистливая скотина?

— Это уж точно! Но, кроме того, счастье нагоняет скуку, а несчастье — нет.

Наташа засмеялась.

— В этом что-то есть! О счастье можно говорить минут пять, не больше. Тут ничего не скажешь, кроме того, что ты счастлива. А о несчастье люди рассказывают ночи напролет. Правда?

— Правда, когда речь идет о небольшом несчастье, — сказал я, поколебавшись секунду, — а не о подлинном.

Наташа все еще не сводила с меня взгляда. Косая полоса света из соседней комнаты падала ей на глаза, и они казались удивительно светлыми и прозрачными.

— Ты очень несчастен, Роберт? — спросила она, не отрывая взгляда от моего лица.

— Нет, — сказал я, помолчав немного.

— Хорошо, что ты не сказал: я счастлив. Обычно ложь меня не смущает. Да я и сама умею лгать. Но иногда ложь невыносима.

— Но я хочу стать счастливым, — сказал я.

— Тебе это, однако, не удается. Ты не можешь быть счастливым, как все люди.

Мы все еще смотрели друг на друга. И мне казалось, что отвечать, видя Наташу в зеркале, легче, чем глядя ей в глаза.

— На днях ты меня уже спрашивала об этом.

— Тогда ты солгал. Боялся, что я устрою сцену, и хотел ее избежать. Но я не собиралась устраивать сцену.

— Я и тогда не лгал, — возразил я почти машинально и тут же пожалел о своих словах.

За годы скитаний я усвоил некоторые правила, которые были мне необходимы, чтобы выжить, но не очень-то годились для личной жизни; одно из этих

Эрих Мария Ремарк

правил гласило: никогда не признавайся в том, что ты солгал. В борьбе с властями оно себя оправдывало, но во взаимоотношениях с любимой женщиной было не всегда приемлемым, хотя и здесь приносило скорее пользу, чем вред.

— Я не лгал, — повторил я, — просто я неудачно выразился. Некоторые понятия мы почерпнули из прошлого века, века романтики, но теперь их следует сильно изменить. К ним относится и понятие счастья. Как легко было стать счастливым! Причем под счастьем подразумевалось абсолютное счастье! Я не говорю сейчас ни о писателях, ни о фальшивомонетчиках — этим удавалось дурачить целые эпохи своей хитроумной ложью; даже великие люди попадали под гипноз яркого шарика с сусальной позолотой, именовавшегося «счастьем»: они считали его панацеей от всего! Человек полюбивший был счастлив, а раз он был счастлив, то уж абсолютно счастлив!

Наташа отвела от меня взгляд и опять растянулась на кровати.

— Да, профессор, — пробормотала она. — Это, конечно, очень умно, но не думаешь ли ты, что раньше было проще?

— Да, наверное.

— Все дело в том, как человек воспринимает жизнь! Что значит — правда? Чувства не имеют отношения к правде.

Я засмеялся.

— Конечно, не имеют.

— Вы все на свете запутали. Как хорошо было в старину, когда неправду называли не ложью, а фантазией и когда о любви судили по ее силе, а не по абстрактным моральным нормам... Любопытно, каким ты вернешься из этого осиного гнезда — Голливуда! Там тебе все уши прожужжат громкими и избитыми фразами. Они сыплются в этом городе, как пух из лопнувшей перины.

— Откуда ты знаешь? Разве ты там была?

— Да, — сказала Наташа. — К счастью, я оказалась нефотогеничной.

— Ты оказалась нефотогеничной?

— Да. Понимай как хочешь.

— А если бы не это, ты бы там осталась?

Наташа поцеловала меня.

— Конечно, мой немецкий Гамлет. Женщина, которая ответит тебе иначе, солжет. Ты думаешь, у меня такая уж благодарная профессия? Думаешь, я не смогла бы от нее отказаться? Чего стоят одни эти богачки с жирными телесами, которым надо врать, будто фасоны для стройных годятся и им! А худые стервы? Они не решаются завести себе любовника, да и не могут найти его, а свою злость срывают на людях подневольных и беззащитных.

— Я был бы рад, если бы ты могла поехать со мной, — вырвалось у меня.

— Ничего не выйдет. Начинается зимний сезон, и у нас нет денег.

— Ты будешь мне изменять?

— Естественно, — сказала она.

— По-твоему, это естественно?

— Я не изменяю тебе, когда ты здесь.

Я взглянул на Наташу. Я не был до конца уверен, что у нее на уме то же, что и на языке.

— Когда человека нет, у тебя появляется чувство, будто он уже никогда не вернется, — сказала она. — Не сразу появляется, но очень скоро.

Эрих Мария Ремарк

— Как скоро?

— Разве это можно сказать заранее? Не оставляй меня одну, и тебе не придется задавать таких вопросов.

— Да. Это удобнее всего.

— Проще всего, — поправила она. — Когда рядом кто-то есть, тебе ничего больше не нужно. А когда нет, наступает одиночество. Кто же в силах выносить одиночество? Я не в силах.

— И все же это происходит мгновенно? — спросил я, теперь уже несколько встревоженный. — Просто меняют одного на другого?

Наташа рассмеялась.

— Ну конечно, нет. Совсем не так. Меняют не одного на другого, а... одиночество на неодиночество. Мужчины, возможно, умеют жить в одиночестве, женщины — нет.

— Ты не можешь быть одна?

— Мне плохо, когда я одна, Роберт. Я как плющ. Стоит мне остаться одной, и я начинаю стелиться по полу и гибнуть.

— За две недели ты погибнешь?

— Кто знает, сколько ты будешь в отъезде? Не верю я в твердые даты. Особенно в даты возвращения.

— Ничего себе, лучезарные перспективы!

Она внезапно повернулась и опять поцеловала меня.

— Тебе нравятся слезливые дуры, которые грозятся уйти в монастырь?

— Когда я здесь, не нравятся, а когда уезжаю, очень нравятся.

— Нельзя иметь все сразу.

— Это самая грустная сентенция из всех, какие существуют.

— Не самая грустная, а самая мудрая.

Я знал, что мы сражаемся в шутку, что это всего лишь игра. Но стрелы были не такие уж тупые, слова проникали глубоко под кожу.

— Будь моя воля, я остался бы, — сказал я. — Ехать в такое время года в Голливуд, по-моему, бессмысленно. Но если я откажусь, мне через неделю нечего будет есть. Силверс наймет на мое место другого.

Я тут же возненавидел себя за эти слова. Мне вообще не следовало пускаться в объяснения — нельзя было ставить себя в положение человека зависимого, в положение мужа-подбашмачника. Наташа меня перехитрила, подумал я с горечью, это она выбрала место сражения. И теперь я должен был воевать не на ее, а на своей территории, что всегда опасно. Когда-то мне объяснил это знакомый матадор.

— Хочешь не хочешь, надо мириться с судьбой, — сказал я, рассмеявшись.

Ей это не понравилось, но она не стала возражать. Я знал, что настроение у нее менялось молниеносно, — вот и на этот раз она вдруг с грустью сказала:

— Уже осень. А осенью не следует оставаться одной. Пережить осень и так достаточно трудно.

— Для тебя настала зима. Ты ведь всегда на один сезон опережаешь время. Помнишь, ты мне говорила? А сейчас ты в разгаре зимних мод и снежных вьюг.

— Ты всегда найдешь, что ответить, — сказала она неприязненно. — И всегда предложишь какой-нибудь выход.

— Бывает, что и я не могу найти выхода, — сказал я. — Выхода для тебя!

Выражение ее лица изменилось.

— Мне бы не хотелось, чтобы ты лгал.

Эрих Мария Ремарк

— Я вовсе не лгу. Я действительно не вижу выхода. Да и как его увидеть?

— Ты вечно строишь планы на будущее. И не любишь неожиданностей. А для меня все — неожиданность. Почему это так?

— В моей жизни неожиданности плохо кончались. Правда, не с тобой. Ты неожиданность, которая никогда не переходит в привычку.

— Останешься сегодня на ночь у меня?

— Останусь до тех пор, пока не придется бегом нестись на вокзал.

— Это вовсе не обязательно. Проще взять такси.

В ту ночь мы спали мало. Просыпались и любили друг друга, потом засыпали, крепко обнявшись, и опять просыпались, и, поговорив немного, снова любили друг друга или просто лежали рядом, чувствуя теплоту наших тел и стараясь проникнуть в тайну человеческой кожи, сближающей и навек разъединяющей людей. Мы изнемогали от попыток слиться воедино и, громко крича, понукали друг друга, как понукают лошадей, заставляя их напрячь все силы, но эти окрики, и эти слова, всплывавшие откуда-то из глубин подсознания, были бесполезны; мы ненавидели, и мы любили друг друга, и изрыгали ругательства, которые были под стать разве что ломовым извозчикам, и все лишь затем, чтобы теснее слиться друг с другом и освободить свой мозг от искусственно возведенных барьеров, мешающих познать тайну ветра и моря и тайну мира зверей; мы осыпали друг друга площадной бранью и шептали друг другу самые нежные слова, а потом, вконец вымотанные и измученные, лежали, ожидая, когда придет тишина, глубокая, коричнево-золотая тишина, полное успокоение, при котором нет сил произнести ни слова, да и вообще слова не нужны — они разбросаны где-то вдалеке, подобно камням после сильного урагана; мы ждали этой тишины, и она приходила к нам, была с нами рядом, мы ее чувствовали и сами становились тихими, как дыхание, но не бурное дыхание, а еле заметное, почти не вздымающее грудь. Тишина приходила, мы погружались в нее целиком, и Наташа сразу проваливалась куда-то вглубь, в сон. А я долго не засыпал и все смотрел на нее. Смотрел с тайным любопытством, которое я почему-то испытываю ко всем спящим, словно они знают нечто такое, что скрыто от меня навсегда. Я смотрел на отрешенное Наташино лицо с длинными ресницами и знал, что сон — этот маг и волшебник — отнял ее у меня, заставил забыть обо мне и о только что промелькнувшем часе клятв, криков и восторгов; для нее я уже не существовал; я мог умереть, но и это ничего не изменило бы. Я жадно, даже с некоторым страхом смотрел на эту чужую женщину, которая стала для меня самой близкой, и, глядя на нее, вдруг понял, что только мертвые принадлежат нам целиком, только они не могут ускользнуть. Все остальное в жизни движется, видоизменяется, уходит, исчезает и, даже появившись вновь, становится неузнаваемым. Одни лишь мертвые хранят верность. И в этом их сила.

Я прислушался к ветру: на такой высоте он почти всегда завывал между домами. Я боялся заснуть, хотел окончательно отогнать от себя прошлое и смотрел на Наташино лицо, — между бровями у нее теперь залегла тонкая складка. Я смотрел на Наташу, и в какое-то мгновение мне показалось, что я вот-вот пойму нечто важное, войду в какую-то незнакомую, ровно освещенную комнату, о существовании которой я до сих пор не подозревал. И тут я почувствовал внезапно, как

Эрих Мария Ремарк

меня охватило тихое чувство счастья, ибо передо мной открылись неведомые просторы. Затаив дыхание, я осторожно приближался к ним, но в тот миг, когда я сделал последний шаг, все опять исчезло, и я заснул.

XXIV

В «Садах Аллаха» был бассейн для плаванья и маленькие коттеджи, сдававшиеся внаем. В них жили по одному, по двое или по нескольку человек. Меня поселили в домике, где уже находился один постоялец — актер. У каждого из нас была своя комната, а ванная была общая. По виду эта гостиница смахивала на цыганский табор, хотя жить в ней было удобно. Несмотря на непривычную обстановку, я почувствовал себя хорошо. В первый же вечер актер пригласил меня к себе. Он угощал виски и калифорнийским вином, и весь вечер к нему валил народ — его знакомые. Обстановка была самая непринужденная, и если кому-нибудь из гостей хотелось освежиться, он прыгал в зеленовато-голубую подсвеченную воду бассейна и плавал там. Я выступал в своей старой роли — бывшего эксперта из Лувра. Опасаясь длинных языков, я счел самым правильным и в частной жизни придерживаться той же версии; в конце концов Силверс платил мне именно за это.

В первые дни я был совершенно свободен. Картины, которые Силверс послал сюда из Нью-Йорка, еще не прибыли. Я бродил по «Садам Аллаха» и ездил на берег океана с Джоном Скоттом — моим соседом-актером, который просвещал меня насчет жизни в Голливуде.

Уже в Нью-Йорке меня преследовала мысль о нереальности окружающего; эта огромная страна вела войну, и в то же время войны здесь совершенно не чувствовалось: между Америкой и фронтами пролегало полмира; ну, а уж в Голливуде война и вообще казалась просто литературной категорией. Здесь бродили косяками полковники и капитаны в соответствующих мундирах, но никто из них понятия не имел о войне, то были кинополковники, кинокапитаны, кинорежиссеры и кинопродюсеры, каждого из которых могли в один прекрасный день произвести в чин полковника благодаря какой-то чепухе, тем или иным образом связанной с военными фильмами; никто из них, разумеется, ничего не смыслил в военном деле, разве что усвоил нехитрую истину: здороваясь, нельзя снимать фуражку. Война стала в Голливуде примерно таким же понятием, как «Дикий Запад», и у меня создалось впечатление, что статисты, участвовавшие в фильмах о войне, вечером появлялись в тех же костюмах. Иллюзия и действительность слились здесь настолько прочно, что превратились в некую новую субстанцию, наподобие того, как медь, сплавляясь с цинком, превращается в латунь, эдакое золото для бедных. При всем том в Голливуде было полным-полно выдающихся музыкантов, поэтов и философов, равно как и мечтателей, сектантов и просто жуликов. Всех он принимал, но тех, кто вовремя не спохватывался, нивелировал, хотя многие этого не сознавали. Пошлая фраза о том, что человек продает душу дьяволу, имела здесь вполне реальный смысл. Правда, Голливуд превращал в латунь всего лишь медь и цинк, так что далеко не все громкие сетования, раздававшиеся по этому поводу, были обоснованны.

Мы сидели на песчаном пляже в Санта-Монике. Тихий океан катил свои серо-зеленые волны у наших ног. Рядом с нами пищали детишки, а позади, в дощатой

Эрих Мария Ремарк

закусочной, варили омаров. Начинающие актеры с независимым видом вышагивали по пляжу в надежде, что их «откроет» какой-нибудь talentscout[*] или помощник режиссера. Официантки во всех ресторанах и кафе также ждали своего часа, а пока что потребляли тонны румян и помады, ходили в обтягивающих брючках и коротких юбках. И вообще атмосфера здесь была, как в игорном доме, где каждый лихорадочно мечтает сорвать банк — получить роль в фильме.

— Танненбаум? — спросил я с некоторым сомнением и воззрился на субъекта в клетчатом пиджаке, который стоял против солнца, заслоняя мне океан.

— Собственной персоной, — с достоинством ответил исполнитель ролей нацистских фюреров. — Вы живете в «Садах Аллаха»? Не так ли?

— Откуда вы знаете?

— Это — прибежище всех актеров-эмигрантов.

— Черт побери! А я-то думал, что избавился, наконец, от эмигрантов. И вы там поселились?

— Я въехал туда сегодня в полдень.

— Сегодня в полдень! Стало быть, два часа назад. И уже разгуливаете по берегу Тихого океана без галстука, с ярко-красным шелковым платком вокруг шеи и в клетчатом желтом спортивном пиджаке. Вот это я понимаю!

— Не люблю терять время! Я вижу, вы здесь со Скоттом.

— Вы и с ним знакомы?

— Конечно. Я ведь уже был в Голливуде дважды. Первый раз играл шарфюрера, второй — штурмшарфюрера.

_____
[*] Искатель талантов (*англ.*) — специальная должность в кинопромышленности США.

— Вы делаете головокружительную карьеру. Теперь вы, по-моему, уже штурмбаннфюрер?

— Группенфюрер.

— Съемки уже начались? — спросил Скотт.

— Нет еще. Приступаем на следующей неделе. Сейчас у нас идет примерка костюмов.

«Примерка костюмов!» — повторил я про себя. То, о чем я боялся думать, то, что тщетно хотел изгнать из своих снов, обернулось здесь маскарадом. Я не сводил глаз с Танненбаума, и меня вдруг охватило ощущение небывалой легкости. Передо мной была серебристо-серая поверхность океана, волны из ртути и свинца, теснившиеся к горизонту, и этот смешной человечек, для которого мировая катастрофа обернулась примеркой костюмов, гримом и киносценариями. И мне показалось, будто сплошные тяжелые тучи над моей головой разорвались. Может быть, подумал я, может быть, существует и такое состояние, когда все пережитое перестаешь воспринимать всерьез. Я даже не мечтаю, чтобы для меня это свелось к примерке костюмов и к кинофильмам, — пусть хотя бы перестанет висеть надо мной, подобно гигантскому глетчеру, который в любую секунду может обрушиться и похоронить меня подо льдом.

— Когда вы оттуда уехали, Танненбаум? — спросил я.

— В тридцать четвертом.

Я собирался еще многое спросить, но вовремя одумался. Мне хотелось узнать, потерял ли он близких — каких-нибудь родственников, которых не выпустили из Германии или сразу уничтожили... Скорее всего так и было, но об этом не полагалось спрашивать. Да и знать я хотел это только для того, чтобы представить себе, как он сумел все преодолеть, чтобы изображать теперь без душевного надрыва людей, которые были убийцами его близких. Впрочем, необходимости в этом не было. Уже самый факт, что он их играл, делал мои вопросы излишними.

— Я рад вас видеть, Танненбаум, — сказал я.

Он подозрительно покосился на меня.

— По-моему, мы с вами не в таких отношениях, чтобы рассыпаться друг перед другом в комплиментах, — сказал он.

— Но я действительно рад, — повторил я.

Силверс что-то темнил; он действовал, но довольно безуспешно и через несколько дней переменил тактику; ринулся в прямую атаку. Начал названивать продюсерам и режиссерам, с которыми познакомился когда-то через других покупателей, и приглашать их посмотреть картины. Но произошла весьма обычная история: люди, которые в Нью-Йорке чуть не со слезами на глазах умоляли его посетить их, как только он окажется в Лос-Анджелесе, теперь вдруг с большим трудом узнавали его, а когда он приглашал их поглядеть картины, ссылались на недосуг.

— Черт бы побрал этих варваров, — брюзжал Силверс уже через неделю после нашего приезда. — Если ничего не изменится, придется возвращаться в Нью-Йорк. Что за народ живет в «Садах Аллаха»?

— Для вас это не клиенты, — заверил я его. — В лучшем случае они могут купить маленький рисунок или литографию.

— На безрыбье и рак — рыба. У нас с собой два маленьких рисунка Дега и два рисунка углем Пикассо. Возьмите их и повесьте у себя в комнате. И устройте вечеринку с коктейлями.

— За свои деньги или в счет издержек производства?

— Ну конечно, за мой счет. У вас в голове одни только деньги.

— У меня пусто в карманах, вот и приходится держать деньги в голове.

Силверс махнул рукой. Ему было не до острот.

— Попытайте счастья у себя в гостинице. Может быть, подцепите какую-нибудь мелкую рыбешку, раз не удается поймать щуку.

Я пригласил Скотта, Танненбаума и еще несколько человек — их знакомых. «Сады Аллаха» славились своими вечеринками с коктейлями. По словам Скотта, они иногда продолжались здесь до утра. Отчасти из вежливости, отчасти шутки ради я пригласил и Силверса. Сперва он вроде удивился, а потом с высокомерным видом отказался прийти. Такого рода вечеринки годились только для мелкого люда, посещать их было ниже его достоинства.

Вечеринка началась весьма многообещающе: пришло на десять человек больше, чем я позвал, а часов в десять вечера незваных гостей было уже по крайней мере человек двадцать. Спиртные напитки скоро кончились, и мы перешли в другой коттедж. Седой человек с красным лицом, которого все звали Эдди, заказал бутербродов, котлет и гору сосисок. В одиннадцать часов я настолько подружился с десятком незнакомых людей, что мы стали называть друг друга по имени, впрочем, по всей видимости, это произошло слишком поздно. Обычно на голливудских вечеринках люди становились закадычными друзьями в более ранний час. В полночь несколько человек свалились в бассейн, а нескольких гостей столкнули туда. Это считалось чрезвычайно изысканной шуткой. Девушки

Эрих Мария Ремарк

в бюстгальтерах и трусиках плавали в голубовато-зеленоватой подсвеченной воде. Они были совсем молоденькие и очень хорошенькие, и их забавы производили почему-то вполне невинное впечатление. Вообще, несмотря на весь шум в гам, вечеринка казалась, как ни странно, на редкость целомудренной. В тот час, когда в Европе люди давным-давно лежат в постелях, мои гости обступили рояль и затянули сентиментальные ковбойские песенки.

Постепенно я потерял контроль над собой. Все вокруг начало шататься, что меня, в общем, устраивало. Мне не хотелось быть трезвым — из ненависти к ночам, когда вдруг просыпаешься один и не знаешь, где ты; от этих ночей было рукой подать до неотвязных кошмаров. Теперь я медленно погружался в тяжелое, хотя и довольно приятное опьянение и передо мной то тут, то там мелькали коричневые и золотые вспышки.

На следующее утро я не имел ни малейшего представления ни о том, где бродил ночью, ни о том, как попал к себе в комнату. Скотт попытался напомнить мне, что произошло.

— Вы продали два рисунка, которые здесь висели, Роберт, — сказал он. — Они были ваши?

Я оглянулся. Голова у меня гудела. Рисунки Дега отсутствовали.

— Кому я их продал? — спросил я.

— По-моему, Холту. Режиссеру, у которого снимается Танненбаум.

— Холту? Понятия не имею. Боже мой, ну и напился же я.

— Мы все перебрали. Вечеринка была чудесная. И вы, Роберт, были просто великолепны.

Я посмотрел на него подозрительно.

— Вел себя как последний болван?

— Нет, по-дурацки вел себя только Джими. Как всегда, плакал пьяными слезами. Вы были на высоте. Одного только не знаю: когда вы продавали рисунки, вы уже были под мухой? По виду ничего нельзя было сказать.

— Наверное, под мухой. Я ровно ничего не помню.

— И о чеке тоже не помните?

— О каком чеке?

— Но Холт же сразу дал вам чек.

Я поднялся и начал шарить у себя в карманах. Действительно там лежал сложенный в несколько раз чек. Я долго смотрел на него.

— Холт прямо зашелся, — сказал Скотт. — Вы рассуждали об искусстве как бог. Он сразу же и забрал рисунки, в такой он пришел восторг.

Я поднес чек к свету. Потом засмеялся. Я продал рисунки на пятьсот долларов дороже, чем оценил их Силверс.

— Ну и ну, — сказал я, обращаясь к Скотту. — Я отдал рисунки слишком дешево.

— Правда? Вот скверная история! Не думаю, чтобы Холт согласился их вернуть.

— Ничего, — сказал я, — сам виноват.

— Для вас это очень неприятно?

— Не очень. Поделом мне. А рисунки Пикассо я тоже продал?

— Что?

— Два других рисунка?

— Это я уж не знаю. Как вы относитесь к тому, чтобы залезть в бассейн? Самое лучшее средство против похмелья.

— У меня нет плавок.

Скотт притащил из своей комнаты четыре пары плавок.

— Выбирайте. Будете завтракать или уже прямо обедать? Сейчас час дня.

Я встал. Когда я вышел в сад, моим глазам представилась мирная картина. Вода сверкала, несколько девушек плавали в бассейне, хорошо одетые мужчины сидели в креслах, читали газеты, потягивали апельсиновый сок или виски и лениво переговаривались. Я узнал седого человека, у которого мы были накануне вечером. Он кивнул мне. Три других господина, которых я не узнал, также кивнули мне. У меня вдруг появилась целая куча респектабельных друзей, которых я даже не знал. Алкоголь оказался куда более верным средством сближения, нежели интеллект; все проблемы вдруг куда-то исчезли, и небо было безоблачно; поистине этот клочок земли вдали от сложностей и бурь окутанной мглой Европы был сущим раем. Впрочем, только на первый взгляд. То была иллюзия. Не сомневаюсь, что и здесь хозяевами положения были не бабочки, а змеи. Но даже эта иллюзия казалась невероятной; я чувствовал себя так, словно меня перенесли на остров Таити в благословенные моря южных широт, где мне не оставалось ничего иного, как забыть прошлое, мое убийственное второе «я», забыть весь горький опыт и всю грязь прошедших лет и вернуться к жизни, чистой и первозданной.

Быть может, думал я, прыгая в голубовато-зеленую воду бассейна, быть может, на этот раз я действительно избавлюсь от прошлого и начну все сначала, отброшу все планы мщения, которые давят на меня, как солдатский ранец, набитый свинцом.

Гнев Силверса мгновенно улетучился, как только я вручил ему чек. Это не помешало ему, однако, сказать:

— Надо было запросить на тысячу долларов больше.

— Я и так уже запросил на пятьсот долларов больше, чем вы велели. Если желаете, могу вернуть чек и опять принести вам рисунки.

— Это не в моих правилах. Раз продано, значит, продано. Даже себе в убыток.

Силверс сидел, развалившись, на светло-голубом кожаном диване у окна; внизу, под окном его номера, также был плавательный бассейн.

— У меня есть желающие и на рисунки Пикассо, — сказал я. — Но, думается, будет лучше, если вы продадите их сами. Не хочу делать вас банкротом из-за того, что я неправильно манипулирую ценами, которые вы назначаете.

Силверс вдруг улыбнулся.

— Милый Росс, у вас нет чувства юмора. Продавайте себе на здоровье. Неужели вы не понимаете, что во мне говорит профессиональная зависть? Вы уже здесь кое-что продали, а я ровным счетом ничего.

Я оглядел его. Он был одет даже более по-голливудски, чем Танненбаум, а это что-нибудь да значило! Спортивный пиджак Силверса был, разумеется, английский, в то время как Танненбаум носил готовые американские вещи. Но ботинки у Силверса были чересчур уж желтые, а его шелковый шейный платок слишком уж большой и к тому же слепяще-красный — цвета киновари.

Я понимал, к чему клонился разговор: Силверс не хотел платить мне комиссионных. Да я и не ждал комиссионных. А потому не удивился, когда он сказал, чтобы я поскорее представил ему счет за вечеринку с коктейлями.

Эрих Мария Ремарк

После обеда за мной явился Танненбаум.

— Вы обещали Холту приехать сегодня на студию, — сказал он.

— Разве? — удивился я. — Что я там еще наболтал?

— Вы были в ударе. И продали Холту два рисунка. А сегодня хотели посоветовать, в какие рамы их вставить.

— Они же были в рамах!

— Вы сказали, что это дешевые стандартные рамы. А ему надо купить старинные рамы восемнадцатого века, тогда ценность рисунков возрастет втрое. Поехали со мной. Посмотрите хоть раз, как выглядит студия.

— Хорошо.

В голове у меня по-прежнему был полный сумбур. Без долгих разговоров я последовал за Танненбаумом. У него оказался старый «шевроле».

— Где вы научились водить машину? — спросил я.

— В Калифорнии. Здесь машина необходима. Слишком большие расстояния. Можно купить машину за несколько долларов.

— Вы хотите сказать: за несколько сот долларов?

Танненбаум кивнул. Мы проехали через ворота в ограде, напоминавшей надолбы; ворота охраняли полицейские.

— Здесь тюрьма? — спросил я, когда машину остановили.

— Какая чушь! Это полиция киностудии. Она следит за тем, чтобы студию не наводняли толпы зевак и неудачников, которые хотят попытать счастья в кино.

Сперва мы миновали поселок золотоискателей. Потом проехали по улице, где было полно салунов, как на Диком Западе; за ними одиноко стоял танцзал. Вся эта бутафория под открытым небом производила странное впечатление. Большинство декораций состояло из одних фасадов, за которыми ничего не было, поэтому казалось, будто здесь только что прошла война и дома разбиты и разбомблены с невиданной аккуратностью и методичностью.

— Декорации для натурных съемок, — объяснил Танненбаум. — Здесь выстреливают сотни ковбойских фильмов и вестернов с почти одинаковыми сюжетами. Иногда даже не меняют актеров. Но публика ничего не замечает.

Мы остановились у гигантского павильона. На стенах его в разных местах было выведено черной краской: «Павильон № 5». Над дверью горела красная лампочка.

— Придется минутку обождать, — сказал Танненбаум. — Сейчас как раз идет съемка. Как вам здесь нравится?

— Очень нравится, — сказал я. — Немного напоминает цирк и цыганский табор.

Перед павильоном № 4 стояло несколько ковбоев и кучка людей в старинных одеждах: дамы в платьях до пят, бородатые пуритане в широкополых шляпах и в сюртуках. Почти все они были загримированы, что при свете солнца казалось особенно странным. Я увидел также лошадей и шерифа, который пил кока-колу.

Красная лампочка над павильоном № 5 потухла, и мы вошли внутрь. После яркого света я в первое мгновение не мог ничего различить. И вдруг окаменел. Человек двадцать эсэсовцев двигались прямо на меня. Я тотчас круто повернулся и приготовился бежать, но налетел на Танненбаума, который шел сзади.

— Кино, — сказал он. — Почти как в жизни. Не правда ли?

Эрих Мария Ремарк

— Что?

— Я говорю, здорово у них это получается.

— Да, — с трудом выдавил я из себя и секунду колебался, не дать ли ему по физиономии.

Над головами эсэсовцев на заднем плане я увидел сторожевую вышку, а перед ней ряды колючей проволоки. Я заметил, что дышу очень громко, с присвистом.

— Что случилось? — спросил Танненбаум. — Вы испугались? Но вы же знали, что я играю в антифашистском фильме.

Я кивнул, стараясь взять себя в руки.

— Забыл, — сказал я. — После вчерашнего вечера. Голова у меня все еще трещит. Тут забудешь все на свете.

— Ну, конечно, конечно! Мне бы следовало вам напомнить.

— Зачем? Мы ведь в Калифорнии, — сказал я все еще нетвердым голосом. — Я растерялся только в первую секунду.

— Ясно, ясно. И со мной бы это произошло. В первый раз со мной так и случилось. Но потом я, конечно, привык.

— Что?

— Я говорю, что привык к этому, — повторил Танненбаум.

— Правда?

— Ну да!

Я снова обернулся и посмотрел на ненавистные эсэсовские мундиры. И почувствовал, что меня вот-вот вырвет. Бессмысленная ярость вскипала во мне, но без толку: я не видел вокруг ни одного объекта, на который мог бы излить ее. Эсэсовцы, как я вскоре заметил, говорили по-английски. Но и потом, когда моя ярость утихла, а страх исчез, у меня осталось ощущение, будто я перенес тяжелый припадок. Все мускулы болели.

— А вот и Холт! — воскликнул Танненбаум.

— Да, — сказал я, не сводя глаз с рядов колючей проволоки вокруг концентрационного лагеря.

— Хэлло, Роберт!

Холт был в тирольской шляпе и в гольфах. Я бы не удивился, если бы увидел у него на груди свастику. Или желтую звезду.

— А я и не знал, что вы уже начали съемки, — сказал Танненбаум.

— Всего два часа назад, после обеда. На сегодня хватит. Как вы отнесетесь к стакану шотландского виски?

Я поднял руку.

— Не могу еще. После вчерашнего.

— Как раз поэтому я и предложил. Клин клином вышибают. Самый лучший способ.

— Неужели? — сказал я рассеянно.

— Старый рецепт! — Холт ударил меня по плечу.

— Может быть, — сказал я. — Вы правы, конечно.

— Ну вот, молодец!

Выйдя из павильона, мы прошли мимо кучки мирно болтающих эсэсовцев. «Переодетые актеры», — твердил я себе, все еще не в силах осознать происходящее. Наконец мне удалось взять себя в руки.

— У того парня, — сказал я, указывая на актера в мундире шарфюрера, — фуражка не по форме.

— Правда? — спросил Холт с тревогой. — Вы уверены?

— Да, уверен. К сожалению.

— Это надо немедленно проверить, — сказал Холт,

обращаясь к молодому человеку в зеленых очках. — Где консультант по костюмам?

— Сейчас найду.

«Консультант по костюмам, — думал я. — Там они еще льют кровь, а здесь их уже изображают статисты. Впрочем, быть может, все, что произошло у меня на родине за эти одиннадцать-двенадцать лет, было на самом деле лишь бунтом статистов, которые вздумали разыграть из себя героев, но так и остались пошлой бандой палачей».

— Кто у вас консультант? — спросил я. — Настоящий гитлеровец?

— Не знаю точно, — сказал Холт. — Во всяком случае, он специалист. Неужели, черт побери, нам придется из-за одной этой вшивой фуражки переснимать всю сцену?

Мы пошли в столовую. Холт заказал виски с содовой. Меня уже не удивляло, что официантки были все как на подбор ухоженные красавицы. Конечно, они только и ждали, когда их «откроют».

— Я еще хотел спросить вас насчет рисунков Дега, — сказал Холт немного погодя. — Они ведь настоящие, правда? Не обижайтесь, но мне сказали, что существует чертова уйма подделок.

— Тут нечего обижаться, Джо. Ваше право узнать все досконально. На рисунках нет собственноручной подписи Дега, только красная печать с его именем. Вас смущает это?

Холт кивнул.

— Красная печать — это печать мастерской художника. Рисунки найдены после смерти Дега и помечены печатью. Об этом существует специальная литература, с репродукциями. У господина Силверса, который приехал со мной, эти книги есть, он вам их с удовольствием покажет. Почему бы вам не посетить его? Вы уже свободны?

— Освобожусь через час. Но я вам верю, Роберт.

— Я сам себе часто не верю, Джо. Давайте встретимся в шесть в отеле «Беверли-Хиллз». Хорошо? Тогда вы сами убедитесь во всем. Кроме того, Силверс даст вам официальную квитанцию, удостоверяющую вашу покупку, и паспорт к рисункам. Так положено.

— Хорошо.

Силверс принял нас, сидя на том же светло-голубом диване. Глядя на него, нельзя было сказать, что приезд в Голливуд не принес ему ничего, кроме неудач. Вел он себя весьма высокомерно: велел мне изготовить документ, подтверждающий покупку рисунков на посмертном аукционе, а сам вручил Холту паспорт и фотографии обеих работ.

— Рисунки достались вам, можно сказать, даром, — объявил он надменно. — Мой сотрудник господин Росс, эксперт из Лувра, вообще не занимается продажей. Поэтому я назвал ему ту цену, за которую сам приобрел эти вещи. Произошла досадная ошибка. Он не знал, что это не продажная цена, и предложил вам рисунки за ту цену, какую я сам уплатил год назад. Если бы я захотел сейчас купить эти рисунки Дега, мне пришлось бы выложить минимум на пятьдесят процентов больше.

— Хотите аннулировать сделку? — спросил Холт.

Силверс махнул рукой.

— Что продано, то продано. Просто я хотел вас поздравить. Вы совершили потрясающе выгодную покупку.

Силверс немного оттаял и заказал кофе с коньяком.

— Хочу сделать вам одно предложение, — начал он. — Я покупаю у вас оба рисунка с двадцатипроцентной надбавкой, если вы, конечно, согласны. Немедленно. — И он сунул руку в карман своего спортивного пиджака, словно собираясь вытащить чековую книжку.

Я с любопытством ждал, как Холт отнесется к этому жульническому трюку. Он отнесся правильно. Сказал, что купил рисунки только потому, что они ему понравились. И хотел бы их сохранить. И даже наоборот: решил воспользоваться преимущественным правом, которое я дал ему вчера вечером, и купить еще два рисунка Пикассо.

Я в изумлении воззрился на него: ни о каком преимущественном праве у нас и речи не было, но мне показалось, что в глазах Холта появился алчный блеск — ему тоже хотелось сделать бизнес. Этот малый соображал быстро.

— Преимущественное право? — спросил меня Силверс. — Вы его дали кому-нибудь?

Я тоже соображал быстро. Нет, об оптации речи не было. Очевидно, Холт смошенничал. Но он наверняка не запомнил цены, о которой говорилось вчера.

— Правильно, — сказал я. — Преимущественное право покупки до сегодняшнего вечера.

— А цена?

— Шесть тысяч долларов.

— За один рисунок? — спросил Силверс.

— За два, — опередил меня Холт.

— Правильно? — спросил Силверс резко.

Я опустил голову. Названная цена была на две тысячи выше той, какую назначил за оба рисунка Силверс.

— Правильно, — сказал я.

— Вы меня разоряете, господин Росс, — сказал Силверс неожиданно мягко.

— Мы очень много выпили, — оправдывался я. — Я не привык столько пить.

Холт рассмеялся.

— Как-то раз, выпив, я проиграл двенадцать тысяч долларов в триктрак, — сказал Холт. — Для меня это был хороший урок.

При словах «двенадцать тысяч долларов» в глазах Силверса промелькнул тот же блеск, что прежде в глазах Холта.

— Пусть это и для вас будет уроком, Росс, — сказал он. — Вы — кабинетный ученый, а уж никак не деловой человек. Ваша сфера — музеи.

При этих словах я вздрогнул.

— Возможно, — сказал я и повернулся к окну.

Вечерело, в синих сумерках носились взад и вперед белые фигурки — последние игроки в теннис. Бассейн для плавания опустел, зато вокруг маленьких столиков сидело много народа — постояльцы пили освежающие напитки; из бара рядом доносилась приглушенная музыка. И тут вдруг во мне поднялась такая всепоглощающая тоска — тоска по Наташе, по моему детству, по давно забытым юношеским грезам, мне стало так жаль моей загубленной жизни, что я подумал: этого я не вынесу. С отчаянием я понял, что никогда не избавлюсь от прошлого и, повинуясь мрачным законам бессмыслицы, буду тупо губить остаток своей жизни. Спасения не было, я это чувствовал, ничто уже не ждало меня впереди, мне оставалось лишь цепляться за этот внезапно появившийся оазис, миг затишья в мире, который, как оползень, неудержимо сползал в пропасть. Мне оставалось лишь до боли радоваться, наслаждаться этим нечаянным подарком, этой тишиной, ибо по злой иронии судьбы тишина кончится для меня как раз в ту минуту, когда мир вздохнет свободнее и начнет готовиться к пиршеству освобождения. Именно тогда, один-одинешенек, я двинусь в поход на своих врагов, двинусь в поход, который приведет меня к гибели, но от которого нельзя отказаться.

— Хорошо, господин Холт, — сказал Силверс, небрежно опуская в карман второй чек. — Разрешите еще раз поздравить вас! Совсем неплохое начало для прекрасного собрания картин. Четыре рисунка двух больших художников! При случае я покажу вам еще несколько пастелей Пикассо. Сейчас у меня, увы, нет времени. Приглашен на ужин. Слух о моем приезде уже пронесся. А если мы здесь не встретимся, отложим наши дела до Нью-Йорка.

Я мысленно зааплодировал ему, хотя и не шевельнул рукой. Я-то знал, что Силверса никто никуда не приглашал. Но я знал также, чего ожидал Холт: он ожидал, что Силверс тут же попытается всучить ему картину подороже. Однако Силверс разгадал мысли Холта и повел себя иначе. А это в свою очередь убедило Холта в том, что он совершил выгодную сделку. По выражению Силверса, он теперь окончательно «созрел».

— Не вешайте носа, Роберт, — утешал меня Джо. — Рисунки я заберу завтра вечером.

— Хорошо, Джо.

XXV

Через неделю ко мне зашел Танненбаум.

— Мы проверили консультанта, приглашенного для нашего фильма, Роберт. На него нельзя положиться.

Он не очень сведущий, и Холт ему больше не доверяет. Он теперь и сценаристу перестал доверять: тот никогда не был в Германии. Дело — дрянь. И все из-за вас, — распалившись, бросил Танненбаум. — Это вы заварили всю эту кашу! Вылезли насчет фуражки шарфюрера СС. Без вас у Холта не возникло бы никаких подозрений!

— Хорошо. Забудьте, что я сказал.

— Как? Нашего консультанта ведь уже выкинули!

— Наймите другого.

— Вот за этим я к вам и пришел! Меня послал Холт. Он хочет с вами поговорить.

— Чепуха! Я не гожусь в консультанты, даже по антинацистским фильмам.

— Кто же, если не вы? Разве здесь найдешь кого-то еще, кто сидел бы в концентрационном лагере?

Я поднял голову.

— То есть как?

— Не только здесь, но и в Нью-Йорке, в нашем кругу каждому это известно. Роберт, Холту требуется помощь. Он хотел бы, чтобы вы были консультантом.

Я рассмеялся.

— Да вы рехнулись, Танненбаум!

— Он платит прилично. А кроме того, он делает антинацистский фильм. Так что вам это не должно быть безразлично.

Я увидел, что пока я подробно не расскажу о себе, Танненбаум меня не поймет. Но на этот раз я не испытывал ни малейшего желания рассказывать о себе. Танненбаум все равно бы ничего не понял. Он иначе мыслил, чем я. Он ждал наступления мира, чтобы снова спокойно жить в Германии или в Америке. А я ждал мира, чтобы отомстить.

Эрих Мария Ремарк

— Не хочу я заниматься фильмами о нацистах, — грубо ответил я. — Я не считаю, что об этих людях надо писать сценарии. Я считаю, что этих людей надо уничтожать. А теперь оставьте меня в покое. Вы уже видели Кармен?

— Кармен? Вы имеете в виду приятельницу Кана?

— Я имею в виду Кармен.

— Какое мне дело до Кармен?! Меня беспокоит наш фильм! Может быть, вы соблаговолите хотя бы встретиться с Холтом?

— Нет, — ответил я.

Вечером я получил письмо от Кана.

«Дорогой Роберт, — писал он. — Сначала неприятное: Грефенгейм умер. Он принял очень большую дозу снотворного, узнав, что его жена погибла в Берлине во время налета американской авиации. Это известие сломило его. То, что это были американские бомбардировщики, он воспринял не как роковую случайность, а лишь как убийственную иронию судьбы, и тихо и покорно ушел из жизни. Вы, наверное, помните наш последний разговор о добровольной смерти. Грефенгейм утверждал, что ни одному животному, кроме человека, неведомо отчаяние. Кроме того, он утверждал, что добровольная смерть — величайший дар судьбы, ибо позволяет избавиться от адских мук, терзающих нашу душу. И он покончил с собой. Больше говорить тут не о чем. Его уже ничто не волнует. А мы пока живем, дышим, и у нас еще все впереди: старость, смерть или самоубийство — безразлично, как это называется.

От Кармен ни слуху ни духу. Писать письма ей лень. Посылаю Вам ее адрес. Объясните ей, что лучше всего ей было бы вернуться.

До свидания, Роберт. Возвращайтесь поскорее. Трудные времена у нас еще впереди! Они наступят потом, когда рухнут даже иллюзии мести и нам суждено будет заглянуть в небытие. Готовьте себя к этому постепенно, чтобы удар не был слишком сильным. Мы теперь уже не так неуязвимы. Особенно для внезапных ударов. Не только счастье имеет свою меру, смерть — тоже. Иногда я вспоминаю о Танненбауме, группенфюрере на экране. Вероятно, этот осел — самый мудрый из всех нас. Привет, Роберт!»

Я поехал по адресу, который мне дал Кан. Это оказалось жалкое маленькое бунгало в Вествуде. Перед дверью росло несколько апельсиновых деревьев, в саду за домом кудахтали куры. Кармен спала в шезлонге. На ней был купальный костюм в обтяжку, и я усомнился в правоте Кана, говорившего, что ей не суждено добиться успеха в Голливуде. Это была самая красивая девушка, какую я когда-либо знал. Не пошлая блондинка, а трагическое видение, от которого захватывает дух.

— Смотрите-ка, Роберт! — воскликнула она без тени удивления, когда я ее осторожно разбудил. — Что вы здесь делаете?

— Продаю картины. А вы?

— Один идиот заключил со мной контракт. Я ничего не делаю. Очень удобно.

Я предложил ей пообедать со мной. Она отказалась: сказала, что ее хозяйка хорошо готовит. Я с сомнением посмотрел на рыжеволосую, не слишком опрятную хозяйку. Она была похожа на бифштекс по-гамбургски и венскую сосиску одновременно.

— Яйца свежие, — сказала Кармен и показала на кур. — Чудесные омлеты.

Эрих Мария Ремарк

Мне удалось уговорить ее пойти со мной в ресторан «Браун Дерби».

— Говорят, там кинозвезды так и кишат, — сказал я, чтобы подзадорить ее.

— Они тоже не могут съесть больше одного обеда за раз!

Я ждал, пока Кармен оденется. Походка у нее была такая, будто она всю жизнь носила на голове корзины, — библейская и величавая. Я не понимал Кана, я не понимал, почему он давно не женился на ней и не отправился с ней вместе к эскимосам в качестве агента по продаже приемников. Я полагал, что эскимосам должен нравиться другой тип женщин и что они ему не соперники.

Когда такси остановилось перед «Браун Дерби», меня охватило раскаяние. Я заметил, что мужчины в чесучовых костюмах замирают при виде Кармен.

— Минуточку, — сказал я ей. — Только взгляну, есть ли свободные места.

Кармен осталась на улице. В ресторане еще было несколько свободных столиков, но там было и слишком много соблазнителей.

— Все занято, — сказал я, выйдя на улицу. — Вы не будете против, если мы поищем ресторан поменьше?

— Ничуть. Мне это даже по душе.

Мы зашли в маленький, темный и пустой ресторан.

— Как вам живется здесь, в Голливуде, Кармен? — спросил я. — Тут не намного скучнее, чем в Нью-Йорке?

Она подняла на меня свои волшебные глаза.

— Я еще не задумывалась над этим.

— А по-моему, здесь скучно и мерзко, — солгал я. — Я рад, что уезжаю.

— Все дело в том, как себя чувствуешь. У меня нет никого в Нью-Йорке, с кем бы я по-настоящему дружила. А здесь у меня есть хозяйка. Мы отлично понимаем друг друга, разговариваем обо всем на свете. А еще я люблю кур. Они вовсе не такие глупые, как многие думают. В Нью-Йорке я никогда не видела живой курицы. Здесь я знаю их даже по именам, они приходят, когда я их зову. А апельсины! Разве не чудесно, что их можно просто рвать с деревьев и есть сколько хочешь?

Мне стало вдруг ясно, что так прельщало Кана в этой женщине. Его, человека утонченного интеллекта и огромной энергии — редчайшее сочетание из всех, какие я когда-либо встречал, — покоряли в Кармен не только наивность, но и первозданная глупость, ей одной только свойственные флюиды.

Подсознательно же его, наверное, влекла к себе первобытная чистота и бездумный покой ее невинной души — впрочем, едва ли такой уж невинной, поскольку трудно было предположить невинную душу в столь обольстительном теле. Конечно, можно представить себе идиллическую лужайку у подножия потухшего вулкана, поросшую примулами и маргаритками, но уж никак нельзя заподозрить в стерильной чистоте помыслов саксонцев, распевающих патриархальные гимны в деревне близ Рюгенвальда.

— Кто дал вам мой адрес? — спросила Кармен, обгладывая куриную ножку.

— Кан прислал мне письмо. А вам нет?

— И мне, — проговорила она с набитым ртом. — Прямо не знаю, что ему писать. Он такой сложный.

— Напишите ему что-нибудь про ваших кур.

— Ему этого не понять.

— А я бы на вашем месте все-таки попробовал. Напишите ему хоть что-нибудь. Он несомненно обрадуется, если вы дадите о себе знать.

Она покачала головой.

— С моей хозяйкой мне гораздо проще. Кан — такой трудный человек. Я его не понимаю.

— Как идут дела в кино, Кармен?

— Великолепно. Получаю деньги и ничего не делаю. Сто долларов в неделю! Где еще столько получишь! У Фрислендера я получала шестьдесят и должна была работать весь день. Кроме того, этот психопат беспрерывно орал на меня, когда я что-нибудь забывала. Да и фрау Фрислендер меня ненавидела. Нет, здесь мне нравится больше.

— А как же Кан? — спросил я после краткого раздумья, хотя мне было уже ясно, что весь наш разговор впустую.

— Кан? Я ему не нужна.

— А может, все-таки нужны?

— Для чего? Чтобы есть мороженое и глазеть на улицу? Даже не знаешь, о чем с ним говорить.

— И все же вы наверняка ему нужны, Кармен. Вы не хотели бы вернуться?

Она посмотрела на меня своими трагическими глазами.

— Вернуться к Фрислендеру? У него уже есть новая секретарша, над которой он может издеваться. Нет, это было бы безумием! Нет, нет, я останусь здесь, пока этот глупый продюсер платит мне деньги ни за что.

Я посмотрел на нее.

— А кто ваш режиссер? — спросил я осторожно.

— Режиссер? Сильвио Колеман. Я здесь только раз его и видела, всего пять минут. Смешно, правда?

— Я слышал, что нечто подобное бывает довольно часто, — сказал я, успокоившись.

— Это даже стало правилом.

Я размышлял о письме Кана. Оно меня взволновало. Я плохо спал, боясь одного из своих ужасных снов. Я ожидал увидеть его еще в ту ночь, после того, как увидел эсэсовцев из фильма, но, к своему удивлению, спал спокойно. Наверное, это объяснялось тем, что под влиянием смехотворной бутафории костюмов первоначальный шок довольно скоро прошел, остался лишь стыд за свою истерическую реакцию. Я думал о словах Кана насчет удара, который неизбежно настигает каждого из нас. В эту ночь мне казалось, что не надо так бурно реагировать — необходимо беречь силы, они еще пригодятся, когда надо мной грянет гром действительности. Наверное, здесь, в Голливуде, легче всего себя к этому приучить. Настолько, что мелкие удары судьбы, которые мне еще предстоит вынести, могут лишь потешить меня, потому что здесь все — бутафория. Надо держать себя в руках, а не превращаться в комок нервов и не впадать в истерику при одном только виде нацистского мундира. Эта мысль пришла мне в голову ранним утром, когда, слушая шуршание пальм под высоким чужим небом, я расхаживал в пижаме вокруг бассейна. Странная, неожиданная, но, может быть, единственно верная мысль.

Танненбаум явился в полдень.

— Что вы чувствовали, когда впервые снимались в фильме, где действовали нацисты? — спросил я.

— Не мог спать по ночам. Но потом привык. Вот и все.

— Да, — сказал я. — То-то и оно.

— Другое дело, если бы я снимался в пронацистском фильме. Но это, разумеется, исключено. Я думаю, что такие фильмы вообще не должны больше появляться после того, что стало известно об этих свиньях. — Танненбаум поправил платок с красной каймой в вырезе своего спортивного пиджака. — Сегодня утром Холт разговаривал с Силверсом, и тот не возражает, если по утрам вы будете работать у нас консультантом. Он говорит, что вы нужны ему главным образом после обеда и вечером.

— Холт уже купил меня у него? — спросил я. — Говорят, нечто подобное происходит и со звездами в Голливуде.

— Разумеется, нет. Он справлялся лишь потому, что вы ему срочно нужны. Кроме вас, у нас в Голливуде нет никого, кто сидел бы в концентрационном лагере.

Я вздрогнул.

— Наверное, за это разрешение Силверс продал ему картину, писанную маслом?

— Понятия не имею. Правда, Силверс показывал Холту картины. Они ему очень понравились.

Я увидел Холта в сиянии полуденного солнца — он расхаживал в широких зеленых брюках вокруг бассейна. На нем была пестрая гавайская рубашка с южным ландшафтом. Заметив меня, он еще издали замахал обеими лапами.

— Хэлло, Роберт!

— Хэлло, мистер Холт.

Он похлопал меня по плечу — жест, который я ненавидел.

— Все еще сердитесь из-за рисунков? Ну, это мы уладим.

Я молча слушал его болтовню. Наконец он перешел к делу. Он хотел, чтобы я посмотрел, нет ли каких ошибок в сценарии, и, кроме того, чтобы я был у него своего рода консультантом по костюмам и режиссуре, дабы исключить возможные неточности.

— Это две разные задачи, — сказал я. — Что будет, если сценарий окажется негодным?

— Тогда мы его переделаем. Но сначала ознакомьтесь с ним. — Холт слегка вспотел. — Только это надо сделать быстро. Уже завтра мы хотим приступить к съемке наиболее важных сцен. Могли бы вы сегодня бегло просмотреть сценарий?

Я молчал. Холт достал из портфеля папку.

— Сто тридцать страниц, — сказал он. — Работы часа на два, на три.

Я нерешительно взглянул на желтую папку, потом взял себя в руки.

— Пятьсот долларов, — сказал Холт. — За отзыв в несколько страниц.

— Это очень неплохо, — подтвердил Танненбаум.

— Две тысячи, — возразил я. Если уж продавать себя, по крайней мере надо покрыть за этот счет все долги и еще кое-что оставить на черный день.

Холт чуть не расплакался.

— Это исключено! — сказал он.

— Отлично, — ответил я зло. — Меня это вполне устраивает. Терпеть не могу вспоминать о том времени, можете мне поверить.

— Тысячу, — сказал Холт. — Только для вас.

— Две! Ну что это за сумма для человека, коллекционирующего картины импрессионистов!

— Это не по-джентльменски, — сказал Холт. — Плачу ведь не я, а студия.

— Тем лучше.

— Тысячу пятьсот, — скрипнув зубами, сказал Холт. — И триста долларов в неделю за консультацию.

— Идет, — согласился я. — И машину в мое распоряжение, пока я буду у вас консультантом. И еще одно условие: после обеда я должен быть свободен.

— Вот это контракт! — воскликнул Танненбаум. — Как у кинозвезды.

Холт пропустил это мимо ушей. Он знал, что я имею представление о гонорарах кинозвезд.

— Хорошо, Роберт, — сказал он решительно. — Я оставляю вам рукопись. Немедленно приступайте: время не терпит.

— Я начну, как только у меня будет аванс в тысячу долларов, Джо, — сказал я.

— Если вы будете у меня работать только полдня, я, разумеется, буду вынужден сократить вам жалованье, — заявил Силверс. — Скажем, наполовину. Это справедливо, вы не находите?

— Слово «справедливо» я уже слышал сегодня несколько раз, — ответил я. — И каждый раз оно не соответствовало действительности.

Силверс вытянул ноги на светло-голубом диване.

— Я считаю свое предложение не только справедливым, но и великодушным. Я даю вам возможность неплохо заработать в другой области. Вместо того чтобы вас уволить, я соглашаюсь на то, чтобы вы работали у меня только время от времени. Вы должны быть мне благодарны.

— К сожалению, это не так, — сказал я. — Лучше увольте меня совсем. Если хотите, мы можем заключить «скользящий» контракт на следующих условиях:

более низкое жалованье, но за то — долевое участие в сделках.

Силверс смотрел на меня, как на редкое насекомое.

— Много вы понимаете в бизнесе! — бросил он презрительно. — На комиссионных не разживетесь.

Он всякий раз раздражался, если кто-нибудь не верил, что продажа картин требует чуть ли не божественного наития.

— Я для вас стараюсь, хочу, чтобы вам дали какую-нибудь работу в кино, а вы...

— Мистер Силверс, — спокойно прервал я его. — Оставим это. Вы же не мне хотите продать картины, а моему клиенту Холту. Я за то, чтобы Холту вы представили дело так, будто вы оказываете ему огромную любезность, и я уверен, что он с благодарностью будет покупать у вас и впредь. Я только хотел бы, чтобы от меня вы не требовали изъявления благодарности, поскольку благодарить должны скорее вы меня. То, чему вы меня научили, великолепно: высшая цель прилежного коммерсанта заключается в том, чтобы не только содрать с клиента шкуру, но и заставить его благодарить за это. Вы мастер своего дела, но прошу вас меня от этого избавить.

Лицо у Силверса сразу стало каким-то помятым. Казалось, за несколько секунд он постарел на двадцать лет.

— Так, — произнес он тихо. — Я должен вас от этого избавить. А что получаю от жизни я? Вы развлекаетесь на мои деньги. Вы на двадцать пять лет моложе меня, я же вынужден торчать здесь, в этом отеле, поджидая клиентов, точно старый паук. Я воспитываю вас, как сына, а вы злитесь, если я хоть немного поточу о вас свои усталые когти! Выходит, мне и пошутить нельзя?

Эрих Мария Ремарк

Я быстро взглянул на него. Мне были знакомы все его трюки со смертью, болезнью и разговорами о том, что никто не может унести с собой в потусторонний мир даже самую крохотную картину, поэтому, видите ли, лучше продавать их симпатичным клиентам здесь, на земле, пусть даже с убытком, — не так уж много времени нам отпущено. Мне тоже однажды пришлось заниматься пузырьками с лекарствами, когда изможденный и бледный Силверс — жена слегка подгримировала ему лицо землисто-серым тоном — в своем голубом шлафроке улегся в постель, чтобы «с убытком» продать нефтяному королю из Техаса ужасную картину, изображавшую огромного мертвого жокея с лошадью. Я знал, что свой обычный красный шлафрок Силверс иногда меняет на голубой, так как на голубом фоне ярче выделяется его болезненная бледность. И мне пришлось дважды прерывать его беседу с клиентом и приносить ему лекарство, а на самом деле водку; это была моя идея подавать водку вместо виски, потому что водка не пахнет, тогда как запах виски чуткие ноздри техасца учуяли бы даже за двадцать метров. В конце концов Силверс умирающим голосом продиктовал мне условия соглашения — на этой сделке он заработал двадцать тысяч долларов. Услышав сумму, я машинально округлил глаза в знак безмолвного протеста, но сразу же покорно кивнул. Я знал все трюки Силверса, в которых он был неистощим и которые называл «художественным пусканием пыли в глаза», но нотка горечи, прозвучавшая сейчас в его голосе, была мне в новинку, равно как и следы подлинного изнеможения на лице.

— Вам не вреден этот климат? — спросил я.

— Климат! Я погибаю от скуки. Вот представьте

себе, — сказал он. — Приглашаю я со скуки девочку, с которой познакомился в бассейне, миленькое, белокурое, вполне заурядное существо девятнадцати лет — здесь с возрастом надо быть осторожнее: цыплята утверждают, что они уже совершеннолетние, а под дверью караулит мать, чтобы заняться вымогательством, — итак, приглашаю я ее пообедать со мной. Она приходит. Заказываем немного шампанского, креветки под соусом «Таусенд-айленд», бифштексы — все великолепно приготовлено и сервировано здесь, наверху. У нас радостное настроение, я забываю свою безутешную жизнь, мы идем в спальню. И что же?

— Она начинает орать из окна, что ее насилуют. «Полиция! Полиция!» Так?

Силверс какое-то время размышляет в удивлении.

— Неужто и такое бывает?

— Мой сосед Скотт говорил мне, что это один из самых элементарных способов заработать деньги.

— Да, да! Нет, этого не было. К сожалению, не было. Все получилось гораздо хуже.

— Она, конечно, потребовала денег. Это всегда удручающе действуют на людей, привыкших к тому, чтобы их любили, — сказал я с издевкой. — Сто долларов.

— Хуже.

— Значит, тысячу. Это уже, прямо скажем, наглость!

Силверс махнул рукой.

— Она действительно потребовала кое-что, но не в этом дело. — Он приподнялся со своего светло-голубого дивана и, трясясь от злости, пропищал тоненьким голоском: — «Что ты мне подаришь, если я влезу к тебе в кроватку...» А потом, как взрыв бомбы: «Daddy»[*]

Я с интересом слушал его рассказ.

_____
[*] Папочка _(англ.)_.

Эрих Мария Ремарк

— Daddy! — воскликнул я. — У нас в Европе так называют папашу. Тяжелый удар, когда тебе за пятьдесят. Однако здесь в этом нет ничего оскорбительного. Здесь «daddy» ласкательно называют тридцатилетних. Так же, как девяностолетних называют «darling» или «girl»*. Америка — молодая нация, и она боготворит молодость.

Силверс слушал меня с видом человека, которого ранили пулей в живот. Потом он покачал головой.

— К сожалению, все выглядело иначе. Я мог бы надавать себе оплеух за то, что не удержал язык за зубами, но разве может коммерсант смолчать? Растерявшись, я спросил, что она имеет в виду. Понимаете, я, разумеется, готов был заплатить — и вполне прилично. Я ведь известен своей добротой, меня только расстроило это слово «daddy». Оно прозвучало для меня как «дедушка». Но она решила, что я буду скупердяйничать, и напрямик заявила своим деревянным кукольным голоском, что если уж она идет байбай — так и сказала: «бай-бай с таким стариком», то, естественно, должна на этом что-нибудь заработать. У «Баллокса» на Уилшер-бульваре она видела пальто из верблюжьей шерсти. И было бы...

Силверсу отказал голос.

— И как же вы поступили? — спросил я с интересом. Мне понравилось выражение «деревянный кукольный голосок».

— Как поступает джентльмен в подобной ситуации! Заплатил и выкинул нахалку вон.

— Заплатили сполна?

— Отдал все, что было под рукой.

— Да, это все не очень приятно, я вас понимаю.

---

* Детка (англ.).

— Вы меня вообще не понимаете! — раздраженно воскликнул Силверс. — Это не финансовый шок, а психологический, когда дешевая потаскуха называет вас старым развратником. Да и как вам это понять? Вы один из самых бесчувственных людей, каких мне приходилось видеть.

— Это верно. Кроме того, существуют вещи, которые понятны только твоим ровесникам, например, разница в возрасте. И чем больше стареешь, тем заметнее становится эта разница. Восьмидесятилетние считают семидесятилетних молокососами и озорниками. Странное явление!

— Странное явление! Это все, что вы можете сказать?

— Разумеется, — ответил я осторожно. — Вы же ждете от меня серьезного отношения к такой чепухе, господин Силверс.

Он уже готов был вспылить, но вдруг в глазах антиквара вспыхнула искра надежды, как будто профессор Макс Фридлендер подтвердил подлинность принадлежавшего Силверсу сомнительного Питера де Коха.

— Просто это звучит забавно, когда речь идет о таком человеке, как вы, — продолжал я.

Он задумался.

— А что будет, если такая шутка повторится? Естественным следствием будет импотенция. Уже на этот раз у меня было такое ощущение, будто на меня выплеснули ушат ледяной воды. Что мне делать с этим страхом, который сидит во мне?

— Тут есть два пути, — сказал я после недолгого раздумья. — Первый: напиться и как гусар — вперед без разбора, правда, есть одно «но»: в состоянии опьянения многие становятся импотентами, пока не протрезвеют, таким образом, здесь двойной риск. Второй путь — это тактика гонщика после аварии: немедля пересесть на другой автомобиль и продолжать гонку. Тут уж шок исключен — нет времени.

— Но у меня-то он был!

— Это вы себе внушили, господин Силверс. Боязнь неудачи стала вашей навязчивой идеей, только и всего.

Слова благодарности застряли у него в бороде.

— Вы так считаете?

— Совершенно определенно.

Он стал заметно успокаиваться.

— Странно, — сказал он немного спустя. — Как неожиданно все может утратить всякий смысл — успех, положение, деньги — от одного простого, глупого слова какой-то девчонки! Будто все на свете тайком стали коммунистами.

— Что?

— Я хочу сказать, что все люди равны — никому не скрыться.

— Ах, вот как вы это воспринимаете! — сказал я.

Силверс ухмыльнулся. Он снова был на коне.

— Я полагаю, ни один человек не верит, что стареет. Он понимает это, но не верит.

— А вы сами? Верите? Так как же насчет моего увольнения?

— Мы можем оставить все по-прежнему. Достаточно и того, что вы по вечерам будете в моем распоряжении.

— После семи часов — сверхурочные.

— Вы будете получать жалованье. И никаких сверхурочных. В данный момент вы зарабатываете больше, чем я.

— А ваш шок полностью прошел, господин Силверс! Полностью!

XXVI

Я просидел над рукописью несколько часов. Многие ситуации казались мне надуманными, и вообще весь сценарий был неудачен. Я правил рукопись до часу ночи. Часть сцен была состряпана по вульгарным шаблонам популярных ковбойских фильмов о Диком Западе. Та же гангстерская мораль, те же банальные ситуации, когда противники одновременно выхватывают пистолеты и каждый старается выстрелить первым. Все это по сравнению с тем, что происходило в Германии с ее бюрократически рассчитанными убийствами, с воем бомб и грохотом орудий, производило впечатление безобидного фейерверка. Я понял, что даже у авторов, набивших руку на фильмах ужасов, не хватает фантазии, чтобы представить себе все происходившее в Третьем рейхе. Как ни странно, но это не поразило меня так сильно, как я боялся, — примитивность этой писанины, наоборот, настроила меня на иронический лад.

К счастью, Скотт позвал меня на коктейль из тех, что затягиваются до бесконечности. Я спустился к бассейну, где сидели гости.

— Готово, Роберт? — спросил Скотт.

— Нет еще, но на сегодня с меня хватит. А сейчас мне хочется чего-нибудь выпить.

— У нас есть настоящая русская водка и виски любой марки.

— Виски, — сказал я. — Мне не хотелось бы сразу напиваться до бесчувствия.

Я вытянулся в шезлонге, поставил стакан прямо на землю и, закрыв глаза, стал слушать музыку из фильма «Серенада Солнечной долины». Через некоторое время я снова открыл глаза и посмотрел в калифорний-

Эрих Мария Ремарк

ское небо. И мне показалось, будто я плыву в прозрачном бездонном море без горизонта, без конца и края. Внезапно около меня раздался голос Холта.

— Что, уже утро? — спросил я.

— Еще нет. Я просто пришел взглянуть, чем вы тут занимаетесь, — ответил он.

— Я пью виски. Наш контракт вступает в силу только завтра. Еще есть вопросы?

— Вы читали сценарий?

Я повернулся и стал рассматривать его озабоченное помятое лицо. Говорить о сценарии я не желал, мне хотелось забыть прочитанное.

— Завтра, — отрезал я. — Завтра вы получите сценарий со всеми моими замечаниями.

— Почему не сейчас? Тогда к завтрашнему дню я подготовил бы все, что нам необходимо. Так мы сэкономим целых полдня. Время не терпит, Роберт.

Я понял, что отделаться от него мне не удастся. «А правда, почему не сейчас?» — подумал я. Почему не здесь, где столько девочек и водки, под безмятежным ночным небом этого сумасшедшего мира? Почему не растолковать ему здесь, чего стоит сценарий, вместо того чтобы глушить снотворным свои воспоминания?

— Хорошо, Джо. Давайте сядем где-нибудь в сторонке.

Через час после начала коктейля я уже перечислял Холту ошибки, допущенные в сценарии.

— Такие мелочи, как неверные знаки отличия, неполадки с мундирами, сапогами, фуражками, устранить легко, — начал я. — Куда существеннее сама атмосфера фильма. Она не должна быть мелодраматичной, как в вестерне. Иначе по сравнению с немецкой действительностью это будет выглядеть лишь беззлобным скетчем.

Холт колебался.

— Но этот фильм должен принести доход, — сказал он наконец.

— Что?

— Студия вкладывает в него почти миллион долларов. Это значит, что прокат должен дать более двух миллионов, прежде чем мы получим первый доллар. Зрители должны валом валить на этот фильм, понимаете?

— И что же?

— Тому, о чем вы говорите, Роберт, у нас никто не поверит! Скажите по совести, все действительно так, как вы сказали?

— Хуже. Много хуже.

Холт плюнул в воду.

— У нас этому никто не поверит.

Я поднялся с места. Голова у меня трещала. Теперь я в самом деле был сыт по горло.

— Тогда оставьте это, Джо. Неужели это издевательство никогда не кончится?! Америка воюет с Германией, а вы убеждаете меня, будто ни одна душа не поверит в злодеяния немцев!

Холт хрустнул пальцами.

— Я-то верю, Роберт. А хозяева студии и публика — нет. Никто не пойдет на такой фильм. Тема и без того достаточно рискованная. А мне хочется сделать этот фильм, Роберт. Но хозяев студии не переубедишь! Я бы предпочел снять документальный фильм, но он, без сомнения, провалился бы. Студия настаивает на мелодраматическом фильме.

— С похищенными девушками, истерзанными кинозвездами и бракосочетанием в финале? — перебил я его.

— Не обязательно. Но, разумеется, с побегом, дракой и щекотанием нервов.

К нам пришвартовался Скотт.

— Прошел слух, что здесь не хватает спиртного.

Он поставил на край бассейна бутылку виски, бутылку воды и два пустых стакана.

— Переносим пир в мою конуру. Если нуждаетесь в корме, гребите за мной. Есть бутерброды и холодная курица.

Холт схватил меня за рукав.

— Еще десять минут, Роберт. Только десять минут, чтобы обсудить практические вопросы. Остальное — завтра.

Десять минут превратились в целый час. Холт был типичным порождением Голливуда: ему хотелось бы сделать что-то стоящее, но он мог пойти и на любые компромиссы и еще пытался при этом доказывать, что решает серьезные художественные проблемы.

— Вы должны мне помочь, Роберт, — сказал он. — Мы должны постепенно, шаг за шагом, претворять в жизнь наши идеи — petit à petit*, а не одним махом, не наспех.

Это французское выражение меня добило. Я быстро простился с Холтом и пошел к себе. Некоторое время я лежал на кровати, кляня себя на чем свет стоит. Потом я решил, что завтра позвоню Кану — ведь у меня теперь есть деньги. Я решил позвонить и Наташе; до сих пор я написал ей только два коротких письмеца, да и то с большим трудом. Она была не из тех, кому пишут длинные письма. Так мне, по крайней мере, казалось. Скорее всего, она предпочитала телефонные разговоры и телеграммы. Но на таком расстоянии мне

---

* Понемногу, не торопясь (*фр.*).

трудно будет выразить свои чувства. Когда она рядом, все хорошо, все полно значения, все волнует, а когда ее нет — она кажется далекой и недоступной, как северное сияние. Однако стоит ей появиться в дверях — и все возвращается на круги своя, это я заметил еще в Нью-Йорке.

Размышляя об этом, я подумал, почему бы ей не позвонить сейчас. Разница во времени с Нью-Йорком составляла три часа. Я заказал разговор и вдруг почувствовал, что сгораю от нетерпения.

Откуда-то, очень издалека, послышался ее голос.

— Наташа, — начал я, — это я, Роберт.

— Кто?

— Роберт.

— Роберт? Ты где? В Нью-Йорке?

— Нет, в Голливуде.

— В Голливуде?

— Да, Наташа. Ты что, забыла? Что с тобой?

— Я спала.

— Так рано?

— Но сейчас уже полночь. Ты меня разбудил. Что случилось? Ты приезжаешь?

«О, черт! — подумал я. — Вечная моя ошибка. Я перепутал время».

— Спокойной ночи, Наташа. Завтра я позвоню снова.

— Хорошо. Ты приезжаешь?

— Еще нет. Я все объясню тебе завтра. Спи.

— Ладно.

«Сегодня у меня был трудный день, — думал я. — Не надо было мне звонить. И многое не надо было делать из того, что я делал». Я злился на себя. Во что я впутался? Какое мне дело до Холта? И зачем мне все это?

Эрих Мария Ремарк

Я немного подождал, а потом позвонил Кану. У Кана был чуткий сон. И он ответил сразу.

— Что случилось, Роберт? Почему вы звоните?

Мы, эмигранты, еще не привыкли пользоваться телефоном, как американцы, для нас разговор на большом расстоянии все еще связан был с чем-то чрезвычайным или с несчастным случаем.

— Что-нибудь с Кармен? — спросил он.

— Нет, но я ее видел. Кажется, она хочет остаться здесь.

Некоторое время он молчал.

— Может, она еще передумает: она ведь там не так уж давно. У нее кто-нибудь есть?

— Не думаю. Разве что хозяйка, у которой она живет. Никого больше, мне кажется, она не знает.

Он рассмеялся.

— А когда вы возвращаетесь?

— Мне, наверное, придется задержаться.

Я рассказал ему историю с Холтом.

— Что вы на это скажете? — спросил я.

— Работайте, работайте! Вас, надеюсь, не мучает совесть? Это было бы просто смешно. Или все же мучает? Из чувства патриотизма?

— Нет. — Мне вдруг стало совершенно непонятно, для чего я ему, собственно, звонил. — Я думал о вашем письме.

— Самое главное — пробиться, — сказал Кан, — а уж как — это ваше дело. Я рад, что вас волнует эта проблема, вы решаете ее сейчас, так сказать, в общих чертах и находясь в безопасности, но когда-нибудь всем нам придется заняться ею — и тогда уже всерьез. Это опасность, которая нас подстерегает. Вы сделали первый шаг, но вы можете все послать к черту, когда вам это надоест. Здесь, в Штатах, это еще можно, но позже, там, все будет по-другому. Считайте, что вы приняли боевое крещение, если хотите, так, что ли?

— Именно это мне и хотелось услышать.

— Ну и хорошо. — Он рассмеялся. — Не давайте Голливуду сбить вас с толку, Роберт. В Нью-Йорке вы меня не стали бы спрашивать, как поступить. И это естественно. А Голливуд изобретает глупые этические стандарты, ибо сам во власти коррупции. Смотрите, не станьте жертвой этой милой системы. Даже в Нью-Йорке трудно сохранять трезвый, деловой подход к жизни. Вы видели это на примере Грефенгейма. Его самоубийство бессмысленно — просто проявление слабости. Он все равно никогда не сумел бы вернуться к жене.

— Как поживает Бетти?

— Бетти борется. Хочет пережить войну. Ни один врач не смог бы прописать ничего лучшего. Вы что, стали миллионером — ведете разговоры по телефону через весь континент?

— Пока нет.

Я еще некоторое время пробыл у себя в номере. Дверь была открыта, и я видел кусочек ночи, край освещенного бассейна и верхнюю часть пальмы, одиноко шуршавшей под порывами ночного ветра и что-то бормотавшей про себя. Я думал о Наташе и Кане и о том, что сказал Кан.

Самый трудный час нашего цыганского бытия пробьет тогда, когда наконец мы поймем, что мы никому не нужны. Пока мы еще живем иллюзиями, что все переменится с окончанием войны. Но когда наступит прозрение — все рухнет, и вот тогда-то настанет пора настоящих скитаний.

Это была удивительная ночь. А тут еще пришел Скотт, захотевший взглянуть на рисунок Ренуара, который я привез от Силверса. О том, что он очень пьян, можно было догадаться лишь по его неимоверной настойчивости.

— Мне никогда и не снилось стать обладателем картины Ренуара, — признался он. — Еще два года назад у меня было слишком мало денег. Теперь в голове у меня — словно рой пчел — жужжит одна только мысль: хочу собственного Ренуара! И я должен его получить! Сегодня же!

Я снял рисунок со стены и передал ему.

— Вот, держите, Скотт.

Он благоговейно взял его в руки.

— Это он сам рисовал, — произнес он. — Собственноручно. И теперь это мое! Бедный парень из Айова-Сити, из квартала бедняков. По этому случаю надо выпить. У меня, Роберт. С рисунком на стене. Я его немедленно повешу.

Комната Скотта была похожа на поле битвы: повсюду — стаканы, бутылки и тарелки, на которых валялись сандвичи и топорщились выгнувшиеся, подсохшие куски ветчины. Скотт снял со стены фотографию Рудольфа Валентино в роли шейха.

— Как здесь смотрится Ренуар? Как реклама виски, а?

— Здесь он выглядит лучше, чем у какого-нибудь миллионера. У тех — это лишь реклама тщеславия.

Я пробыл у Скотта целый час — он стал рассказывать мне о своей жизни, пока не начал клевать носом. Он считал, что юность его была ужасна, потому что он был очень беден и ему приходилось продавать газеты, мыть посуду и сносить множество мелких унижений.

Я не пытался сравнить его жизнь с моею и выслушал его рассказ без иронии.

— Думал ли кто-нибудь, что я смогу выписать чек за Ренуара! — пробормотал он. — Прямо страх берет, а?

Я вернулся к себе. Вокруг электрической лампочки кружило какое-то насекомое с прозрачными зелеными крылышками. Я рассматривал его некоторое время; казалось, будто золотых дел мастер выточил эту тончайшую филигрань, непостижимое произведение искусства — само изящество и трепетная жизнь, — и это существо безоглядно шло в огонь, как индийская вдова. Я поймал насекомое и выпустил в прохладу ночи. Через минуту оно опять было в комнате. Я понял, что должен либо заснуть, либо оборвать жизнь этого крошечного существа. Заснуть мне не удавалось. Когда я снова открыл глаза, в дверях стояла какая-то фигура. Я схватил лампу — как орудие защиты в случае необходимости. На пороге была молоденькая девушка в слегка измятом платье.

— О, простите, — сказала она, жестко произнося слова. — Можно войти?

Она сделала шаг в комнату.

— Вы уверены, что попали в нужный номер? — спросил я.

Она улыбнулась.

— В такой час это уже все равно, правда? Я заснула на воздухе. Я очень устала.

— Вы были на вечеринке у Скотта?

— Возможно — я не знаю, как его зовут. Меня кто-то привел сюда. А теперь все ушли. Мне надо дождаться утра. И вот я заметила свет в вашем окне. Можно я посижу здесь на стуле? На улице роса, сыро и холодно.

— Вы не американка? — задал я идиотский вопрос.

Эрих Мария Ремарк

— Мексиканка. Из Гвадалахары. Разрешите мне побыть здесь, пока не пойдет автобус.

— Могу дать вам пижаму, — сказал я. — И одеяло. На диване вам будет удобно. Вон там ванная, можете переодеться. У вас все платье промокло. Повесьте его на стул — так оно скорее высохнет.

Она быстро взглянула на меня.

— Вы, оказывается, знаете женщин?

— Я просто практически смотрю на вещи. Можете принять и горячую ванну, если вам холодно. Здесь вы никому не помешаете.

— Благодарю вас. Я буду очень тихо.

Девушка прошла по комнате. Она была изящной, с черными волосами и узкими ступнями и невольно напомнила мне насекомое с прозрачными крылышками. Я посмотрел, не вернулось ли оно опять, но ничего не увидел. Зато теперь ко мне залетело другое создание. Без лишних слов — будто так и надо, будто это самое обычное дело на свете. Вероятно, так оно и есть. С непонятным мне самому умилением я прислушивался к плеску воды в ванной. Я настолько привык к необычному, что повседневная тишина и спокойствие казались мне чем-то удивительным. Несмотря на это или как раз поэтому, я спрятал между книгами чек, который дал мне Скотт и который я после обеда собирался вручить Силверсу. Ни к чему искушать судьбу.

Проснулся я довольно поздно. Девушки уже не было. На салфетке я обнаружил следы губной помады. Наверное, она оставила это мне как безмолвный привет. Я принялся искать чек. Он оказался на месте. Ничего не исчезло. Я даже не знал, спал ли я с нею. Мне только вспомнилось, что она вроде бы стояла у моей кровати и мне казалось, что я чувствовал наготу ее тела, прохладного и гладкого; но я не был уверен, произошло ли что-нибудь еще.

Я отправился на студию. Было уже десять часов, но я вспомнил, что вечером провел два часа с Холтом, а этого нельзя не учитывать. Холт сразу завел разговор о сцене, которую снимал. Еще издали я услышал «Хорст Вессель». Холту хотелось знать, на каком языке следует его исполнять — на английском или на немецком. Я посоветовал на немецком. Он возразил, что последующий английский текст тогда прозвучит диссонансом. Мы попробовали оба варианта. Я пришел к выводу, что когда эсэсовцы говорят по-английски, это производит странное впечатление. И уже не так действует. Казалось, передо мной была не имитация действительности, а театр — и к тому же иноязычный.

После обеда я принес Силверсу чек Скотта.

— Второй рисунок вы не продали? — последовал вопрос.

— Вы что, не видите, что ли? — сказал я зло. — Тогда сумма на чеке была бы в два раза больше.

— Лучше было продать другой рисунок. Тот, что сделан сангиной, — более ценный. Продавать оба вместе куда выгоднее.

Я молча смотрел на него и спрашивал себя, может ли он хоть когда-нибудь говорить прямо, без всяких трюков. Наверное, и перед смертью он выкинет какой-нибудь трюк, даже если будет знать, что это ему уже не поможет.

— Мы приглашены на вечер, — сказал он наконец. — Часам к десяти.

— На ужин?

Эрих Мария Ремарк

— Нет, позднее. От ужина я отказался. Вы поедете со мной на виллу Веллера.

— В качестве кого? — спросил я. — Как эксперт из Лувра или как бельгийский искусствовед?

— В качестве эксперта из Лувра. Вы заранее должны доставить туда картину Гогена. Лучше всего сейчас. Повесьте ее там, если можно. Так это произведет больше впечатления. Я полагаюсь на вас. Когда картина висит на стене, ее в два раза легче продать, чем ту, которая стоит на полу или на стуле. Можете взять такси.

— Не надо, — высокомерно сказал я. — У меня есть машина.

— Что?

— Со студии. — Я умолчал, что речь идет о «форде» старой модели.

На какое-то время это дало мне преимущество перед Силверсом. Вечером, в половине десятого, он даже предложил поехать на виллу Веллера в моей машине. Но, увидев ее, отскочил и хотел вызвать по телефону «кадиллак». Однако я убедил его поехать на «форде»: для первого знакомства так будет лучше — это произведет более серьезное впечатление, ведь «кадиллаков» и «роллс-ройсов» здесь — хоть пруд пруди. У каждой мелкой кинозвезды такая машина, а «форд» в государстве, где все не прочь похвастаться своей собственностью, может произвести сенсацию в лучшем смысле слова.

— Именно так я и сделаю, — сказал Силверс, обладавший привычкой всех неуверенных в себе людей всегда убеждать в своей правоте. — Я как раз собирался взять напрокат очень старый, подержанный «кадиллак», но ведь «форд» в конце концов то же самое.

Мы попали на просмотр: в Голливуде уже утвердился обычай устраивать просмотры после ужина у продюсера. Я потешался над Силверсом, который был сама предупредительность, хотя внутренне сгорал от нетерпения. На нем был шелковый смокинг и туфли-лодочки. Я же надел синий костюм. В этой компании было больше синих костюмов, чем смокингов, и Силверс чувствовал себя неуютно в своей парадной одежде. Он бы с удовольствием поехал домой переодеться. И, конечно, в своей неосведомленности обвинил меня, хотя днем, кроме лакея Веллера и его престарелой матери, я никого не видел.

Прошло почти два часа, прежде чем снова вспыхнул свет. К своему удивлению, среди гостей я увидел Холта и Танненбаума.

— Как это мы все вдруг оказались на этом коктейле? — спросил я. — В Голливуде всегда так?

— Ну, Роберт, — укоризненно сказал Холт. — Веллер ведь наш босс! У него снимается наш фильм. Разве вы не знали?

— Нет. Откуда мне было знать?

— Счастливый человек! Я немедленно скажу ему, что вы здесь. Ему наверняка захочется с вами поговорить!

— Я здесь с Силверсом. Совсем по другому делу.

— Могу себе представить! Я уже видел эту разнаряженную обезьяну. Почему вы не приехали к ужину? Подавали фаршированную индейку. Настоящий деликатес. Это здесь едят поздней осенью. В Штатах это традиционное блюдо, как в Европе рождественский гусь.

— Мой шеф был занят и не мог приехать к ужину.

— Ваш шеф не был приглашен на ужин. Если бы Веллеру было известно, что вы приедете с ним, он наверняка бы вас позвал. Он знает, кто вы. Я рассказал ему.

Какой-то миг я наслаждался мыслью, что Силверс был принят у Веллера благодаря мне. И я размышлял о том, как он будет извиваться, чтобы, несмотря ни на что, доказать мне свое превосходство. Потом я забыл о нем и стал разглядывать гостей. Я увидел довольно много молодых людей благообразного вида. А кроме того — с полдюжины киногероев, которых я знал по приключенческим фильмам и вестернам.

— Я понимаю, какой вопрос вертится у вас на языке, — сказал Холт. — Почему они не на войне? Некоторые слабы здоровьем, получили травмы, играя в футбол или теннис, другие — во время работы, третьим кажется, что без них здесь не обойтись. Но очень многие пошли на войну, даже те, от которых этого просто нельзя было ожидать. Вы ведь хотели спросить именно это, не правда ли?

— Нет. Я хотел спросить, уж не присутствуем ли мы на встрече полковников. Здесь их такая прорва!

Холт рассмеялся.

— Это наши голливудские полковники. Все они, не проходя службы, стали сразу капитанами, майорами, подполковниками, полковниками и вице-адмиралами. Капитан, которого вы видите вон там, никогда не плавал дальше Санта-Моники; а вон тот адмирал — обладатель удобного мягкого кресла в Вашингтоне. Полковники — это на самом деле кинопродюсеры, режиссеры и сотрудники, прикомандированные к киноотделу армии. Ниже майора здесь никого нет.

— Вы тоже майор?

— У меня порок сердца, и я снимаю антинацистские фильмы. Смешно, правда?

— Вовсе нет. То же самое творится во всем мире. Думаю, даже в Германии. Солдат нигде не видно. Всюду шныряют только тыловые крысы. Это не относится к вам, Холт. Сколько здесь красавцев! Наверное, именно таким и должен быть настоящий праздник.

Холт рассмеялся.

— Вы же в Голливуде, старина! И вы нигде больше не найдете столько красавцев! Тут каждый может продать свою внешность с максимальной прибылью. Конечно, я исключаю режиссеров и продюсеров. Вот и наш босс Веллер!

К нам подошел маленький человечек в форме полковника. От улыбки все лицо у него пошло морщинками, он производил сугубо штатское впечатление. Услышав, что я работаю с Холтом, он сразу же отвел меня в сторону. Силверс сделал большие глаза — одинокий и никому не нужный, он сидел в кресле, откуда видна была картина Гогена, к которой пока что никто не проявлял интереса. Полотно Гогена сияло как пятно южного солнца над роялем, вокруг которого, как я опасался, скоро начнет собираться хор.

Я с трудом выбрался из кольца окруживших меня людей. Вдруг я стал тем, чем никогда не был и к чему совсем не стремился, — этаким салонным львом, явившимся из царства ужасов. Веллер с гордой улыбкой представил меня как человека, сидевшего в концентрационном лагере. И тут ко мне стали проявлять интерес киногерои и девушки с кожей, напоминавшей персик. От стеснения я начал потеть и то и дело сердито поглядывал на Холта, хотя он в общем-то был неповинен в создавшейся ситуации. Через некоторое время меня спас Танненбаум. Он весь вечер шнырял вокруг меня, как кошка вокруг тарелки с гуляшом, и, воспользовавшись первой же возможностью, предложил выпить с ним, так как хотел поведать мне какой-то секрет.

— Двойняшки пришли, — прошептал он.

Я знал, что в фильме Холта он обеспечил им две небольшие роли.

— Слава Богу! — воскликнул я. — Теперь страданья вам гарантированы.

Он покачал головой.

— Как раз наоборот: полный успех!

— Что? У обеих? Поздравляю!

— Нет, не у обеих. Это невозможно. Двойняшки ведь католички. Только у одной.

— Браво! Никогда бы не подумал. При вашей-то тонкой и сложной душевной организации!

— Я тут ни при чем! — проворковал счастливый Танненбаум. — Так получилось в фильме!

— Понимаю. Потому-то вы и припасли роли для обеих.

— Не в том дело. Я уже дважды их устраивал. Раньше ничего не получалось. Но теперь!

— Еще раз поздравляю.

— Я играю группенфюрера. Как вам, наверное, известно, я последователь системы Станиславского. Чтобы быть на высоте, я должен войти в роль. Если играешь убийцу, ты должен чувствовать себя убийцей. Ну, а если группенфюрера...

— Понимаю. Но ведь двойняшек нигде не встретишь порознь. В этом-то и состоит их сила.

Танненбаум улыбнулся.

— Для Танненбаума это, конечно, сложно, но не для группенфюрера! Когда они явились ко мне в бунгало, я был в форме. Я сразу же наорал на них, да так, что у них душа ушла в пятки. Одну в полном страхе я отправил в костюмерную примерять костюм, другой велел остаться, закрыл дверь, а потом, не снимая мундира, повалил ее на диван, как настоящий группенфюрер. И представьте себе: вместо того чтобы расцарапать мне физиономию, она была тиха, как мышка. Такова сила мундира. Никогда бы не подумал. А вы?

Я вспомнил первый вечер, проведенный в студии, и сказал:

— Пожалуй, нет. Но как станут развиваться события, когда вы будете не в мундире, а в своей великолепной спортивней куртке?

— Уже пробовал, — сказал Танненбаум. — Дух остается. Возможно, потому, что так уже было однажды. Словом, дух остается.

Я склонил голову перед группенфюрером в штатском.

— Маленькая компенсация за большое несчастье, — произнес я. — Утверждают, что и после последнего страшного извержения Везувия люди пекли яйца в горячем пепле.

— Такова жизнь, — сказал Танненбаум. — Может, я привередничаю, но что-то меня одолевают сомнения: та ли из двойняшек попалась мне в руки?

— Как это? Их ведь невозможно отличить.

— В постели можно. Везель поведал мне, что одна из них настоящий вулкан. А моя что-то спокойная.

— Может, это объясняется вашим духом.

Лицо Танненбаума прояснилось.

— Возможно. Об этом я не подумал. Но что тут поделаешь?

— Подождите до следующего фильма. Может, сыграете в нем пирата или шейха.

— Шейха, — сказал Танненбаум. — Шейха с гаремом. По системе Станиславского.

Ночь была необычайно тихая, когда я вышел в парк «Садов Аллаха». Было еще не так поздно, но все, казалось, давно погрузилось в сон. Я присел у бассейна, и вдруг меня охватила беспричинная грусть — будто

Эрих Мария Ремарк

туча заволокла солнце. Я сидел и ждал, когда же из воспоминаний возникнут тени, образы прошлого, чтобы я мог понять, откуда эта внезапная депрессия, которая, как я сразу почувствовал, была иной, чем прежде. Она не угнетала меня, не мучила. Мне уже знаком был страх смерти, отличный от всех прочих страхов и далеко не самый жуткий. Мое странное состояние чем-то напоминало этот страх, но было куда спокойнее. Оно было самым безмятежным и безболезненным из всех, пережитых мною, — несказанная грусть, светлая, почти прозрачная и зыбкая. Я понял, что слова пророка о Боге, являющем себя не в буре, а в тишине, могут быть приложимы и к смерти и что может наступить безвольное, медленное угасание, безымянное и совсем не страшное. Я сидел так очень долго, пока не ощутил, как ко мне незаметно возвращается жизнь, подобно шуму прилива, постепенно нарастающему после беззвучного отлива. Наконец я встал, вернулся к себе в номер и прилег на кровать. Я слышал только тихий шелест пальмовых листьев, и мне казалось, что настал час, противостоящий моим снам, — час, который подвел своеобразный метафизический итог всей моей жизни; я понимал, что это состояние временное и не может породить надежду, но вместе с тем почувствовал странное утешение. Поэтому я нисколько не удивился, когда опять увидел прозрачное насекомое с зелеными крылышками, порхавшее в расплывчатом свете ночника.

XXVII

Через две недели Силверс уехал в Нью-Йорк. Как ни странно, но в Калифорнии ему удалось продать гораздо меньше картин, чем в Нью-Йорке. Никто здесь не рассматривал картины как символ благополучия, вообще деньги здесь были не самым главным, они были чем-то само собой разумеющимся, так же как и то, что называют славой, — просто одно без другого не мыслилось. Известность неизбежно сочеталась с деньгами. В Нью-Йорке известность миллионеров не выходила за пределы их собственного круга, и для расширения этой известности требовалось совершить нечто из ряда вон выходящее. И Силверс своими трюками и особенно всегдашними уверениями, что «он, собственно, не желает продавать, сам являясь коллекционером», привлекал к себе внимание акул, которые в своем желании прослыть знаменитыми коллекционерами все эти уловки принимали за чистую монету.

В конце концов он с трудом продал Веллеру Гогена, но для этого ему скрепя сердце пришлось прибегнуть к моей помощи. Для Веллера я был куда более важной персоной, нежели Силверс. Веллеру я был нужен для фильма, в Силверсе же он не нуждался. Оскорбленный Силверс уехал в Нью-Йорк: самолюбие пересилило жажду наживы.

— Оставайтесь здесь и будьте своего рода «форпостом» моей фирмы, — сказал он. — Вы уже спелись со здешними лощеными варварами.

Комиссионные за проданные мною картины он хотел включить в счет моего жалованья. Я отклонил его предложение, так как мог жить на гонорар, который платил мне Веллер за работу в качестве консультанта. Силверс уступил только в день отъезда. Я получил небольшой процент от проданного мною, но зато он вдвое урезал мне жалованье.

— Я отношусь к вам, как к сыну, — сказал он раздраженно, — в другом месте вам пришлось бы уплатить за все, чему вы у меня научились. Вы прошли у меня настоящий университет по бизнесу! А у вас в голове только одно — деньги, деньги, деньги! Ну, что за поколение!

Утром я пришел к Холту. Моя работа была довольно проста. То, что автор сценария по привычке рядил в цветистые одежды гангстерских и ковбойских фильмов, я должен был трезво, без шизофренических вывихов и излишней экзальтации, переложить на язык тупой бюрократии «машины убийств» XX столетия, запущенной обывателями с «чистой» совестью. А Холт продолжал твердить: «Никто нам не поверит! Это психологически неоправданно!»

Об убийствах и палачах у него были весьма романтические представления, которые он пытался воплотить на экране во имя достоверности. Своеобразие этих представлений заключалось в том, что чудовищные деяния непременно должны были сочетаться со столь же чудовищным обликом.

Он готов был признать, что отрицательным персонажам вовсе не обязательно все время быть отталкивающими, однако их спонтанная чудовищность должна была так или иначе проявляться, в противном случае изображаемые характеры утратили бы психологическую достоверность. Он был стреляный воробей во всем, что касалось кино, и его нервы щекотал любой контраст: он готов был, например, приписать коменданту концентрационного лагеря нежнейшую любовь к животным — и особенно к ангорским кроликам, которых он никогда и ни за что не позволил бы зарезать, — и все для того, чтобы ярче оттенить его жестокость. Холт считал этот прием реалистическим и рассердился, когда я назвал его романтическим.

Самое страшное — это обыватели, люди, которые со спокойной совестью выполняют свою кровавую работу так же старательно, как если бы они пилили дрова или делали детские игрушки, — эту безусловную для меня истину я никак не мог донести до сознания Холта. Тут уж он бунтовал, ему это казалось недостаточно эффектным и вдобавок совершенно не соответствовало тому, чему он научился на пятнадцати своих фильмах ужасов и убийств. Он не верил, когда я говорил, что совершенно нормальные люди так же старательно уничтожают евреев, как в иных условиях старательно занимались бы бухгалтерией. После окончания всего этого хаоса они снова станут санитарами, владельцами ресторанов и министерскими чиновниками, не испытывая при этом ни малейшего раскаяния в содеянных преступлениях, и постараются быть хорошими санитарами и владельцами ресторанов, будто всего происходящего не было и в помине, а если и было, то полностью исчерпывалось и искупалось магическими словами «долг» и «приказ». Это были первые автоматы автоматического века, которые, едва появившись, опрокинули законы психологии, до сих пор тесно переплетавшиеся с эстетическими законами. В созданном ими мире убивали без вины, без угрызений совести, без чувства ответственности, а убийцы были самыми уважаемыми гражданами, получавшими дополнительный шнапс, высшие сорта колбасы и наградные кресты не за то, что они были убийцами, а просто потому, что у них была более напряженная работа, чем у простых солдат. Единственной человеческой чертой, делавшей их похожими на всех прочих, было то, что своими привилегиями они пользовались без тени смущения, ибо никто из них не горел желанием идти на фронт, а когда начались планомерные бомбежки и опасность нависла даже над провинциальными городками, отдаленные концентрационные лагеря оказались наиболее надежным убежищем по двум причинам: во-первых, потому что они были расположены на отшибе, и во-вторых, потому что враг, не желая уничтожать противников режима, тем самым был вынужден щадить и палачей.

Реакция вконец измученного Холта на все мои доводы была неизменной: «Никто нам не поверит, никто! У нас должен быть ко всему гуманный подход! И бесчеловечное должно иметь человеческую подоплеку».

Как доказательство абсолютной бесчеловечности я предложил ввести одну сцену, где бы не было и намека на человечность: лагерь рабов германской индустрии. Холт не имел об этом ни малейшего представления. Он исступленно цеплялся за свою старую концепцию — палач всегда плохой человек.

Я вновь и вновь растолковывал ему, что все происшедшее в Германии было подготовлено и совершено не какими-то существами, спустившимися с Луны или с другой планеты и изнасиловавшими страну, — нет, это были добропорядочные немцы, наверняка считавшие себя достойными представителями германской нации. Я втолковывал ему, что смешно предполагать, будто все генералы Германии были настолько слепы и глухи, что ничего не знали о каждодневно совершавшихся пытках и убийствах. Я объяснял ему, что самые крупные промышленные концерны страны заключали соглашения с концентрационными лагерями на поставку дешевой рабочей силы, то есть попросту рабов, которые работали до потери трудоспособности, а затем их прах вместе с дымом вылетал из труб крематориев.

Холт побледнел.

— Не может этого быть!

— Еще как может! Огромное количество известнейших фирм наживается на этих несчастных истерзанных рабах. Эти фирмы даже построили филиалы своих заводов близ концентрационных лагерей, чтобы сэкономить на транспорте. Раз это полезно немецкому народу, значит, справедливо — вот их принцип.

— Такое нельзя показывать в фильме! — сказал Холт в отчаянии. — Никто этому не поверит!

— Несмотря на то, что ваша страна ведет войну с Германией?

— Да. Человеческая психология интернациональна. Такой фильм был бы расценен как фильм самого низкого пошиба, лживый и жестокий. В четырнадцатом году еще было можно делать фильмы о зверствах немцев в отношении женщин и детей в Бельгии. А сейчас — нет.

— В четырнадцатом году это была неправда, но фильмы снимались. Теперь же это правда, но ставить такие фильмы нельзя, потому что никто этому не поверит?

— Именно так, Роберт.

Я признал себя побежденным.

За четыре недели я продал четыре рисунка и полотно Дега — «Репетиция к танцу», которое взял Веллер. Силверс придрался, что я продал картину одному из его клиентов, и скостил мне комиссионные.

Еще мне удалось продать пастель Ренуара. Холт забрал ее у меня, а через неделю перепродал, положив себе в карман тысячу долларов. Это воодушевило его. Он приобрел еще одну небольшую картину и опять заработал на ней — на этот раз две тысячи.

— Не заняться ли нам вместе продажей картин? — спросил он меня.

— На это надо слишком много денег. Картины стоят дорого.

— Начнем с малого. У меня есть кое-какие деньги на банковском счету.

Я покачал головой. Особо теплых чувств к Силверсу я не испытывал, но одно мне было ясно: в Калифорнии я не останусь. Несмотря на все, я жил в каком-то удивительном вакууме.

Я словно висел в воздухе где-то между Японией и Европой, и чем больше я убеждался в том, что не смогу остаться в Америке, тем сильнее меня тянуло назад, в Нью-Йорк. За эти недели я открыл в себе какую-то лихорадочную любовь к этому городу, которая, по-видимому, объяснялась тем, что с каждым днем я все яснее понимал: моя жизнь в Нью-Йорке — это передышка на пути в неизвестность. Я делал огромные усилия, чтобы побольше заработать, потому что знал: деньги будут мне необходимы, и я не хотел страдать из-за их отсутствия. Поэтому я остался здесь даже дольше, чем требовали съемки.

То был период моей независимости. Мне ничего не оставалось, как ждать, пока клюнет рыба. В последние недели съемок я заметил, что Холт и Веллер обращаются ко мне только по поводу каких-то незначительных мелочей, но к сценарию меня и близко не подпускают.

Они утратили ко мне доверие и были убеждены, что сами во всем отлично разбираются. Да так, собственно, и должно было бы быть — ведь оба они были евреями, а я нет, хотя в конце концов какое это имеет значение. Они мне верили только до определенного момента, потом появились сомнения, так как считали меня арийским перебежчиком, который жаждет мести, сам хочет оправдаться и потому преувеличивает и фантазирует.

«В Нью-Йорке идет снег, — писал Кан. — Когда Вы вернетесь? Я встретил Наташу. О Вас она мало что могла рассказать, она думает, что в Нью-Йорк Вы уже не вернетесь. Наташа шла в театр с владельцем «роллс-ройса». Как поживает Кармен? Я ничего о ней не знаю».

Это письмо я читал, сидя у бассейна. Земля хотя бы потому должна быть круглой, что все время смещается горизонт. Когда-то моей родиной была Германия, затем Австрия, Франция, в общем — Европа, а вслед за тем — Америка, и всякий раз та или иная страна становилась моей родиной только потому, что я покидал ее, а вовсе не потому, что жил в ней. Она появлялась вдруг на горизонте как моя новая родина. Такой новой родиной неожиданно оказался Нью-Йорк, возникший вдруг на горизонте, а когда я вернусь в Нью-Йорк, на горизонте может возникнуть Калифорния. Почти как в песне Шуберта «Скиталец»: «А счастье там, где нас с тобою нет».

Я зашел к Кармен. Она все еще жила в том бунгало, где я впервые встретился с ней. Ничто, казалось, там не изменилось.

— Через две недели я возвращаюсь в Нью-Йорк, — сказал я. — Хотите поехать со мной?

— Но, Роберт! У меня же контракт еще на пять недель. Я должна остаться.

— Вы делали хоть что-нибудь за это время?

Эрих Мария Ремарк

— Я примеряла костюмы. А в следующем фильме получу небольшую роль.

— Это всегда так говорят. Вы в самом деле считаете себя актрисой, Кармен?

Она рассмеялась.

— Конечно, нет. Но кто может считать себя актрисой? — Она внимательно оглядела меня. — А вы похорошели, Роберт.

— Просто купил себе новый костюм.

— Не в том дело. Вы что, похудели? Или это кажется оттого, что вы такой загорелый?

— Понятия не имею. Давайте пойдем куда-нибудь пообедать. Я при деньгах и могу сводить вас к «Романову».

— Хорошо, — согласилась она, к моему удивлению.

Был полдень. Киноактеры, сидевшие в ресторане «Романов», по всей видимости, ничуть ее не интересовали: она даже не переоделась и осталась в узких белых брюках. Тут я впервые заметил, что у нее, кроме всего, еще и прелестный зад.

— Что-нибудь слышно от Кана? — спросил я.

— В последнее время он иногда звонит. Но вы-то слышали о нем, не так ли? Иначе вы не пришли бы ко мне.

— Нет, — солгал я. — Я зашел к вам, потому что скоро уезжаю.

— Зачем? Неужели вам здесь не нравится?

— Нет.

Она рассматривала меня и в эту минуту была похожа на очень юную леди Макбет.

— Это все из-за вашей возлюбленной, да? Но вокруг так много женщин. Особенно здесь. В конце концов, все женщины похожи одна на другую.

— Кармен! — воскликнул я. — Что за вздор!

— Только мужчины считают это вздором.

Я взглянул на нее. Она немного изменилась.

— Мужчины тоже похожи один на другого? — спросил я. — Во всяком случае, женщины не должны так считать.

— Мужчины все разные. Например, Кан. Он чумной.

— Что?

— Чумной, — спокойно повторила Кармен с улыбкой. — То он хочет, чтобы я поехала в Голливуд, то требует, чтобы я вернулась. Я не вернусь. Здесь тепло, а в Нью-Йорке снег.

— Только поэтому?

— А разве этого недостаточно?

— Господь с вами, Кармен. А может, все-таки поедете со мной?

Она покачала головой.

— Кан действует мне на нервы, а я простая девушка, Роберт. У меня голова болит от его болтовни.

— Он не только болтает, Кармен. Он, что называется, герой.

— Этим не проживешь. Герои должны умирать. Если они выживают, то становятся скучнейшими людьми на свете.

— Вот как? Кто это вам сказал?

— Непременно кто-то должен сказать? Вы, конечно, считаете меня глупой как пробка, да? Так, как и Кан.

— Вовсе нет. Кан совсем не считает вас глупой. Он вас обожает.

— Он до того меня обожает, что у меня голова начинает болеть. Это так скучно! Почему вы все с каким-то вывертом?

— Что?

— Ну, не такие, как все. Например, как моя хозяйка. У вас всегда все сложно, трудно.

Официант принес фрукты по-македонски.

— Точь-в-точь как эти фрукты, — сказала Кармен, показав на тарелку. — Название-то какое выдумали — не выговоришь! А на самом деле — просто нарезанные фрукты, к которым добавлено немножко ликера.

Я отвез Кармен в ее бунгало — к курам и рыжеволосой образцовой хозяйке.

— У вас уже и машина есть, — сказала Кармен с трагически-мечтательным выражением лица. — Видно, дела у вас идут неплохо, Роберт.

— У Кана теперь тоже есть машина, — солгал я. — Еще лучше, чем у меня. Мне Танненбаум рассказал — «шевроле».

— «Шевроле» и головная боль в придачу, — ответила Кармен, повернувшись ко мне своим прелестным задом. — Как поживает ваша возлюбленная, Роберт? — бросила она мне через плечо.

— Не знаю. Последнее время я ничего о ней не слышал.

— Вы хоть изредка переписываетесь?

— У нас обоих трясется правая рука, а печатать на машинке ни она, ни я не умеем.

Кармен засмеялась.

— Так это что же, а? Значит, с глаз долой — из сердца вон? Впрочем, так-то оно разумнее.

— Редко услышишь более мудрое слово. Передать что-нибудь Кану?

Она задумалась.

— А зачем?

Из сада с кудахтаньем выбежали куры. Кармен мгновенно оживилась.

— Боже мой, мои белые брюки! Зря, что ли, я их наглаживала! — Она с трудом отогнала птиц. — Кыш, Патрик! Прочь, Эмилия! Ну вот, уже и пятно!

— Хорошо, когда знаешь по имени причину своих бед, не так ли? — заметил я. — Тогда все намного проще.

Я пошел было к своему «форду», но вдруг остановился. Что я сейчас сказал? На мгновение мне показалось, будто что-то кольнуло меня в спину. Я повернул назад.

— Не так уж страшно, — услышал я голос Кармен из сада. — Пятно можно будет смыть.

«Да, — подумал я. — Но все ли можно смыть?»

Я простился со Скоттом.

— К моему рисунку сангиной мне хотелось добавить еще один, — сказал он. — Я люблю, чтоб над диванами висело что-то. Кто знает, когда вы опять приедете! У вас есть что-нибудь в этом же роде?

— Есть рисунок углем, а не сангиной. Великолепная вещь, тоже Ренуар.

— Хорошо. Тогда у меня будет два рисунка Ренуара. Ну разве можно было рассчитывать на такое везение?

Я вынул рисунок из чемодана и вручил ему.

— Я с удовольствием отдаю его вам, Скотт.

— Почему? Я ведь в этом совсем не разбираюсь.

— В вас есть уважение к таланту и творчеству, а это гораздо важнее. Будьте здоровы, Скотт. Я покидаю вас с таким чувством, будто расстаюсь с давним знакомым.

На меня иногда находили такие приступы стихийной любви к ближнему, захлестывавшей мою европейскую сдержанность: через несколько часов вдруг начинаешь называть кого-то по имени — в знак пусть

Эрих Мария Ремарк

поверхностной, но тем не менее сердечной дружбы. Дружба в Америке дается легко и просто, в Европе — очень трудно. Один континент молод, другой — стар. Не исключено, что дело именно в этом. «Всегда надо жить так, будто прощаешься навеки», — подумал я.

Танненбаум получил еще одну маленькую роль. Он был очень доволен и хотел купить у меня «форд». Я объяснил ему, что обязан вернуть его студии.

— Кого вы играете в следующем фильме?

— Английского кока на судне, в которое попадает торпеда с немецкой подводной лодки.

— Он погибает? — спросил я с надеждой.

— Нет. Это комический персонаж, его спасают, и он начинает стряпать для экипажа немецкой подводной лодки.

— И не отравляет их?

— Нет. Он готовит им рождественский сливовый пудинг. Происходит всеобщее братание в открытом море с исполнением английских и немецких народных песен. Кроме того, они обнаруживают, что у старого немецкого и английского национальных гимнов одинаковая мелодия: и у «Heil dir im Siegerkranz», и у «God Save the King». Они обнаруживают это возле маленькой рождественской елки, украшенной электрическими лампочками, и решают, когда кончится война, не воевать больше друг против друга. Они находят много общего.

— Ваше будущее видится мне в самом черном цвете, и все же, я думаю, вы не пропадете.

Я сел в поезд, который обслуживали проводники-негры. Там были широкие удобные кровати и индивидуальные туалеты. Танненбаум и одна из двойняшек махали мне с перрона. Впервые за много лет я расплатился со всеми своими долгами, в кармане у меня были деньги и продленный на три месяца вид на жительство. Кроме того, мне предстояло трехдневное путешествие по Америке у большого вагонного окна, в пятидесяти шагах от вагона-ресторана.

XXVIII

— Роберт! — воскликнул Меликов. — А я уж думал, что ты остался насовсем в Голливуде!

— Наверное, так думали почти все.

Меликов кивнул. У него был землистый цвет лица, и весь он был какой-то серый.

— Ты болен? — спросил я.

— Почему? — он засмеялся. — Ах да, ты ведь из Калифорнии! Теперь тебе будет казаться, что все жители Нью-Йорка только что вышли из больницы. Почему ты вернулся?

— Я мазохист.

— Наташа тоже не думала, что ты вернешься.

— А что же она думала?

— Что тебя засосет Голливуд.

Больше вопросов я не задавал. Возвращение мое было нерадостным. Старая каморка показалась мне еще более пыльной и обшарпанной, чем прежде. Вдруг я сам перестал понимать, зачем вернулся. На улице была слякоть, шел дождь.

— Надо купить пальто, — вслух подумал я.

— Будешь опять жить здесь? — спросил Меликов.

— Да. Но на этот раз можно будет взять комнату побольше. У тебя есть свободная?

— Освободилась комната Рауля. Он съехал оконча-

Эрих Мария Ремарк

тельно после вчерашнего грандиозного скандала. Не знаю, помнишь ли ты его последнего друга?

— У тебя есть еще комната?

— Да, Лизы Теруэль. Она умерла неделю назад. Слишком большая доза снотворного. Других свободных номеров нет, Роберт. Если б ты мне написал... Зимой все отели переполнены.

— Между психопатом-педерастом и покончившей с собой дамочкой сделать выбор не так-то просто. Ладно, я займу номер Лизы.

— Я так и думал.

— Почему?

Меликов рассмеялся.

— Не знаю почему. Летом ты наверняка поселился бы в конуре Рауля.

— Ты думаешь, теперь я меньше боюсь смерти?

Меликов опять засмеялся.

— Не смерти, а призраков. Кто теперь боится смерти? Смерть трудно осознать. Вот боязнь умирания — это другое дело. Но у Лизы была легкая смерть. Когда мы ее нашли, она выглядела значительно моложе своих лет.

— Сколько же ей было на самом деле?

— Сорок два. Пошли, я покажу тебе комнату. Она чище других. Нам пришлось окуривать ее серой. Кроме того, там всегда солнце: зимой это особенно важно. В комнату Рауля солнце не заглядывает.

Мы поднялись наверх. Комната была на втором этаже. Туда можно было пройти незаметно из холла. Я распаковал чемодан и достал оттуда несколько больших морских раковин, купленных мною в Лос-Анджелесе: здесь они производили довольно унылое впечатление, утратив романтический блеск морских глубин.

— Когда нет дождя, здесь гораздо уютнее, — сказал Меликов. — Не выпить ли нам водки для бодрости?

— Что-то не хочется. Я лучше прилягу.

— Пожалуй, я тоже. Старость приближается. Я сегодня дежурил ночью. Зимой меня начинает мучить ревматизм. Сегодня мне еще лучше, чем всегда, Роберт.

После обеда я отправился к Силверсу. Он встретил меня приветливее, чем я ожидал.

— Ну, как справились с заданием? — последовал вопрос.

— Продал Ренуара, маленький рисунок углем. За пять тысяч долларов.

Силверс кивнул в знак одобрения.

— Хорошо, — произнес он, к моему удивлению.

— Что с вами стряслось? — поинтересовался я. — Обычно я слышу, что вы чуть ли не с жизнью расстаетесь, продавая картины.

— Так оно и есть. Лучше всего было сохранить их для себя. Но война идет к концу, Росс.

— Еще нет.

— Говорю вам: война скоро кончится. Месяцем раньше, месяцем позже, это роли не играет. Германия выдохлась. А то, что немецкие нацисты продолжают сражаться до последнего ненациста, вполне понятно: они же борются за свою жизнь. Германский генеральный штаб продолжает войну — это тоже вполне естественно: там каждый готов пожертвовать последним солдатом ради своей карьеры. И тем не менее Германии конец. Через несколько месяцев все кончится — вот увидите. Вы понимаете, что это значит?

— Да, — ответил я после некоторого раздумья.

— Это значит, что скоро мы опять сможем взять курс на Европу, — заключил Силверс. — А Европа теперь бедна. Если платить в долларах, можно будет дешево купить любые картины. Теперь вам ясно?

— Да, — повторил я, на этот раз совершенно ошарашенный.

— Сейчас разумнее всего покупать не здесь, а в Европе. Поэтому целесообразнее отделаться от наших запасов. Но тут следует проявлять осторожность, ибо в таких случаях можно выиграть, но можно и здорово проиграть.

— Это даже я понимаю.

— Нечто похожее было после Первой мировой войны. Но тогда я во всем этом плохо разбирался и наделал много ошибок. Больше это не должно повториться. Так вот, если у вас еще не заключена сделка и вы никак не можете договориться о цене, то сейчас можно и уступить. Обоснуйте это тем, что при уплате наличными клиенты получают скидку. Мы-де хотим приобрести большую коллекцию и нуждаемся в наличных.

У меня неожиданно стало веселее на душе. Деловитость в чистом виде, не разбавленная болтовней о морали, иногда влияла на меня благотворно, особенно когда Силверс хладнокровно переводил мировые катастрофы в дебет и кредит. У меня возникло впечатление, будто гномы командуют Господом Богом.

— Но и ваши комиссионные тоже придется урезать, — добавил Силверс.

Именно этого я и ожидал. Это было, так сказать, необходимой приправой, вроде чеснока в бараньем рагу.

— Ну, разумеется, — с иронией сказал я.

Я колебался, звонить ли Наташе, и все не мог решиться. За последние недели наши отношения стали какими-то абстрактными. Все ограничивалось несколькими ничего не значащими открытками, но даже и в них чувствовалась какая-то неискренность. Просто нам нечего было сказать друг другу, когда мы не были вместе, и так, наверное, казалось нам обоим. Я не знал, что произойдет, если я позвоню ей. Поэтому я даже не сообщил Наташе о своем возвращении. Рано или поздно, однако, мне придется дать ей знать о себе, но я никак не мог решиться. Недели и месяцы в Голливуде промелькнули для меня почти незаметно, будто наши отношения возникли случайно и так же случайно и безболезненно оборвались.

Я поехал к Бетти и, увидев ее, испугался. Она похудела, наверное, фунтов на двадцать. На сморщенном, осунувшемся лице горели огромные глаза. Они были единственным, что еще жило. Одряблевшая кожа тяжелыми складками свисала со скул, отчего лицо казалось непомерно большим.

— Вы хорошо выглядите, Бетти.

— Слишком худая стала, да?

— Худоба сейчас в моде.

— Бетти всех нас переживет, — сказал Равик, появившийся из темной гостиной.

— Только не Росса, — сказала Бетти с призрачной улыбкой. — У него цветущий вид: смотрите, какой он загорелый, весь так и пышет здоровьем.

— Через две недели от загара не останется и следа, Бетти. В Нью-Йорке зима.

— Я бы тоже с удовольствием поехала в Калифорнию, — сказала она. — Зимой там, должно быть, великолепно. Но это так далеко от Европы!

Я огляделся. Мне почудилось, что в складках портьер затаился запах смерти. Он, правда, был не таким резким, как в крематории. Там все было иначе: кровь уже свернулась, и к сладковатому запаху, предшествующему тлению, примешивался острый и чуть едкий привкус оставшегося в легких газа. Здесь же господствовал теплый, затхлый, но вместе с тем сладковатый запах; избавиться от него можно было только на несколько минут, открыв окна и попрыскав лавандой, — потом он сразу возвращался. Этот запах был мне хорошо знаком. Смерть больше не подкарауливала за окном — она уже проникла в комнату, но еще выжидала, притаившись в углу.

— Сейчас так рано темнеет, — сказала Бетти. — От этого ночи кажутся бесконечными.

— Тогда не тушите свет на ночь, — сказал Равик. — Больной может не обращать внимания на время суток.

— Я так и делаю. Боюсь темноты. В Берлине я никогда не испытывала такого страха.

— Это было давно, Бетти. Многое меняется. Было время, когда я тоже боялся просыпаться в темноте, — сказал я.

Она уставилась на меня своими большими блестящими глазами.

— И до сих пор боитесь?

— Здесь, в Нью-Йорке, — да. В Калифорнии меньше.

— Почему же? Что вы там делали? Наверное, по ночам вы были не один, а?

— Нет, один. Я просто забывал об этом страхе, Бетти.

— Так лучше всего, — сказал Равик.

Бетти погрозила мне костлявым пальцем и улыбнулась. От ее улыбки становилось жутко: лицо у нее словно свело предсмертной судорогой.

— Стоит только взглянуть на него, и сразу видно, что он счастлив! — воскликнула она и посмотрела на меня своими неподвижными, навыкате глазами.

— Кто может быть теперь счастлив, Бетти? — сказал я.

— Э нет, теперь я знаю: счастливы все, кто здоров. Только, пока ты здоров, этого не замечаешь. А потом, когда поправишься, опять все забудешь. Но по-настоящему это можно осознать лишь перед смертью.

Она выпрямилась. Под ночной сорочкой из искусственного шелка груди ее висели, как пустые мешки.

— Все прочее — вздор, — сказала она чуть хриплым голосом, тяжело дыша.

— Ах, оставьте, Бетти, — сказал я. — У вас так много прекрасных воспоминаний. Так много друзей. А скольким людям вы помогли!

На минуту Бетти призадумалась. Потом сделала мне знак подойти поближе. Я неохотно приблизился: мне стало нехорошо от запаха мятных таблеток, уже мешавшегося с запахом тления.

— Это не имеет значения, — прошептала она. — В какой-то момент все перестанет иметь значение. Уж поверьте мне, я знаю.

Из серой гостиной появилась одна из двойняшек.

— Сегодня Бетти — в прострации, — сказал Равик и поднялся. — Cafard. Это с каждым бывает. У меня иной раз это продолжается неделями. Я зайду потом еще раз. Сделаю ей укол.

— Cafard, — прошептала Бетти. — Cafard еще значит и лицемерие. Каждый раз, произнося это слово, кажется, будто мы во Франции. Даже вспоминать страшно! Оказывается, человеческому несчастью нет предела, не так ли, Равик?

— Да, Бетти. И счастью, пожалуй, тоже. Ведь здесь за вами не следит гестапо.

— Нет, следит.

Равик усмехнулся.

— Оно следит за всеми нами, но не слишком пристально и часто теряет нас из виду.

Он ушел. Одна из двойняшек Коллер разложила на одеяле у Бетти несколько фотографий.

— Оливаерплац, Бетти. Еще до нацистов!

Вдруг Бетти оживилась.

— Правда? Откуда они у тебя? Где мои очки? Надо же! И мой дом видно?

Девушка принесла ей очки.

— Моего дома здесь нет! — воскликнула Бетти. — Снимали с другой стороны. А вот дом доктора Шлезингера. Даже можно прочесть имя на табличке. Конечно, это было до нацистов. Иначе таблички уже не было бы.

Было самое время уйти.

— До свидания, Бетти, — сказал я. — Мне пора.

— Посидите еще.

— Я только сегодня приехал и даже не успел распаковать вещи.

— Как поживает моя сестра? — спросила двойняшка. — Она теперь одна осталась в Голливуде. Я-то сразу вернулась.

— Думаю, что у нее все в порядке, — ответил я.

— Она любит приврать, — заметила двойняшка. — Она уже раз сыграла со мной такую шутку. И мы здорово влипли. Нам тогда пришлось занимать денег у Фрислендера, чтобы вернуться.

— Почему бы вам не поработать секретаршей у Фрислендера, пока сестра не пришлет вам денег на проезд в оба конца?

— Так можно прождать всю жизнь. А мне хочется самой попытать счастья.

Бетти следила за нашим разговором с нескрываемым страхом.

— Ты не уйдешь, Лиззи, а? — умоляла она. — Я ведь не могу остаться одна. Что мне тогда делать?

— Никуда я не уйду, — успокоила ее девушка.

Двойняшка, которую, как я впервые услышал, звали Лиззи, проводила меня в прихожую.

— С ней просто мука, — прошептала она. — Не умирает, и все тут. И в больницу не желает ложиться. Я сама с ней заболею. Равик хочет поместить ее в больницу, а она говорит, что лучше умрет, чем пойдет туда. И вот никак не умирает.

Я подумал, не пойти ли мне к Кану. Ничего радостного я не мог ему сообщить, а говорить неправду не хотелось. Странно, но я никак не мог заставить себя позвонить Наташе. В Калифорнии я почти не думал о ней. Там я считал, что наши отношения были как раз такими, какими казались нам вначале: легкими, лишенными сантиментов. Поэтому очень просто было позвонить Наташе и выяснить, что же все-таки у нас за отношения. Нам не в чем было упрекать друг друга, нас не связывали никакие обязательства. И тем не менее я не мог решиться набрать номер ее телефона. Сомнения тяжелым камнем лежали у меня на сердце. Мне казалось, будто я понес невосполнимую утрату, упустил что-то бесконечно мне дорогое из-за собственного безрассудства и неосторожности. Я дошел до того, что начал думать: а вдруг Наташа умерла; безотчетный страх сгущался во мне по мере приближения вечера. Я сознавал, что на эту необоснованную и глупую мысль меня навел cafard Бетти, но ничего не мог с собой поделать.

Наконец я набрал номер так решительно, будто речь шла о жизни и смерти. Услышав гудки, я сразу понял, что дома никого нет. Я звонил каждые десять минут. Втолковывал себе, что Наташа могла просто куда-то выйти или же снималась. Но это на меня мало действовало. Правда, мое паническое состояние стало проходить, когда, преодолев себя, я все же решился набрать ее номер. Я думал о Кане и Кармен, о Силверсе и его неудачах в Голливуде, я размышлял о Бетти и о том, что все наши громкие слова о счастье бледнеют перед словом «болезнь». Я пытался вспомнить маленькую мексиканку из Голливуда и говорил себе, что есть бесчисленное множество красивых женщин, куда более красивых, чем Наташа. Все эти мысли служили лишь одной цели: набраться мужества для нового звонка. Затем последовала старая игра: я загадал — два звонка и конец, но не удержался и позвонил еще три раза.

И вдруг раздался ее голос. Я уже больше не прикладывал трубку к уху, а держал ее на коленях.

— Роберт, — сказала Наташа. — Откуда ты звонишь?

— Из Нью-Йорка. Только сегодня приехал.

— Это все? — спросила она, немного помолчав.

— Нет, Наташа. Когда я смогу тебя увидеть? Двадцатый раз набираю твой номер, я уже дошел до отчаяния. Телефон звонит как-то особенно безнадежно, когда тебя нет дома.

Она тихо рассмеялась.

— Я только что пришла.

— Пойдем поужинаем, — предложил я. — Могу сводить тебя в «Павильон». Только не говори «нет». На худой конец можно съесть котлету в закусочной. Или пойдем туда, куда ты захочешь.

Я со страхом ждал ее ответа: боялся мучительного разговора о том, почему мы так давно ничего не слышали друг о друге; боялся напрасной, но вполне понятной обиды, всего того, что могло помешать нашей встрече.

— Хорошо, — сказала Наташа. — Зайди за мной через час.

— Я тебя обожаю, Наташа! Это самые прекрасные слова, которые я слышал с тех пор, как уехал из Нью-Йорка.

В тот момент, когда я произносил это, я уже знал, что она ответит. Любой удар мог сокрушить меня. Но ответа не последовало. Я услышал щелчок, как это бывает, когда вешают трубку. Я почувствовал облегчение и разочарование. Сейчас я, наверное, предпочел бы ссору с криком и оскорблениями, — ее спокойствие показалось мне подозрительным.

Я стоял в номере Лизы Теруэль и одевался. Вечером в комнате еще сильнее пахло серой и лизолом. Я подумал, не сменить ли мне комнату еще раз. В атмосфере, которая прежде окружала Рауля, я, возможно, сумел бы лучше себя подготовить для предстоящей борьбы. Сейчас мне требовались полное спокойствие и безразличие, которые ни в коем случае не должны выглядеть наигранными, иначе я погиб. Рауль с его отвращением к женщинам представлялся мне сейчас куда более надежной опорой, чем Лиза, которая, насколько я понимал, умерла от какого-то глубокого разочарования. Я даже подумал, не переспать ли мне сначала с кем-нибудь, чтобы меня не начало трясти при встрече с Наташей. В Париже я знавал одного

Эрих Мария Ремарк

человека: он ходил в бордель, прежде чем увидеться с женщиной, с которой больше не желал быть близок, — и, несмотря на это, снова и снова попадал под ее чары. Но эту мысль я сразу же отбросил; кроме того, я не знаю в Нью-Йорке ни одного борделя.

— Ты что, на похороны собрался? — спросил Меликов. — Может, хочешь водки?

— Даже водки не хочу, — ответил я. — Слишком серьезное дело. Хотя, по правде сказать, не такое уж и серьезное. Просто мне нельзя наделать ошибок. Как выглядит Наташа?

— Лучше, чем когда-либо! Мне очень жаль, но это так.

— Сегодня ты дежуришь ночью?

— До семи утра.

— Слава Богу. Adieu*, Владимир. Ты не можешь себе представить, какой я идиот. Почему я не звонил и не писал ей чаще? И еще так этим гордился!

Надев новое пальто, я вышел в холодную ночь. В голове у меня все смешалось: страх, надежда, ложь и добрые намерения, раскаяние и мысли о том, как мне надлежит вести себя.

Вспыхнул свет, и лифт загудел.

— Наташа, — быстро произнес я. — Я пришел сюда, полный смятения, раскаяния и лжи. Я даже вынашивал какие-то стратегические планы. Но в тот момент, когда ты появилась в дверях, я забыл все. Осталось только одно: полное непонимание того, как я мог уехать от тебя.

Я обнял ее и поцеловал. Чувствуя, что она отстраняется, я прижал ее крепче. Она уступила. Потом высвободилась из моих объятий и сказала:

---

* Прощай (*фр.*).

— У тебя такой смятенный вид, ты очень похудел.

— Питался травой — соблюдал диету. Иногда по воскресеньям и праздникам позволял себе большую порцию салата.

— Я растолстела? Меня часто приглашали на торжественные банкеты в «Двадцать одно» и в «Павильон».

— Я бы даже хотел, чтобы ты растолстела. Тогда на мою долю больше досталось бы, а то ты слишком хрупкая.

Я нарочно пропустил мимо ушей упоминание о торжественных банкетах, которое, очевидно, должно было тяжело поразить меня. Я действительно пришел в смятение, как только обнял Наташу, но постарался сдержать радостную дрожь. Она никогда не надевала под платье ничего лишнего, и казалось, на ее гладком, теплом, волнующем теле не было ничего, кроме тонкой ткани. Я старался не думать об этом, но ничего не мог с собой поделать.

— Тебе не холодно? — задал я идиотский вопрос.

— У меня теплое пальто. Куда мы пойдем?

Я нарочно не стал упоминать «Двадцать одно» или «Павильон». Не хотелось выслушивать еще раз, что она бывала там каждый день и поэтому не желает туда идти.

— Может, пойдем в «Бистро»?

«Бистро» был маленький французский ресторанчик на Третьей авеню. Там было вдвое дешевле, чем в других ресторанах.

— «Бистро» закрыт, — сказала Наташа. — Хозяин его продал. Он уехал в Европу, чтобы присутствовать при торжественном вступлении де Голля в Париж.

— Правда? И ему удалось выехать?

— Кажется, да. Французских эмигрантов охватила настоящая предотъездная лихорадка. Они боятся, что

Эрих Мария Ремарк

вернутся домой слишком поздно и их сочтут дезертирами. Пойдем в «Золотой петушок». Это похоже на
«Бистро».

— Хорошо. Надеюсь, его хозяин еще здесь. Он ведь
тоже француз.

В ресторане было уютно.

— Если вы хотите вина, у нас есть великолепный
«Анжу розэ», — предложил хозяин.

— Хорошо.

Я с завистью посмотрел на него. Это был совсем
другой эмигрант, не такой, как мы все. Он мог вернуться. Его родина была оккупирована и будет осво-
бождена. С моей родиной все иначе.

— Ты загорел, — заметила Наташа. — Что ты там
делал? Ничего или того меньше?

Ей было известно, что я работал у Холта, но больше
она ничего не знала. Я объяснил ей, чем занимался,
чтобы в первые четверть часа избежать ненужных расспросов.

— Ты должен опять туда вернуться? — спросила она.

— Нет, Наташа.

— Ненавижу зиму в Нью-Йорке.

— А я ненавижу ее везде, кроме Швейцарии.

— Ты был там в горах?

— Нет, в тюрьме, потому что у меня не было документов. Но в тюрьме было тепло. Я прекрасно себя
там чувствовал. Видел снег, но меня никто не гнал на
улицу. Это была единственная отапливаемая тюрьма,
в которой я сидел.

Наташа вдруг рассмеялась.

— Не пойму, лжешь ты или нет.

— Только так и можно рассказывать о том, что до
сих пор считаешь несправедливым. Очень старомод-

ный принцип. Несправедливостей не существует, есть только невезение.

— Ты веришь в это?

— Нет, Наташа. Нет, раз я сижу рядом с тобой.

— У тебя много было женщин в Калифорнии?

— Ни одной.

— Ну, ясно. Бедный Роберт!

Я взглянул на нее. Мне не нравилось, когда она меня так называла. Разговор развивался совсем не в том плане, как мне бы хотелось. Мне просто надо было как можно скорее лечь с ней в постель. А это была лишь никому не нужная болтовня. Мне следовало бы встретиться с ней в гостинице, чтобы сразу затащить ее в комнату Лизы Теруэль. Здесь же опасно было даже заводить разговор об этом. Пока что мы обменивались колкостями и пустыми любезностями, в которые был заложен детонатор замедленного действия. Я понимал, что она ждет, когда я задам ей аналогичный вопрос.

— Обстановка в Голливуде не располагает к такого рода развлечениям, — ответил я. — Там чувствуешь себя усталым и безразличным.

— Потому-то ты почти и не давал о себе знать? — спросила она.

— Нет, не потому. Просто не люблю писать письма. Жизнь моя складывалась таким образом, что я никогда не знал, кому можно писать. Наши адреса были временными. Они постоянно менялись. Я жил только настоящим временем, только сегодняшним днем. У меня никогда не было будущего, и я был не в состоянии представить себе это. Я думал, что и ты такая же.

— Откуда ты знаешь, что я не такая?

Я молчал.

— Люди встречаются после разлуки, а все как прежде, — заметил я.

— Мы же сами этого хотим!

Я все больше попадался в ловушку. Надо было немедленно выбираться из нее.

— Нет, — возразил я. — Я не хочу.

Она бросила на меня мимолетный взгляд.

— Ты не хочешь? Но ты же сам это сказал.

— Ну и что же? Раньше я не знал, чего хочу. А теперь знаю.

— Что же изменилось?

Это был уже допрос. Мысли мои метались, путались. Я думал о человеке, ходившем в бордель, прежде чем встретиться с любимой. Мне тоже надо было бы так поступить, тогда многое было бы легче. Я забыл или никогда не задумывался над тем, как неудержимо влекло меня к Наташе. В начале наших отношений все было иначе, и странно, что именно это время я чаще всего вспоминал в Голливуде. Но стоило мне увидеть ее — и все вернулось с новой силой. Теперь я старался не глядеть на Наташу, боясь выдать себя. При этом я даже не знал, чем же я, собственно, мог себя выдать. Я только был уверен, что я навсегда останусь в ярме, если она разгадает меня. Наташа выложила еще далеко не все свои козыри. Она ждала подходящего момента, чтобы рассказать мне, что у нее был роман с другим мужчиной, то есть что она попросту с кем-то спала. Мне же хотелось предотвратить ее рассказ. Я вдруг почувствовал, что у меня не хватит сил выслушать его, хотя я и вооружился контраргументом: раз ты в чем-то признался, значит, это уже неправда.

— Наташа! Все серьезное, что приходит неожиданно, нельзя объяснить так, сразу... Я счастлив, что мы опять вместе. А время, которое мы не виделись, пролетело и растаяло как дым.

— Ты так считаешь?

— Теперь да.

Она рассмеялась.

— Это удобно, а? Мне пора домой. Я очень устала. Мы готовим показ весенних моделей.

— Я помню. Ты всегда все знаешь на сезон вперед.

«Весна, — подумал я. — Что-то еще произойдет до тех пор?» Я взглянул на хозяина с черными усами. Интересно, придется ли ему в Париже нести ответственность за дезертирство? А что станется со мной? Что-то угрожающее надвигалось на меня со всех сторон. Мне казалось, будто я задыхаюсь. То, чего я так долго ждал, вдруг представилось мне лишь отсрочкой перед казнью. Я посмотрел на Наташу. Она показалась мне бесконечно далекой. С холодным и невозмутимым видом она натягивала перчатки. Мне хотелось сказать ей что-то такое, что отбросило бы все недомолвки, но мне так ничего и не пришло в голову. Я молча шагал рядом с нею. Было холодно, дул ветер со снегом. Я нашел такси. Мы почти ни о чем не говорили.

— Доброй ночи, Роберт, — сказала Наташа.

— Доброй ночи, Наташа.

Я был рад тому, что Меликов бодрствует сегодня ночью. Мне нужна была не водка, а кто-то, кто ни о чем не спрашивает, но тем не менее находится рядом.

XXIX

Я на секунду остановился перед витриной магазина Лоу. Столик начала восемнадцатого века все еще не был продан. Меня охватило чувство умиления при виде реставрированных ножек. Вокруг было несколько старых, но заново выкрашенных кресел, миниатюрные египетские статуэтки из бронзы, среди них неплохая фигурка кошки и фигурка богини Неиты, изящная, подлинная, с хорошей патиной.

Я увидел Лоу-старшего, поднимавшегося из подвала. Он был похож на Лазаря, выходящего из гроба в пещере. Он вроде бы постарел, но такое впечатление производили на меня все знакомые, с которыми я снова встречался, — все, за исключением Наташи. Она не постарела, а просто как-то изменилась. Она стала, пожалуй, более независимой и потому еще более желанной, чем прежде. Я старался о ней не думать. Мне было больно при одной мысли о ней, как если бы в непонятном ослеплении я подарил кому-то прекрасную бронзовую статуэтку эпохи Чжоу, сочтя ее копией.

Увидев меня перед витриной, Лоу вздрогнул от неожиданности. Он не сразу узнал меня: великолепие моего зимнего пальто и загар, видимо, сделали меня неузнаваемым.

Разыгралась быстрая пантомима. Лоу помахал мне рукой. Я помахал ему в ответ. Он побежал к двери.

— Входите же, господин Росс, что вы там стоите, на холоде! Здесь у нас теплее.

Я вошел. Пахло старьем, пылью и лаком.

— Ну и разоделись, — сказал Лоу. — Дела хорошо идут, что ли? Были во Флориде? Ну, поздравляю!

Я объяснил ему, чем занимался. Собственно, скрывать здесь было нечего. Просто сегодня утром мне не хотелось вдаваться в подробности. Я уже достаточно навредил себе объяснениями с Наташей.

— А как у вас дела? — поинтересовался я.

Лоу замахал обеими руками.

— Свершилось, — прогудел он.

— Что?

— Он таки женился. На христианке.

Я взглянул на него.

— Это еще ничего не значит, — ответил я, чтобы как-то его утешить. — Теперь нетрудно развестись.

— Я тоже так думал! Но что мне вам сказать — ведь она католичка.

— Ваш брат тоже стал католиком? — спросил я.

— До этого еще не дошло, но все может случиться. Она денно и нощно его обрабатывает.

— Откуда вы это знаете?

— Откуда я знаю? Он уже заговорил о религии. Она все ему зудит, что он будет вечно жариться в аду, если не станет католиком. Во всем этом мало приятного, вы не находите?

— Ну, разумеется. Они венчались по католическому обряду?

— Ну, ясно! Это она все устроила. Венчались в церкви, а брат в визитке, взятой напрокат; ну скажите, на что ему визитка, когда у него и без того короткие ноги.

— Какой удар по дому Израилеву!

Лоу бросил на меня колючий взгляд.

— Правильно! Вы ведь не нашей веры, вам-то что! Вы по-иному смотрите на это. Вы протестант?

— Я просто атеист. По рождению — католик.

— Что? Как же это возможно?

— Я порвал с католической церковью, когда она подписала конкордат с Гитлером. Этого моя бессмертная душа уже не выдержала.

На какой-то момент Лоу отвлекся от своих мыслей.

— Вот тут вы правы, — спокойно сказал он. — В этом деле сам черт ногу сломит. Церковь с заповедью — возлюби ближнего своего, как самого себя, и вдруг — рука об руку с этими убийцами. А что, конкордат до сих пор в силе?

— Насколько мне известно, да. Не думаю, чтобы его расторгли.

— А мой братец? — просопел он. — Третий в этом союзе!

— Ну, ну, господин Лоу? Это уже совсем из другой оперы! Ваш брат не имеет к этому никакого отношения. Он просто невинная жертва любви.

— Невинная? Вы только взгляните вот на это! — Лоу воздел руки к небу. — Вы только посмотрите, господин Росс! Вы когда-нибудь видели такое в нашей антикварной лавке?

— Что?

— Что? Статуэтки Богоматери! Фигурки святых, епископов! Неужели вы не видите? Прежде у нас не было ни одного из этих бородатых, размалеванных чудовищ. Теперь их здесь — хоть пруд пруди!

Я осмотрелся. По углам стояло несколько хороших скульптур.

— Почему вы расставляете эти вещи так, что их едва видно? Они ведь очень хорошие. На двух сохранились даже старая раскраска и старая позолота. Это, наверное, лучшее из всего, что сейчас есть у вас в магазине, господин Лоу. Чего же тут плакаться? Искусство есть искусство!

— Какое там искусство!

— Господин Лоу, если не было бы религиозного искусства, три четверти евреев-антикваров прогорели бы. Вам следует быть терпимее.

— Не могу. Даже если я зарабатываю на этом. У меня уже все сердце изболелось. Мой непутевый братец тащит сюда эти штуковины. Они хороши, согласен. Но от этого мне только хуже. Мне наплевать и на старые краски, и на старую позолоту, и на подлинность ножки от столика, лучше бы их не было, и, если бы все это источили черви, мне было бы легче! Тогда можно было бы кричать и вопить! А тут я вынужден заткнуться, хотя в душе сгораю от возмущения. Я почти ничего не ем. Рубленая куриная печенка, такой деликатес, теперь не вызывает у меня ничего, кроме отрыжки. О гусиной ножке под соусом с желтым горохом и говорить не приходится. Я погибаю. Самое ужасное, что эта особа к тому же кое-что смыслит в бизнесе. Она резко обрывает меня, когда я скорблю и плачу, как на реках вавилонских, и называет меня антихристом. Хорошенькое дополнение к антисемитизму, вы не находите? А ее смех! Она гогочет весь день напролет! Она так смеется, что все ее сто шестьдесят фунтов дрожмя дрожат. Это прямо-таки невыносимо! — Лоу опять воздел руки к небу. — Господин Росс, возвращайтесь к нам! Если вы будете рядом, мне станет легче. Возвращайтесь в наше дело, я положу вам хорошее жалованье!

— Я все еще работаю у Силверса. Ничего не получится, господин Лоу. Очень благодарен, но никак не могу.

На его лице отразилось разочарование.

— Даже если мы будем торговать бронзой? Есть ведь фигурки святых и из бронзы.

— Но очень немного. Ничего не выйдет, господин Лоу. Я теперь человек у Силверса независимый и очень хорошо зарабатываю.

— Конечно! У этого человека ведь нет таких расходов. Он и мочится в счет налога!

— До свидания, господин Лоу. Я никогда не забуду, что вы первый дали мне работу.

— Что? Вы так говорите, будто собираетесь со мной навеки проститься. Неужели хотите вернуться в Европу?

Эрих Мария Ремарк

— Как вам такое могло прийти в голову?

— Вы говорите так странно. Не делайте этого, господин Росс! Ни черта там не изменится, независимо от того, выиграют они войну или проиграют. Поверьте Раулю Лоу!

— Вас зовут Рауль?

— Да. Моя добрая мать зачитывалась романами. Рауль! Бред, не правда ли?

— Нет. Мне это имя нравится. Почему, сам не знаю. Наверное, потому что я знаю одного человека, которого тоже зовут Рауль. Впрочем, его занимают иные проблемы, чем вас.

— Рауль, — мрачно пробормотал Лоу. — Может быть, поэтому я до сих пор и не женился. Это имя вселяет какую-то неуверенность.

— Такой человек, как вы, еще может наверстать упущенное!

— Где?

— Здесь, в Нью-Йорке. Здесь ведь больше верующих евреев, чем где бы то ни было.

Глаза Рауля оживились.

— Собственно, это совсем не плохая идея! Правда, я никогда об этом не думал. Но теперь, с этим братом отступником... — Он задумался.

Потом вдруг ухмыльнулся.

— Я смеюсь впервые за несколько недель, — сказал он. — Вы подали мне великолепную идею, просто блестящую! Даже если я ею и не воспользуюсь. Будто безоружному дали в руки дубинку! — Он стремительно повернулся ко мне. — Могу я чем-нибудь помочь вам, господин Росс? Хотите фигурку святого по номиналу? Например, Себастьяна Рейнского.

— Нет. А сколько стоит кошка?

— Кошка? Это один из редчайших и великолепных...

— Господин Лоу, — прервал я его. — Я же у вас учился! Все эти штучки мне ни к чему. Сколько стоит кошка?

— Для вас лично или для продажи?

Я заколебался. Мне пришла в голову одна из моих суеверных мыслей: если сейчас я буду честен, то неизвестный Господь Бог вознаградит меня и мне позвонит Наташа.

— Для продажи, — ответил я.

— Браво! Вы честный человек. Если бы вы сказали, что это для вас лично, я бы не поверил. Итак, пятьсот долларов! Клянусь, это недорого!

— Триста пятьдесят. Больше мой клиент не даст.

Мы сошлись на четырехстах двадцати пяти.

— Разоряете вы меня. Ну ладно, тратить так тратить, — сказал я. — А сколько стоит маленькая фигурка Неиты? Шестьдесят долларов, идет? Я хочу ее подарить.

— Сто двадцать. Потому что вы берете ее для подарка.

Я получил ее за девяносто. Рауль упаковал изящную статуэтку богини. Я написал ему адрес Наташи. Он обещал сам доставить ее после обеда. Кошку я взял с собой. Я знал в Голливуде одного человека, сходившего с ума по таким фигуркам. Я мог продать ему ее за шестьсот пятьдесят долларов. Таким образом, статуэтка для Наташи достанется мне даром да еще останутся деньги на новую шляпу, пару зимних ботинок и кашне; а когда я приобрету все это, то, ослепив ее своей элегантностью, приглашу в шикарный ресторан.

Она позвонила мне вечером.

— Ты прислал мне статуэтку богини, — сказала она. — Как ее зовут?

— Она египтянка по имени Неита, ей более двух тысяч лет.

— Ну и возраст! Она приносит счастье?

— С египетскими фигурками дело обстоит таким образом: если они кого-нибудь невзлюбят, то счастья не жди. Но эта должна принести тебе счастье: она похожа на тебя.

— Я всюду буду носить ее с собой как талисман. Ее ведь можно положить в сумочку. Она прелестна, просто сердце радуется. Большое спасибо, Роберт. Как тебе живется в Нью-Йорке?

— Запасаюсь одеждой на зиму. Ожидаются снежные бураны.

— Да, они действительно здесь бывают. Не хочешь ли завтра пообедать со мной? Могу за тобой заехать.

В голове у меня пронеслось множество мыслей. Удивительно, сколько можно передумать за одну секунду! Я был разочарован, что она придет только завтра.

— Это прекрасно, Наташа, — сказал я. — После семи часов я буду в гостинице. Приезжай, когда тебе удобно.

— Жаль, что сегодня у меня нет времени. Но я ведь не знала, что ты снова объявишься, поэтому у меня на сегодня намечено еще несколько важных дел. Вечером не очень приятно быть одной.

— Это верно, — сказал я. — Я тоже получил приглашение туда, где готовят такой вкусный гуляш. Правда, я могу и не пойти. У них всегда полно гостей, одним человеком больше или меньше — для них все равно.

— Как знаешь, Роберт. Я приеду завтра, часов в восемь.

Я положил трубку и задумался, пытаясь разгадать, помог мне талисман или нет. Я решил, что он принес мне удачу, хотя и был разочарован, что в этот вечер не увидел Наташу. Ночь лежала передо мной, как бездонная, темная яма. Неделями я был без Наташи и совсем не думал об этом. Теперь же единственная разделявшая нас ночь казалась мне нескончаемой. Как смерть, которая время превращает в вечность.

Я не солгал. Меня действительно приглашала к себе фрау Фрислендер. Я решил пойти. Это было мое первое появление у них в качестве человека, свободного от долгов, в новом костюме и новом зимнем пальто. Я отдал долг Фрислендеру и даже целиком заплатил адвокату за услуги — тому самому, с кукушкой. Теперь я мог есть гуляш, не чувствуя себя униженным. Для пущей важности и вместе с тем желая поблагодарить за одолженные деньги, я принес фрау Фрислендер букет темно-красных гладиолусов, которые за умеренную цену, поскольку они уже достаточно распустились, я купил у цветочника-итальянца, торговавшего неподалеку на углу.

— Расскажите нам о Голливуде, — попросила фрау Фрислендер.

Как раз этого-то мне и не хотелось.

— Там так себя чувствуешь, будто на голову тебе напялили прозрачный целлофановый пакет, — сказал я. — Все видишь, ничего не понимаешь, ничему не веришь, слышишь только глухие шорохи, живешь, как в капсуле, а очнувшись, чувствуешь, что постарел на много лет.

— И это все?

— Почти.

Появилась одна из двойняшек — Лиззи. Я вспомнил о Танненбауме и его сомнениях.

Эрих Мария Ремарк

— Как дела у Бетти? — спросил я. — Ей хоть немного лучше?

— Боли не очень сильные. Об этом заботится Равик. Он делает ей уколы. Сейчас она много спит. Только по вечерам просыпается, несмотря на уколы, и начинает борьбу за следующий день.

— При ней кто-нибудь есть?

— Равик. Он просто выгнал меня, потребовал, чтобы я хоть раз куда-нибудь сходила. — Она провела рукой по своему пестрому платью. — Я совсем очумела. У меня в голове никак не укладывается, что вот Бетти умирает, а здесь жрут гуляш. А вам это не кажется странным?

Она посмотрела на меня своими милыми, не очень выразительными глазами, в которых, по мнению Танненбаума, угадывалась вулканическая страсть.

— Нет, — ответил я. — Это вполне естественно. Смерть — нечто непостижимое, и потому рассуждать о ней бессмысленно. И все же вам необходимо что-нибудь поесть. Ведь у Бетти только больничная диета.

— Не хочу.

— Может, немного гуляша по-сегедски? С капустой?

— Не могу я. Ведь я до обеда помогала его здесь готовить.

— Это другое дело. А может быть, выпьете тминной водки или пива?

— Иногда мне хочется повеситься, — заметила Лиззи. — Или уйти в монастырь. А иногда я готова все расколошматить и побеситься всласть. Сумасшедшая я, должно быть, а?

— Все нормально, Лиззи. Естественно и нормально. У вас есть друг?

— Зачем? Чтобы родить внебрачного ребенка? Тогда конец моим последним надеждам, — печально произнесла Лиззи.

«Танненбаум, по-видимому, сделал правильный выбор, — подумал я. — А Везель, наверное, наврал ему, и у него ничего не было ни с одной из них».

Вошел Фрислендер.

— А, наш юный капиталист! Вы пробовали миндальный торт, Лиззи? Нет? А надо бы! Так вы совсем исхудаете. — Он ущипнул Лиззи за зад. Вероятно, не впервые, потому что она никак не реагировала. К тому же это вовсе не было признаком страсти, а скорее своего рода отеческой заботой работодателя, желавшего убедиться, что все на месте. — Мой дорогой Росс, — продолжал Фрислендер, который и ко мне относился по-отечески. — Если вы наберете немного денег, скоро представится отличная возможность выгодно их поместить. По окончании войны немецкие акции упадут почти до нуля, и марка не будет стоить ровным счетом ничего. Советую вам использовать этот последний шанс: войти в большое дело и кое-что приобрести. Этот народ не останется поверженным. Он соберется с силами и примется за работу. И снова заставит о себе заговорить. И знаете, кто ему поможет? Мы, американцы. Расчет чрезвычайно прост. Нам нужна Германия против России, ибо теперешний союз с Россией напоминает попытку двух гомосексуалистов родить ребенка, что противоестественно. Мне говорил об этом один высокопоставленный человек в правительстве. Когда нацистам придет конец, мы будем поддерживать Германию. — Он хлопнул меня по плечу. — Не рассказывайте об этом никому! Тут пахнет миллионами, Росс. Я делюсь этим с вами, ибо вы —

один из немногих, выплативших мне долг. Я ни от кого не требовал денег. Но, знаете, если ты эмигрант, это еще вовсе не значит, что ты ангел.

— Спасибо за совет, но у меня нет на это денег.

Фрислендер благосклонно посмотрел на меня.

— У вас еще есть время кое-что наскрести. Я слышал, что вы стали неплохим коммерсантом. Если когда-нибудь пожелаете открыть самостоятельное дело, можно будет об этом поговорить. Я финансирую, вы продаете, а прибыль пополам.

— Это все не так просто. Мне ведь пришлось бы приобретать картины у коммерсантов, которые сдерут с меня ту цену, по которой продают сами.

Фрислендер рассмеялся.

— Вы еще новичок, Росс. Не забудьте, что, кроме всего прочего, имеются и проценты. Не будь их, мировой рынок давно бы рухнул. Один покупает у другого, и один зарабатывает на другом. Так что, если надумаете, дайте мне знать.

Он встал, и я тоже. На какой-то момент я испугался, что он так же по-отечески, с отсутствующим видом и меня ущипнет за зад, но он только похлопал меня по плечу и двинулся к двери. Вся в золоте, приветливо улыбаясь, ко мне подошла фрау Фрислендер.

— Кухарка спрашивает, какой гуляш вы желаете взять с собой — по-сегедски или обычный.

Мне хотелось ответить, что не желаю я никакого гуляша, но мой отказ только обидел бы фрау Фрислендер и кухарку.

— По-сегедски, — ответил я. — Все было великолепно. Очень благодарен.

— А вам спасибо за цветы, — заметила с улыбкой фрау Фрислендер. — Мой муж — этот биржевой йог, как его называют коллеги, — никогда мне их не дарит. Он увлекается учением йогов. Когда он занят самосозерцанием, никто не должен ему мешать — естественно, кроме тех случаев, когда звонят с биржи. Это у него — превыше всего.

Фрислендер стал откланиваться.

— Я должен еще кое-куда позвонить, — сказал он. — Не забудьте же мой совет.

Я взглянул на биржевого йога.

— У меня что-то не лежит душа ко всему этому, — сказал я.

— Почему? — У Фрислендера вдруг заклокотало в горле от сдавленного смеха. — Какие-нибудь морально-этические сомнения? Но, дорогой Росс! Может, вам угодно, чтобы нацисты положили себе в карман огромные деньги, которые будут просто валяться на улице? Мне кажется, они скорее причитаются все-таки нам, ограбленным! Мыслить надо логично и прагматически. Кому-то эти деньги все равно достанутся. Но только не этим чудовищам! — Он в последний раз хлопнул меня по плечу, снова отечески ущипнул двойняшку за зад и удалился: то ли для самосозерцания, то ли для делового разговора по телефону.

По улицам гулял ветер. Я довез Лиззи до дома — все равно мне пришлось бы брать такси из-за гуляша.

— У вас, наверное, никогда не проходят синяки. Ведь руки у него как клещи, — сказал я. — Он щиплет вас и когда вы за машинкой?

— Никогда. Он норовит ущипнуть меня только на виду у других. Ему просто хочется похвастаться: он же импотент.

Маленькая, потерянная, замерзшая, стояла Лиззи между высокими домами.

— Не зайдете ко мне? — спросила она.

— Ничего не получится, Лиззи.

— Ясно, ничего, — горестно согласилась она.

— Я болен, — сказал я, сам удивляясь своему ответу. — Голливуд, — добавил я.

— Я и не собираюсь с вами спать. Просто не хочется входить одной в мертвую комнату.

Я расплатился с шофером и поднялся к ней. Она жила в мрачной комнате — с несколькими куклами и плюшевым медвежонком. На стене висели фотографии киноактрис.

— Может, выпьем кофе? — спросила она.

— С удовольствием, Лиззи.

Она оживилась. В кофейнике закипела вода. Мы пили кофе, она рассказывала мне о своей жизни, но все сразу вылетало у меня из головы.

— Спокойной ночи, Лиззи, — сказал я и встал. — Только не делайте глупостей. Вы очень красивая, у вас все еще впереди.

На другой день пошел снег, к вечеру улицы стали белые, а небоскребы, облепленные снегом, казались гигантскими светящимися ульями. Уличный шум стал глуше, снег валил не переставая. Я играл с Меликовым в шахматы, когда вошла Наташа. На ее волосах и капюшоне были снежинки.

— Ты приехала на «роллс-ройсе»? — спросил я.

Наташа на минуту задумалась.

— Я приехала на такси, — ответила она. — Теперь ты спокоен?

— Вполне... Куда мы пойдем? — спросил я осторожно, и это прозвучало как-то по-идиотски.

— Куда хочешь.

Так дальше не могло продолжаться. Я направился к выходу.

— Снег прямо хлопьями валит, — произнес я. — Ты испортишь себе шубу, если мы пойдем искать такси. Нам надо переждать в гостинице, пока не пройдет снег.

— Тебе незачем искать повод для того, чтобы нам остаться здесь, — заметила она саркастически. — Но найдется ли у тебя что-нибудь поесть?

Неожиданно я вспомнил о гуляше, полученном от Фрислендера. Я совсем забыл о нем. Наши отношения были такие натянутые, что мне и в голову не пришло подумать о еде.

— Гуляш! — воскликнул я. — С капустой и, я уверен, с малосольными огурцами. Итак, мы ужинаем дома.

— А можно? В логове этого гангстера? А он не позовет полицию, чтобы выгнать нас отсюда? Или, может быть, у тебя есть апартамент с гостиной и спальней?

— Нам это ни к чему. Я живу теперь так, что никто не видит, когда входишь, когда выходишь. Почти в полной безопасности. Идем!

У Лизы Теруэль были великолепные абажуры на лампах, которые мне очень пригодились. Теперь в комнате вечером казалось уютнее, чем днем. На столе красовалась кошка, купленная у Лоу. Кухарка Мария дала мне гуляш в эмалированной кастрюле, так что я мог его разогреть. У меня была электрическая плитка, несколько тарелок, ножи, вилки и ложки. Я вынул из кастрюли огурцы и достал из шкафа хлеб.

— Все готово, — сказал я и положил на стол полотенце. — Надо только подождать, пока гуляш подогреется.

Наташа прислонилась к стене около двери.

— Давай сюда пальто, — сказал я, — здесь не слишком просторно, но зато есть кровать.

— Вот как?

Я дал себе слово контролировать свои поступки. Я еще не был уверен в себе. Но у меня было такое же состояние, как в первый вечер: стоило мне прикоснуться к ней, почувствовать, что она почти нагая под тонким платьем, и я забывал о всех своих благих намерениях. Я ничего не говорил. Молчала и Наташа. Я давно уже не спал ни с одной женщиной и понял, что на все можно пойти — и на скандал и даже на преступление, когда какая-то часть твоего «я» отступает в глубину и остаются лишь руки, раскаленная кожа и безудержная страсть.

Я жаждал погрузиться в нее, в горячую темноту, пронзить ее до красноватых легких, чтобы они сложились вокруг меня, как совиные крылья, — дальше и глубже, пока ничего не останется от наших «я», кроме пульсирующей крови и уже не принадлежащего нам дыхания.

Мы лежали на кровати, изможденные, охваченные дремотой, похожей на легкий обморок.

Сознание возвращалось к нам и снова отлетало, и мы опять растворялись в несказанном блаженстве; на какой-то миг собственное «я» вернулось, но не до конца, — состояние это близко к состоянию еще не появившегося на свет, но уже живущего своей жизнью ребенка, когда стирается граница между неосознанным и осознанным, между эмбрионом и индивидуальностью, то состояние, которое вновь наступает с последним вздохом.

Я ощущал рядом с собой Наташу, ее дыхание, волосы, слабое биение сердца. Это еще не совсем она, это была еще безымянная женщина, а может быть, только одно дыхание, биение сердца и теплая кожа. Сознание прояснялось лишь постепенно, а вместе с ним просыпалась и глубокая нежность. Истомленная рука, ищущая плечо, и рот, который старается произнести какие-то бессмысленные слова.

Я постепенно начинал узнавать себя и окружающее, и в этом изможденном молчании, когда не знаешь, что ты чувствуешь острее — молчание или предшествовавшее ему беспамятство, до меня вдруг донесся слабый запах горелого. Я было думал, что мне это показалось, но потом увидел на плитке эмалированную кастрюлю.

— Проклятие! — вскочил я. — Это же гуляш!

Наташа полуоткрыла глаза.

— Выбрось его в окно.

— Боже упаси! Я думаю, нам удастся еще кое-что спасти.

Я выключил электрическую плитку и помешал гуляш. Затем осторожно выложил его на тарелки, а подгоревшую кастрюлю поставил на окно.

— Через минуту запах улетучится, — сказал я. — Гуляш нисколько не пострадал.

— Гуляш нисколько не пострадал, — повторила Наташа, не пошевельнувшись. — Что ты хочешь, проклятый обыватель, делать со спасенным гуляшом? Я должна встать?

— Ничего, просто хочу предложить тебе сигарету и рюмку водки. Но ты можешь и отказаться.

— Нет, я не откажусь, — ответила Наташа, немного помолчав. — Откуда у тебя эти абажуры? Привез из Голливуда?

— Они были здесь.

— Эти абажуры принадлежали женщине. Они мексиканские.

— Возможно, женщину звали Лиза Теруэль. Она выехала отсюда.

— Странная женщина — выезжает и бросает такие прелестные абажуры, — сонным голосом сказала Наташа.

— Иногда бросают и нечто большее, Наташа.

— Да. Если гонится полиция. — Она приподнялась. — Не знаю почему, но я вдруг страшно проголодалась.

— Я так и думал. Я тоже.

— Вот удивительно. Кстати, мне не нравится, когда ты что-нибудь знаешь наперед.

Я подал ей тарелку.

— Послушай, Роберт, — заговорила Наташа, — когда ты сказал, что идешь в эту «гуляшную» семью, я тебе не поверила, но ты действительно там был.

— Я стараюсь лгать как можно меньше. Так значительно удобнее.

— То-то и оно. Я, например, не стала бы никогда говорить, что не обманываю тебя.

— Обман. Какое своеобразное слово!

— Почему?

— У этого слова две ложные посылки. Странно, что оно так долго просуществовало на свете. Оно — как предмет между двумя зеркалами.

— Да?

— Разумеется. Трудно себе представить, чтобы искажали оба зеркала сразу. Кто имеет право употреблять слово «обман»? Если ты спишь с другим, ты обманываешь себя, а не меня.

Наташа перестала жевать.

— Это все так просто, да?

— Да. Если бы это был действительно обман, ты не сумела бы меня обмануть. Один обман автоматически исключает другой. Нельзя двумя ключами одновременно открывать один и тот же замок.

Она бросила в меня огурец с налипшим на него укропом. Я поймал его.

— Укроп в этой стране очень редкая вещь, — заметил я. — Бросаться им нельзя.

— Но нельзя и пытаться открывать им замки!

— По-моему, мы немножко рехнулись, правда?

— Не знаю. Неужели все должно иметь свое название, окаянный ты немец! Да еще немец без гражданства.

Я засмеялся.

— У меня ужасное ощущение, Наташа, что я тебя люблю. А мы столько положили сил, чтобы этого избежать.

— Ты так думаешь? — Она вдруг как-то странно на меня посмотрела. — Это ничего не меняет, Роберт. Я тебя действительно обманывала.

— Это ничего не меняет, Наташа, — ответил я. — И все же я боюсь, что люблю тебя. И одно никак не связано с другим. Это как ветер и вода, они движут друг друга, но каждый остается самим собой.

— Я этого не понимаю.

— Я тоже. Но так ли уж важно всегда все понимать, ты, женщина со всеми правами гражданства?

Но я не верил тому, что она мне сказала. Даже если в этом была хоть какая-то толика правды, в тот момент мне было все равно. Наташа здесь, рядом, а все прочее — для людей с устроенным будущим.

Эрих Мария Ремарк

XXX

Египетскую кошку я продал одному голландцу. В тот день, получив чек, я пригласил Кана к «Соседу».

— Вы что, так разбогатели? — спросил он.

— Просто я пытаюсь следовать античным образцам, — ответил я. — Древние проливали немного вина на землю, прежде чем выпить его, принося тем самым жертву богам. По той же причине я иду в хороший ресторан. Чтобы не изменить своему принципу, мы разопьем бутылку «Шваль блан». Это вино еще есть у «Соседа». Ну, как?

— Согласен. Тогда последний глоток мы выльем на тарелку, чтобы не прогневить богов.

У «Соседа» было полно народу. В военное время в ресторанах часто негде яблоку упасть. Каждый торопится еще что-то взять от жизни, тем более находясь вне опасности. Деньги тогда тратятся легче. Можно подумать, что будущее в мирное время бывает более надежным.

Кан покачал головой.

— Сегодня от меня толку мало, Росс. Кармен написала мне письмо. Наконец-то собралась! Она считает, что нам лучше расстаться. По-дружески. Мы, мол, не понимаем друг друга. И мне велено не писать ей больше. У нее есть кто-нибудь?

Я озадаченно посмотрел на него. Видимо, его глубоко задела эта история.

— Я ничего такого не заметил, — ответил я. — Она живет довольно скромно в Вествуде, среди кур и собак, души не чает в своей хозяйке. Я видел ее несколько раз. Она довольна, что ничего не делает. Не думаю, чтобы у нее кто-нибудь завелся.

— Как бы вы поступили на моем месте, Росс? Поехали бы туда? Привезли бы ее назад? А согласилась бы она уехать?

— Не думаю.

— Я тоже. Так что же мне делать?

— Ждать. И ничего больше. Ни в коем случае не писать. Может быть, она сама вернется.

— Вы в это верите?

— Нет, — сказал я. — А вас это так волнует?

Некоторое время он молчал.

— Это не должно было бы вовсе меня волновать. Совершенно не должно. Было легкое увлечение, а потом вдруг разом все изменилось. Знаете, почему?

— Потому что она решила уехать. А почему же еще?

На его лице появилась меланхолическая улыбка.

— Просто, не правда ли? Но когда такое случается, смириться очень трудно.

Я подумал о Наташе. Почти то же самое чуть не случилось и у меня с ней — и, может, уже случилось? Я гнал от себя эту мысль, размышляя о том, что же посоветовать Кану. Все это как-то не сочеталось с ним. Ни Кармен, ни эта ситуация, ни его меланхолия. Одно не вязалось с другим и потому было чревато опасностью. Если бы такое случилось с наделенным бурной фантазией поэтом, это было бы смешно, но понятно. В случае же с Каном все было непонятно. Видимо, этот контраст трагической красоты и флегматичной души был для него своего рода интеллектуальной забавой, в которой он искал прибежища. И то, что он серьезно воспринял историю с Кармен, являлось роковым признаком его собственного крушения.

Он поднял бокал.

Эрих Мария Ремарк

— Как мало мы можем сказать о женщинах, когда счастливы, не правда ли? И как много, когда несчастны.

— Это правда. Вы считаете, что могли бы быть счастливы с Кармен?

— А вы думаете, что мы не подходим друг другу? Это так. Однако с людьми, которые подходят друг другу, расстаться просто. Это как кастрюля с притертой крышкой. Такое сочетание можно нарушить совершенно безболезненно. Но если они не подходят и нужно брать в руки молоток, чтобы подогнать крышку к кастрюле, то легко что-нибудь сломать, когда попытаешься снова отделить их друг от друга.

— Это только слова, — сказал я. — Все в этих рассуждениях не так. Любую ситуацию можно вывернуть наизнанку.

Кан с трудом сдержался.

— И жизнь тоже. Забудем Кармен. Я, наверное, просто устал. Война подходит к концу, Роберт.

— Поэтому вы и устали?

— Нет. Но что будет дальше? Вам известно, что вы будете делать потом?

— Разве кто-нибудь может точно ответить на такой вопрос? Пока трудно даже представить себе, что война может кончиться. Так же, как я не могу представить себе, чем буду заниматься после войны.

— Вы думаете остаться здесь?

— Мне не хотелось бы говорить об этом сегодня.

— Вот видите! А я постоянно думаю об этом. Тогда для эмигрантов наступит миг отрезвления. Последней опорой для них была учиненная над ними несправедливость. И вдруг этой опоры больше нет. И можно вернуться. А зачем? Куда? И кому мы вообще нужны? Нам нет пути назад.

Тени в раю

— Многие останутся здесь.

Он с досадой махнул рукой.

— Я имею в виду людей надломленных, а не ловких дельцов.

— А я имею в виду всех, — возразил я, — в том числе и дельцов.

Кан улыбнулся.

— Ваше здоровье, Роберт. Сегодня я болтаю сущий вздор. Хорошо, что вы здесь. Радиоприемники — хорошие ораторы, но зато какие плохие слушатели! Вы можете себе представить, что я буду доживать век в качестве агента по сбыту радиоаппаратуры?

— А почему бы и нет? — сказал я. — Только почему в качестве агента? Вы станете владельцем фирмы.

Он посмотрел на меня.

— Вы думаете, это возможно?

— Не знаю, не уверен, — ответил я.

— То-то и оно, Роберт.

Он рассмеялся.

— Вино выпито, — заметил я. — А мы совсем забыли пожертвовать последнюю каплю богам. Может быть, поэтому мы и настроились на излишне меланхолический лад. Как насчет мороженого? Вы ведь так его любите!

Он покачал головой.

— Все обман, Роберт. Иллюзия легкой жизни. Самообман. Я отказался разыгрывать веселость перед самим собой. Гурман. Мошенник. Я превращаюсь просто в старого еврея.

— И это в тридцать-то пять лет?

— Евреи всегда старые. Они и рождаются стариками. На каждом с рождения лежит печать двухтысячелетних гонений.

Эрих Мария Ремарк

— Давайте-ка возьмем с собой бутылку водки и разопьем ее, беседуя о жизни.

— Евреи даже и не пьяницы. Нет, уж лучше я пойду домой, в свою комнату над магазином, а завтра вволю посмеюсь над собой. Доброй ночи, Роберт.

— Я провожу вас, — сказал я, глубоко встревоженный. Из ресторанного тепла мы вышли на трескучий мороз.

В эту ветреную ночь аптечные магазины и закусочные светились особенно холодным, безжалостным неоновым светом.

— В некоторых ситуациях героическое одиночество кажется нелепым, — сказал я. — Ваша холодная каморка...

— Она слишком жарко натоплена, — перебил меня Кан. — Как, впрочем, всюду в Нью-Йорке.

— Нью-Йорк слишком натоплен и слишком холоден, холоден, как этот проклятый неоновый свет — сама безутешность; кажется, что один бродишь по улицам и стучишь зубами от холода. Почему бы вам не перебраться в плюшевую конуру гостиницы «Ройбен»? Среди гомосексуалистов, сутенеров, самоубийц и лунатиков чувствуешь себя в большей безопасности, чем где бы то ни было. Будьте же благоразумны и перебирайтесь к нам!

— Завтра, — сказал Кан. — На сегодня у меня назначено свидание.

— Глупости.

— Да, свидание, — повторил он. — С Лиззи Коллер. Теперь вы верите?

«С одной из двойняшек», — подумал я. А почему бы и нет? Странно, но она, как мне казалось, еще меньше подходила Кану, чем Кармен. Прелестная внешне,

Лиззи была домовитой, она нуждалась в ласке, как заблудшая кошка, будучи притом гораздо умнее, чем Кармен; и вдруг в эту холодную, ветреную ночь меня осенило, почему Кан мог быть только с Кармен: это сочетание своей бессмысленностью снимало бессмысленность лишенного корней бытия.

Кан смотрел на улицу, где, как разбросанные угли, красновато мерцали задние фонари автомобилей, тщетно пытаясь согреть холодную темноту.

— Эта призрачная война с невидимыми ранеными и невидимыми убитыми, с неслышными разрывами бомб и безмолвными кладбищами подходит к концу. Что останется от всего этого? Тени, тени — и мы тоже всего лишь тени.

Мы подошли к радиомагазину. Приемники блестели в лунном свете, как автоматические солдаты будущей войны. Я поднял голову. В окне у Кана горел свет.

— Не оглядывайтесь по сторонам, точно озабоченная наседка, — сказал Кан. — Вы видите, что я не потушил света. Не могу приходить в темную комнату.

Я подумал о двойняшке, которая тоже боялась собственной комнаты. Может быть, она действительно сидела сейчас наверху и причесывалась. Но это, конечно, было не так и только усугубляло общее состояние полной безнадежности.

— Что, в Нью-Йорке будет еще холоднее? — спросил я.

— Да, еще холоднее, — ответил Кан.

В ушах у Наташи были серьги, в которых сверкали крупные рубины, колье было из рубинов и алмазов, а на пальце великолепное кольцо.

Эрих Мария Ремарк

— В кольце сорок два карата, — прошептал мне на ухо фотограф Хорст. — Собственно, нам нужен был для этого большой звездчатый рубин, но таких не найти, их нет даже у «Ван Клеефа и Арпельса». Мы хотим снять ее руки. В цвете. Ну, а звезду можно подрисовать. Сделать даже еще красивее, чем на самом деле, — добавил он с удовлетворением. — В наше время ведь все сплошной монтаж.

— Да? — спросил я и посмотрел на Наташу, на которой было белое шелковое платье.

Вся сверкая рубинами, она спокойно сидела на возвышении в ярком свете софитов. Ничто не напоминало о том, что прошлым вечером она лежала на моей кровати и хрипло кричала, изогнувшись, как тетива: «Ломай меня! Ну разорви же меня!»

— Конечно! — заявил Хорст. — Женщины, как и политики, все больше применяют монтаж. Фальшивые бюсты, зады с накладками из пористой резины, грим, искусственные ресницы, парики, вставные зубы — все фикция, обман, мираж. Добавьте к этому мягкую наводку на резкость, неконтрастные линзы, утонченные световые эффекты, и вот годы уже тают, как сахар в кофе. Voilà*. А политики? Большинство не умеют ни читать, ни тем более писать. Для этого у них есть маленькие умные евреи, которые составляют им речи, референты, подбрасывающие им bon mot**, есть авторы, пишущие за них книги, консультанты, стоящие за их спиной, актеры, отрабатывающие с ними правильную осанку, а то и пластинки, говорящие за них. — Он поднялся и подскочил к своему аппара-

___
* Вот так-то (*фр.*).
** Острое словцо (*фр.*).

ту. — Так хорошо, Наташа! Минуточку, не двигайтесь. Готово!

Наташа спустилось со своего возвышения, выскользнув из белых лучей света, и в один момент превратилась из императрицы в сверкающую драгоценностями жену фабриканта оружия.

— Я только переоденусь, — сказала она. — Еще осталось что-нибудь от гуляша?

Я покачал головой.

— Его хватило на три дня. Вчера вечером мы выскребли остатки. Драгоценности ты должна взять с собой?

— Нет. Их возьмет вон тот светловолосый человек от «Ван Клеефа».

— Хорошо. Тогда мы можем пойти куда угодно.

— У меня еще съемка в платье из весенней коллекции. Боже, как мне хочется есть.

Я сунул руку в карман. Мне были знакомы ее приступы голода; она страдала болезнью, противоположной диабету, с ужасным названием «гипогликемия». Эта болезнь заключается в том, что содержание сахара в крови уменьшается быстрее, чем у нормальных людей. В результате человек совершенно внезапно ощущает резкий приступ голода. Когда Наташа жила на Пятьдесят седьмой улице, я нередко просыпался ночью, думая, что в квартиру залезли воры, и заставал ее перед холодильником: голая, магически освещенная светом из холодильника, она с упоением расправлялась с холодной котлетой, держа в другой руке кусок сыра.

Я достал из кармана сверток, завернутый в пергамент.

— Бифштекс по-татарски, — сказал я. — На, замори червячка.

Эрих Мария Ремарк

— С луком?

— С луком и с черным хлебом.

— Ты ангел! — воскликнула она, передвинула колье, чтобы не мешало, и принялась есть.

Я привык носить такие пакетики в карманах, когда мы шли куда-нибудь, где несколько часов подряд нельзя было поесть, — особенно когда мы отправлялись в кино или в театр. Это избавляло меня от многих неудобств, так как Наташа очень сердилась, когда ее начинал мучить неудержимый приступ голода, а поблизости нельзя было достать ни кусочка хлеба. Она ничего не могла с собой поделать. Это походило на своего рода физиологическое помешательство. Дело в том, что она ощущала голод значительно острее и резче, чем другие люди, будто целый день до этого постилась. Как правило, в кармане пиджака я носил маленькую бутылочку, в которую входило лишь два глотка водки. Если к этому прибавить бифштекс по-татарски, получалось поистине царское лакомство, хотя водка, естественно, не была холодной. Урок такой запасливости когда-то преподал мне человек, от которого я получил паспорт. «Телесный комфорт куда важнее душевных порывов, — сказал он мне. — Стоит лишь чуть-чуть побеспокоиться, и человек уже счастлив».

Наташа, конечно, снова обгоняла времена года на один сезон. В ателье уже не видно было больше меховых манто, зато появилось несколько легких жакетов из каракульчи, которые девушки-ученицы уже тоже собрались упаковать. В ателье у Хорста был май. Шерстяные костюмы светлых тонов: кобальтовый, цвета нильской воды, кукурузно-желтый, светло-коричневый — и каких только соблазнительных названий здесь не было! «Май, — сказал я себе. — В мае должна окончиться война». «А что потом?» — спрашивал меня Кан. «Что потом?» — думал я, глядя на Наташу, которая появилась из-за ширмы в коротком платье-костюме с развевающимся шифоновым шарфом, худенькая, шагая как-то неуверенно, будто ноги у нее были слишком длинные. «Где-то мне доведется быть в мае?» Я вновь утратил ощущение времени, будто у меня выскользнул из рук и лопнул под ногами пакет с помидорами, и вот перед глазами завертелся бессмысленный калейдоскоп. «Мы все уже непригодны для нормальной жизни! — говорил Кан. — Могли бы вы представить себе, к примеру, меня в роли агента какой-нибудь радиофирмы, обремененного семьей, голосующего за демократов на выборах, откладывающего деньги и мечтающего стать главою своего церковного прихода? Мы никуда не годимся, а многих к тому же здорово поистрепала судьба. Часть из нас отделалась легкими ранениями, некоторые извлекли из этого даже выгоду, тогда как другие стали калеками; но пострадавшие, о которых главным образом идет речь, никогда уже не смогут оправиться и в конце концов погибнут». Май сорок пятого года! А может быть, июнь или июль! Время, которое так мучительно тянулось все эти годы, казалось, вдруг галопом помчалось вперед.

Я смотрел на Наташу, освещенную со всех сторон: она стояла на возвышении в профиль ко мне, чуть подавшись вперед, — наверное, от нее еще немного пахло луком; она была как фигура богини на носу невидимого судна, которое неслось в море света наперегонки со временем.

Неожиданно все софиты разом потухли. Мрачноватый и рассеянный свет обычных студийных ламп с трудом пробирался сквозь серую дымку.

— Конец! — воскликнул Хорст. — Сматываем удочки! На сегодня хватит!

Под шуршанье оберточной папиросной бумаги и картона ко мне приближалась Наташа. На ней была взятая напрокат шуба и рубиновые серьги.

— Я не могла иначе, — сказала она. — Оставила их на сегодняшний вечер. Завтра отошлю назад. Я уже сколько раз так делала. Вон тот молодой блондин знает. Великолепные вещи, правда?

— А если ты их потеряешь?

Она бросила на меня такой взгляд, будто я позволил себе неприличное замечание.

— Они же застрахованы, — сказала она. — «Ван Клееф и Арпельс» застраховали все, что дают нам напрокат.

— Прекрасно, — поспешил сказать я, чтобы, как часто бывало в таких случаях, не заслужить упрека в мещанстве. — Теперь я знаю, куда мы пойдем. Будем ужинать в «Павильоне».

— Можем сегодня поужинать полегче, Роберт! Я ведь уже съела бифштекс по-татарски.

— Закатим ужин, точно мы мошенники или фальшивомонетчики, то есть роскошнее даже, чем владетельные магнаты из мещан.

Мы направились к двери.

— Боже праведный! — воскликнула Наташа. — «Роллс-ройс»-то ждет, а я про него совсем забыла!

Я остановился как вкопанный.

— И Фрезер там? — спросил я недоверчиво.

— Конечно, нет. Он сегодня уехал и сказал, что вечером пришлет машину за мной, так как предполагал, что я могу задержаться. А я забыла.

— Отошли его.

— Но, Роберт, ведь он все равно уже здесь. Мы и так часто ездили на нем. И ничего особенного в этом нет.

— Это во мне говорит моя мещанская натура, — сказал я. — Раньше все было не так. А сейчас я люблю тебя и, как мелкий капиталист, в состоянии заплатить за такси.

— Разве мошенникам и фальшивомонетчикам не подобает ездить в «роллс-ройсе»?

— Это очень соблазнительно. Поэтому я затрудняюсь сразу дать ответ. Возьмем такси, чтобы потом не раскаяться. Приятный вечер, потрескивает мороз. Скажи шоферу, что мы хотим поехать в лес или пойти прогуляться.

— Как тебе угодно, — произнесла она медленно и сделала шаг вперед.

— Стой! — крикнул я. — Я передумал и прошу меня извинить, Наташа. То, что тебе доставляет удовольствие, важнее, чем мораль, пропитанная едкой кислотой ревности. Поехали!

Она сидела рядом со мной, как диковинная птица.

— Я не сняла грима, — сказала она. — Это заняло бы много времени, и я умерла бы с голоду. Кроме того, у Хорста в студии слишком шумно — нельзя спокойно разгримироваться. Перемажешься, потом снимаешь все кольдкремом и выглядишь, как ощипанная курица.

— Ты похожа не на ощипанную курицу, — сказал я, — а на голодную райскую птицу, залетевшую куда не надо, или украшенную для жертвоприношения девушку неизвестного племени в Тимбукту или на Гаити. Чем больше женщина меняет свою внешность, тем лучше. Я — старомодный поклонник женщин и отношусь к ним, как к чему-то необыкновенному, попавшему к нам из джунглей и девственного леса. Вместе с тем

Эрих Мария Ремарк

я — враг женщин, претендующих на роль полноправного компаньона и партнера по бизнесу.

— Да ты же настоящий варвар!

— Скорее — безнадежный романтик.

— Как ты думаешь, во мне достаточно варварства? Искусственные ресницы, театральный грим, похищенные драгоценности, новая прическа и взятая напрокат шуба — достаточно всего этого для твоего представления о фальшивомонетчиках?

Я рассмеялся. Она ведь не знала о моем фальшивом имени и фальшивом паспорте и принимала все это за шутку.

— Хорст прочел мне целую лекцию, которая еще больше расширила мое представление о женщинах и политиках. Здесь, оказывается, встречаются даже фальшивые бюсты, зубы, волосы и зады.

— И у политиков тоже?

— У политиков есть еще и фальшивые убеждения, а под роскошной манишкой — цыплячья грудь, по которой катятся крокодиловы слезы. И это далеко не все. Подожди, пока дойдет очередь до расплаты фальшивыми деньгами!

— Разве мы не делаем это всегда?

Я взял ее за руку.

— Может быть. Но интересы дела превыше всего: в старину, например, ложь не считалась чем-то порочным, она отождествлялась с умом. Вспомни лукавого Одиссея. Как прекрасно сидеть здесь с тобой под гирляндами фонарей, в окружении плоскостопых официантов и наблюдать за тем, как ты уписываешь этот бифштекс. Я тебя обожаю по многим причинам, Наташа, и прежде всего, наверное, потому что ты ешь с таким аппетитом в наш век, когда диета является основой основ на этом гигантском сытом острове, возвышающемся между двумя океанами на фоне голодающей планеты. Здешние женщины испытывают страх перед лишним листком салата, они питаются только травой, как кролики, в то время как целые континенты страдают от голода. Ты же с таким мужеством разделываешься с этим куском говядины! Мне доставляет удовольствие наблюдать за тем, как ты ешь. На других женщин выбрасывают кучу денег, а они поковыряют в тарелке и оставляют почти все нетронутым. Так и хочется придушить их в каком-нибудь темном углу. Ты же...

— Это о каких других женщинах идет речь? — перебила меня Наташа.

— Все равно о каких. Посмотри вокруг. Их полно в этом чудесном ресторане, они едят салат и пьют кофе и устраивают мужьям сцены только потому, что бесятся от голода. Это единственный вид гнева, на который они способны. А в постели они бревно бревном от истощения, в то время как ты...

Она рассмеялась.

— Ну, довольно!

— Я не собирался углубляться в детали, Наташа. Я хотел лишь воздать хвалу твоему великолепному аппетиту.

— Я знаю, Роберт, хотя я этого и не ожидала. Но мне отлично известно, что ты охотно начинаешь произносить оды и петь гимны, когда думаешь о чем-то другом.

— Что? — спросил я, пораженный.

— Да, — сказала она. — Ты фальшивомонетчик, двурушник и обманщик! Я не спрашиваю, что тебя раздражает и что ты хочешь забыть, но я знаю, что

Эрих Мария Ремарк

это так. — Она нежно погладила меня по руке. — Мы живем в безумное время, не так ли? Поэтому, чтобы выжить, нам надо что-то преувеличивать, а что-то преуменьшать. Тебе не кажется, что я права?

— Может быть, — осторожно сказал я. — Но нам ведь не приходится это делать самим, проклятое время решает это за нас.

Она рассмеялась.

— Не кажется ли тебе, что мы идем на это, чтобы сохранить хотя бы жалкие остатки индивидуальности, а иначе нас всех нивелирует время?

— Ты внушаешь мне тревогу! Где мы вдруг очутились? Ты неожиданно превратилась в сфинкса и говорящего попугая с берегов Амазонки. Если еще добавить к этому твои сверкающие драгоценности и размалеванное, как у воина, лицо, ты прямо дельфийский оракул в девственном лесу Суматры. Ох, Наташа!

— Ох, Роберт! До чего же ты многословен! Я не верю тому, что ты говоришь, но охотно тебя слушаю. Ты даже не знаешь, насколько все это бесполезно. Женщины любят беспомощных мужчин. Это их сокровенная тайна.

— Не тайна, а ловушка, в которую попадаются мужчины.

Она промолчала. Удивительно, какой чужой она мне казалась, когда пускала в ход свои несколько однообразные уловки, которые я уже знал наизусть.

«Как легко быть обманутым и как легко всему верить», — думал я, глядя на нее и всей душой желая, чтобы мы остались, наконец, одни.

— Потому-то я много и говорю, что нисколько не разбираюсь в женщинах, — сказал я. — Но я счастлив с тобой. Не исключено, что я что-то скрываю, и вполне возможно, что из всего этого убожества, которого, правда, нельзя избежать и которое отдается в моей душе лишь призрачным эхом, я хотел бы сохранить для себя кусочек счастья, только для себя. Ведь я ничего ни у кого не беру, ни в кого не стреляю и никого не обкрадываю, не так ли, Наташа? Тем не менее мои чувства не имеют ничего общего с окружающим, ибо они не вытекают из окружающего, а существуют сами по себе, подобно тому как драгоценные камни в твоих ушах уже утратили всякую связь с недрами земли, их породившими. Я счастлив с тобой, и вот тебе долгое объяснение простой мысли: ты должна мне простить это, ибо я ведь журналист в прошлом и слова для меня до сих пор много значат. Мне даже платили за это. Такое не скоро забывается.

— А разве теперь ты другой?

— Я стал немым. Английским я владею настолько, что могу говорить, французским — настолько, что могу писать, но от немецких газет я отлучен. Разве удивительно поэтому, что фантазия рвется ввысь, как сорная трава, и расцветают романтические цветы? В обычной обстановке я не стал бы таким лжеромантиком — ведь это противоречит духу времени.

— Ты так считаешь?

— Нет, но в этом что-то есть.

— Лжеромантиков не бывает, Роберт, — сказала Наташа.

— Нет, бывает. В политике. И они творят страшное зло. Один такой лжеромантик в Берлине как раз отсиживается сейчас в бункере.

Я отвез Наташу домой. «Роллс-ройса», к счастью, уже не было, она его отослала, хотя с нее вполне сталось бы не отпускать машину.

— Тебя не удивляет, что он уехал? — спросила она.

— Нет, — сказал я.

— Ты это предполагал?

— Тоже нет.

— На что же ты рассчитывал?

— Что ты вместе со мной поедешь в «Ройбен».

Мы стояли в подъезде ее дома. Было темно и очень холодно.

— Жаль, что нельзя больше воспользоваться квартирой, верно?

— Да, — сказал я и посмотрел в ее чужое лицо с искусственными ресницами.

— Пойдем со мной наверх, — прошептала она. — Но нам придется любить друг друга молча.

— Нет, — ответил я, — поехали ко мне в гостиницу. Там не надо будет хранить молчание.

— Почему ты не забрал меня с собой сразу из «Павильона»?

— Не знаю.

— Ты не хотел меня?

— Не знаю. Иногда есть желание, а иногда нет.

— Почему же в этот раз его не было?

— Наверное, потому, что ты была такой далекой. Я не знаю. Теперь у меня появилось желание, потому что ты так ужасающе далека.

— Только поэтому?

— Нет.

— Поищи такси. Я подожду здесь.

Я быстро пошел за угол. Было очень холодно. Меня переполняло волнение, оттого что Наташа ждала в темном подъезде. Каждая жилка во мне дрожала. Добежав до следующего угла, я нашел там такси и подъехал к дому. Наташа быстро вышла из подъезда. Мы не произнесли ни слова. Я почувствовал, что и Наташу бьет дрожь. Мы крепко держались за руки, но все равно продолжали дрожать. Мы сами не помнили, как вышли из такси. Нас никто не видел. Казалось, будто мы впервые были вместе.

XXXI

Бетти Штейн умерла в январе. Последнее наступление немецких войск добило ее. Она с жадностью следила за продвижением союзников, комната ее была завалена газетами. Когда же неожиданно началось немецкое контрнаступление, ее мужеству был нанесен страшный удар. Даже провал наступления не придал ей бодрости. Ее охватило чувство страшной безысходности при мысли о том, что теперь война затянется еще на несколько лет. Надежды на то, что немцам удастся избавиться от нацистов, угасали.

— Немцы будут защищать каждый город, — устало говорила она, — это продлится годы. Немцы заодно с нацистами. Они не бросят их в беде.

Бетти таяла на глазах. И однажды утром Лиззи нашла ее в постели мертвой. Она вдруг стала маленькой и легкой, и тем, кто не видел Бетти последнюю неделю, трудно было узнать ее, так сильно она изменилась за это время.

Она не пожелала, чтобы ее сжигали. Утверждала, что этот «чистый» уход из жизни стал для нее неприемлем с тех пор, как безостановочно горели печи в немецких крематориях, извергая, подобно огромному адскому заводу, пламя из сотен труб. Бетти отказывалась принимать даже немецкие лекарства, оставшиеся от старых запасов в Америке. И тем не менее в ней жило неистребимое желание снова увидеть Берлин.

Эрих Мария Ремарк

В ее памяти неизменно возникал Берлин, которого больше не было, но отказаться от которого ее не могло заставить ни одно газетное сообщение, — давно ушедший в прошлое Берлин воспоминаний, который упрямо жил только в сознании эмигрантов, оставаясь для них прежним, знакомым и близким.

Похороны Бетти состоялись в один из дней, когда улицы были завалены снегом. Накануне налетела снежная буря, и город буквально откапывали из белой массы. Сотни грузовиков сбрасывали снег в Гудзон и в Ист-ривер. Небо было очень голубое, а солнце светило ледяным светом. Часовня при похоронном бюро не могла вместить всех пришедших. Бетти помогала многим людям, давно забывшим ее. Теперь, однако, они заполнили ряды этой псевдоцеркви, где стоял орган — собственно, даже и не орган, а просто-напросто граммофон, на котором проигрывались пластинки давно умерших певцов и певиц, как отзвук уже не существовавшей более Германии. Рихард Таубер — еврейский певец, обладатель одного из самых сладких голосов мира, выброшенный варварами за пределы родины и умерший от рака легких в Англии, — исполнял немецкие народные песни. Он пел: «Нет, не могу покинуть я, всем сердцем так люблю тебя». Вынести это было трудно, но таково было желание Бетти. Она не хотела уйти из жизни по-английски. Позади я услышал рыдания, какое-то сопение и, оглянувшись, увидел Танненбаума, небритого, с землистым лицом, с запавшими глазами. По-видимому, он приехал из Калифорнии и не успел поспать. Своей карьерой он был обязан неутомимой натуре Бетти.

Мы еще раз собрались в квартире Бетти. Перед смертью она настаивала и на этом. Она завещала нам быть веселыми. На столе стояло несколько бутылок вина — Лиззи и Везель позаботились о бокалах и пирожных из венгерской булочной.

Веселья не было. Мы стояли вокруг стола, и нам казалось, что теперь, когда Бетти больше нет с нами, от нас ушел не один человек, а много.

— Что будет с квартирой? — поинтересовался Мейер-второй. — Кому она достанется?

— Квартира завещана Лиззи, — сказал Равик. — Квартира и все, что находится в ней.

Мейер-второй обратился к Лиззи:

— Вам наверняка захочется от нее избавиться. Она ведь слишком велика для вас одной, а мы как раз ищем квартиру для троих.

— Плата за нее внесена до конца месяца, — произнесла Лиззи и вручила Мейеру бокал. Тот выпил.

— Вы, разумеется, отдадите ее, а? Друзьям Бетти, а не каким-нибудь чужим людям!

— Господин Мейер, — раздраженно сказал Танненбаум, — неужели обязательно говорить об этом именно сейчас?

— Почему бы и нет? Квартиру трудно найти, особенно старую и недорогую. В таком случае зевать нельзя. Мы уже давно ищем чего-нибудь подходящего!

— Тогда обождите несколько дней.

— Почему? — с недоумением спросил Мейер. — Завтра утром я опять уезжаю, а вернусь в Нью-Йорк только на следующей неделе.

— Тогда обождите до следующей недели. Существует такое понятие, как уважение к памяти человека.

— Об этом я как раз и говорю, — сказал Мейер. — Прежде чем квартиру выхватит из-под носа какой-нибудь чужак, гораздо лучше отдать ее знакомым Бетти!

Танненбаум кипел от ярости. Из-за второй двойняшки он считал себя покровителем и Лиззи тоже.

— Эту квартиру вы, конечно, желаете получить бесплатно, не так ли?

— Бесплатно? Кто говорит, что бесплатно? Можно было бы, наверное, покрыть кое-какие расходы на переезд или купить кое-что из мебели. Вы ведь не станете делать бизнес на столь печальном событии?

— Почему бы и нет? — воскликнул красный от злости Танненбаум. — Лиззи месяцами бесплатно ухаживала за Бетти, и та в знак благодарности оставила ей квартиру, которую, конечно, она не подарит каким-нибудь бродягам, уж можете быть уверены!

— Я вынужден настоятельно просить перед лицом смерти...

— Уймитесь, господин Мейер, — сказал Равик.

— Что?

— Довольно. Изложите ваше предложение фрейлен Коллер в письменной форме, а теперь успокойтесь и ведите себя потише.

— Предложение в письменной форме! Мы что — нацисты? Я же даю слово джентльмена...

— Вот стервятник! — с горечью заметил Танненбаум. — Ни разу не навестил Бетти, а у бедной Лиззи норовит отнять квартиру прежде, чем она узнает, сколько эта квартира стоит!

— Вы остаетесь здесь? — спросил я. — Или у вас есть еще дела в Голливуде?

— Я должен вернуться. У меня небольшая роль в ковбойском фильме. Очень интересная. А вы слышали, что Кармен вышла замуж?

— Что?

— Неделю назад. За фермера в долине Сан-Фернандо. Разве она не была близка с Каном?

— Я этого точно не знаю. Вам доподлинно известно, что она вышла замуж?

— Я был на свадьбе. Свидетелем у Кармен. Ее муж грузный, безобидный и вполне заурядный. Говорят, что раньше это был хороший игрок в бейсбол. Они выращивают салат, цветы и разводят птицу.

— Ах, куры! — воскликнул я. — Тогда все понятно.

— Ее муж — брат хозяйки, у которой она жила.

Я удивился, что Кана не было на панихиде. Теперь мне стало ясно, почему он отсутствовал. Хотел избежать идиотских вопросов. Я решил зайти к нему. Был обеденный час, и он в это время бывал свободен.

Я застал его в обществе Хольцера и Франка. Хольцер раньше был актером, а Франк — известным в Германии писателем.

— Как там похоронили Бетти? — спросил Кан. — Ненавижу похороны в Америке, поэтому и не пошел. Розенбаум, наверное, произносил свои дежурные речи у гроба.

— Его трудно было остановить. По-немецки и по-английски, — конечно, с саксонским акцентом. По-английски, к счастью, совсем коротко. Не хватало слов.

— Этот человек — настоящая эмигрантская Немезида, — сказал Кан, обращаясь к Франку. — Он был в прошлом адвокатом, но здесь ему не разрешают заниматься частной практикой, поэтому-то он и выступает везде, где только представится случай. Охотнее всего на собраниях. Ни один эмигрант не попадает в крематорий без слащавых напутствий Розенбаума. Он всюду вылезает без приглашения, ни минуты не сомневаясь, что в нем остро нуждаются. Если я когда-нибудь умру, то постараюсь, чтобы это произошло в открытом море, дабы избежать встречи с ним, но, боюсь, он появится на корабле как безбилетный пассажир или попытается проповедовать с вертолета. Без него не обойтись.

Я посмотрел на Кана. Он был очень спокоен.

— Он может разглагольствовать у меня на могиле сколько угодно, — мрачно бросил Хольцер. — Но только в Вене, после освобождения. На могиле стареющего героя-любовника с лысиной и юной душой.

— На лысину можно надеть парик, — заметил я.

В 1932 году Хольцер был любимцем публики. В утренних спектаклях он играл молодых героев-любовников, играл свежо и естественно. В нем счастливо сочетались талант и блестящая внешность. Теперь он отяжелел на добрых пятнадцать фунтов, у него появилась лысина, выступать в театрах Лондона он не мог, и все эти неудачи превратили его в мрачного мизантропа.

— Я уже не смогу показаться перед своей публикой, — сказал он.

— Ваша публика стала тоже на двенадцать лет старше, — сказал я.

— Но она не видела, как я старел, она не старела вместе со мной, — парировал он. — Она помнит меня, Хольцера, каким я был в тридцать втором.

— Вы смешны, Хольцер, — сказал Франк. — Подумаешь, проблема. Перейдете на характерные роли, и все тут.

— Я не характерный актер. Я типичный герой-любовник.

— Хорошо, — нетерпеливо прервал его Франк. — Тогда вы станете просто героем или как там это у вас в театре называется. Ну, скажем, пожилым героем. И у Цезаря была лысина. Сыграете, в конце концов, короля Лира.

— Но для этого я еще недостаточно стар, господин Франк!

— Послушайте! — воскликнул Франк. — Я не вижу в этом проблемы. Мне было шестьдесят четыре, как говорится, в пору творческого расцвета, когда в тридцать третьем сожгли мои книги. Скоро мне будет семьдесят семь. Я уже старик, не могу больше работать. Все мое достояние — восемьдесят семь долларов. Вы только посмотрите на меня!

Франк был немцем до мозга костей, поэтому иностранные издатели, иногда выпускавшие его книги в переводе, второй раз уже не рисковали это делать, так как его книги никто не покупал. К тому же Франк не мог выучить в должной степени английский, потому что для этого он слишком немец. Он с трудом перебивался случайными авансами и пособиями.

— После войны ваши книги снова будут издаваться, — заметил я.

Он с сомнением взглянул на меня.

— В Германии? В стране, которую двенадцать лет воспитывали в национал-социалистском духе?

— Именно потому, — сказал я, не веря в это.

Франк покачал головой.

— Я забыт, — возразил он, — им там нужны другие писатели. Мы им больше не нужны.

— Как раз вы-то и нужны!

— Я? В тридцать третьем году у меня было так много творческих планов, — тихо сказал Франк. — А теперь я ни на что не способен. Я стар. Это страшно. Пока старость не наступит, в нее трудно поверить. Теперь я понимаю, что это такое. И знаете, с каких пор? С того момента, когда я впервые понял, что война для нацистов проиграна и что, наверное, можно будет вернуться.

Все молчали. Я выглянул в окно. Там тускло светилось зимнее небо, от грохота грузовиков в комнате все слегка дрожало. Потом я услышал, как Франк и Хольцер простились и ушли.

— Какое утро! — сказал я Кану. — Какой чудесный день!

Он кивнул в знак согласия.

— Вы, разумеется, слышали, что Кармен вышла замуж?

— Да, от Танненбаума. Но в Америке легко развестись.

Кан засмеялся.

— Мой дорогой Роберт! Чем вы еще можете меня утешить?

— Ничем, — ответил я. — Так же как и Хольцера.

— И так же как Франка?

— О, нет! Здесь, черт возьми, огромная разница. Вам ведь не семьдесят семь.

— Вы слышали, что сказал Франк?

— Да. Он конченый человек и не знает, что ему теперь делать. Он состарился незаметно для себя. А мы — нет.

Мне бросилась в глаза сосредоточенность и вместе с тем какая-то растерянность Кана. Я связывал это с Бетти и с Кармен. Я надеялся, что это скоро пройдет.

— Радуйтесь, что не присутствовали на панихиде у Бетти, — сказал я. — Было ужасно.

— Ей повезло, — задумчиво произнес Кан. — Она умерла вовремя.

— Вы думаете?

— Да, представьте себе, что было бы, если бы она вернулась. Она не вынесла бы разочарования. А так она умерла в ожидании. Я знаю, что в конце ее охватило отчаяние, но какая-то искорка веры, наверное, все же теплилась. Вера придает сил.

— Как и надежда.

— Надежда более уязвима. Сердце продолжает верить, а мозг уже глух.

— Не слишком ли вы осложняете себе жизнь?

Он рассмеялся.

— Когда-нибудь даже автоматы перестанут подчиняться человеку. Они не взорвутся, а просто остановятся.

Я понял, что убеждать его в чем-то бессмысленно. Кан метался по кругу, как собака, страдающая запором. Любой, даже самый слабый намек он улавливал своим напряженным и бдительным умом и отвергал еще прежде, чем он был высказан. Кана надо было оставить одного. К тому же я и сам чувствовал усталость. Ничто так не утомляет, как беготня по кругу, а еще более утомительно при этом следовать за кем-то.

— До завтра, Кан, — сказал я. — Мне еще надо зайти к антиквару посмотреть картины. Зачем вы позвали таких людей, как Хольцер и Франк? Вы ведь не мазохист.

— Оба пришли с панихиды Бетти. Вы их там не видели?

— Нет. Там было полно людей.

— Они побывали там, а потом зашли ко мне, чтобы отвлечься. Боюсь, я предоставил их своей судьбе.

Я ушел. Чисто деловая, хотя и несколько своеобразная атмосфера у Силверса подействовала на меня благотворно.

— Твой знакомый с Пятьдесят седьмой улицы не собирается в зимний отпуск? — спросил я Наташу. — Во Флориду, Майами или Палм-Бич? Может, у него больные легкие, или больное сердце, астма, или какие-нибудь другие недуги, для которых климат Нью-Йорка слишком суров?

— Он не выносит жары. Летом в Нью-Йорке как в бане.

— Нам от этого не легче. Как трудно бедному человеку в Америке наслаждаться любовью! Без собственной квартиры это почти невозможно. Страна, наверное, полна безутешных онанистов. Проституток в этих стерильных широтах я тоже не видел. Богатырского телосложения полицейские, освобожденные от военной службы именно благодаря своей комплекции, хватают эти хилые зачатки эротики на улицах, как собачники бродячих мопсов, и доставляют их безжалостным судьям, которые приговаривают их к большим штрафам. А где же людям заниматься любовью?

— В автомобилях.

— А тем, у кого их нет? — спросил я, отгоняя мысль о просторном «роллс-ройсе» со встроенным баром; может, Фрезер не умеет править сам, и тогда шофер — это мой ангел-хранитель. — Что делать здоровым молодым людям, если нет борделей? В Европе проститутки на любую цену кружат по улицам, как перелетные птицы. Здесь я пока еще проституток не видел. Как, впрочем, и общественных уборных. Думаешь, это случайно? В Париже эти интимные будки находятся в нескольких метрах друг от друга, стоят на улицах как бастионы из жести и, надо сказать, активно используются. Ночные бабочки вылетают на улицу уже в одиннадцать утра, французам неведомы психиатры. У них почти не бывает истощения нервной системы. Здесь же у каждого свой психиатр, нет общественных туалетов, а проституток могут вызвать только состоятельные люди по хранимым в тайне номерам. А что же делать более бедным людям со всеми этими полицейскими запретами, с бранящимися хозяйками, смиренными пресвитерианцами и жандармами, что им делать зимой без машины, без этого последнего прибежища загнанной в подполье любви?

— Взять машину напрокат.

Я сидел в расшатанном плюшевом кресле того же цвета, что и мебель в холле. Таинственный владелец гостиницы тридцать лет назад, по-видимому, ограбил вагон с плюшем, где, кроме того, везли, наверное, еще и контрабандное виски, иначе трудно объяснить, почему гостиница снизу доверху обита этим ужасным плюшем и везде темнеют пятна от виски.

Наташа лежала на кровати. На столе были остатки ужина, за который нам следовало благодарить американский магазин деликатесов, это великолепное заведение, утешителя всех холостяков, где можно купить горячих кур с вертела, шоколадные пирожные, нарезанную кружками колбасу, всякие консервы, роскошную туалетную бумагу, малосольные огурцы, красную икру, хлеб, масло и липкий пластырь — короче, где можно купить все, кроме презервативов. Последние можно приобрести в другом американском заведении, своего рода комбинации аптеки и закусочной — аптечном магазине, где их с заговорщическим видом вручает вам одетый в белое хозяин, будто он — сложивший с себя сан католический священник, совершающий символическое убиение младенца.

— Дать тебе кусочек шоколадного торта к кофе? — спросил я.

— Дать, и побольше. Сию же минуту. Зима пробуждает аппетит. Пока на улицах лежит снег, шоколадное пирожное для меня — лучшее лекарство.

Я поднялся, достал из чемодана, служившего тайничком, электрическую плитку, поставил на нее алюминиевый чайник с водой и тут же закурил сигарету «Уайт оул», чтобы запах кофе не был слышен в коридоре. Опасности никакой не было — хотя готовить в номере и запрещалось, — ибо никого это не волновало. Но когда Наташа была здесь, я проявлял осторожность. Невидимый хозяин гостиницы вполне мог шмыгать по коридорам. Он никогда этого не делал, и именно это меня так и настораживало. То, чего меньше всего ждешь, как раз и случалось в моей жизни слишком часто: это был один из неписаных законов эмиграции.

Когда я наливал кофе, в дверь тихо, но настойчиво постучали.

— Спрячься под моим пальто, — сказал я. — С головой и ногами. Посмотрю, что там стряслось.

Я повернул ключ в замке и чуть приоткрыл дверь. У порога стояла пуэрториканка. Она приложила палец к губам.

— Полиция, — прошептала она.

— Что?

— Внизу. Три человека. Может быть, они поднимутся и сюда. Будьте осторожны! Обыск.

— Что там произошло?

— Вы один? У вас нет женщины?

— Нет, — ответил я. — Полиция здесь из-за этого?

— Не знаю. Наверное, из-за Меликова. Но неизвестно. Вероятно, будет обыск. Если обнаружат женщину, ее заберут.

«В ванную, — мелькнуло у меня в голове. — Но если полиция устроит облаву и найдет Наташу в ванной, то это только ухудшит дело. Выйти вниз, в холл она не могла, если ищейки уже здесь. Проклятье, — думал я, — что же делать?»

Вдруг рядом с собой я скорее почувствовал, чем увидел Наташу. Как быстро она оделась, просто удивительно. Даже ее маленькая шапочка была уже на голове. Наташа держалась хладнокровно и спокойно.

— Меликов, — сказала она. — Они сцапали его.

Пуэрториканка сделала ей знак.

— Скорее! Вы — ко мне в комнату, а Педро — сюда. Понятно?

— Да.

Наташа быстро огляделась по сторонам.

— До встречи. — И она последовала за женщиной.

Из темного коридора вынырнул мексиканец Педро. Он на ходу пристегивал подтяжки и завязывал галстук.

— Buenas tardes[*]. Так-то оно лучше!

Я все понял. Если появится полиция, то Педро — мой гость, в то время как Наташа будет у пуэрториканки. Куда проще, чем драматичное англосаксонское бегство через окно в уборной по обледеневшим крышам. Я бы сказал, латинская простота.

— Садитесь, Педро, — предложил я. — Сигару?

— Благодарю. Лучше сигарету. Большое спасибо, сеньор Роберто. У меня есть свои.

Он явно нервничал.

— Документы, — прошептал он. — Плохо дело. Может, они все же не появятся.

— У вас нет документов? Скажете, что забыли.

— Плохо дело. У вас документы в порядке?

---

[*] Добрый вечер (*исп.*).

Эрих Мария Ремарк

— Да. В порядке. Но кому приятно встречаться с полицией?

Меня самого временами пробирала нервная дрожь.

— Хотите водки, Педро?

— Слишком крепкий напиток в этой ситуации. Лучше сохранять ясность ума. Но чашечку кофе — с удовольствием, сеньор!

Я налил ему кофе. Педро пил торопливо.

— Что с Меликовым? — спросил я. — Вам что-нибудь известно о нем?

Педро замотал головой. Потом он наклонил ее набок, закрыл глаз, поднял руку, приложил ее к носу и будто втянул в себя воздух. Я понял.

— Вы верите этому?

Он пожал плечами. Мне вспомнились намеки Наташи.

— Мог бы я что-нибудь для него сделать?

— Ничего! — ответил Педро, неотступно следя за мной взглядом. — Держать язык за зубами, — добавил он, бурно жестикулируя. — Иначе Меликову будет еще хуже.

Я уложил плитку в чемодан и огляделся вокруг. Не оставила ли Наташа каких-нибудь следов? Пепельница. Я бесшумно открыл окно и выбросил два окурка со следами красной губной помады. Затем я подкрался к двери, открыл ее и прислушался, пытаясь уловить, что происходит внизу.

В гостинице стояла мертвая тишина. Из холла до меня донеслось какое-то бормотание. Затем послышался топот поднимавшихся по лестнице людей. Я сразу понял, что это полиция. Я уже неплохо в этом разбирался, так как довольно часто слышал такой топот в Германии, Бельгии и Франции. Я быстро закрыл дверь.

— Идут.

Педро бросил сигарету.

— Они поднимаются сюда, — сказал я.

Педро поднял сигарету с пола.

— В комнату Меликова?

— Это мы посмотрим. Почему вы считаете, что полиция будет делать обыск?

— Чтобы хоть что-то найти! Ясное дело.

— Без ордера?

Педро вновь пожал плечами.

— Какой тут нужен ордер? Когда речь идет о бедняках?

Конечно, этого и следовало ожидать. Почему в Нью-Йорке должно быть не так, как в любом другом городе мира? Надо бы мне это знать. Документы у меня в порядке, но не совсем. И у Педро, видимо, тоже. Что до пуэрториканки, я очень сомневался. Только у Наташи было все в порядке. Ее бы отпустили. У нас же проверка затянулась бы. Я отрезал большой кусок шоколадного торта и запихнул в рот. Кормят во всех полицейских участках преотвратительно.

Я выглянул из окна. Напротив светилось несколько окон.

— Где окно вашей приятельницы? — спросил я Педро. — Его видно отсюда?

Он подошел ко мне. От его курчавых волос пахло сладковатым маслом. На шее у него был шрам от фурункула. Он посмотрел вверх.

— Над нами. Этажом выше. Отсюда не видно.

Мы то и дело прислушивались к звукам, доносившимся из холла. Все было тихо. Все, кто был в гостинице, по-видимому, знали: что-то произошло. Никто не спускался вниз. Наконец я услышал тяжелые энергичные шаги сверху. Они затихли внизу. Я приоткрыл дверь.

Эрих Мария Ремарк

— Кажется, полиция уходит. Обыска не будет.

Педро оживился.

— Почему они не оставляют людей в покое? Стоит ли поднимать столько шума из-за какого-то мизерного количества порошка, если он приносит радость? На войне разрывают миллионы людей гранатами. Здесь же устраивают гонение за щепотку белого порошка, будто это динамит какой.

Я внимательно посмотрел на него, на его влажные глаза, на белки с голубым отливом, и мне пришла в голову мысль, что он и сам был бы не прочь понюхать.

— Вы давно знаете Меликова? — спросил я.

— Не очень.

Я молчал — а какое мне было до этого дело? Интересно, можно ли чем-то помочь Меликову. Но я едва ли мог что-то сделать — иностранец да еще с сомнительными документами.

Дверь открылась. Это была Наташа.

— Они ушли, — сказала она. — С Меликовым.

Педро встал. Вошла пуэрториканка.

— Пошли, Педро.

— Благодарю, — сказал я ей. — Большое спасибо за любезность.

Она улыбнулась.

— Бедные люди охотно помогают друг другу.

— Не всегда.

Наташа поцеловала ее в щеку.

— Большое спасибо тебе, Ракель, за адрес.

— Какой адрес? — поинтересовался я, когда мы остались одни.

— Где продают чулки. Самые длинные, какие я только видела. Их трудно найти. Большинство чересчур короткие. Ракель показала мне свои. Просто чудо.

Я не мог удержаться от смеха.

— А мне с Педро было не так весело.

— Разумеется. Он испугался. Он тоже нюхает почем зря! И теперь перед ним проблема: ему придется искать другого поставщика.

— Меликов был поставщиком?

— Мне кажется, не основным. Его принудил к этому тот гангстер, которому принадлежит гостиница. Иначе он вылетел бы отсюда. Нового места он никогда бы не получил — возраст не тот.

— Можно что-нибудь сделать для него?

— Ничего. Это под силу только гангстеру. Вероятно, он поможет ему выбраться. У него очень ловкий адвокат. Ему придется что-то сделать для Меликова, чтобы тот не изобличил его.

— Откуда тебе все это известно?

— Ракель рассказала.

Наташа оглянулась по сторонам.

— А куда девался торт?

— Вот он, я съел кусок.

Она рассмеялась.

— Голод как следствие страха, не так ли?

— Нет. Как следствие осторожности. Кофе выпил Педро. Хочешь кофе?

— Я считаю, мне лучше уйти. Не стоит дважды искушать судьбу. Трудно сказать, не нагрянет ли полиция еще раз.

— Хорошо. Тогда я провожу тебя домой.

— Нет, не провожай. Не исключено, что внизу оставлен наблюдатель. Если я выйду одна, объясню, что была у Ракель. Настоящая авантюра, верно?

— Для меня — даже чересчур настоящая. Ненавижу авантюры.

Она рассмеялась.

Эрих Мария Ремарк

— А я — нет.

Я довел ее до лестницы. И вдруг увидел, что на глазах у нее слезы.

— Бедный Владимир, — пробормотала она, — бедная искалеченная душа.

Быстро, держась очень прямо, она твердой походкой спустилась по лестнице. А я вернулся к себе в каморку и стал приводить ее в порядок — убирать со стола. Почему-то это всегда настраивало меня чуть-чуть на меланхолический лад, так как, по-видимому, ничто в жизни не вечно, даже проклятый шоколадный торт. В порыве неожиданной ярости я распахнул окно и выкинул остатки. Пусть будет праздник кошкам, если мой праздник уже прошел. Без Меликова в гостинице сразу стало пусто. Я спустился вниз. Никого не было. Люди стараются избегать тех мест, где побывала полиция, как чумы. Я немного подождал и даже принялся листать старый номер «Таймс», оставленный каким-то посетителем, но меня раздражало всезнайство этого журнала, который знал больше, чем сам Господь Бог, и преподносил все сведения в расфасованном виде, в готовых маленьких пакетиках под несколько вычурными заголовками. Я прошмыгнул по внезапно осиротевшему холлу, подумав, что человека начинают ценить лишь тогда, когда его больше нет, — чертовски тривиальная, но потому особенно гнетущая истина. Я думал о Наташе и о том, что теперь сложнее будет проводить ее тайком ко мне в комнату. Меня все больше одолевала меланхолия, и я, как бочка с водой в ливень, все больше наполнялся чувством сострадания к себе. День был мрачный, передо мной прошла череда минувших прощаний, а потом я подумал о прощаниях грядущих, и у меня стало совсем тяжело на душе, потому что я не видел выхода. Меня пугала ночь, собственная кровать и мысль о том, что назойливые сны в конце концов доконают меня. Я достал пальто и отправился бродить по морозному белому городу — хотел устать до изнеможения. Я прошел вверх по совершенно тихой Пятой авеню до Сентрал-парка. Справа и слева от меня светились, как стеклянные гробы, запорошенные снегом витрины. Вдруг я услышал собственные шаги и подумал о полиции в гостинице, а затем о Меликове, сидевшем в какой-то клетке; потом я почувствовал, что очень устал, и повернул назад. Я шагал все быстрее и быстрее, ибо усвоил, что иногда это смягчает грусть, но я слишком устал и не чувствовал, так ли это было на сей раз.

XXXII

События вдруг стали разворачиваться с удивительной быстротой. Недели таяли, как снег на улицах. Некоторое время я ничего не слышал о Меликове. Но как-то утром он появился вновь.

— Тебя выпустили! — воскликнул я. — Все кончилось?

Он покачал головой.

— Меня освободили под залог. Дело еще только будет слушаться.

— Против тебя есть какие-нибудь серьезные улики?

— Лучше, если мы не будем об этом говорить. А еще лучше, если ты не будешь задавать вопросов, Роберт. В Нью-Йорке всего надежнее ничего не знать и ни о чем не спрашивать.

— Хорошо, Владимир. Ты похудел. Почему тебя так долго не выпускали?

— Пусть это будет твоим последним вопросом. Поверь мне, Роберт, так лучше. И избегай меня.

— Нет! — запротестовал я.

— Да. А теперь давай-ка выпьем водки. С тех пор, как я последний раз пил водку, прошло довольно много времени.

— Ты плохо выглядишь. Похудел — и такой грустный. Будем надеяться, что скоро все изменится к лучшему.

— В тюрьме мне исполнилось семьдесят лет. Да и давление у меня чертовски высокое.

— Но ведь есть всякие лекарства.

— Роберт, — тихо произнес Меликов, — от забот еще не найдено лекарств. К тому же мне не хочется умереть в тюрьме.

Я молчал. За окном стучала капель.

— Ты не можешь... — сказал я тихо, — ты не можешь сделать то же, что я делал в минуту опасности? Америка велика, а обязательной прописки не существует. Кроме того, каждый штат пользуется большой самостоятельностью и имеет собственные законы. Это не предложение, я просто рассуждаю вслух.

— Я не хочу подвергаться гонениям и розыску. Нет, Роберт, мне надо попытать счастья. Я надеюсь на помощь людей, уже поддержавших меня однажды. Забудем пока обо всем. — Он судорожно улыбнулся. — Выпьем водки в надежде на инфаркт, пока мы еще на свободе.

В марте состоялась помолвка дочери Фрислендера с одним американцем. А в апреле она вышла за него замуж. Фрислендер решил дать по этому поводу два приема: один — как американец, а второй — как бывший эмигрант. Он, правда, был полон твердой решимости с каждым днем все больше американизироваться, считая брак своей дочери с настоящим, коренным американцем еще одним значительным шагом в этом направлении, но вместе с тем он желал показать и нам, людям без гражданства, что хотя он и умалчивает о своем происхождении, но все же не отрекается от него. По этой причине была устроена настоящая свадьба с приглашением родственников мужа — потомков тех, кто прибыл на «Мейфлауерс», — и нескольких избранных эмигрантов: одни из них уже получили гражданство, другие просто были богатыми людьми; второй прием предназначался для простых смертных — короче, для более бедного люда. У меня не было желания идти на это торжество, но Наташа, охваченная неуемной страстью к гуляшу по-сегедски, приготовленному кухаркой Фрислендера, настаивала, чтобы я пошел, надеясь, что я снова принесу домой полную кастрюлю.

По выражению Фрислендера, это был своего рода прощальный вечер, знаменовавший одновременно начало новой жизни.

— Скитания в пустыне приближаются к концу, — сказал он.

— Где же Земля Обетованная? — иронически спросил Кан.

— Здесь! А где же еще? — Фрислендер удивился.

— Стало быть, здесь уже празднуется день победы, да?

— Евреи побед не празднуют, господин Кан. Евреи празднуют избавление, — сказал Фрислендер.

— Молодожены будут и сегодня? — спросил я у фрау Фрислендер.

— Нет. Сразу после свадьбы они отправились во Флориду.

— В Майами?

— В Палм-Бич. В Майами не так изысканно.

Я представил себе их зятя; он был банкиром, а его предки несколько веков тому назад прибыли сюда из Англии на овеянном легендами маленьком судне «Мейфлауерс», этом Ноевом ковчеге американской аристократии, который должен был бы раз в десять превосходить «Куин Мери», чтобы вместить всех каторжников и пиратов, чьи правнуки впоследствии утверждали, будто их предки прибыли на этом корабле.

Я огляделся по сторонам. С самого начала я почувствовал, что обстановка здесь сегодня не такая, как обычно. Фрислендер устраивал вечера для беженцев каждые два месяца. Поначалу он делал это, чтобы образовать нечто вроде эмигрантского центра. Постепенно стало ясно, что ассимиляция шла нормально — полная ассимиляция происходит ведь только во втором поколении. В первом же поколении люди еще держатся вместе.

Причиной этого является недостаточное знание языка, сохранившиеся привычки, кроме того, в пожилом возрасте трудно приспосабливаться к новым условиям. Дети эмигрантов, посещавшие американские школы, без особых усилий усваивали обычаи страны. С родителями же дело обстояло сложнее. Несмотря на всю благодарность за прием, им казалось, что они сидят в этакой приятной тюрьме без стен, и никто из них не отдавал себе отчета в том, что они сами воздвигали вокруг себя все эти преграды и барьеры. Страна же оказалась на редкость гостеприимной.

— Я остаюсь здесь, — сказал Танненбаум. Он приехал из Голливуда, чтобы сыграть в нью-йоркском театре роль эсэсовца. — Это единственная страна, где на нас не смотрят как на оккупантов. Здесь не чувствуешь себя чужестранцем. Во всех прочих странах было по-другому. Я остаюсь здесь.

Везель пристально посмотрел на него.

— А если вы больше не найдете работы? У вас ведь сильный акцент, и, когда кончится война, ролей для вас, очевидно, больше не будет.

— Напротив, тогда-то все и начнется.

— Вы не Бог и не можете все знать, — резко заметил Везель.

— Так же как и вы, Везель. Но у меня есть работа.

— Прошу вас, господа, — воскликнула фрау Фрислендер, — только не ссорьтесь! Сейчас, когда все уже позади!

— Вы так думаете? — спросил Кан.

— Конечно, если только не возвращаться назад! — сказал Танненбаум. — Как, по-вашему, теперь выглядит Германия?

— Родина есть родина, — произнес Везель.

— А дерьмо есть дерьмо.

— А мне придется вернуться, — печально произнес Франк. — Что мне еще остается?

То был основной мотив этого унылого вечера, на который все пришли с думами о будущем. Вдруг случилось то, что и предсказывал Кан: решивших остаться именно потому, что вскоре они получат возможность вернуться, начало мучить какое-то смутное чувство утраты. Перспектива остаться в Штатах не казалась уже столь радужной, как ранее, хотя, в сущности, ничего не менялось. А те, кто намеревался вернуться и перед кем всегда маячила Европа, старая родина,

Эрих Мария Ремарк

вдруг почувствовали, что теперь это вовсе не рай, а разоренная земля, где полно самых разных проблем. Это походило на флюгер: то он поворачивался одной стороной, то другой. Трогательные иллюзии, которыми все они жили, лопались. И те, кто хотел вернуться, и те, кто хотел остаться, равно ощущали себя дезертирами. На этот раз они дезертировали от самих себя.

— Лиззи хочет вернуться, — сказал Кан. — Вторая из двойняшек — Люси — намерена остаться. Их всегда видели вместе. Теперь обе упрекают друг друга в эгоизме, и это подлинная трагедия.

Я посмотрел на него. Я ничего не знал об его отношениях с Лиззи.

— Вы не хотите уговорить Лиззи остаться? — спросил я.

— Нет. Идет великая ломка, — заметил он иронически. — И великое отрезвление.

— И для вас?

— Для меня? — переспросил он, смеясь. — Я просто лопну, как воздушный шарик. Не там и не здесь. А вы?

— Я? Не знаю. Еще достаточно времени подумать об этом.

— Вы же этим только и занимались, пока были здесь, Роберт.

— Есть вещи, раздумье о которых не способствует их прояснению. Потому и не стоит о них слишком долго рассуждать. Это только все портит и усложняет. Такие решения принимаются мгновенно.

— Да, — сказал он. — Это делается мгновенно, вы правы.

Фрислендер отвел меня в сторону.

— Не забудьте, что я вам говорил о немецких акциях. После перемирия их можно будет приобрести за бесценок. Но они будут расти, расти и расти в цене. Можно ненавидеть страну в политическом отношении, но к ее экономике испытывать доверие. А в целом — это нация шизофреников. Толковые промышленники, ученые и организаторы массовых убийств.

— Да, — сказал я с горечью. — И часто все это сочетается в одном лице.

— Я ведь сказал — шизофреники. Будьте и вы шизофреником: наживите себе состояние и можете потом сколько угодно ненавидеть нацистов.

— Не слишком ли это прагматично?

— Называйте как хотите. Зачем же давать промышленным концернам, посылавшим на смерть рабочих-рабов, наживать бешеные деньги?

— Они-то, будьте уверены, все равно не останутся внакладе, — сказал я. — Они все получат: и почести, и ордена, и пенсии, и миллионы в придачу. Как-никак я там родился. Мы видели это после Первой мировой войны. Ну, а вы вернетесь, господин Фрислендер?

— Ни за что! Свои дела я могу решать по телефону. Если вам нужны деньги, я охотно дам вам тысячу долларов. На этой основе там, за океаном, можно начать все, что угодно.

— Благодарю. Вероятно, я приму ваше предложение.

Какое-то мгновение мне казалось, будто произошло короткое замыкание, но свет не погас, а лишь чуть замигал и сразу же загорелся вновь ярко и спокойно. Это был момент, когда тревожное, смутное желание, в котором был и страх и мысль о невозможности возвращения, вдруг неуловимо стало реальностью. Деньги, предложенные мне Фрислендером, нужны мне были, конечно же, не для бизнеса. Они таили в себе возможность возвращения, этих денег было даже больше, чем нужно, чтобы добраться до страны, которая надвигалась на меня, как черное облако. Я стоял под люстрами

Эрих Мария Ремарк

и, точно слепой, смотрел прямо перед собою, не видя ничего, кроме расплывающегося светлого пятна.

Мне еще требовалось время, чтобы прийти в себя. Казалось, будто на меня обрушился смерч огромной силы. Теперь все завертелось у меня перед глазами, свет и тени смешались, а надо всем плыл голос Кана:

— Кухарка уже накладывает гуляш. Берите свою порцию и давайте сбежим отсюда. Ну, как?

— Что? Бежать? Когда?

— Когда угодно! Если хотите — сейчас.

— Так-так! — я снова начал понимать Кана. — Сейчас не могу, — сказал я. — Мне еще надо решить несколько вопросов. Я должен задержаться, Кан. — Мне хотелось собраться с мыслями, а это лучше всего делать в неразберихе, в толчее, среди гостей. К тому же мне не хотелось сейчас говорить с Каном. Все было еще слишком неопределенно, ново, призрачно и в то же время полно значения.

— Хорошо, — сказал Кан. — А я ухожу. Я не могу больше выносить этих восторгов, сантиментов, всей этой неопределенности. Сотни ослепленных птиц забились о прутья своих клеток, обнаружив вдруг, что эти прутья уже не из стали, а из вареных спагетти. И они не знают, что теперь делать — петь или жаловаться. Некоторые уже запели, — угрюмо добавил он. — Скоро они поймут, что чирикать им здесь нечего и что теперь они лишатся последней опоры — романтической тоски по родине и романтической ненависти. Оказывается, разрушенную страну уже нельзя ненавидеть — вот ведь как получается. Доброй ночи, Роберт.

Он был очень бледен.

— Я, наверное, зайду к вам попозже, — сказал я, испугавшись этой бледности.

— Не надо. Я иду спать. Приму несколько таблеток снотворного. Да не бойтесь, — сказал он, увидев выражение моего лица. — Ничего я над собой не сделаю. Желаю приятно провести время на этом торжестве, оказавшемся таким невеселым. Доброй ночи, Роберт.

— Доброй ночи, Кан. Я забегу к вам завтра днем.

— Буду очень рад.

Меня мучила совесть, я уже хотел броситься за ним, но был совершенно сбит с толку этим абсурдным, печальным праздником и тем, что в конце сказал Кан. Я остался и, не очень вникая, слушал Лахмана.

— Мой недуг пройдет, как страшный сон, — говорил он, усиленно мигая.

— А как твой католический бизнес? — поинтересовался я. — Четки и статуэтки святых?

— Там видно будет. Пока что я не спешу. Я лучший коммивояжер нашего времени. Чужая вера дает большую свободу действий. А это здорово помогает бизнесу. К тому же католики мне больше доверяют, потому что я не католик.

— Стало быть, ты не возвращаешься, а?

— Может быть, через несколько лет. Съезжу в гости. Но до этого еще есть время, много времени.

Я с завистью взглянул на него.

— Чем ты занимался раньше? — спросил я. — До нацистов?

— Был студентом и сыном зажиточных родителей. Ничему так и не научился.

Я не мог спросить, что стало с его родителями, но мне хотелось бы знать, что творилось у него в голове. Однажды Кан сказал мне, что евреи — народ не мстительный. Возможно, в этом есть доля истины. Они неврастеники, и их ненависть быстро оборачивается

Эрих Мария Ремарк

смирением, а ради спасения собственного «я» — даже сочувственным пониманием противника. Как любая крайность, да и вообще как любое общее утверждение, это соответствовало действительности лишь отчасти. И тем не менее слова Кана врезались мне в память. Евреи — не мстительный народ, они для этого слишком культурны и интеллектуальны. «Я совсем не такой», — думал я. Я был одинок и казался самому себе троглодитом. Но на сей раз со мной творилось нечто такое, через что я не мог переступить; это странное чувство было так значительно, что все попытки избавиться от него лишь вызывали у меня зуд нетерпения. Это был почти непонятный голос крови, который, как я чувствовал, приведет меня к гибели. Я противостоял этой силе, пытаясь избежать ее, и порой мне казалось, что это мне почти удается. Но затем надвигалось что-то — воспоминание, тяжелый сон или возможность приблизиться к безмолвно поджидающему року, — и все иллюзии избавления оказывались раздавленными, как стая бабочек, побитых градом. Мне снова становилось ясно, что это «нечто» здесь, рядом со мной и что мне его не избежать. Оно было у меня в крови и требовало крови. Я мог при свете дня попытаться иронизировать над ним, подшучивать и насмехаться, но солнечный свет лишь ненадолго рассеивал его, голос крови продолжал звучать и ночью наверстывал свое.

— Не надо грустить, господин Росс, — сказала фрау Фрислендер. — В конце концов это последняя наша встреча в качестве эмигрантов.

— Последняя?

— Скоро все кончится. Времена Агасфера миновали.

Я озадаченно посмотрел на славную толстуху. Откуда это у нее? Вдруг мне без особой причины стало весело. Я забыл Кана и собственные свои мысли. Я глядел в розовое лицо чистой, добродушной глупости, и мне как-то сразу стало ясно, сколь абсурдным был этот скорбно-торжественный вечер с его наивной помпезностью, волнением и растерянностью.

— Вы правы, фрау Фрислендер, — вымолвил я. — Прежде чем устремиться в разные стороны, всем нам напоследок нужно было бы насладиться обществом друг друга. Наша судьба — судьба солдат после войны. Скоро они опять будут только приятелями, но уже не фронтовыми друзьями, все опять будет так, как когда-то. Тогда на прощание нам придется еще раз порадоваться всему тому, чем мы были и чем не были друг для друга.

— Это я и имею в виду! Именно это! Рози уже приготовила вам в последний раз гуляш. Со слезами на глазах. Огромную кастрюлю.

— Великолепно! Мне всего этого будет очень не хватать.

На душе у меня становилось все радостнее. Вполне вероятно, что при этом где-то на дне души оставалось и отчаяние, но, если сказать по правде, когда его не было? Мне казалось, что теперь уже не может случиться ничего плохого, в том числе и с Каном.

Я взял свою кастрюлю гуляша и пошел домой. Мне вдруг показалось, что я могу, наконец, сбросить с себя то, что давило на меня свинцовым грузом, и я ощутил внезапный прилив жизненных сил, не думая о том, что еще может наступить и, вероятно, наступит.

XXXIII

Когда на следующий день я пришел к Кану, его уже не было в живых. Он застрелился. Он лежал не в кровати, а на полу возле стула, с которого, видимо, сполз.

Был очень ясный день, яркий свет почти слепил глаза. Портьеры не были задернуты. Свет лился в комнату. А Кан лежал на полу. В первый момент эта картина показалась мне такой неестественной, что я никак не мог поверить в случившееся. Потом я услышал радио, все еще игравшее и после его смерти, и увидел размозженный череп. И только подойдя ближе, я заметил рану. Кан лежал на боку.

Я не знал, как быть. Я слышал, что в подобных случаях следует вызвать полицию и что ничего нельзя трогать до ее прихода. Какое-то время я неподвижно глядел на то, что осталось от Кана, и где-то во мне гнездилось чувство, что все это неправда. То, что сейчас лежало здесь на полу, имело столь же малое отношение к Кану, как восковые фигуры в музее — к тем, кого они изображают. Я сам чувствовал себя восковой фигурой, но еще живой. И только потом я очнулся и ощутил ужасное смятение и раскаяние: у меня вдруг возникла невыносимо твердая уверенность в том, что именно я повинен в смерти Кана. Накануне вечером он мне все сказал — это было настолько мелодраматично и чуждо характеру Кана, что я не имел права успокаиваться.

Мне стало до ужаса ясно, как одинок был Кан и как он нуждался во мне, а я не замечал ничего только потому, что не желал замечать.

Я не впервые видел мертвеца, и не впервые им оказывался мой друг. Я видел многих людей в ужасных обстоятельствах, но здесь было нечто совсем иное. Для меня и для многих других Кан был чем-то вроде монумента — казалось, он был сделан из более крепкого материала, чем любой другой; он был кондотьером и донкихотом, робингудом и сказочным спасителем, мстителем и баловнем судьбы, элегантным канатоходцем и находчивым Георгием Победоносцем, обманувшим драконов времени и вырвавшим у них жертву. Вдруг я опять услышал радио и выключил его. Я искал глазами хоть какое-нибудь письмо, но мне сразу стало ясно, что я ничего не найду. Он умер так же одиноко, как и жил. И я понял, почему я искал какую-нибудь записку от него: мне хотелось облегчить свою совесть, найти от него хоть слово, хоть какую-нибудь малость, хоть что-нибудь, что могло бы меня оправдать в собственных глазах. Но я ничего не увидел. Зато я увидел размозженную голову в ее ужасающей реальности, хотя казалось, будто я смотрю на нее издалека или через толстое стекло. Я был удивлен и растерян: почему он застрелился? Я даже подумал, что это странная смерть для еврея, но тут же вспомнил, что об этом, со свойственным ему сарказмом, говорил мне сам Кан, и раскаялся в своих мыслях. На меня снова обрушилась мучительная боль и самое худшее из всех ощущений: вот навсегда угас человек, будто его никогда и не существовало, и я волей-неволей виноват в его смерти.

Наконец я взял себя в руки. Надо было что-то предпринять, и я позвонил Равику. Это был единственный врач, которого я знал. Я осторожно снял трубку, будто и она была мертва и ею нельзя было больше пользоваться. В этот полуденный час Равик оказался у себя.

— Я нашел Кана мертвым, — сказал я. — Он застрелился. Не знаю, что делать. Вы можете приехать?

Равик некоторое время молчал.

— Вы уверены, что он мертв?

— Уверен. У него размозжен череп.

Я был близок к истерике, так как мне показалось, будто Равик размышляет, когда ему приехать — сейчас или после обеда; в таких случаях за какие-то секунды много мыслей проносится в голове.

— Ничего не предпринимайте, — посоветовал Равик. — Оставьте все как есть. И ни к чему не прикасайтесь. Я немедленно выезжаю.

Я положил трубку. Мне пришла в голову мысль вытереть трубку, чтобы на ней не было отпечатков пальцев. Но эту мысль я сразу же отверг: кто-то ведь должен же был найти Кана и вызвать врача. «Как сильно кино разлагает наше мышление», — подумал я и мгновенно ощутил ненависть к самому себе за возникшую мысль. Я сел на стул рядом с дверью и принялся ждать. Потом мне показалось трусостью сидеть так далеко от Кана, и я уселся на стол. Повсюду я наталкивался на следы последних мгновений жизни Кана — сдвинутый стул, закрытая книга на столе. Я открыл ее, пытаясь найти какой-то ответ на происшедшее, но это не была ни антология немецкой поэзии, ни томик Франца Верфеля, а всего лишь посредственный американский роман.

Тишина, странно усиливавшаяся приглушенным шумом с улицы, становилась все мучительнее. Казалось, она забилась в узкий темный угол под столом рядом с покойным и сидит там на корточках, будто ждет, когда всякий живой шум, наконец, смолкнет и позволит мертвецу, лежавшему в неудобной позе, выпрямиться, чтобы на сей раз умереть по-настоящему, а не наспех. Даже желтый свет, казалось, замер, парализованный, остановленный на лету какой-то невидимой, таинственной силой, и тишина стала более напряженной, чем самая бурная жизнь. В какой-то момент мне почудилось, что я слышу, как на пол падают капли крови; но сил убедиться в том, что это не так, у меня не было. Кан мертв, и это было непостижимо, — даже смерть кролика бывает трудно осознать, ибо она слишком близка к нашей смерти.

Неслышно вошел Равик, но я испугался так, будто на меня ехал паровой каток. Не останавливаясь, он подошел к Кану и стал его рассматривать. Он не нагнулся над трупом и не дотронулся до него.

— Надо вызвать полицию, — сказал он. — Вы хотите быть при этом?

— А это обязательно?

— Нет, я могу сказать, что я нашел его. Когда является полиция, возникает масса вопросов. Предпочитаете их избежать?

— Теперь уже нет, — сказал я.

— Ваши документы в порядке?

— Это тоже уже не важно.

— Нет, до некоторой степени все еще важно, — возразил Равик. — Вот Кану уже действительно все равно.

— Я останусь, — произнес я. — Мне безразлично, если даже полицейские подумают, что я его убил.

Равик повернулся ко мне.

— Вы, видно, сами так думаете.

Я в упор посмотрел на него.

— Почему вы так считаете?

— Нетрудно угадать. Не ломайте себе над этим голову, Росс. Если во всех случайностях видеть проявление судьбы, нельзя будет и шагу ступить.

Он смотрел в застывшее лицо Кана, которого никто из нас уже не смог бы узнать.

— Мне всегда казалось, что он не знал, чем заняться в мирное время.

— Ну, а вы-то знаете?

— Для врача это проще простого. Снова латать людей, чтобы они погибли в следующей войне. — Он снял трубку и позвонил в полицию. Номер и адрес ему пришлось повторять несколько раз. — Да, он мертв, — повторил он. — Да, хорошо! Когда? Хорошо. — Он положил трубку. — Приедут, как только смогут. Сержант сказал, что они очень заняты. Убийства в первую очередь. Это не единственный случай самоубийства в Нью-Йорке.

Мы сидели и ждали. Опять казалось, будто время мертвым грузом повисло между нами. На приемнике Кана я увидел электрические часы. Странно было подумать: приемник Кана, часы Кана. Это уже был анахронизм. Обладание связано с жизнью. А эти вещи не принадлежали больше Кану, ибо он утратил с ними связь. Они оказались теперь во власти великой безымянности. Они лишились своего хозяина и, безымянные, витали отныне во Вселенной, как предметы, утратившие центр тяжести.

— Вы останетесь в Америке? — спросил я Равика. Он кивнул.

— Мне дважды пришлось сдавать экзамены: в Париже и потом здесь. Если я вернусь, там могут потребовать, чтобы сдал их еще раз.

— Но это невозможно.

Равик бросил на меня иронический взгляд.

— Вы так думаете? — Он указал на лежавшего на полу Кана, которому сейчас нельзя было дать и двадцати лет. — У него не было никаких иллюзий. Нас, наверное, ненавидят, как и прежде. Вы все еще верите сказке о бедных изнасилованных немцах? Загляните же в газеты! Они отстаивают каждый дом, хотя уже десять раз проиграли войну. Они защищают нацистов с большей яростью, чем мать своих детей, да еще и умирают за них. — Он сердито и печально покачал головой. — Кан знал, что делал. И не отчаяние двигало им, он просто был прозорливее нас. — Равик еле сдерживался. — Мне так грустно! — сказал он. — Грустно из-за Кана. Он спас меня в сороковом году. Я был в лагере. Во французском лагере для интернированных. Представьте себе людей, охваченных безумным страхом. Пришли немцы. Комендант не дал нам бежать. Я знал, что меня ищут. Если бы меня нашли, меня бы повесили. Кан разузнал, где я. В форме эсэсовца, с двумя сопровождающими он явился в лагерь, накричал на коменданта-француза и потребовал, чтобы ему меня выдали.

— Ну и как? Получилось? Удачно?

— Не совсем, — сухо бросил Равик. — Комендант вспомнил вдруг о своей проклятой воинской чести. Он заявил, что в лагере меня нет, что меня уже выпустили. Он был не против передать нас всех скопом, но отдельных лиц пытался спасти. Кан взбудоражил весь лагерь, пока нашел меня. Это была комедия ошибок. Я спрятался, так как действительно думал, что пришли гестаповцы. Уже за пределами лагеря Кан дал мне коньяку и объяснил, что произошло. Он выглядел так, что я его не узнал. Усы как у фюрера и перекрашенные волосы. Этот коньяк был лучшим напитком из всех, какие я когда-либо пил. Он раздобыл его неделей раньше... — Равик поднял глаза. — В трудных ситуациях он был самый легкий человек, какого я знал. Здесь же он становился все трудней и трудней. Спасти его было невозможно. Понимаете, почему я вам об этом рассказываю?

— Да.

— У меня больше, чем у вас, оснований обвинять себя. Но я не делаю этого. Куда бы мы зашли, если бы каждый думал, как вы? — медленно произнес Равик.

На лестнице послышался грохот.

— Топот полицейских сапог, — сказал Равик. — Это тоже незабываемо.

— Куда его отвезут? — спросил я.

— В морг для вскрытия. А может, и нет. Причина смерти ведь очевидна.

Дверь распахнулась. Жизнь, грубая и примитивная, ворвалась к нам. Пышущие здоровьем люди с грохотом ввалились в комнату, в их неловких пальцах замелькали огрызки карандашей, послышались глупые вопросы. Кто-то принес носилки. Нас забрали в полицию. Мы назвали свои адреса и в конце концов были отпущены. А Кан остался.

— Хозяин похоронного бюро приветствует нас теперь, как своих старых знакомых, — с горечью произнесла Лиззи Коллер.

Я посмотрел на нее. Она была спокойнее, чем я ожидал. Странно, что Кан не производил на женщин особого впечатления. Равик дал знать Танненбауму, а тот сообщил Кармен, которая ответила, что это для нее не такая уж неожиданность, и продолжала заниматься своими курами. Отношения Кана с Лиззи были не такими продолжительными и близкими, и она была значительно менее подавлена, чем на панихиде по Бетти Штейн. Лицо у нее было розовое и свежее, будто все потрясения давно уже миновали. «Наверное, нашла себе любовника, — подумал я. — Какого-нибудь безобидного эгоиста, которого она понимает. Кан и ее не сумел раскусить: он ведь никогда не интересовался женщинами, которые его понимали».

Был ветреный день, на небе громоздились белые облака. С крыши капало. Я пригрозил Розенбауму, что выставлю его из часовни, если ему взбредет в голову произносить речь у гроба Кана, и он пообещал мне молчать. В последний момент мне удалось уговорить хозяина «дома скорби» не ставить пластинок с немецкими народными песнями. Он даже обиделся и заявил, что другие ничуть не стали бы возражать против этого, скорее наоборот: песня вроде «Ужель возможно это?» им наверняка бы понравилась.

— Откуда вы знаете?

— Во всяком случае, было бы пролито больше слез, чем обычно.

«Все дело в том, как к этому относиться», — подумал я. Хозяин сохранил пластинки после панихиды по Бетти и сделал на этом бизнес. После смерти Моллера он стал специалистом по похоронам эмигрантов.

— Немного музыки непременно должно звучать, — сказал он мне. — Иначе все будет выглядеть чересчур бедно.

Плата за похороны с музыкой возрастала на пять долларов. Я уже велел убрать лавровые деревья у входа, и теперь хозяин уставился на меня так, будто я вырывал последний кусок хлеба из его золотых зубов. Я просмотрел ассортимент его пластинок и отобрал «Ave verum» Моцарта.

— Вот эту пластинку, — сказал я. — А кадки с лавровыми деревьями оставьте, пожалуй.

Часовня была наполовину пуста. Ночной сторож, три официанта, два массажиста и одна массажистка, у которой на руках было только девять пальцев, какая-то неизвестная старуха в слезах — вот и все. Старуху, официанта, у которого раньше был магазин по продаже корсетов в Мюнхене, и массажиста, торговавшего углем в Ротенбурге-на-Таубере, Кан спас во Франции, уведя из-под носа у гестапо. У них никак не укладывалось в голове, что он мертв. Кроме того, было еще несколько человек, которых я едва знал.

Вдруг я увидел Розенбаума. Он пробирался позади жалкого маленького гроба, похожий на черную лягушку. Как завсегдатай похорон, он явился в визитке цвета маренго и в полосатых брюках. Он был единственным среди нас, одетым согласно траурному обряду, в своей визитке, оставшейся от прошлых времен. Он встал перед гробом, широко расставив ноги, покосился на меня и раскрыл рот.

Равик толкнул меня. Он заметил, что я вздрогнул. Я кивнул. Розенбаум взял верх: он знал, что я не рискну устроить драку перед гробом Кана. Я хотел выйти на улицу, но Равик снова толкнул меня.

— Вы не думаете, что Кан рассмеялся бы? — прошептал он.

— Нет. Он даже говорил, что скорее предпочел бы утонуть, чем позволить Розенбауму открыть рот на его похоронах.

— Именно потому, — сказал Равик. — Кан знал: с неминуемым надо смириться. А это неминуемо.

Никакого решения мне, собственно, принимать не пришлось. Одно как бы накладывалось на другое — так, как одна на другую ложатся страницы, а в результате получается книга. Месяцы нерешительности, надежд, разочарований, бунтарства и тяжких снов накладывались друг на друга и без каких-либо усилий с моей стороны превратились в твердую уверенность. Я знал, что уеду. В этом уже не было никакого мелодраматизма — это было почти как итог в бухгалтерской ведомости. Я не мог поступить по-другому. Я возвращался даже не для того, чтобы обрести почву под ногами. Пока я этого не сделаю, мне нигде не найти покоя. Иначе мысль о самоубийстве, отвращение к собственной трусости и, самое ужасное, раскаяние останутся вечными спутниками до конца моих дней. Я не мог не уехать. Я еще не знал, с чего начну, но уже был убежден, что не буду связываться с судами, процессами, требовать кары для виновных. Я имел представление о прежних судах и судьях в стране, куда собирался вернуться. Они были послушными пособниками правительства, и я не мог себе представить, что у них вдруг проснется совесть, ничего общего не имеющая с оппортунистической возможностью переметнуться на сторону тех, кто стоит у власти. Я мог рассчитывать только на самого себя.

Когда Германия капитулировала, я отправился к Фрислендеру. Он встретил меня с сияющим лицом.

— Ну вот, со свинством покончено! Теперь можно приниматься за восстановление!

— Восстановление?

— Разумеется. Мы, американцы, будем вкладывать в эту страну миллиарды.

— Странно, можно подумать, будто разрушения совершаются только для того, чтобы потом восстанавливать разрушенное. Или я рассуждаю неправильно?

— Правильно, только нереалистично. Мы разрушили систему, а теперь восстанавливаем страну. Здесь заложены колоссальные возможности. Взять хотя бы бизнес в строительстве.

Приятно было поспорить с человеком дела.

— По-вашему, система разрушена? — спросил я.

— Само собой разумеется! После такого-то разгрома.

— Военное положение в восемнадцатом году тоже было катастрофическим. И тем не менее Гинденбург —

один из тех, кто нес ответственность за это, — стал президентом Германии.

— Гитлер мертв! — воскликнул Фрислендер с юношеским запалом. — Союзники повесят других или бросят их за решетку. Теперь нужно идти в ногу с эпохой. — Он хитро подмигнул мне. — Поэтому вы ведь и пришли ко мне, а?

— Да.

— Я не забыл того, что предлагал вам.

— Потребуется некоторое время, прежде чем я смогу отдать вам этот долг, — произнес я и почувствовал, как во мне загорается слабая надежда. Если Фрислендер сейчас откажет, мне придется подождать, пока я наберу достаточно денег, чтобы оплатить проезд. Это была отсрочка на короткое время, отсрочка в стране, где теперь, когда я собирался ее покинуть, мне опять почудилось слабое мерцание чужого рая.

— Я привык выполнять то, что обещал, — сказал Фрислендер. — Как вы хотите получить деньги? Наличными или чек?

— Наличными, — сказал я.

— Я так и думал. Такой суммы у меня при себе нет. Придете завтра и получите. А что касается выплаты, то время терпит. Вы хотите их инвестировать, да?

— Да, — сказал я после некоторого колебания.

— Хорошо. Выплатите мне, ну, скажем, шесть процентов. А сами заработаете сто. Это ведь?

— Очень справедливо с вашей стороны.

«Справедливо» было одним из его любимых словечек, хотя он и в самом деле был справедлив. Обычно люди прячутся за любимыми словечками, как в укрытии. Я встал, чувствуя облегчение и в то же время полную безнадежность.

— Большое спасибо, господин Фрислендер.

Какое-то мгновение я смотрел на него со жгучей завистью. Он стоял, цветущий, преуспевающий бизнесмен, в окружении семьи, этакий столп ясного, неколебимого мира. Потом мне вспомнились слова Лиззи о том, что он импотент. Я решил поверить в это хотя бы сейчас, чтобы преодолеть зависть.

— Вы наверняка останетесь в Америке? — спросил я. Он кивнул.

— Для моих дел достаточно телефона. И телеграфа. А вы?

— Я уеду, как только начнут курсировать пароходы.

— Все это теперь скоро устроится. Война с Японией долго не продлится. Мы и там наводим порядок. Сообщение с Европой от этого не пострадает. Ваши документы теперь в порядке?

— Мой вид на жительство продлен еще на несколько месяцев.

— С этим вы вполне можете разъезжать, где захотите. Думаю, что и в Европе тоже.

Я знал, что все не так-то просто. Но Фрислендер был человеком масштабным. Детали — это была не его стихия.

— Дайте о себе знать до отъезда, — сказал он, будто уже установился самый прочный мир.

— Обязательно! И большое вам спасибо.

XXXIV

Все было не так просто, как думал Фрислендер. Прошло еще более двух месяцев, прежде чем дело сдвинулось с мертвой точки. Несмотря на все трудности, это было самое приятное для меня время за долгие годы. Все мучившее меня оставалось и даже, быть

Эрих Мария Ремарк

может, усугублялось; но переносить все стало много легче, ибо теперь у меня появилась цель, перед которой я не стоял в растерянности. Я принял решение, и мне с каждым днем становилось яснее, что иного пути для меня нет. Вместе с тем я не пытался загадывать наперед. Я должен вернуться, все прочее разрешится на месте. Я по-прежнему видел сны. Они снились мне даже чаще, чем прежде, и были теперь еще страшнее. Я видел себя в Брюсселе ползущим по шахте, которая все сужалась и сужалась, а я все полз, полз, пока с криком не проснулся. Передо мной возникло лицо человека, который прятал меня и был за это арестован. На протяжении нескольких лет это лицо являлось мне в моих неясных снах, будто подернутое какой-то дымкой; казалось, жуткий страх, что я не перенесу этого, мешал мне ясно вспомнить его черты. Теперь я вдруг четко увидел его лицо, усталые глаза, морщинистый лоб и мягкие руки. Я проснулся в глубоком волнении, но уже не в той крайней растерянности, не в том состоянии, близком к самоубийству, как прежде. Я проснулся, исполненный горечи и жажды мщения, но подавленности и всегдашнего чувства, будто меня переехал грузовик, не было и в помине. Наоборот, я был предельно сосредоточен, и смутное сознание того, что я еще жив и могу сам распорядиться своей жизнью, преисполняло меня страстным нетерпением; это уже не было ощущение безнадежного конца, нет, это было ощущение безнадежного начала. Безнадежного потому, что ничего и никого нельзя было вернуть к жизни. Пытки, убийства, сожжения — все это было, и ничего уже нельзя ни исправить, ни изменить. Но что-то изменить все же было можно, речь здесь шла не о мести, хотя это чувство и походило на месть и взрастало на той же примитивной почве, что и месть. Это было чувство, свойственное только человеку. Убежденность в том, что преступление не может остаться безнаказанным, ибо в противном случае все этические основы рухнут и воцарится хаос.

Странно, но в эти последние месяцы я, несмотря ни на что, ощущал в себе какую-то удивительную легкость. Все темное, призрачное, нереальное, что было в моей жизни здесь, в Америке, вдруг отошло на задний план, и моему мысленному взору представилась тихая, волшебно-прекрасная картина. Как будто рассеялся туман, все краски мира засверкали вновь, заходящее солнце позолотило идиллию ранних сумерек, безмолвная фата-моргана витала над шумным городом. Это было сознание разлуки, которая все преображала и идеализировала. «Разлука существовала всегда», — думал я; жизнь, полная разлук, на какой-то миг показалась мне схожей с мечтой о вечной жизни, с той лишь разницей, что монотонность Агасферовых скитаний сменилась общением с мертвыми, преображенными в нашем сознании. Каждый вечер был для меня последним.

Я решил только в самый последний момент признаться Наташе, что уезжаю. Я чувствовал, что она обо всем догадывается, но ничего не говорит. Я же предпочитал смириться с обвинениями в дезертирстве и предательстве, нежели терпеть муки бесконечно затянувшегося прощания, связанного с упреками, обидами, краткими примирениями и так далее. Я просто не мог себе этого позволить. Все мои силы были подчинены иной цели, я не мог расточать их в бесплодной скорби, спорах и объяснениях.

Эрих Мария Ремарк

Это были светлые дни, наполненные любовью, как соты медом. Май врастал в лето, появлялись первые сообщения из Европы. Мне казалось, будто раскрывается склеп, долго остававшийся замурованным. Если раньше я избегал новостей или лишь поверхностно отмечал их в своем сознании, чтобы не быть ими поверженным, то сейчас я, напротив, с жадностью набрасывался на них. Дело в том, что теперь они имели прямое отношение к цели, которая засела во мне как заноза: уехать, уехать. Ко всему прочему я оставался слеп и глух.

— Когда ты уезжаешь? — вдруг спросила меня Наташа.

Я немного помолчал.

— В начале июля, — произнес я. — Откуда ты знаешь?

— Во всяком случае, не от тебя. Почему ты ничего не сказал?

— Я узнал об этом только вчера.

— Врешь.

— Да, — ответил я, — вру. Я не хотел тебе этого говорить.

— Ты мог бы преспокойно мне это сказать. А почему бы и нет?

Я молчал.

— Никак не мог решиться, — пробормотал я.

Она рассмеялась.

— Почему? Мы были некоторое время вместе и, надо сказать, не строили никаких иллюзий на этот счет: просто один использовал другого, только и всего. Теперь нам суждено расстаться. Ну и что же?

— Я тебя не использовал.

— А я тебя — да. И ты меня тоже. Не лги! В этом нет необходимости.

— Я знаю.

— Хорошо, если бы ты все-таки перестал врать. Ну хотя бы напоследок.

— Я постараюсь.

Она бросила на меня быстрый взгляд.

— Итак, ты сознаешься, что лгал?

— Я не могу ни сознаваться в этом, ни отрицать этого. Ты вольна думать все, что хочешь.

— Так просто, да?

— Нет, это вовсе не просто. Я уезжаю, правда. Я тебе даже не могу объяснить почему. Вот все, что я могу тебе сказать. Это как будто кто-то должен уйти на войну.

— Должен? — спросила она.

Я молчал, вконец измученный. Мне надо было выдержать.

— Мне нечего добавить, — выдавил я наконец из себя. — Ты права, если речь здесь может идти о правоте. Согласен, я лгун, обманщик, эгоист. Но, с другой стороны, это не так. Кто может во всем разобраться в такой ситуации, где правду трудно отличить от неправды?

— Какая сторона важнее? Что перевешивает?

— То, что я люблю тебя, — произнес я с усилием. — Хотя сейчас, может быть, и не время об этом говорить.

— Да, — ответила она неожиданно мягко. — Сейчас не время, Роберт.

— Почему? — возразил я. — Этому всегда время.

Я видел ее страдания, и они причиняли мне боль, словно я порезал руку острым ножом. Мне так хотелось все изменить, но в то же время я отчетливо понимал, что все это всего-навсего жалкий эгоизм.

— Неважно! — воскликнула она. — Как видно, мы значили друг для друга меньше, чем нам казалось. Мы оба были лгунами.

— Да, — сказал я смиренно.

Эрих Мария Ремарк

— За это время у меня были и другие мужчины. Не только ты.

— Я знаю, Наташа.

— Ты знаешь?

— Нет! — ответил я резко. — Я ничего не знал. Я этому никогда бы не поверил.

— Можешь поверить. Это правда.

Я видел в этом всего лишь выход для ее невероятной гордости. Даже сейчас я не верил ей.

— Я верю тебе, — сказал я.

— Вот уж не ожидала.

Наташа вздернула подбородок. Она мне очень нравилась в такой позе. Я был в отчаянии, как и она, только ее отчаяние было сильнее. Тому, кто остается, всегда хуже, даже если он — нападающая сторона.

— Я люблю тебя, Наташа. Я хотел, чтобы ты это поняла. Не для меня. Для тебя.

— Не для тебя?

Я понял, что снова допустил ошибку.

— Я беспомощен! — воскликнул я. — Неужели ты не видишь?

— Просто мы расходимся как равнодушные люди, которые случайно прошли вместе отрезок пути, никогда не понимая друг друга. Да и как нам было друг друга понять?

Я полагал, что снова подвергнусь нападкам за свой немецкий характер, но чувствовал, что она выжидает. Предвидеть она не могла только одного — что я не стану возражать. Поэтому она отступила.

— Хорошо, что так получилось, — произнесла она. — Я все равно собиралась тебя оставить. Не знала только, как это тебе объяснить.

Я знал, что должен ответить. Но не мог.

— Ты собиралась уйти? — наконец решился я.

— Да. Уже давно. Мы слишком долго были вместе. Такие связи, как наша, должны быть короче.

— Да, — согласился я. — Спасибо тебе за то, что ты не поспешила. Иначе я бы погиб.

Она обернулась ко мне.

— Зачем ты снова лжешь?

— Я не лгу.

— Все слова! Всегда у тебя слишком много слов. И всегда ведь к месту!

— Только не теперь.

— Не теперь?

— Нет, Наташа. Никаких слов у меня больше нет. Мне грустно и неоткуда ждать помощи.

— Опять слова!

Она встала и схватила свою одежду.

— Отвернись, — сказала она, — не хочу больше, чтобы ты так смотрел на меня.

Она надела чулки и туфли. Я смотрел в окно. Окна были распахнуты, было очень тепло. Кто-то разучивал на скрипке «La Paloma»*, без устали повторяя первые восемь тактов, каждый раз делая одну и ту же ошибку. Я чувствовал себя мерзко, я ничего больше не понимал. Мне было ясно только одно: если б я даже остался, теперь всему пришел бы конец. Я слышал, как Наташа сзади меня натягивала юбку.

Я обернулся на скрип двери и встал.

— Не провожай меня, — сказала она. — Оставайся здесь. Я хочу выйти одна. И не появляйся больше. Никогда. Не появляйся больше никогда!

Я пристально смотрел на ее бледное чужое лицо, глаза, глядевшие куда-то поверх меня, на ее рот и ру-

---

* «Голубка» — популярная испанская песня.

Эрих Мария Ремарк

ки. Она даже не кивнула мне, за ней не захлопнулась дверь, а ее уже давно здесь не было.

Я не побежал за ней. Я не знал, что мне делать. Я стоял и смотрел в пустоту.

Я подумал, что можно еще догнать Наташу, если взять такси. Я уже подошел к двери, но затем решил, что все это ни к чему, и вернулся. Я понимал, что это бессмысленно. Еще некоторое время я постоял у себя в комнате: сидеть мне не хотелось. Наконец я спустился вниз. Там был Меликов.

— Ты не проводил Наташу домой? — спросил он удивленно.

— Нет. Ей захотелось уйти одной.

Он посмотрел на меня.

— Это уладится. Завтра же все забудет.

— Ты думаешь? — спросил я, охваченный безумной надеждой.

— Конечно. Пойдешь спать? Или выпьем по рюмке водки?

Надежда еще теплилась. У меня ведь оставалось целых две недели до отъезда. Все вокруг растворилось в потоке радости. У меня было такое чувство, что если я теперь выпью с Меликовым, Наташа завтра позвонит или придет. Не может быть, чтоб мы вот так расстались навсегда.

— Хорошо! — воскликнул я. — Выпьем по одной. Как у тебя дела с судом?

— Через неделю начнется. Так что жить мне осталось еще неделю.

— Почему?

— Если меня засадят надолго, я этого не выдержу. Мне семьдесят, и у меня уже было два инфаркта.

— Я знал человека, который выздоровел в тюрьме, — позволил я себе осторожно заметить. — Никакого алкоголя, легкий труд на воздухе, размеренный образ жизни. Сон только по ночам, а не днем.

Меликов покачал головой.

— Все это для меня яд. Но мы еще посмотрим. Не стоит сейчас об этом думать.

— Правда, — сказал я. — Не стоит. Если б только нам это удалось.

Пили мы немного. У нас обоих было такое чувство, словно нам многое надо было сказать друг другу, и мы уселись поудобнее, будто впереди у нас была долгая ночь. Но потом вдруг оказалось, что обсуждать нечего, и мы совсем умолкли. Каждый погрузился в свои мысли, говорить, собственно, было не о чем. «Не следовало спрашивать Меликова о процессе, — подумал я, — но не в этом дело». Наконец я поднялся.

— У меня на душе кошки скребут, Владимир. Пойду поброжу по улицам, пока не устану.

Он зевнул.

— А я пойду спать, хотя потом у меня наверняка еще будет на это достаточно времени.

— Думаешь, тебя осудят?

— Осудить можно любого человека.

— Без доказательств и улик?

— Можно найти и доказательства, и улики. Доброй ночи, Роберт. Следует остерегаться воспоминаний, тебе ведь это известно, не так ли, старина?

— Да, известно. Я этому уже научился. Иначе меня давно не было бы в живых.

— Воспоминания — чертовски тяжелый багаж. Особенно когда сидишь за решеткой.

— И это мне известно, Владимир. Тебе тоже?

Он пожал плечами.

— Да, как будто. Когда стареешь, многое иной раз забывается. А то вдруг воспоминания появляются

Эрих Мария Ремарк

вновь. Мне на память приходят такие вещи, о которых я не думал больше сорока лет. Странно все это.

— Это приятные воспоминания?

— Отчасти. Потому-то и странно. Приятные воспоминания плохи, потому что это прошлое, неприятные хороши опять-таки потому, что это прошлое. Думаешь, этим можно жить в тюрьме?

— Да, — сказал я. — Там убиваешь время. Если рассуждать так, как мы теперь.

Я ходил по городу, пока не ощутил смертельную усталость. Я прошел мимо дома Наташи, постоял около нескольких телефонных будок, но позвонить не решился. «У меня впереди еще две недели», — думал я. Всегда самое трудное — пережить первую ночь, потому что в подобной ситуации кажется, будто ночь находится совсем рядом со смертью. Чего я, собственно, хотел? Мещански трогательного прощания с поцелуями у трапа загаженного парохода и обещания писать? Разве не лучше было так? Как это говорил Меликов? Не следует тащить за собой груз воспоминаний. Это тяжелый груз, если не состаришься настолько, что воспоминания будут единственным твоим достоянием. А как я сам рассуждал всегда? Не надо культивировать воспоминания, надо держаться от них подальше, чтобы они не удушили тебя, как лианы в девственном лесу. Наташа поступала правильно. А я? Почему я метался, как сентиментальный школьник, облачившийся в жалкие лохмотья тоскливого ожидания и трусости, решительно ни на что не способный? Я ощущал мягкость ночи, чувствовал дыхание гигантского города, и вместо того чтобы легкомысленно идти по жизни, следовать ее течению, я блуждал и метался, как в зеркальном лабиринте, выискивая хоть какую-нибудь лазейку, но вновь и вновь натыкался на себя самого.

Я прошел мимо «Ван Клеефа», и хотя не желал заглядывать в витрину, однако заставил себя остановиться. Я смотрел на драгоценности покойной императрицы в рассеянном свете июнььской ночи, думая о том, как они выглядели бы на Наташе: взятые напрокат драгоценности на взятой напрокат женщине в мире фальшивомонетчиков. Я тешил себя иронией в те дни иллюзорного благополучия, а теперь я смотрел на сверкающие камни и не мог понять, не совершил ли я серьезной ошибки, не променял ли крохи счастья на запыленные и смешные предрассудки, которые ни к чему не могли привести, кроме донкихотской борьбы с несуществующими ветряными мельницами. Я пристально разглядывал драгоценности, не зная, что делать. Я был уверен только в одном, надо как-то пережить эту ночь. Я цеплялся за то, что мне еще целых две недели необходимо пробыть в Нью-Йорке, цеплялся за завтра и послезавтра, как за спасательный круг. Мне важно было пережить только эту ночь. Но как, если именно в эту ночь я не мог быть рядом с Наташей? А если она ждет, чтобы я позвонил ей? Я стоял и шептал: «Нет, нет!» Я действительно шептал снова и снова, я произносил это так, что мог ясно слышать самого себя; это было нечто, уже изведанное мною однажды, раньше это иногда помогало, я говорил с самим собой как с ребенком — твердо и настойчиво: «Нет! Нет! Нет!» или «Завтра, завтра, завтра!» — и теперь я повторял это снова, монотонно, будто заклиная или гипнотизируя себя. «Нет, нет! Завтра, завтра!» — пока не почувствовал, что волнение мое притупилось и я могу идти дальше; я пошел сначала медленно, а затем все быстрее, задыхаясь, пока не добрался до гостиницы.

Эрих Мария Ремарк

Наташу я больше не видел. Возможно, мы оба рассчитывали, что другой даст о себе знать. Я неоднократно порывался ей позвонить, но каждый раз говорил себе, что это ни к чему не приведет. Я не мог перешагнуть через тень, сопровождавшую меня повсюду, и снова и снова повторял себе, что лучше никого больше не тревожить, не бередить свои раны, ибо ничего из этого не выйдет. Иногда мне в голову приходила мысль о том, что, вероятно, Наташа любила меня сильнее, чем она в том признавалась. От этой мысли у меня захватывало дыхание, становилось беспокойно на душе, но мои чувства тонули во всеобщем волнении, с каждым днем все нараставшем. Шагая по улицам, я искал Наташу, но ни разу не встретил ее. Я успокаивал себя глупейшими идеями, из которых идея возвращения в Америку представлялась мне самой невероятной. Меликову вынесли приговор: год тюрьмы. Последние дни я провел в одиночестве. Силверс презентовал мне премию в пятьсот долларов.

— Может, увидимся в Париже, — сказал он. — Я собираюсь туда осенью, кое-что купить. Напишите мне.

Я ухватился за это предложение и обещал написать. Для меня было утешением, что он приедет в Европу, да еще по столь уважительной причине. Теперь Европа представлялась мне не такой ужасной, как прежде.

Вернувшись в Европу, я столкнулся с теперь уже чуждым мне миром. Музей в Брюсселе стоял на прежнем месте, но никто не мог мне сказать, что произошло там за эти годы. Имя спасшего меня человека еще не было забыто, но никто не знал, что с ним сталось. Мои поиски длились несколько лет. Я искал и в Германии. Я искал убийц своего отца. Порой я с болью думал о Кане: он оказался прав. Самое тяжкое разочарование было связано с возвращением: это было возвращение в чужой мир, к безразличию, к скрытой ненависти и трусости. Никто уже больше не вспоминал о своей принадлежности к партии варваров. Никто не чувствовал себя ответственным за то, что совершил. Я был не единственным человеком, носившим чужое имя. К тому времени появились сотни таких, которые своевременно обменяли паспорта, образовав тем самым эмиграцию убийц. Оккупационные власти были доброжелательны, но довольно беспомощны. Давая справки, им приходилось рассчитывать на немецких сотрудников, которых не мог не мучить страх перед последующей местью и которые всегда думали о кодексе чести, чтобы не замарать собственное гнездо. Я не мог восстановить в памяти лицо человека, который орудовал в крематории; никто не был в состоянии даже припомнить их имен; никто не желал ни вспоминать о преступлениях, ни отвечать за них; многие забывали даже о существовании концентрационных лагерей. Я натолкнулся на молчание, на глухую стену страха и отрицания. Некоторые пытались объяснить это тем, что народ слишком устал. Многие, так же как и я, потеряли своих близких во время войны. Каждый за эти годы многое испытал, о других вроде бы можно было и не заботиться. Немцы не нация революционеров. Они были нацией исполнителей приказов. Приказ заменял им совесть. Это стало их излюбленной отговоркой. Кто действовал по приказу, тот, по их мнению, не нес никакой ответственности.

Мне трудно описать, чем я только не занимался в те годы. Но не об этом я стремился рассказать в настоящих записках. Странно, со временем в моих воспоминаниях все чаще стала появляться Наташа. Я не

Эрих Мария Ремарк

чувствовал ни сожаления, ни раскаяния, но только теперь я осознал, чем она была для меня. Тогда я не понимал всего происходившего, но теперь, когда я то ли очистился от многого, то ли сумел сплавить воедино разочарования, отрезвление и колебания, это становилось для меня все яснее и яснее. У меня появилось впечатление, будто из грубой золотоносной руды выплавляется чистый металл. Это не имело ничего общего с моим разочарованием, но зато я стал более наблюдательным, приобрел способность видеть со стороны. Чем дальше было то время, тем явственнее было убеждение, что, хотя я этого тогда и не сознавал, Наташа явилась самым важным событием в моей жизни. К этому убеждению не примешивалось никакой сентиментальности, никакого сожаления, что я познал это слишком поздно. Мне даже казалось, что если бы я понял это в Нью-Йорке, Наташа, наверное, оставила бы меня. Моя независимость, проистекавшая из того, что я не принимал ее всерьез, по-видимому, и заставляла ее быть со мной. Иногда я размышлял и о возможности остаться в Америке. Если бы я заранее знал, что меня ожидает в Европе! И все же эти мысли набегали и уносились, как ветер, они не порождали ни слез, ни отчаяния, ибо я твердо знал, что одно невозможно без другого. Возврата быть не может, ничто не стоит на месте: ни ты сам, ни тот, кто рядом с тобой. Все, что от этого осталось в конце концов, это редкие вечера, полные грусти, — грусти, которую чувствует каждый человек, ибо все преходяще, а он — единственное существо на земле, которое это знает, как знает и то, что в этом — наше утешение. Хотя и не понимает почему.

Литературно-художественное издание

Ремарк Эрих Мария

ТЕНИ В РАЮ

Роман

Ответственный редактор *И. Горяева*
Технический редактор *Н. Духанина*
Компьютерная верстка *Г. Клочкова*
Корректор *З. Харитонова*

Общероссийский классификатор продукции
ОК-034-2014 (КПЕС 2008); 58.11.1 – книги, брошюры печатные

Произведено в Российской Федерации
Изготовлено в 2021 г. Изготовитель: ООО «Издательство АСТ»

ООО «Издательство АСТ»
129085, г. Москва, Звёздный бульвар, дом 21, строение 1, комната 705, пом. I, 7 этаж.
Наш электронный адрес: **www.ast.ru**
E-mail: neoclassic @ast.ru
ВКонтакте: vk.com/ast_neoclassic

«Баспа Аста» деген ООО
129085, Мәскеу қ., Звёздный бульвары, 21-үй, 1-құрылыс, 705-бөлме, I жай, 7-қабат.
Біздің электрондық мекенжайымыз: www.ast.ru
E-mail: neoclassic @ast.ru

Интернет-магазин: www.book24.kz
Интернет-дүкен: www.book24.kz
Импортёр в Республику Казахстан ТОО «РДЦ-Алматы».
Қазақстан Республикасындағы импорттаушы «РДЦ-Алматы» ЖШС.
Дистрибьютор и представитель по приему претензий на продукцию в Республике Казахстан:
ТОО «РДЦ-Алматы»

Қазақстан Республикасында дистрибьютор
және өнім бойынша арыз-талаптарды қабылдаушының
өкілі «РДЦ-Алматы» ЖШС, Алматы қ., Домбровский көш., 3-а», литер Б, офис 1.
Тел.: 8(727) 2 51 59 89,90,91,92, факс: 8 (727) 251 58 12 вн. 107;
E-mail: RDC-Almaty@eksmo.kz
Өнімнің жарамдылық мерзімі шектелмеген.

Өндірген мемлекет: Ресей
Сертификация қарастырылмаған

Подписано в печать 15.12.2020. Формат 76х100$^1/_{32}$.
Гарнитура «Newton». Печать офсетная. Усл. печ. л. 23,93.
Доп. тираж 7000 экз. Заказ 11363

Отпечатано с готовых файлов заказчика
в АО «Первая Образцовая типография»,
филиал «УЛЬЯНОВСКИЙ ДОМ ПЕЧАТИ»
432980, Россия, г. Ульяновск, ул. Гончарова, 14

ISBN 978-5-17-095171-0

16+